«Es muss sehr kalt gewesen sein in dieser langen Nacht. Eis überzog die Senken der Felder, die der Fluss überschwemmt hatte, doch ich erinnere mich nicht an die Kälte. Ich erinnere mich nur an die gespannte Erwartung. Ich berührte Schlangenhauch, und es schien mir, als bebe mein Schwert. So manches Mal schien es mir, als würde die Klinge singen. Es war ein feiner, halblauter Gesang, eine Totenklage, das Lied einer nach Blut dürstenden Klinge. Es war der Schwertgesang.»

Bernard Cornwell, geboren 1944, machte nach dem Studium Karriere bei der BBC, doch nach Übersiedlung in die USA – seine Frau ist Amerikanerin – war ihm die Arbeit im Journalismus mangels Green Card verwehrt. Und so entschloss er sich, einem langgehegten Wunsch nachzugehen, dem Schreiben. Im englischen Sprachraum gilt er seit langem als unangefochtener König des historischen Romans. Seine Werke wurden in über 20 Sprachen übersetzt – Gesamtauflage: mehr als 20 Millionen. Auch sein neuer Zyklus historischer Romane aus der Zeit Alfreds des Großen eroberte in Großbritannien und den USA die Bestsellerlisten im Sturm. Mit «Schwertgesang» liegt nun der vierte Band auf Deutsch vor. Eröffnet wurde der Zyklus mit «Das letzte Königreich» (rororo 24222), danach kamen «Der weiße Reiter» (rororo 24283) und «Die Herren des Nordens» (rororo 24538).

«Die Meisterschaft, mit der Cornwell historische Fakten und die Machtkämpfe der Epoche mit einer packenden Erzählung verbindet, ist einzigartig.» *(Guardian)*

BERNARD CORNWELL

Schwertgesang

Historischer Roman

Deutsch von Karolina Fell

Rowohlt Taschenbuch Verlag

Die Originalausgabe erschien 2007 unter dem Titel
«Sword Song» bei HarperCollins Publishers, London

6. Auflage September 2011

Deutsche Erstausgabe
Veröffentlicht im Rowohlt Taschenbuch Verlag,
Reinbek bei Hamburg, Januar 2009
Copyright © 2009 by Rowohlt Verlag GmbH,
Reinbek bei Hamburg
«Sword Song» Copyright © 2007 by Bernard Cornwell
Karte S. 8/9 Peter Palm, Berlin
Redaktion Nicole Seifert
Umschlaggestaltung any.way, Barbara Hanke/Cordula Schmidt
(Foto: Werner Forman/Corbis)
Satz Janson PostScript, PageOne
Gesamtherstellung CPI – Clausen & Bosse, Leck
Printed in Germany
ISBN 978 3 499 24802 3

Das für dieses Buch verwendete FSC®-zertifizierte Papier
Pamo Super liefert Arctic Paper Mochenwangen, Deutschland.

Schwertgesang is voor Aukje,
met liefde:
Er was eens ...

INHALT

Karte
8

Ortsnamen
10

Prolog
13

ERSTER TEIL
Die Braut
33

ZWEITER TEIL
Die Stadt
159

DRITTER TEIL
Das Wachschiff
359

Nachwort des Autors
477

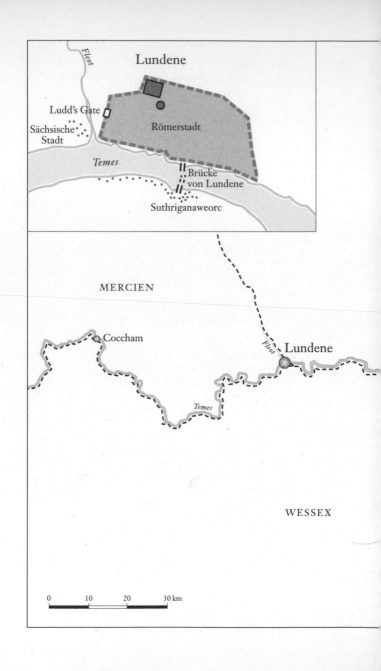

Sture

Orwell

Deben

Pant

Colaun

Horseg

NORDSEE

OSTANGLIEN

Thunresleam

Beamfleot

Hothlege

Caninga

Fughelness

Sceobyrig

T e m e s -
M ü n d u n g

Scerhnesse

Scaepege

Hrofeceastre

The Swealwe

Sture

Contwaraburg

Medwæg

N
S

ORTSNAMEN

Die Schreibung der Ortsnamen im angelsächsischen England war eine unsichere und regellose Angelegenheit, in der nicht einmal über die Namen selbst Übereinstimmung herrschte. London etwa wurde abwechselnd als Lundonia, Lundenberg, Lundenne, Lundene, Lundenwic, Lundenceaster und Lundres bezeichnet. Zweifellos hätten manche Leser andere Varianten der Namen, die unten aufgelistet sind, vorgezogen, doch ich habe mich in den meisten Fällen nach den Schreibungen gerichtet, die entweder im *Oxford Dictionary of English Place-Names* oder im *Cambridge Dictionary of English Place-Names* für die Jahre um die Herrschaft Alfreds von 871 bis 899 zu finden sind. Aber selbst diese Lösung ist nicht narrensicher. So wird die Insel Hayling dort für das Jahr 956 sowohl Heilincigae als auch Hæglingaiggæ geschrieben. Auch bin ich selbst nicht immer konsequent geblieben; ich habe die moderne Bezeichnung England dem älteren Englaland vorgezogen und, statt Norðhymbraland, Northumbrien geschrieben, weil ich den Eindruck vermeiden wollte, dass die Grenzen des alten Königreiches mit denjenigen des modernen Staates identisch sind. Aus all diesen Gründen folgt die untenstehende Liste ebenso unberechenbaren Regeln wie die Schreibung der Ortsnamen selbst.

Æscengum	Eashing, Surrey
Arwan	Fluss Orwell, Suffolk
Beamfleot	Benfleet, Essex

Bebbanburg	Bamburgh Castle, Northumberland
Berrocscire	Berkshire
Cair Ligualid	Carlisle, Cumbrien
Caninga	Insel Canvey, Essex
Cent	Kent
Cippanhamm	Chippenham, Wiltshire
Cirrenceastre	Cirencester, Gloucestershire
Cisscceastre	Chichester, Sussex
Coccham	Cookham, Berkshire
Colaun	Fluss Colne, Essex
Contwaraburg	Canterbury, Kent
Cornwalum	Cornwall
Cracgelad	Cricklade, Wiltshire
Dunastopol	Dunstable (von den Römern als Durocobrivis bezeichnet), Bedfordshire
Dunholm	Durham, Grafschaft Durham
Eoferwic	York, Yorkshire
Ethandun	Edington, Wiltshire
Exanceaster	Exeter, Devon
Fleot	Fluss Fleet, London
Frankia	Frankenreich
Fughelness	Insel Foulness, Essex
Grantaceaster	Cambridge, Cambridgeshire
Gyruum	Jarrow, Grafschaft Durham
Hastengas	Hastings, Sussex
Horseg	Insel Horsey, Essex
Hothlege	Fluss Hadleigh, Essex
Hrofeceastre	Rochester, Kent
Hwealf	Fluss Crouch, Essex
Lundene	London
Mæides Stana	Maidstone, Kent
Medwæg	Fluss Medway, Kent

Oxnaforda	Oxford, Oxfordshire
Padintune	Paddington, Groß-London
Pant	Fluss Blackwater, Essex
Scaepege	Insel Sheppey, Kent
Sceaftes Eye	Insel Sashes (bei Cookham)
Sceobyrig	Shoebury, Essex
Scerhnesse	Sheerness, Kent
Sture	Fluss Stour, Essex
Sutherge	Surrey
Suthriganaweorc	Southwark, Groß-London
Swealwe	Fluss Swale, Kent
Temes	Fluss Thames
Thunresleam	Thundersley, Essex
Wæced	Watchet, Somerset
Wæclingastræt	Watling Street
Welengaford	Wallingford, Oxfordshire
Werham	Wareham, Dorset
Wiltunscir	Wiltshire
Wintanceaster	Winchester, Hampshire
Wocca's Dun	South Ockenden, Essex
Wodenes Eye	Insel Odney (bei Cookham)

PROLOG

Dunkelheit. Winter. Eine frostige, mondlose Nacht.

Unser Schiff lag auf der Temes, und über seinen hohen Bug hinweg sah ich auf dem schimmernden Wasser das Spiegelbild der Sterne. Der Fluss führte Hochwasser, denn geschmolzener Schnee von zahllosen Hügeln hatte ihn anschwellen lassen. Die Schmelzbäche kamen aus den hochgelegenen Kalkebenen von Wessex. Im Sommer würden sie austrocknen, doch jetzt stürzten sie sich schäumend die langgestreckten grünen Hügel hinab und nährten den Fluss und flossen bis weit ins Meer.

Unser Schiff, das keinen Namen trug, lag am südlichen Ufer, hinter dem Wessex begann. Nördlich des Flusses lag Mercien. Unser Bug war stromaufwärts gerichtet. Wir verbargen uns unter den tief herabhängenden, winterkahlen Zweigen dreier Weidenbäume, gegen das Abtreiben mit der Strömung durch ein ledernes Tau gesichert, das wir um einen Ast geschlungen hatten.

Wir waren achtunddreißig in diesem namenlosen Gefährt, einem Handelsschiff, das den Oberlauf der Temes befuhr. Der Schiffsführer hieß Ralla, und er stand mit einer Hand auf dem Steuerruder neben mir. Ich konnte ihn in der Finsternis kaum sehen, doch ich wusste, dass er ein Lederwams trug und sich mit einem Schwert gegürtet hatte. Wir anderen waren mit Lederharnischen, Kettenhemden, Helmen, Schilden, Äxten, Schwertern oder Speeren gerüstet. Heute Nacht würden wir töten.

Sihtric, mein Diener, kauerte neben mir und fuhr mit

einem Wetzstein über die Klinge seines Kurzschwertes. «Sie sagt, sie liebt mich», erklärte er mir.

«Natürlich sagt sie das», sagte ich.

Er hielt inne, und als er weitersprach, klang seine Stimme lebhafter, als hätten ihn meine Worte ermutigt. «Und ich muss jetzt schon neunzehn Jahre alt sein, Herr! Vielleicht sogar zwanzig?»

«Achtzehn?», schlug ich vor.

«Ich könnte schon seit vier Jahren verheiratet sein, Herr!»

Wir sprachen beinahe flüsternd. Die Nacht war voller Geräusche. Das Wasser murmelte, die kahlen Zweige schlugen im Wind gegeneinander, ein Nachttier sprang klatschend in den Fluss, eine Füchsin heulte wie eine tote Seele, und irgendwo rief eine Eule. Das Schiff knarrte. Sihtrics Wetzstein zischte und kratzte über den Stahl. Ein Schild schlug dumpf gegen eine Ruderbank. Trotz all dieser nächtlichen Geräusche wagte ich es nicht, lauter zu sprechen, denn das feindliche Schiff lag stromaufwärts vor uns, und die Männer, die von diesem Schiff aus an Land gegangen waren, hatten bestimmt Wachen an Bord zurückgelassen. Diese Wachen mochten uns gesehen haben, als wir auf der mercischen Uferseite stromabwärts gefahren waren, doch mittlerweile würden sie bestimmt annehmen, dass wir uns weit Richtung Lundene entfernt hatten.

«Aber wer will eine Hure heiraten?», fragte ich Sihtric.

«Sie ist …», setzte Sihtric an.

«Sie ist alt», knurrte ich, «vielleicht schon dreißig. Und verdorben ist sie obendrein. Ealswith muss einen Mann nur sehen, und schon macht sie die Beine breit! Wenn du jeden Mann aufstellen würdest, der diese Hure besprungen hat, dann hättest du eine Armee vor dir, mit der du ganz Britannien erobern könntest.» Neben mir kicherte Ralla. «Und wärst du auch in dieser Armee, Ralla?», fragte ich.

«Mit mehr als zwanzigfacher Sicherheit, Herr», sagte der Schiffsführer.

«Sie liebt mich.» Sihtric klang trotzig.

«Sie liebt dein Silber», sagte ich, «und außerdem, warum sollte man ein neues Schwert in eine alte Scheide stecken?»

Es ist merkwürdig, über was Männer vor dem Kampf so reden. Über alles, außer über das, was sie vor sich haben. Ich habe in einem Schildwall gestanden, vor mir den Feind mit hell blitzenden Klingen und finster drohenden Mienen, und da hörte ich zwei meiner Männer wild darüber streiten, welche Schänke das beste Bier braut. Angst umhüllt uns wie eine Wolke und wir reden über Nichtigkeiten, weil wir so tun wollen, als gäbe es diese Wolke nicht.

«Such dir was hübsches Junges», riet ich Sihtric. «Die Tochter dieses Töpfers ist alt genug zum Heiraten. Sie muss jetzt dreizehn sein.»

«Die ist dumm», wandte Sihtric ein.

«Und was bist du?», wollte ich von ihm wissen. «Ich gebe dir Silber, und du wirfst es in das nächstbeste Loch! Als ich sie das letzte Mal gesehen habe, trug sie einen Armring, den ich dir gegeben hatte.»

Er schniefte und sagte nichts mehr. Sein Vater war Kjartan der Grausame gewesen, ein Däne, und seine Mutter eine der sächsischen Sklavinnen, die Kjartan besprungen hatte. Doch Sihtric war ein guter Junge, obwohl er in Wahrheit kein Junge mehr war. Er war ein Mann, der im Schildwall gestanden hatte. Ein Mann, der getötet hatte. Ein Mann, der heute Nacht wieder töten würde. «Ich suche dir eine Frau», versprach ich ihm.

Und da hörten wir die Schreie. Sie waren nur schwach zu vernehmen, denn sie kamen von weit weg, waren kaum mehr als kratzende Geräusche in der Dunkelheit und zeugten von Schmerz und Tod in südlicher Richtung. Schreie und Rufe. Frauen schrien, und zweifellos starben Männer.

«Verflucht sollen sie sein», sagte Ralla bitter.

«Das ist unsere Arbeit», sagte ich knapp.

«Wir hätten …», fing Ralla an, doch dann überlegte er es sich anders und schwieg. Ich wusste, was er hatte sagen wollen, dass wir nämlich das Dorf hätten beschützen sollen, doch er wusste auch, was ich geantwortet hätte.

Ich hätte ihm erklärt, dass wir nicht wussten, welches Dorf die Dänen angreifen würden, und selbst wenn, hätte ich es nicht geschützt. Wir hätten das Dorf decken können, wenn wir gewusst hätten, wo die Angreifer ihren Vorstoß machen würden. Ich hätte meine gesamte Haustruppe auf die kleinen Hütten verteilen und, in dem Moment, in dem die Feinde kamen, mit Schwertern, Äxten und Speeren ausbrechen können, und wir hätten einige von ihnen getötet, aber in der Dunkelheit wären noch viel mehr von ihnen entkommen, und ich wollte nicht, dass auch nur einer von ihnen entkam. Ich wollte jeden Dänen, jeden Nordmann, ich wollte jeden Angreifer tot sehen. Alle, bis auf einen, und diesen einen würde ich nach Osten schicken, damit er in den Lagern der Wikinger die Nachricht verbreitete, dass an den Ufern der Temes Uhtred von Bebbanburg auf sie wartete.

«Arme Seelen», murmelte Ralla. Durch das Gewirr der Weidenzweige sah ich im Süden den rötlichen Schimmer brennender Strohdächer. Der Schimmer wurde zusehends leuchtender und breitete sich aus, bis er den winterlichen Himmel über einem Niederwald erhellte. Der Schimmer spiegelte sich in den Helmen meiner Männer, tauchte das Metall in einen roten Widerschein, und ich rief ihnen zu, sie sollten die Helme abnehmen, um zu vermeiden, dass die Wachen in dem großen Schiff vor uns die rotglühende Spiegelung entdeckten. Auch ich nahm meinen Helm mit dem silbernen Wolfskamm ab.

Ich bin Uhtred, Herr von Bebbanburg, und damals war ich ein Kriegsherr. Ich stand dort in Lederrüstung und Kettenhemd, mit Umhang und Waffen, jung und stark. Die Hälfte meiner Haustruppe war bei mir in Rallas Schiff, die andere Hälfte befand sich unter Finans Kommando weiter westlich zu Pferde.

Jedenfalls hoffte ich, dass sie dort im nachtumhüllten Westen auf uns warteten. Mit dem Schiff hatten wir es leichter gehabt, denn wir konnten uns den dunklen Fluss hinabtreiben lassen, um auf den Feind zu treffen, während Finan seine Männer über das nachtschwarze Land hatte führen müssen. Doch ich vertraute auf Finan. Er würde dort sein, ruhelos und grimmig, und nur darauf warten, endlich sein Schwert ziehen zu können.

Dies war nicht unser erster Versuch in diesem langen, feuchten Winter, dem Feind an der Temes aufzulauern, doch es war der erste, der Erfolg versprach. Zweimal schon war mir berichtet worden, dass die Nordmänner die eingebrochene Brücke von Lundene hatten überwinden können, und die schwach gesicherten, wehrlosen Dörfer von Wessex überfallen hatten, und beide Male waren wir den Fluss heruntergefahren und hatten sie nicht gefunden. Doch dieses Mal hatten wir die Wölfe eingekreist. Ich berührte das Heft von Schlangenhauch, meinem Schwert, und dann berührte ich das Amulett, das um meinen Hals hing, den Hammer Thors.

Töte sie alle, betete ich zu Thor, töte sie alle bis auf einen.

Es muss sehr kalt gewesen sein in dieser langen Nacht. Eis überzog die Senken der Felder, die der Fluss überschwemmt hatte, doch ich erinnere mich nicht an die Kälte. Ich erinnere mich nur an die gespannte Erwartung. Ich berührte Schlangenhauch erneut, und es schien mir, als bebe mein Schwert. So manches Mal schien es mir, als würde die Klinge singen. Es war ein feiner, halblauter Gesang, eine Totenklage, das Lied einer nach Blut dürstenden Klinge. Es war der Schwertgesang.

Wir warteten, und danach, als alles vorüber war, sagte Ralla mir, dass ich die ganze Zeit nicht aufgehört hatte zu lächeln.

Ich dachte nicht, dass unser Hinterhalt sicher wäre, denn die Plünderer kehrten erst zu ihrem Schiff zurück, als das Morgenrot den östlichen Himmel erglühen ließ. Ihre Wächter, dachte ich, müssten uns entdecken, doch sie taten es nicht. Die schwankenden Zweige der Weiden hingen wie ein tarnendes Netz vor uns, vielleicht aber wurden die Feinde auch von der aufsteigenden Wintersonne geblendet, denn niemand sah uns.

Doch wir sahen sie. Wir sahen die Männer in ihren Kettenhemden eine Gruppe von Frauen und Kindern über ein regendurchtränktes Feld treiben. Ich schätzte, dass es etwa fünfzig Plünderer waren und ebenso viele Gefangene. Die Frauen waren vermutlich die jungen Mädchen aus dem niedergebrannten Dorf, und sie sollten dem Vergnügen der Plünderer dienen. Die Kinder würden auf dem Sklavenmarkt von Lundene verkauft werden und von dort aus übers Meer ins Frankenreich oder noch weiter weg geschickt werden. Auch die Frauen würden, nachdem sich die Plünderer zur Genüge an ihnen befriedigt hatten, verkauft werden. Wir waren nicht nahe genug, um das Schluchzen der Gefangenen zu hören, doch ich konnte es mir gut genug vorstellen. Südwärts, wo sanfte grüne Hügel die Flussniederung umrahmten, beschmutzten langgestreckte Rauchschwaden den klaren Winterhimmel und zeigten an, wo die Angreifer das Dorf niedergebrannt hatten.

Ralla bewegte sich. «Warte», murmelte ich, und Ralla rührte sich nicht mehr. Er war grauhaarig, zehn Jahre älter als ich, und seine Augen waren nach seinen vielen langen Fahrten über spiegelnde Meere nur noch Schlitze. Er war ein Schiffsführer, ein Krieger und Freund. «Noch nicht», sagte ich leise, und ich berührte Schlangenhauch und fühlte, wie der Stahl bebte.

Männerstimmen wurden laut, sorgloses Gelächter drang bis zu uns. Mit lebhaften Rufen drängten sie ihre Gefangenen aufs Schiff. Die Männer zwangen sie, in den Kielraum zu kriechen, in dem das kalte Wasser schwappte, damit das überladene Schiff ohne Schlagseite über die Untiefen flussabwärts kam, wo die Temes durch ein felsiges Bett rauschte und nur die besten und kaltblütigsten Schiffsführer die Durchfahrt meistern konnten. Dann stiegen die Krieger mit ihrer Beute an Bord. Mit den Spießen und Kesseln und den metallenen Scharen der Pflüge und Messern und was sich sonst noch verkaufen, einschmelzen oder gebrauchen ließ. Sie lachten grölend. Diese Männer hatten Menschen abgeschlachtet, und sie würden durch ihre Gefangenen reich werden, und sie waren in fröhlicher, unbesorgter Stimmung.

Und Schlangenhauch sang leise in seiner Scheide.

Ich hörte das dumpfe Poltern von dem anderen Schiff,

mit dem die Ruder in ihre Halterungen geschoben wurden. Eine Stimme rief: «Abstoßen!»

Der große Schnabel des feindlichen Schiffes, den der bemalte Kopf eines Untiers krönte, drehte sich in den Fluss. Männer drückten Ruderblätter gegen das Ufer, um das Schiff weiter hinauszuschieben. Es bewegte sich, wurde von der Hochwasserströmung in unsere Richtung getragen. Ralla sah mich an.

«Jetzt», sagte ich. «Das Seil kappen!», rief ich, und Cerdic hieb von unserem Bug aus das Ledertau durch, das uns an der Weide gehalten hatte. Wir benutzten nur zwölf Ruder, und sie tauchten nun in den Fluss, während ich zwischen den Ruderbänken hindurch nach vorne ging. «Wir töten sie alle!», rief ich. «Wir töten sie alle!»

«Rudert!», brüllte Ralla, und die zwölf Männer legten sich gegen die Strömung des Flusses in die Ruder.

«Wir töten noch den Letzten dieser Bastarde!», rief ich und stieg auf das kleine Bugpodest, auf dem mein Schild stand. «Tötet sie alle! Tötet sie alle!» Ich setzte meinen Helm auf, schob meinen linken Unterarm durch die ledernen Schlaufen des Schildes, hob das schwere Holz an und zog Schlangenhauch aus seiner mit Wollvlies gefütterten Scheide. Mein Schwert sang nicht mehr. Es schrie.

«Töten!», rief ich. «Töten, töten, töten!», und die Ruder tauchten im Takt meiner Rufe ins Wasser. Vor uns schwenkte das feindliche Schiff in die Strömung, weil die überraschten Männer mit dem Ruderschlag ausgesetzt hatten. Sie riefen durcheinander, suchten nach ihren Schilden und kletterten über die Ruderbänke, auf denen ein paar von ihnen immer noch versuchten weiterzurudern. Frauen schrien und Männer stolperten übereinander.

«Rudert!», rief Ralla. Unser namenloses Schiff schoss in

die Strömung, während der Feind auf uns zu getrieben wurde. Der Kopf des Untiers hatte eine leuchtend rot bemalte Zunge, weiße Augen und Zähne wie Dolchklingen.

«Jetzt!», rief ich Cerdic zu, und er schleuderte den Haken an der Kette über die Bugwand des feindlichen Schiffes und zog an der Kette, damit sich der Haken tief in die Schiffsplanke fraß und er das Schiff zu uns heranziehen konnte.

«Jetzt tötet sie!», rief ich und sprang über die Lücke auf das andere Schiff.

Oh, die Freude, jung zu sein. Achtundzwanzig Jahre alt zu sein, stark zu sein, ein Kriegsherr zu sein. All das ist jetzt vorbei, nur noch die Erinnerung ist übrig, und Erinnerungen verblassen. Aber die Freude ist in meinem Gedächtnis noch lebendig.

Schlangenhauchs erster Schlag war ein Hieb rückwärts. Ich tat ihn, als ich auf das Bugpodest des feindlichen Schiffes sprang, wo ein Mann versuchte, den Haken aus dem Holz zu zerren, und Schlangenhauch fuhr unter seine Kehle und traf ihn so schnell und kraftvoll, dass der Kopf des Mannes halb abgetrennt wurde. Sein Schädel schnappte zurück, und Blut spritzte hell in den Wintermorgen. Blut spritzte auf mein Gesicht. Ich war der Tod, herabgekommen aus der Dämmerung, der blutüberströmte Tod in Kettenrüstung und schwarzem Umhang und wolfsgekröntem Helm.

Jetzt bin ich alt. So alt. Meine Augen werden schlecht, meine Muskeln sind schwach, meine Pisse tröpfelt, meine Knochen schmerzen und ich sitze in der Sonne und schlafe ein, um müde wieder aufzuwachen. Aber ich erinnere mich an diese Kämpfe, diese alten Kämpfe. Meine neueste Frau, das frömmlerischste Stück Weib, das die

Menschheit je mit ihrem Gegreine belästigt hat, zuckt zusammen, wenn ich diese Geschichten erzähle, aber was haben die Alten sonst, außer ihren Geschichten? Einmal hat sie aufbegehrt, gesagt, sie wolle nichts wissen von Köpfen, die zurückschnellen und helles Blut verspritzen, aber wie sollen wir unsere jungen Männer anders auf die Kämpfe vorbereiten, die sie bestehen müssen? Ich habe mein ganzes Leben lang gekämpft. Das war mein Schicksal, unser aller Schicksal. Alfred wollte den Frieden, doch der Frieden floh ihn und die Dänen kamen und die Nordmänner kamen, und er hatte keine andere Wahl, als zu kämpfen. Und nachdem Alfred tot war und sein Königreich mächtig, kamen noch mehr Dänen und noch mehr Nordmänner, und die Britonen kamen aus Wales und die Schotten aus dem Norden stimmten ihr Drohgeheul an, und was kann ein Mann anderes tun, als für seine Heimat zu kämpfen, für seine Familie, sein Haus und sein Land? Ich betrachte meine Kinder und ihre Kinder und die Kinder meiner Kindeskinder, und ich weiß, dass sie kämpfen müssen, und solange es eine Familie mit Namen Uhtred gibt und solange es ein Königreich auf dieser windgepeitschten Insel gibt, wird es auch Krieg geben. Also können wir vor dem Krieg nicht zurückschrecken. Wir können uns vor seiner Grausamkeit, seinem Blut, seinem Gestank, seiner Widerwärtigkeit oder seinem Hochgefühl nicht verstecken, denn der Krieg wird kommen, ob wir es wollen oder nicht. Krieg ist Schicksal und wyrd bið ful ãræd. Das Schicksal ist unausweichlich.

Also erzähle ich diese Geschichten, damit meine Kindeskinder ihr Schicksal kennen. Meine Frau jammert, aber sie muss zuhören. Ich erzähle ihr, wie unser Schiff in die Seite des feindlichen Schiffes gefahren ist und wie der

Aufprall den Bug des Feindes gegen das südliche Ufer getrieben hat. Das hatte ich gewollt, und genau das war Ralla gelungen. Nun lenkte er sein Schiff am Rumpf des feindlichen Schiffes entlang, und unser Schwung ließ die ausgelegten Ruder der Dänen zersplittern, während meine Männer Schwerter und Äxte schwingend hinübersprangen. Ich war nach meinem ersten Hieb gestrauchelt, doch der tote Mann war von dem Podest gestürzt und hatte zwei andere umgerissen, die mich angreifen wollten, und ich brüllte herausfordernd, als ich ihnen nachsetzte, um sie zu stellen. Schlangenhauch war tödlich. Mein Schwert hatte und hat eine großartige Klinge. Sie wurde von einem Sachsen im Norden geschmiedet, der sein Handwerk verstand. Er hatte sieben Stangen benutzt, vier aus Eisen und drei aus Stahl, und er hatte sie erhitzt und zu einer einzigen langen, zweischneidigen Klinge mit einer blattförmigen Spitze gehämmert. Die vier weicheren Eisenstangen waren im Feuer umeinander gedreht worden, und diese Drehungen bildeten sich in der Klinge als geisterhaftes Muster ab, das aussah wie der wirbelnde Atem eines Drachen, und so war Schlangenhauch zu seinem Namen gekommen.

Ein Mann mit struppigem Bart schwang seine Axt gegen mich, und ich fing sie mit meinem Schild ab. In derselben Bewegung ließ ich den Atem des Drachen in seinen Bauch fahren. Ich drehte dabei meine rechte Hand, damit sein sterbendes Fleisch und seine Gedärme nicht an der Klinge hängen blieben, dann zerrte ich sie heraus, noch mehr Blut floss, und ich zog den Schild, in dem noch seine Axt steckte, an meinen Körper, um mich vor einem Schwerthieb zu schützen. Sihtric stand neben mir und trieb meinem neuesten Angreifer sein Schwert in die Leiste. Der Mann kreischte. Ich werde wohl geschrien haben. Mehr und mehr meiner Männer waren an Bord gekommen, überall blitzten Schwerter und Äxte. Kinder weinten, Frauen jammerten, Plünderer starben.

Der Bug des feindlichen Schiffes lief in den Uferschlamm, während sich das Heck langsam in die starke Strömung des Flusses drehte. Einige der Plünderer ahnten, dass sie nichts als den Tod zu erwarten hatten, wenn sie an Bord blieben, sprangen über Bord und lösten damit Angst und Schrecken unter ihren Kampfgefährten aus. Immer mehr von ihnen sprangen ans Ufer, und in diesem Moment kam Finan von Westen heran.

Über der Flussaue hing leichter Bodennebel, gerade nur ein perlmutterner Schein, der über die vereisten Wassertümpel zog, und mitten hindurch brachen Finans strahlende Reiter. Sie kamen in zwei Reihen, die Schwerter wie Speere erhoben, und Finan, mein todbringender Ire, wusste, was er tat, und galoppierte mit der ersten Reihe hinter die fliehenden Männer, um ihnen den Rückweg abzuschneiden, und ließ den Feind von seiner zweiten Reihe angreifen, bevor er seine eigenen Männer umdrehen ließ und in den Kampf führte.

«Tötet sie alle!», rief ich ihm zu. «Tötet jeden Einzelnen!»

Zur Antwort winkte er mit seinem blutbesudelten Schwert. Ich sah Clapa, meinen bärenhaften Dänen, einen Feind im seichten Wasser am Ufer durchbohren. Rypere hackte mit seinem Schwert auf einen am Boden kauernden Mann ein. Sihtrics Schwerthand war rot. Cerdic schwang eine Axt und brüllte unverständliche Laute, als er die Schneide niederfahren ließ und den Helm des Dänen zerschmetterte, sodass Blut und Hirn auf die entsetzten Gefangenen spritzten. Ich glaube, ich habe danach noch zwei Männer getötet, aber ich erinnere mich nicht genau. Ich weiß, dass ich einen Mann auf dem Deck zu Fall gebracht und ihm, als er sich zu mir umdrehte, Schlangenhauch in den Schlund gestoßen und gesehen habe, wie sich sein Gesicht verzerrte und seine Zunge unter all dem Blut hervortrat, das zwischen seinen schwärzlichen Zähnen emporwallte. Ich lehnte mich auf die Klinge, als der Mann starb, und beobachtete, wie Finans Männer ihre Pferde wendeten, um sich über den eingekreisten Feind herzumachen. Die Reiter hieben und stachen, Wikinger schrien, und mancher wollte sich ergeben. Ein junger Mann kniete auf einer Ruderbank, Axt und Schild hatte er weggeworfen, und streckte mir flehend seine Hände entgegen. «Nimm die Axt», sagte ich auf Dänisch zu ihm.

«Herr …», setzte er an.

«Nimm sie!», unterbrach ich ihn, «und in der Totenhalle sehen wir uns wieder.» Ich wartete, bis er bewaffnet war, und dann ließ ich Schlangenhauch sein Leben beenden. Ich tat es schnell und zeigte mich gnädig, indem ich ihm mit einem einzigen schabenden Hieb die Kehle durchschnitt. Ich sah ihm in die Augen, während ich ihn tötete, sah seine Seele entschwinden, und dann trat ich mit einem Schritt über seinen zuckenden Körper hinweg, der von der Ruderbank rutschte und blutüberströmt einer jungen Frau in den Schoß fiel, die vor lauter Grauen anfing, gellend zu schreien. «Ruhig!», brüllte ich sie an. Darauf ließ ich meine finsteren Blicke einschüchternd auch noch über alle anderen schreienden oder heulenden Frauen und Kinder wandern, die im Kielraum hockten. Dann packte ich den sterbenden Mann am Ausschnitt seines Kettenhemdes und zerrte ihn zurück auf die Bank.

Ein Kind weinte nicht. Es war ein Junge, vielleicht neun oder zehn Jahre alt. Er starrte mich einfach nur mit offenem Mund an, und da erinnerte ich mich an mich selbst in diesem Alter. Was hat dieser Junge gesehen? Er sah einen Mann aus Metall, denn ich hatte zum Kampf die Wangenstücke meines Helms geschlossen. So sieht man zwar weniger, doch bietet man eine furchterregendere Erscheinung. Dieser Junge sah einen hochgewachsenen Mann im Kettenpanzer, mit blutigem Schwert und stählernem Gesicht über ein Schiff voller Toter stolzieren. Ich nahm meinen Helm ab und schüttelte mein Haar, dann warf ich ihm das Stück mit dem Wolfskamm zu. «Pass drauf auf, Junge», hieß ich ihn, und dann gab ich Schlangenhauch der jungen Frau, die geschrien hatte. «Wasche die Klinge im Flusswasser ab», befahl ich ihr, «und dann trocknest du sie am Umhang eines Toten.» Meinen Schild reichte ich Sihtric. Und dann streckte ich meine Arme weit aus und hob mein Gesicht der Morgensonne entgegen.

Es waren vierundfünfzig Plünderer gewesen, und sechzehn lebten noch. Sie waren Gefangene. Keiner von ihnen war Finans Reitern entkommen. Ich zog Wespenstachel, mein Kurzschwert, das beim Kampf im Schildwall, in dem sich die Männer so dicht zusammendrängen wie Liebende, so todbringend ist. «Jede von euch», ich richtete meinen Blick auf die Frauen, «die den Mann töten will, der sie geschändet hat, kann das jetzt tun!»

Zwei Frauen wollten Rache nehmen, und ich überließ ihnen dafür Wespenstachel. Alle beide schlachteten ihre Opfer blutig ab. Die eine stach immer wieder zu, die andere hackte, und die zwei Männer starben langsam. Von den übrigen vierzehn Männern trug nur einer kein Kettenhemd.

Er war der Schiffsführer der Feinde. Er war grauhaarig, hatte einen spärlichen Bart und sah mich aus braunen, angriffslustigen Augen an. «Von wo seid ihr gekommen?», fragte ich ihn.

Er dachte daran, mir keine Antwort zu geben, doch dann überlegte er es sich besser. «Beamfleot», sagte er.

«Und Lundene?», fragte ich. «Ist die alte Stadt immer noch in dänischer Hand?»

«Ja.»

«Ja, Herr», verbesserte ich ihn.

«Ja, Herr», gab er nach.

«Dann wirst du nach Lundene gehen», erklärte ich ihm. «Und dann nach Beamfleot, und dann wohin du willst, und du wirst den Nordmännern berichten, dass Uhtred von Bebbanburg über die Temes wacht. Und du wirst ihnen berichten, dass sie hier jederzeit willkommen sind.»

Dieser eine Mann blieb am Leben. Ich schlug ihm die rechte Hand ab, bevor ich ihn gehen ließ. Ich tat das, damit er nie mehr ein Schwert erheben konnte. Wir hatten ein Feuer entzündet, und ich drückte seinen blutenden Armstumpf in die rotglühenden Scheite, um die Wunde zu verschließen. Er war tapfer. Er zuckte zusammen, als wir seinen Stumpf ausbrannten, doch er schrie nicht einmal, als sein Blut in Blasen kochte und sein Fleisch zischte. Ich wickelte seinen verkürzten Arm in ein Stück Tuch, das ich aus dem Hemd eines toten Mannes gerissen hatte. «Geh», befahl ich ihm und deutete flussabwärts. «Geh einfach.» Und er ging in östlicher Richtung. Wenn er Glück hatte, würde er den Weg überleben und die Nachricht von meiner Grausamkeit verbreiten können.

Die anderen töteten wir. Alle.

«Warum hast du sie getötet?», hat mich meine neue

Frau einmal gefragt, und aus ihrer Stimme klang der Abscheu vor meiner Gründlichkeit.

«Damit sie das Fürchten lernen natürlich», antwortete ich.

«Tote Männer können sich nicht fürchten», sagte sie.

Ich mühte mich, Geduld für sie aufzubringen. «Ein Schiff war aus Beamfleot ausgelaufen», erklärte ich ihr, «doch es ist niemals zurückgekehrt. Und andere Männer, die in Wessex plündern wollten, haben vom Schicksal dieses Schiffes erfahren. Und diese Männer beschlossen, es mit ihren Schwertern anderswo zu versuchen. Ich habe diese Schiffsbesatzung getötet, um nicht noch Hunderte weiterer Dänen töten zu müssen.»

«Der liebe Herr Jesus hätte sich gewünscht, dass du Gnade walten lässt», sagte sie mit aufgerissenen Augen.

Sie ist eben eine Närrin.

Finan brachte ein paar der Gefangenen zurück in das niedergebrannte Dorf, wo sie Gräber für ihre Toten aushoben, während meine Männer die Leichen unserer Feinde an Bäumen entlang des Flusses aufhängten. Die Stricke dazu machten wir aus Streifen, in die wir ihre Kleidung gerissen hatten. Wir nahmen ihnen ihre Kettenhemden, ihre Waffen und ihre Armringe. Wir schnitten ihnen das lange Haar ab, denn ich dichtete meine Schiffsplanken gern mit den Haaren meiner erschlagenen Feinde ab, und dann hängten wir sie auf, und ihre bleichen nackten Körper drehten sich im leichten Wind, als die Raben kamen, um sich ihre toten Augen zu holen.

Dreiundfünfzig Leichen hingen am Fluss. Denjenigen zur Warnung, die als Nächste kommen wollten. Dreiundfünfzig Zeichen, dass andere Plünderer ihr Leben aufs Spiel setzten, wenn sie die Temes heraufruderten.

Dann kehrten wir nach Hause zurück. Das feindliche Schiff nahmen wir mit.

Und Schlangenhauch schlief in seiner Schwertscheide.

ERSTER TEIL

Die Braut

EINS

«Die Toten reden», erklärte mir Æthelwold. Ausnahmsweise einmal war er nüchtern. Nüchtern und furchtsam und ernsthaft. Der Nachtwind strich ums Haus, und die Binsenkerzen flackerten rötlich in dem frostigen Luftzug, der durch das Abzugsloch im Dach und durch die Ritzen der Türen und Läden hereinfuhr.

«Die Toten reden?», fragte ich.

«Ein Leichnam», sagte Æthelwold, «er steht aus seinem Grab auf, und er redet.» Er starrte mich aus weit aufgerissenen Augen an und nickte, wie um zu bestätigen, dass er die Wahrheit sprach. Dann beugte er sich zu mir vor, die Hände zwischen den Knien ineinander verschlungen. «Ich habe es selbst gesehen», fügte er hinzu.

«Eine sprechende Leiche?», fragte ich.

«Er steht auf!» Æthelwold hob die Hand, um seine Worte zu bekräftigen.

«Er?»

«Der tote Mann. Er steht auf, und er redet.» Immer noch starrte er mich an, er war aufgebracht. «Es ist wahr», setzte er in einem Ton hinzu, der klarmachte, dass er wusste, wie wenig ich ihm glaubte.

Ich zog meine Bank ein Stück näher zur Feuerstelle. Es waren zehn Tage vergangen, seit ich die Plünderer getötet und ihre Körper am Fluss aufgehängt hatte, und jetzt prasselte Eisregen auf das Strohdach und hämmerte gegen die geschlossenen Fensterläden. Zwei meiner Hunde lagen vor dem Feuer, und einer von ihnen warf mir einen vorwurfsvollen Blick zu, als ich die Bank quietschend über den Boden zog, und legte dann seinen Kopf wieder auf die Pfoten. Das Haus war von den Römern erbaut worden, und das bedeutete, dass es einen Ziegelboden und Wände aus Stein besaß, wenn ich das Dach auch selbst mit Stroh gedeckt hatte. Regentropfen spritzten durch den Rauchabzug in der Decke herein. «Und was sagt der tote Mann?», fragte Gisela. Sie war meine Frau und die Mutter meiner beiden Kinder.

Æthelwold antwortete nicht sofort, vielleicht weil er fand, eine Frau solle keinen Anteil an einem ernsthaften Gespräch haben, doch mein Schweigen sagte ihm deutlich genug, dass Gisela sehr wohl in ihrem eigenen Haus sprechen durfte, und er war zu aufgeregt, um darauf zu bestehen, dass ich sie wegschickte. «Er sagt, ich sollte König sein», gab er kaum vernehmbar preis, dann sah er mich an und wartete furchtsam auf meine Reaktion.

«König von was?», fragte ich rundheraus.

«Wessex», sagte er, «natürlich.»

«Oh, Wessex», sagte ich, als hätte ich niemals von dieser Gegend gehört.

«Und ich sollte wirklich König sein!», begehrte Æthelwold auf. «Mein Vater war der König!»

«Und jetzt ist der Bruder deines Vaters König», sagte ich, «und die Leute finden, dass er ein guter König ist.»

«Und was findest du?», forderte er mich heraus.

Ich antwortete nicht. Es war ausreichend bekannt, dass ich Alfred nicht mochte und dass Alfred mich nicht mochte, aber das bedeutete nicht, dass Alfreds Neffe, Æthelwold, einen besseren König abgäbe. Æthelwold war ebenso wie ich Ende zwanzig, und er hatte sich vor allem als Säufer und lüsterner Tor einen Namen gemacht. Und dennoch hatte er Anspruch auf den Thron von Wessex. Sein

Vater war in der Tat hier König gewesen, und wenn Alfred auch nur einen Fingerhut voll Verstand besessen hätte, dann hätte er seinem Neffen die Kehle durchschneiden lassen. Stattdessen verließ sich Alfred darauf, dass Æthelwolds Lust am Biertrinken ihn davon abhielt, ihm Schwierigkeiten zu machen. «Und wo hast du diese lebende Leiche gesehen?», fragte ich ihn, ohne auf seine Frage zu antworten.

Er wedelte in Richtung der Nordmauer des Hauses. «Auf der anderen Seite der Straße», sagte er. «Gerade auf der anderen Seite.»

«Wæclingastræt?», fragte ich ihn, und er nickte.

Also redete er mit den Dänen genauso wie mit den Toten. Wæclingastræt ist eine Straße, die Lundene in nordwestlicher Richtung verlässt. Sie führt durch ganz Britannien und endet an der Irischen See etwas nördlich von Wales, und mehr oder weniger alles, was südlich dieser Straße lag, war sächsisches Gebiet, und alles im Norden hatten die Dänen gewonnen. Das war der Friede, den wir in diesem Jahr 885 hatten, doch es war ein Friede voller kleiner Übergriffe und voller Hass. «Ist es eine dänische Leiche?», fragte ich.

Æthelwold nickte. «Er heißt Bjorn», sagte er, «und er war ein Skalde an Guthrums Hof, der sich geweigert hat, Christ zu werden, also hat Guthrum ihn umgebracht. Er kann aus seinem Grab heraufgerufen werden. Ich habe es gesehen.»

Ich sah Gisela an. Sie war Dänin, und die Art Zauberei, die Æthelwold beschrieb, kannte ich von meinen Sachsen nicht. Gisela zuckte mit den Schultern. Auch ihr war diese Magie fremd. «Und wer ruft den toten Mann?», fragte sie.

«Ein frischer Leichnam», sagte Æthelwold.

«Ein frischer Leichnam?», fragte ich.

«Jemand muss ins Reich der Toten geschickt werden», erklärte er, als sei das allzu einleuchtend, «um Bjorn zu suchen und ihn zurückzubringen.»

«Also töten sie jemanden?», fragte Gisela.

«Wie sollten sie sonst einen Boten ins Totenreich schicken können?», fragte Æthelwold streitlustig.

«Und dieser Bjorn», fragte ich, «spricht er Englisch?» Ich stellte diese Frage, weil ich wusste, dass Æthelwold kaum Dänisch verstand.

«Er spricht Englisch», sagte Æthelwold trotzig. Es gefiel ihm nicht, so ausgefragt zu werden.

«Wer hat dich zu ihm gebracht?», fragte ich.

«Ein paar Dänen», antwortete er ausweichend.

Ich grinste höhnisch. «Also sind ein paar Dänen gekommen», sagte ich, «und haben dir erzählt, ein toter Dichter wolle mit dir sprechen, und du bist lammfromm in Guthrums Gebiet gereist?»

«Sie haben mir Gold dafür gegeben», verteidigte er sich. Æthelwold hatte ständig Schulden.

«Und warum kommst du jetzt zu uns?», fragte ich. Æthelwold antwortete nicht. Er rutschte unruhig herum und beobachtete Gisela, die an ihrem Spinnrocken einen Strang Wolle auszog. «Du gehst in Guthrums Land», beharrte ich, «du sprichst mit einem toten Mann, und dann kommst du zu mir. Warum?»

«Weil Bjorn gesagt hat, dass auch du König werden wirst», sagte Æthelwold. Er hatte nicht laut gesprochen, doch auch so hob ich eine Hand, um ihn zum Schweigen zu bringen, und sah angespannt zur Tür, als erwartete ich, in der Dunkelheit des anschließenden Zimmers einen Lauscher zu entdecken. Ich zweifelte nicht daran, dass Alfred seine Spitzel in meinem Hausstand untergebracht hatte, und ich glaubte zu wissen, wer sie waren, dennoch war ich nicht ganz sicher, ob ich alle von ihnen erkannt hatte. Deshalb hatte ich dafür gesorgt, dass sich alle Diener weit von dem Raum entfernt aufhielten, in dem Æthelwold und ich miteinander redeten. Dennoch war es nicht klug, solche Dinge zu laut auszusprechen.

Gisela hatte mit dem Spinnen der Wolle innegehalten und starrte Æthelwold an. Und auch ich starrte ihn an. «Er hat was gesagt?», fragte ich.

«Er sagte, dass du, Uhtred», fuhr Æthelwold jetzt leiser fort, «zum König von Mercien gekrönt werden wirst.»

«Hast du getrunken?», fragte ich.

«Nein», sagte er, «nur Bier.» Er beugte sich zu mir vor. «Bjorn der Tote wünscht auch mit dir zu sprechen, um dir dein Schicksal vorauszusagen. Du und ich, Uhtred, wir werden Könige und Nachbarn. Die Götter wollen es so, und sie haben einen toten Mann geschickt, damit er mir davon berichtet.» Æthelwold zitterte leicht und er schwitzte, aber betrunken war er nicht. Irgendetwas hatte ihn vor Schreck nüchtern werden lassen, und das überzeugte mich davon, dass er die Wahrheit sagte. «Sie möchten wissen, ob du willens bist, den Toten zu treffen», sagte er, «und wenn du es bist, dann werden sie nach dir schicken.»

Ich sah Gisela an, die meinen Blick mit ausdrucksloser Miene erwiderte. Ich ließ meine Augen auf ihr ruhen, nicht, weil ich auf eine Bemerkung von ihr wartete, sondern weil sie schön war, so schön. Meine dunkle Dänin, meine anmutige Gisela, meine Braut, meine Liebe. Sie musste meine Gedanken gelesen haben, denn ein kleines Lächeln ließ ihr schmales, ernstes Gesicht aufleuchten. «Uhtred soll König werden?», brach sie das Schweigen und blickte zu Æthelwold hinüber.

«So hat der Tote gesagt», bemerkte Æthelwold herausfordernd. «Und Bjorn hat es von den drei Schwestern gehört.» Er meinte die Parzen, die Nornen, die drei Schwestern, die unsere Schicksalsfäden verweben.

«Uhtred soll König von Mercien werden?», fragte Gisela zweifelnd.

«Und Ihr werdet die Königin», sagte Æthelwold.

Gisela richtete ihren Blick wieder auf mich. Sie hatte einen fragenden Ausdruck im Gesicht, und ich wusste, was in ihrem Kopf vorging. Doch ich machte keine Bemerkung dazu. Stattdessen dachte ich darüber nach, dass es in Mercien keinen König gab. Der alte König, ein sächsischer Köter an der dänischen Leine, war gestorben und hatte keinen Nachfolger hinterlassen, und so war das Königreich zwischen den Dänen und den Sachsen aufgeteilt worden. Der Bruder meiner Mutter war in Mercien Aldermann gewesen, bis ihn die Waliser umgebracht hatten, also floss in meinen Adern mercisches Blut. Und es gab keinen König in Mercien.

«Ich denke, du hörst dir besser an, was der tote Mann zu sagen hat.» Gisela klang ernst.

«Wenn sie nach mir schicken», versprach ich, «dann werde ich das auch tun.» Und das würde ich auch, denn ein toter Mann redete, und er wollte, dass ich König wurde.

Alfred kam eine Woche später. Es war ein schöner Tag mit zartblauem Himmel, und die Mittagssonne stand niedrig über dem winterlichen Land. Wo die Temes träge um die Inseln Sceaftes Eye und Wodenes Eye herumfloss, hatten sich Eiskrusten an den Rändern des Flussbettes gebildet. Blesshühner, Teichrallen und Zwergtaucher paddelten an den Eisrändern entlang, während auf dem tauenden Uferschlamm von Sceaftes Eye ein Schwarm Drosseln und Amseln nach Würmern und Schnecken suchte.

Das war Zuhause. Das war nun seit zwei Jahren mein Zuhause. Und Zuhause bedeutete Coccham, an der Grenze von Wessex, wo die Temes in Richtung Lundene und Meer fließt. Ich, Uhtred, ein Herr aus Northumbrien, ein Vertriebener und ein Krieger, war zu einem Baumeister, einem Händler und einem Vater geworden. Ich diente Alfred, dem König von Wessex, nicht weil ich es wollte, sondern weil ich ihm meinen Schwur geleistet hatte.

Und Alfred hatte mir eine Aufgabe gestellt: Ich sollte in Coccham seine neue Wehrburg errichten. Eine Burg war eine Stadt, die in eine Festung umgewandelt wurde, und Alfred übersäte sein Königreich Wessex mit solchen Anlagen. Überall an den Grenzen von Wessex, an der See, an den Ufern der Flüsse und am Rand des Ödlandes, hinter dem Cornwall mit seinen unberechenbaren Wilden lag, wurden Wallanlagen gebaut. Ein dänisches Heer konnte zwar zwischen diesen Festungen nach Wessex einbrechen, doch es würde auch in Alfreds Kernland überall auf Bollwerke stoßen, und jedes davon war mit Kriegern besetzt. Alfred hatte mir die Burgen in einem seiner seltenen Momente verwerflichen Hochgefühls als Wespennester beschrieben, von denen aus seine Männer ausschwärmen konnten, um den angreifenden Dänen tödliche Stiche zu versetzen. Wehrburgen wurden in Exanceaster und Werham, in Cisseceastre und Hastengas, in Æscengum und Oxnaforda, in Cracgelad und einem weiteren Dutzend Orten dazwischen errichtet. Die Bemannung der Wälle und Palisaden war mit Speeren und Schilden ausgerüstet. Wessex wurde zu einem Land der Festungen, und meine Aufgabe war es, die kleine Stadt Coccham in eine Burg zu verwandeln.

An der Arbeit beteiligten sich alle westsächsischen Männer, die älter als zwölf Jahre waren. Während die eine Hälfte an dem Bau beschäftigt war, kümmerte sich die andere Hälfte um die Felder. In Coccham sollte ich immer fünfhundert Männer zur Verfügung haben, doch gewöhnlich waren es weniger als dreihundert. Sie gruben, sie schütteten auf, sie fällten Bäume für die Wälle, und auf diese Weise hatten wir an den Ufern der Temes ein Bollwerk aufgebaut. In Wahrheit waren es zwei Bollwerke, eines lag am südlichen Flussufer und das andere auf Sceaftes Eye, der Insel, die den Fluss hier in zwei Wasserläufe teilte, und in diesem Januar des Jahres 885 war die Arbeit fast getan, und nun konnte kein dänisches Schiff mehr flussaufwärts rudern, um die Bauernhöfe und Dörfer an den Ufern der Temes zu überfallen. Sie konnten es versuchen, aber sie mussten zuerst an meinen neuen Befestigungswällen vorbeikommen, und sie wussten, dass sie von meinen Männern verfolgt, am Ufer eingekreist und getötet werden würden.

Ein dänischer Händler namens Ulf war an diesem Morgen angekommen und hatte sein Schiff am Landeplatz von Sceaftes Eye festgemacht, wo einer meiner Dienstleute die Ladung begutachtete, um die Gebühren festzulegen. Ulf selbst stieg mit einem zahnlosen Grinsen von Bord, um mich zu begrüßen. Er gab mir ein Stück Bernstein, das in Ziegenhaut gewickelt war. «Für Frau Gisela, Herr», sagte er. «Geht es ihr gut?»

«Es geht ihr gut», sagte ich und berührte das Hammeramulett, das um meinen Hals hing.

«Und Ihr habt ein zweites Kind, wie ich gehört habe?»

«Ein Mädchen», sagte ich, «und wo habt Ihr von ihm gehört?»

«Beamfleot», sagte er, und das ergab Sinn. Ulf kam aus

dem Norden, aber jetzt im tiefsten Winter fuhren keine Schiffe von Northumbrien nach Wessex. Er musste im südlicher gelegenen Ostanglien überwintert haben, in dem langgezogenen Wattgebiet mit seinen verschlungenen Wasserläufen, das den Mündungstrichter der Temes bildet. «Viel ist es nicht», sagte er und deutete auf seine Ladung. «Ich habe in Grantaceaster ein paar Felle und Klingen gekauft und dachte, ich fahre flussaufwärts, um festzustellen, ob die Sachsen noch ein bisschen Geld übrig haben.»

«Ihr seid flussaufwärts gefahren», erklärte ich ihm, «weil Ihr sehen wolltet, ob wir mit der Wallanlage fertig sind. Ihr seid ein Späher, Ulf, und ich glaube, ich hänge Euch am besten an einem Baum auf.»

«Nein, das werdet Ihr nicht tun.» Meine Worte ließen ihn unbeeindruckt.

«Ich langweile mich», sagte ich und steckte den Bernstein in meinen Beutel, «und einem Dänen dabei zuzusehen, wie er am Strick zappelt, wäre vermutlich recht unterhaltsam, meint Ihr nicht auch?»

«Dann müsst Ihr ja sehr gelacht haben, als Ihr Jarrels Mannschaft aufgeknüpft habt», sagte er.

«Hieß er so?», fragte ich. «Jarrel? Ich habe mich nicht nach seinem Namen erkundigt.»

«Ich habe dreißig Leichen gesehen», sagte Ulf und deutete mit dem Kinn flussabwärts. «Vielleicht waren's auch mehr. Sie hingen an den Bäumen, und da dachte ich bei mir, das sieht ganz nach einem Werk des Herrn Uhtred aus.»

«Nur dreißig?», sagte ich. «Es waren dreiundfünfzig. Ich sollte Eure jämmerliche Gestalt dazuhängen, Ulf, damit ich wieder auf die richtige Zahl komme.»

«Ihr wollt mich nicht», sagte Ulf gut gelaunt. «Ihr wollt

einen Jungen, weil die Jungen mehr zappeln als wir alten Knochen.» Er spähte zu seinem Schiff hinüber und spuckte in Richtung eines rothaarigen Jungen, der geistesabwesend auf den Fluss starrte. «Ihr könnt ja den kleinen Bastard dort aufhängen. Er ist der Älteste meiner Schwester und genauso viel wert wie ein Stück Krötenknorpel. Der zappelt bestimmt schön.»

«Wer ist denn dieser Tage in Lundene?», fragte ich.

«Graf Haesten kommt und geht», sagte Ulf, «aber er ist mehr da als weg.»

Das überraschte mich. Ich kannte Haesten. Er war ein junger Däne, der früher mein Schwurmann gewesen war. Aber dann hatte er seinen Treueid gebrochen, und jetzt strebte er danach, selbst ein Kriegsherr zu werden. Er nannte sich einen Grafen, und das belustigte mich, aber ich war dennoch überrascht, dass er nach Lundene gegangen war. Ich wusste, dass er an der Küste Ostangliens ein befestigtes Lager errichtet hatte, aber jetzt war er viel näher an Wessex herangekommen, und das bedeutete wohl, dass er auf Streit aus war. «Und was tut er dort?», fragte ich höhnisch. «Stiehlt er seinen Nachbarn die Hühner?»

Ulf atmete hörbar ein und schüttelte den Kopf. «Er hat Verbündete, Herr.»

Irgendetwas an seinem Ton ließ mich aufhorchen. «Verbündete?»

«Die Brüder Thurgilson», sagte Ulf und berührte sein Hammeramulett.

Der Name sagte mir zu dieser Zeit noch nichts. «Thurgilson?»

«Sigefrid und Erik», sagte Ulf, immer noch die Hand an dem Hammer. «Norwegische Grafen, Herr.»

Das war neu. Die Norweger kamen gewöhnlich nicht

44

nach Ostanglien oder Wessex. Oft hörten wir Berichte von ihren Überfällen auf schottisches Gebiet und Irland, aber nach Wessex führten die norwegischen Heerführer ihre Krieger selten. «Was haben Norweger in Lundene zu tun?», fragte ich.

«Sie sind vor zwei Tagen angekommen, Herr», sagte Ulf. «Mit zweiundzwanzig Kielen. Haesten hat sich ihnen angeschlossen, mit noch einmal neun Schiffen.»

Ich stieß einen leisen Pfiff aus. Einunddreißig Schiffe waren eine Flotte, und das bedeutete, dass die Brüder und Haesten zusammen eine Streitkraft von wenigstens eintausend Männern befehligten. Und diese Männer waren in Lundene, und Lundene lag an der Grenze zu Wessex.

Lundene war damals eine merkwürdige Stadt. Dem Recht nach gehörte es zu Mercien, doch Mercien hatte keinen König, und so besaß auch Lundene kein Oberhaupt. Es war weder sächsisch noch dänisch, sondern eine Mischung aus beidem, und ein Ort, an dem ein Mann Reichtum, den Tod oder beides finden konnte. Es lag an der Stelle, an der Mercien, Ostanglien und Wessex zusammentreffen, eine Stadt der Händler, Handwerker und Seefahrer. Und jetzt, wenn Ulf recht hatte, beherbergte es ein ganzes Wikingerheer innerhalb seiner Befestigungswälle.

Ulf lachte leise. «Sie haben Euch festgesetzt wie eine Ratte im Sack, Herr.»

Ich fragte mich, wie sich eine Flotte hatte sammeln und von der Flut stromauf bis nach Lundene bringen lassen können, ohne dass mir dieser Plan schon lange vorher zugetragen worden war. Coccham war von Lundene aus die nächstgelegene Burg, und ich erfuhr gewöhnlich innerhalb eines Tages, was dort vor sich ging, doch jetzt hatte ein Feind die Stadt besetzt, und ich hatte nichts davon gewusst.

«Haben Euch die Brüder geschickt, um mir davon zu berichten?», fragte ich Ulf. Ich vermutete, dass die Brüder Thurgilson und Haesten Lundene nur eingenommen hatten, damit sie irgendwer – vermutlich Alfred – dafür bezahlte, wieder abzuziehen. In diesem Fall diente es ihrem Vorteil, uns von ihrer Ankunft Mitteilung zu machen.

Ulf schüttelte den Kopf. «Ich bin abgesegelt, als sie ankamen, Herr. Schlimm genug, dass ich Euch Abgaben zahlen muss, auch ohne dass sie mir noch die Hälfte meiner Waren abnehmen.» Er schauderte. «Graf Sigefrid ist ein schlechter Mann, Herr. Keiner, mit dem man Geschäfte machen will.»

«Warum wusste ich nichts davon, dass sie mit Haesten verbündet waren?», fragte ich.

«Weil sie es nicht waren. Sie waren im Frankenreich. Sind einfach übers Meer und den Fluss herauf gesegelt.»

«Mit zweiundzwanzig Schiffen voller Norweger», sagte ich beißend.

«Sie haben alles, Herr», sagte Ulf. «Dänen, Friesen, Sachsen, Norweger, alles. Sigefrid findet Männer, wo auch immer die Götter ihren Scheißekübel ausleeren. Es sind gierige Männer, Herr. Männer ohne Dienstherren. Gewissenlose. Sie kommen von überall her.»

Ein Mann ohne Dienstherr war am schlimmsten von allen. Er schuldete niemandem Gefolgschaft. Er besaß nichts als sein Schwert, seinen Hunger und seinen Ehrgeiz. Ich war auch einmal solch ein Mann gewesen. «Dann werden Sigefrid und Erik also Ärger machen?», fragte ich mit sanfter Stimme.

«Sigefrid schon», sagte Ulf. «Und Erik? Er ist der Jüngere. Die Leute reden gut von ihm, aber Sigefrid kann gar nicht schnell genug Streit suchen.»

«Will er sich mit Geld auslösen lassen?»

«Vielleicht», sagte Ulf zweiflerisch. «Er muss all diese Männer bezahlen, und im Frankenreich hat er kaum mehr gefunden als Mäusedreck. Aber wer sollte ihm ein Lösegeld zahlen? Lundene gehört zu Mercien, oder tut es das nicht?»

«Tut es», sagte ich.

«Und in Mercien gibt es keinen König», sagte Ulf. «Das ist unnatürlich, oder? Ein Königreich ohne König.»

Ich dachte an Æthelwolds Besuch und berührte mein Amulett mit dem Thorshammer. «Habt Ihr jemals von einer Wiedererweckung der Toten gehört?», fragte ich Ulf.

«Einer Wiedèrerweckung der Toten?» Er starrte mich beunruhigt an und fasste nach seinem eigenen Hammeramulett. «Den Toten in Niflheim lässt man besser ihre Ruhe, Herr.»

«Ein altes Magierritual vielleicht?», deutete ich an. «Die Auferstehung der Toten?»

«Man hört so seine Geschichten», sagte Ulf und packte sein Amulett noch fester.

«Was für Geschichten?»

«Aus dem hohen Norden, Herr. Aus dem Land von Eis und Birken. Dort gehen seltsame Dinge vor sich. Sie sagen, dass Männer im Dunkeln fliegen können, und ich habe gehört, dass die Toten auf zugefrorenen Seen wandeln, aber ich habe nichts davon mit eigenen Augen gesehen.» Er hob das Amulett an die Lippen und küsste es. «Vermutlich sind das nur Geschichten, um kleine Kinder an langen Winterabenden zu erschrecken, Herr.»

«Kann sein», sagte ich und drehte mich um, denn ein Junge rannte am Fuß des neu errichteten Walls auf uns zu.

Er sprang über die Baumstämme, die später zu den Platt-formen des Wehrumgangs werden würden, schlidderte über eine matschige Stelle, erklomm den Wall und blieb so heftig nach Luft ringend bei uns stehen, dass er zuerst nicht sprechen konnte. Ich wartete, bis er wieder zu Atem ge-kommen war. «*Haligast*, Herr», sagte er dann. «*Haligast*!»

Ulf sah mich fragend an. Wie alle Händler sprach er et-was Englisch, aber *Haligast* verwirrte ihn. «Der Heilige Geist», übersetzte ich.

«Er kommt zu uns, Herr», keuchte der Junge aufgeregt und deutete stromaufwärts. «Da kommt er!»

«Der Heilige Geist kommt zu uns?», fragte Ulf angst-voll. Vermutlich hatte er nicht die geringste Vorstellung da-von, was der Heilige Geist sein mochte, aber sein Wissen reichte, um sämtliche Erscheinungen aus der Geisterwelt zu fürchten, und meine Frage nach den lebenden Toten hatte ihn erschreckt.

«Alfreds Schiff», erklärte ich und wandte mich darauf wieder an den Jungen. «Ist der König an Bord?»

«Seine Flagge ist gesetzt, Herr.»

«Dann ist er auf dem Schiff», sagte ich.

Ulf zog seinen Kittel zurecht. «Alfred? Was will er hier?»

«Er will meine Ergebenheit prüfen», sagte ich trocken.

Ulf grinste. «Also seid Ihr es vielleicht, der schließlich an einem Strick zappelt, was, Herr?»

«Ich brauche Axtköpfe», erklärte ich ihm. «Bringt die besten, die Ihr habt, ins Haus, und wir einigen uns später auf den Preis.»

Alfreds Erscheinen überraschte mich nicht. In diesen Jahren verbrachte er viel Zeit damit, zwischen den Wehr-burgen herumzureisen, die er errichten ließ, um die Fortschritte der Arbeit zu begutachten. Er war innerhalb von zwölf Monaten ein Dutzend Mal in Coccham gewesen, aber bei diesem Besuch, so vermutete ich, ging es ihm nicht darum, die Wälle in Augenschein zu nehmen, sondern darum, herauszufinden, warum Æthelwold bei mir gewesen war. Die Späher des Königs hatten ihre Arbeit getan, und deshalb war der König gekommen, um mich zu befragen.

Sein Schiff näherte sich rasch auf der Schmelzwasserströmung der Temes. In den kalten Monaten kam man auf einem Schiff schneller von Ort zu Ort, und Alfred mochte die *Haligast*, weil er an Bord arbeiten konnte, während er an der Nordgrenze von Wessex entlangreiste. Die *Haligast* verfügte über zwanzig Ruder und bot sowohl Alfreds Leibgarde als auch der unvermeidlichen Priesterschar, die ihn ständig begleitete, ausreichend Platz. Das königliche Banner, das einen grünen Drachen zeigte, flatterte an der Mastspitze, und zwei Flaggen hingen am Querholz, das ein Segel getragen hätte, wenn das Schiff auf See gewesen wäre. Eine der Flaggen zeigte einen Heiligen, während die andere ein grünes Tuch war, auf das man ein weißes Kreuz gestickt hatte. Im Heck des Schiffes befand sich ein kleiner Verschlag, der den Steuermann beengte, Alfred aber einen Platz für seinen Tisch bot. Auf einem zweiten Schiff, der *Heofonhlaf*, fuhren die übrige Leibgarde und noch mehr Geistliche. *Heofonhlaf* bedeutete Himmelsbrot. Es war Alfred noch nicht einmal gelungen, einem Schiff einen guten Namen zu geben.

Heofonhlaf legte zuerst an, und etwa zwanzig Männer in Kettenrüstung, mit Schilden und Speeren, kletterten von Bord, um beiderseits des hölzernen Landungsstegs Aufstellung zu nehmen. Die *Haligast* folgte dicht darauf, und ihr Steuermann rammte einen Pfahl der Landestelle so hart mit dem Bug, dass Alfred, der mitten im Schiff stand, kurz taumelte. Es gab Könige, die einem Steuermann für diese Beschädigung ihrer Würde die Eingeweide aus dem Leib geschnitten hätten, doch Alfred schien es nicht einmal wahrzunehmen. Er war in ein ernsthaftes Gespräch mit einem hageren, bartlosen, blassen Mönch vertieft. Das war Asser von Wales. Ich hatte schon gehört, dass Asser zum neuen Liebling des Königs aufgestiegen war, und ich wusste, dass er mich hasste, was nur richtig so war, denn ich hasste ihn auch. Trotzdem lächelte ich ihn an, und er zuckte zurück, als hätte ich mich gerade auf seine Kutte erbrochen. Darauf beugte er sich noch näher zu Alfred hin, der sein Zwilling hätte sein können, denn Alfred von Wessex ähnelte eher einem Priester als einem König. Er trug einen langen, schwarzen Umhang, und mit seiner beginnenden Kahlköpfigkeit erinnerte er an einen tonsurierten Mönch. Seine Hände waren wie die eines Schreibers immerzu mit Tinte befleckt, und sein knochiges Gesicht war schmal und nachdenklich und ernst und bleich. Sein Barthaar war dünn. Oft schabte er sich die Wangen glatt, doch jetzt hatte er sich den Bart wachsen lassen, und viele weiße Haare zeigten sich darin.

Die Schiffsbesatzung machte die *Haligast* fest, dann nahm Alfred den Ellbogen Assers und ging mit ihm von Bord. Der Waliser trug ein riesiges Kreuz vor der Brust, und Alfred berührte es kurz, bevor er sich mir zuwandte. «Mein Herr Uhtred», sagte er voll Begeisterung. Er zeigte sich in ungewöhnlich guter Laune, nicht etwa, weil er froh war, mich zu sehen, sondern weil er dachte, ich plante Verrat. Es gab schließlich kaum eine andere Erklärung dafür, dass ich mit seinem Neffen Æthelwold zu Abend gegessen hatte.

«Mein Herr König», sagte ich und verbeugte mich vor

ihm. Bruder Asser beachtete ich nicht. Der Waliser hatte mich einst der Seeräuberei, des Mordes und eines Dutzends anderer Vergehen bezichtigt, doch ich war immer noch am Leben. Er warf mir einen verachtungsvollen Blick zu und eilte dann über die schlammige Erde davon. Zweifellos wollte er sich versichern, dass die Nonnen im Kloster von Coccham nicht betrunken, schwanger oder gar glücklich waren.

Alfred schritt, gefolgt von Egwine, der jetzt seine Haustruppe befehligte, und sechs Männern aus dieser Truppe, meine neuen Befestigungsanlagen ab. Er warf einen kurzen Blick auf Ulfs Schiff, sagte aber nichts. Ich wusste, dass ich ihm von der Besetzung Lundenes berichten musste, aber ich beschloss, mit dieser Nachricht zu warten, bis er mir seine Fragen gestellt hatte. Im Moment gab er sich damit zufrieden, die Arbeit zu begutachten, die wir geleistet hatten, und er fand nichts zu beanstanden, und das hatte er auch nicht erwartet. Die Burg von Coccham war viel weiter gediehen als irgendeine der anderen. Die nächste Wehranlage im Westen Lundenes, bei Welengaford, war kaum angefangen, ganz zu schweigen von der Errichtung der Palisaden, während die Wälle von Oxnaforda nach einer Woche starken Regens kurz vor dem Julfest in ihren Graben gesackt waren. Die Burg von Coccham dagegen war nahezu fertiggestellt. «Mir wurde berichtet», sagte Alfred, «dass der Fyrd nur sehr unwillig arbeitet. War das bei dir nicht so?»

Der Fyrd war das Heer, das aus der Grafschaft ausgehoben wurde, und der Fyrd baute nicht nur die Burganlagen, sondern stellte auch die Bemannung. «Der Fyrd arbeitet nur sehr unwillig, Herr», sagte ich.

«Und doch bist du fast fertig?»

Ich lächelte. «Ich habe zehn Männer aufgehängt», sagte ich, «und das hat den Arbeitseifer der übrigen erheblich angestachelt.»

Er verharrte an einer Stelle, von der aus er flussabwärts schauen konnte. Schwäne sorgten für einen lieblichen Anblick. Ich beobachtete ihn. Die Furchen auf seinem Gesicht waren tiefer geworden und seine Haut blasser. Er wirkte krank, andererseits war Alfred von Wessex schon immer ein kranker Mann. Sein Magen schmerzte und seine Eingeweide schmerzten, und ich sah seine Grimasse, als sich ein Krampf wie ein Messer in sein Inneres bohrte. «Ich habe gehört», sagte er in kühlem Ton, «dass du sie ohne Gerichtsverhandlung aufgehängt hast.»

«So war es, Herr.»

«Es gibt Gesetze in Wessex», sagte er grimmig.

«Und wenn die Burg nicht gebaut wird», sagte ich, «dann gibt es bald kein Wessex mehr.»

«Dir gefällt es, dich mir zu widersetzen», erwiderte er mit leiser Stimme.

«Nein, Herr, ich habe Euch meinen Schwur geleistet. Ich erfülle Eure Aufgabe.»

«Dann hänge keine Männer mehr ohne ordentliche Gerichtsverhandlung», sagte er scharf. Darauf wandte er sich um und starrte über den Fluss auf das mercische Ufer. «Ein König muss Gerechtigkeit bringen, Herr Uhtred. Das ist die Aufgabe des Königs. Aber wenn ein Land keinen König hat, wie kann es dann ein Recht geben?» Noch immer sprach er leise, doch er forderte mich heraus, und einen Augenblick lang war ich beunruhigt. Ich hatte angenommen, er sei gekommen, um herauszufinden, was Æthelwold zu mir gesagt hatte, doch als er Mercien erwähnte, und dass es dort keinen König gab, glaubte ich, er wisse, worüber in dieser kalten, stürmischen Regennacht gesprochen worden war. «Es gibt Männer», fuhr er fort und sah weiter nach Mercien hinüber, «die gerne König von Mercien wären.» Er hielt inne, und ich war sicher, dass er alles wusste, was Æthelwold zu mir gesagt hatte. Doch dann verriet er seine Unkenntnis. «Vielleicht mein Neffe Æthelwold», sagte er.

Ich lachte auf, und meine Erleichterung ließ mein Lachen zu laut klingen. «Æthelwold!», sagte ich. «Er will nicht König von Mercien werden! Er will Euren Thron, Herr.»

«Das hat er dir gesagt?», fragte er spitz.

«Natürlich hat er mir das gesagt. Das erzählt er jedem!»

«Ist er deshalb zu dir gekommen?», erkundigte sich Alfred, der seine Neugier nicht länger bezähmen konnte.

«Er ist gekommen, um ein Pferd zu kaufen, Herr», log ich. «Er will meinen Hengst Smoca, und ich habe nein gesagt.» Smocas Zeichnung bestand aus einer ungewöhnlichen Mischung von Grau und Schwarz, und daher kam auch sein Name, der Rauch bedeutete, und er hatte jedes Rennen seines Lebens gewonnen, und noch besser, er fürchtete sich nicht vor Männern, Schilden, Waffen und Lärm. Ich hätte Smoca jedem Krieger in ganz Britannien verkaufen können.

«Und er hat darüber gesprochen, dass er König werden will?», fragte Alfred misstrauisch.

«Natürlich hat er das.»

«Davon hast du mir früher nichts erzählt», sagte er vorwurfsvoll.

«Wenn ich Euch jedes Mal etwas davon sagen würde, wenn Æthelwold von Verrat spricht», erklärte ich, «würdet Ihr niemals mehr Eure Ruhe vor mir haben. Aber jetzt sage ich Euch, dass Ihr ihm besser die Kehle durchschneiden solltet.»

«Er ist mein Neffe», gab Alfred steif zurück, «und hat königliches Blut.»

«Das heißt nicht, dass man ihm nicht die Kehle durchschneiden kann», beharrte ich.

Er winkte gereizt ab, als sei mein Vorschlag lächerlich.

«Ich hatte daran gedacht, ihn zum König von Mercien zu machen», sagte er, «aber er würde den Thron verlieren.»

«Das würde er», stimmte ich zu.

«Er ist schwach», sagte Alfred voller Verachtung, «und Mercien braucht einen starken Herrscher. Einen, der die Dänen vertreibt.» Ich bekenne, dass ich in diesem Moment glaubte, er denke an mich, und ich war bereit, ihm zu danken, sogar auf die Knie zu fallen und seine Hand zu ergreifen, doch dann klärte er mich auf. «Dein Cousin wäre der Richtige, glaube ich.»

«Æthelred!», sagte ich, unfähig, meinen Hohn zu verbergen. Mein Cousin war ein armseliger, aufgeblasener Tropf, völlig erfüllt von seiner eigenen Wichtigkeit, aber er stand Alfred nahe. So nahe, dass er Alfreds älteste Tochter heiraten würde.

«Er kann Aldermann in Mercien werden», sagte Alfred, «und dort mit meinem Segen herrschen.» Mit anderen Worten: Mein erbärmlicher Cousin würde in Mercien nach Alfreds Anweisungen regieren, und wenn ich ehrlich bin, war das für Alfred eine bessere Lösung, als jemandem wie mir den Thron von Mercien zu überlassen. Auf Æthelred, vor allem wenn er mit Æthelflaed verheiratet war, konnte sich Alfred viel eher verlassen, und Mercien, oder jedenfalls der Teil südlich der Wæclingastræt, würde eine Art Provinz von Wessex werden.

«Wenn mein Cousin», sagte ich, «Herr von Mercien werden soll, wird er dann auch zum Herrn von Lundene?»

«Natürlich.»

«Dann hat er eine gewisse Schwierigkeit vor sich, Herr», sagte ich, und ich gebe zu, dass es mir einiges Vergnügen bereitete, mir meinen hochtrabenden Cousin dabei vorzustellen, wie er es mit tausend Gesetzlosen aufnahm, die von norwegischen Grafen befehligt wurden. «Eine Flotte mit einunddreißig Schiffen ist vor zwei Tagen in Lundene angekommen», fuhr ich fort. «die Grafen Sigefrid und Erik Thurgilson führen sie an. Haesten von Beamfleot hat sich mit ihnen verbündet. Soweit ich weiß, Herr, ist Lundene jetzt in der Hand von Norwegern und Dänen.»

Einen Moment lang schwieg Alfred und starrte nur die Schwäne an, die auf dem Hochwasser schwammen. Er wirkte bleicher denn je. Er biss die Zähne zusammen. «Du klingst recht erfreut», bemerkte er dann bitter.

«Das war nicht meine Absicht, Herr», sagte ich.

«Wie in Gottes Namen konnte das geschehen?», fragte er wütend. Er wandte sich um und betrachtete die Burgwälle. «Die Brüder Thurgilson waren im Frankenreich», sagte er. Ich mochte vielleicht nie von Sigefrid und Erik gehört haben, doch Alfred betrachtete es als seine Aufgabe zu wissen, wo die Wikingerverbände ihre Raubzüge unternahmen.

«Und jetzt sind sie in Lundene», sagte ich hartherzig.

Erneut verfiel er in Schweigen, und ich wusste, was er dachte. Er dachte, dass die Temes unser Weg zu anderen Königreichen ist, zur übrigen Welt, und wenn die Dänen und die Norweger die Temes blockierten, war Wessex von einem großen Teil des Welthandels abgeschnitten. Es gab natürlich andere Häfen und andere Flüsse, doch die Temes ist der bedeutendste Fluss und zieht Seehändler von all den weiten Meeren an. «Wollen sie Geld?», erkundigte er sich beißend.

«Mit dieser Frage muss sich Mercien herumschlagen, Herr», sagte ich.

«Sei kein Narr!», zischte er mich an. «Lundene mag in Mercien liegen, aber der Fluss gehört beiden Königreichen.» Er wandte sich wieder um und sah flussabwärts, als erwarte er dort die Masten der norwegischen Schiffe auftauchen zu sehen. «Wenn sie nicht abziehen», sagte er ruhig, «dann müssen sie vertrieben werden.»

«Ja, Herr.»

«Und das», sagte er entschlossen, «wird mein Hochzeitsgeschenk für deinen Cousin sein.»

«Lundene?»

«Und du wirst es uns beschaffen», fügte er wild hinzu. «Du wirst Lundene wieder unter mercische Herrschaft bringen, Herr Uhtred. Lass mich bis zum Tag des heiligen David wissen, welche Kräfte du benötigst, um dieses Geschenk zu beschaffen.» Stirnrunzelnd dachte er nach. «Dein Cousin wird das Heer befehligen, aber er ist zu beschäftigt, um den Kriegszug zu planen. Du wirst die notwendigen Vorbereitungen treffen und ihn beraten.»

«Werde ich das?», fragte ich säuerlich.

«Ja», sagte er, «das wirst du.»

Er blieb nicht zum Essen. Er betete in der Kirche, gab dem Nonnenkloster Silber, und dann ging er an Bord der *Haligast* und verschwand stromaufwärts.

Und ich sollte Lundene einnehmen und den ganzen Ruhm meinem Cousin Æthelred überlassen.

Die Aufforderung, den Toten zu besuchen, kam ganz überraschend eine Woche später.

Allmorgendlich wartete eine Schar Bittsteller an meinem Tor, es sei denn, starker Schneefall behinderte das Reisen. Ich war der Herrscher über Coccham, der Mann, der Recht sprach, und Alfred hatte mir diese Macht gewährt, weil er wusste, dass dies unerlässlich war, wenn seine Burg errichtet werden sollte. Er hatte mir noch mehr gewährt. Ich hatte Anspruch auf den zehnten Teil jedes Ertrags im nördlichen Berrocscire, ich erhielt Schweine und Rinder und Getreide, und aus diesem Einkommen bezahlte ich die Balken für die Wälle und die Waffen, mit denen sie bewacht wurden. In dieser Regelung lag die Gelegenheit zur Vorteilsnahme, und Alfred misstraute mir. Deshalb hatte er mir einen durchtriebenen Priester namens Wulfstan zur Seite gestellt, der darauf sehen sollte, dass ich nicht zu viel stahl. Doch es war Wulfstan, der stahl. Er war im Sommer zu mir gekommen und hatte mit kaum verhohlenem Grinsen angedeutet, dass die Abgaben, die wir von den Händlern erhoben, die den Fluss bereisten, nicht im Voraus abschätzbar waren, was bedeutete, dass Alfred niemals wissen konnte, ob unsere Abrechnungen stimmten. Er wartete auf meine Zustimmung und erhielt stattdessen einen Schlag auf seinen tonsurierten Schädel. Ich schickte ihn unter Bewachung zu Alfred zurück, sandte ein Schreiben mit, das seine Unehrenhaftigkeit schilderte, und dann stahl ich die Abgaben selbst. Dieser Priester war ein Narr gewesen. Man erzählt nie und nimmer einem anderen von seinen Untaten, es sei denn, man kann sie wirklich nicht mehr geheim halten, und dann erklärt man sie zu kluger Berechnung oder zu Regierungskunst.

Ich stahl nicht viel, nicht mehr jedenfalls als jeder andere Mann in meiner Stellung auf die Seite brachte, und die Arbeit an den Wällen bewies Alfred, dass ich meine Aufgabe erfüllte. Mir hat es immer gefallen, etwas aufzubauen, und es gibt wenig höhere Alltagsfreuden, als mit den erfahrenen Männern zu sprechen, die das Bauholz spalten, zurechtsägen und zusammenfügen. Und wenn ich Recht sprach, tat ich es gut, denn mein Vater, der Herr von Bebbanburg gewesen war, hatte mich gelehrt, dass ein Herr dem Volk verpflichtet ist, das er regiert, und dass die Leute einem Herrn viele Verfehlungen nachsehen, wenn er sie beschützt. Also hörte ich mir jeden Tag ihre Kümmernisse an, und etwa zwei Wochen nach Alfreds Besuch ist mir ein Morgen im Gedächtnis, an dem es heftig regnete und bei meinem Erscheinen rund zwei Dutzend Leute im Schlamm vor meinem Palas niederknieten. Ich erinnere mich heute nicht mehr an alle Eingaben, aber zweifellos waren es die üblichen Beschwerden über versetzte Grenzsteine oder einen Brautpreis, der nicht entrichtet worden war. Ich traf meine Beschlüsse rasch und richtete mein Urteil nach dem Gebaren der Bittsteller. Gewöhnlich ging ich davon aus, dass ein herausfordernder Bittsteller log, während ein weinerlicher mein Erbarmen hervorlockte. Ich bezweifle, dass ich jedes Mal die richtige Entscheidung getroffen habe, aber die Leute gaben sich zufrieden mit meinen Urteilssprüchen, und sie wussten, dass ich mich nicht von den Reichen bestechen ließ, um sie zu begünstigen.

Doch an einen Bittsteller dieses Morgens erinnere ich mich. Er war allein gekommen, und das war ungewöhnlich, denn die meisten Leute kamen mit Freunden oder Verwandten, die beschwören konnten, dass es mit ihrer Beschwerde seine Richtigkeit hatte. Doch dieser Mann war allein gekommen und ließ anderen immerzu den Vortritt. Ganz offensichtlich wollte er der Letzte sein, der mit mir sprach, und ich argwöhnte, dass er viel von meiner Zeit in

Anspruch nehmen wollte und war versucht, die Sitzung dieses Vormittages zu beenden, ohne ihn anzuhören, aber am Ende gab ich ihm doch das Wort, und er fasste sich dankenswert kurz.

«Bjorn hat die Ruhe meines Landes gestört, Herr», sagte er. Er kniete, und alles, was ich von ihm sah, war sein zerzaustes und dreckverklumptes Haar.

Einen Augenblick lang erkannte ich den Namen nicht wieder. «Bjorn?», fragte ich. «Wer ist Bjorn?»

«Der Mann, der die Ruhe meines Landes stört, Herr, in der Nacht.»

«Ein Däne?», fragte ich verwirrt.

«Er kommt aus seinem Grab, Herr», sagte der Mann, und da verstand ich und brachte ihn mit einer Geste zum Schweigen, sodass der Geistliche, der meine Urteile mitschrieb, nicht zu viel hörte.

Ich hob das Kinn des Bittstellers an und blickte in ein hageres Gesicht. Seiner Aussprache nach hielt ich ihn für einen Sachsen, aber vielleicht war er auch ein Däne, der unsere Sprache fehlerlos beherrschte, und so sprach ich ihn auf Dänisch an. «Woher bist du gekommen?», fragte ich.

«Von dem Land, dessen Ruhe gestört ist, Herr», antwortete er auf Dänisch, doch die Art, in der er die Wörter verstümmelte, machte klar, dass er kein Däne sein konnte.

«Jenseits der Straße?» Ich sprach wieder Englisch.

«Ja, Herr.»

«Und wann stört Bjorn die Ruhe deines Landes erneut?»

«Übermorgen, Herr. Er kommt nach dem Mondaufgang.»

«Bist du geschickt worden, um mich zu führen?»

«Ja, Herr.»

Am nächsten Tag ritten wir los. Gisela wollte mitkommen, aber ich erlaubte es ihr nicht, denn ich vertraute dieser Einladung nicht vollständig, und aufgrund meines Misstrauens ritt ich mit sechs Männern, Finan, Clapa, Sihtric, Rypere, Eadric und Cenwulf. Die letzten drei waren Sachsen, Clapa und Sihtric waren Dänen und Finan war der hitzköpfige Ire, der meine Haustruppe befehligte, und alle sechs waren meine Schwurmänner. Mein Leben war ihres, ebenso wie ihr Leben meines war. Gisela blieb hinter den Burgwällen von Coccham, ihre Sicherheit wurde vom Fyrd und den anderen Mitgliedern meiner Haustruppe gewährleistet.

Wir ritten in Kettenhemden und wir trugen Waffen. Wir wandten uns zuerst Richtung Nordwesten, denn die Schneeschmelze hatte die Temes so anschwellen lassen, dass wir ein gutes Stück stromauf reiten mussten, bis wir eine Furt entdeckten, die seicht genug war, um den Fluss zu durchqueren. Die Stelle lag bei Welengaford, einer anderen Burg, und ich bemerkte, dass die Erdwälle nicht fertiggestellt waren und dass die Balken für die Palisaden unbehauen im Schlamm verrotteten. Der Befehlshaber der Garnison, er hieß Oslac, wollte wissen, weshalb wir über den Fluss gingen, und es war sein Recht, danach zu fragen, denn er sicherte diesen Abschnitt der Grenze zwischen Wessex und dem gesetzlosen Mercien. Ich sagte, ein Häftling sei aus Coccham geflohen und würde sich vermutlich auf der Nordseite der Temes verstecken, und Oslac glaubte die Geschichte. Sie würde Alfred schnell genug zu Ohren kommen.

Der Mann, der die Einladung Bjorns überbracht hatte, war unser Führer. Er hieß Huda, und er erzählte mir, er diene einem Dänen namens Eilaf, dessen Grundbesitz an der östlichen Seite der Wæclingastræt angrenzte. Somit war Eilaf ein Ostanglier und ein Untertan König Guthrums. «Ist Eilaf denn Christ?», fragte ich Huda.

«Wir alle sind Christen, Herr», sagte Huda. «Das verlangt König Guthrum von uns.»

«Und was trägt Eilaf um den Hals?»

«Das Gleiche wie Ihr, Herr», sagte er. Ich trug Thors Hammer, weil ich kein Christ war, und Hudas Antwort sagte mir, dass Eilaf, genau wie ich, den alten Göttern huldigte, um seinem König Guthrum zu gefallen aber vorgab, an den Christengott zu glauben. Ich hatte Guthrum zu den Zeiten gekannt, in denen er große Heere gegen Wessex geführt hatte, doch jetzt wurde er alt. Er hatte den Glauben seines Feindes angenommen, und wie es aussah, war er nicht mehr auf die Herrschaft über ganz Britannien aus, sondern gab sich mit den ausgedehnten, fruchtbaren Feldern Ostangliens als seinem Königreich zufrieden. Doch viele andere in seinem Land waren durchaus nicht zufrieden. Sigefrid, Erik, Haesten und vermutlich auch Eilaf. Sie waren Norweger und Dänen, sie waren Krieger, sie opferten Thor und Odin, sie hielten ihre Schwerter scharf und sie träumten, wie es alle Nordmänner tun, vom reicheren Wessex.

Wir ritten durch Mercien, dem Land ohne König, und ich sah, wie viele Bauerngehöfte niedergebrannt worden waren, sodass nur noch ein Stück verbrannte, unkrautbewachsene Erde von ihnen zeugte. Noch mehr Unkraut wucherte, wo einmal Ackerland gewesen war. Haselnussschösslinge hatten sich auf den Weidegründen ausgebreitet. Wo noch Leute lebten, da lebten sie in Angst, und wenn sie uns kommen sahen, flüchteten sie in den Wald oder schlossen die Tore ihrer Palisadenzäune. «Wer regiert hier?», fragte ich Huda.

«Dänen», sagte er, und dann deutete er mit dem Kinn Richtung Westen, «und da drüben Sachsen.»

«Will Eilaf dieses Land nicht?»

«Ihm gehört viel davon, Herr», sagte Huda, «aber die Sachsen machen ihm ständig Schwierigkeiten.»

Laut dem Friedensvertrag zwischen Alfred und Guthrum war dieses Land sächsisch, aber die Dänen sind begierig auf Land, und Guthrum konnte nicht alle seine Thegn überwachen. Und deshalb war dies ein Kampfgebiet, auf dem beide Seiten einen nicht enden wollenden, mühsamen kleinen Krieg führten, und die Dänen boten mir seine Krone an.

Ich bin Sachse. Ich komme aus dem Norden. Ich bin Uhtred von Bebbanburg, aber ich bin bei den Dänen aufgewachsen, und ich kannte ihr Wesen. Ich sprach ihre Sprache, ich hatte eine Dänin geheiratet, und ich huldigte ihren Göttern. Wenn ich hier König werden sollte, dann hätten die Sachsen einen sächsischen Herrscher, während die Dänen mich anerkennen würden, weil ich für Graf Ragnar wie ein Sohn gewesen war. Aber hier König zu werden würde bedeuten, sich gegen Alfred zu wenden, und wenn der tote Mann die Wahrheit sprach, würde es bedeuten, Alfreds trinkfreudigen Neffen auf den Thron von Wessex zu setzen. Wie lange würde Æthelwold regieren? Noch bevor ein Jahr vergangen war, so schätzte ich, würden ihn die Dänen umgebracht haben, und dann wäre ganz England unter dänischer Herrschaft, mit Ausnahme von Mercien, wo ich, ein Sachse, der wie ein Däne dachte, König wäre. Und wie lange würden die Dänen mich wohl dulden?

«Willst du König sein?», hatte Gisela mich am Abend gefragt, bevor wir losgeritten waren.

«Ich habe nie daran gedacht, dass ich einer werden könnte», antwortete ich ausweichend.

«Warum willst du dann dorthin?»

Ich hatte ins Feuer gestarrt. «Weil der tote Mann eine Botschaft von den Parzen überbringt», erklärte ich ihr.

Sie hatte ihr Amulett angefasst. «Vor den Parzen kann niemand ausweichen», sagte sie leise. Wyrd bið ful āræd.

«Deshalb muss ich gehen», sagte ich, «weil es das Schicksal von mir verlangt. Und weil ich einen Toten reden sehen will.»

«Und wenn der tote Mann sagt, dass du König werden wirst?»

«Dann wirst du eine Königin», sagte ich.

«Und du wirst gegen Alfred kämpfen?»

«Wenn es die Parzen sagen.»

«Und der Eid, den du ihm geschworen hast?»

«Die Antwort darauf kennen die Parzen», sagte ich, «aber ich kenne sie nicht.»

Und jetzt ritten wir zwischen buchenbestandenen Hügeln, die nach Osten und Norden abfielen. Wir verbrachten die Nacht in einem verlassenen Bauernhof, und einer von uns blieb immer wach. Nichts störte unseren Schlaf, und in der Dämmerung ritten wir unter einem schwertgrauen Himmel weiter. Huda führte uns auf einem meiner Pferde an. Ich sprach eine Zeit lang mit ihm und erfuhr, dass er ein Jäger war und einem sächsischen Herrn gedient hatte, der von Eilaf getötet worden war, und dass er es zufrieden war, unter dänischer Herrschaft zu leben. Seine Antworten wurden mürrischer und kürzer, als wir uns der Wæclingastræt näherten, und so ließ ich mich nach einer Weile zurückfallen, um an Finans Seite weiterzureiten. «Vertraust du ihm?», fragte Finan und nickte in Richtung Hudas.

Ich zuckte mit den Schultern. «Sein Gebieter tanzt nach der Pfeife von Sigefrid und Haesten», sagte ich, «und ich kenne Haesten. Ich habe ihm das Leben gerettet, und das bedeutet etwas.»

Finan dachte darüber nach. «Du hast ihm das Leben gerettet? Wie?»

«Ich habe ihn aus den Händen von ein paar Friesen befreit. Er hat mir seinen Treueid geleistet.»

«Und hat seinen Eid gebrochen?»

«Das hat er.»

«Also kann man Haesten nicht vertrauen», sagte Finan nachdrücklich. Ich sagte nichts. Drei Hirsche standen fluchtbereit am gegenüberliegenden Rand einer leeren Viehweide. Wir ritten auf einem zugewachsenen Weg neben einer Hecke, unter der Krokusse blühten. «Was sie wollen», fuhr Finan fort, «ist Wessex. Und um Wessex zu bekommen, müssen sie kämpfen. Und sie wissen, dass du Alfreds größter Krieger bist.»

«Was sie wollen», sagte ich, «ist die Burg von Coccham.» Und um sie zu bekommen, würden sie mir die Krone Merciens anbieten, doch ich hatte dieses Angebot weder Finan noch einem anderen meiner Männer enthüllt. Nur mit Gisela hatte ich darüber gesprochen.

Natürlich wollten sie noch viel mehr. Sie wollten Lundene, weil sie damit eine befestigte Stadt an der Temes in die Hand bekämen, aber Lundene lag auf der mercischen Seite und würde ihnen bei der Besetzung von Wessex nichts nützen. Aber wenn ich ihnen Coccham überließe, dann wären sie am Südufer des Flusses und könnten Coccham als Ausgangspunkt für ihre Plünderungszüge bis tief hinein nach Wessex nutzen. Alfred würde sie zumindest bezahlen, damit sie aus Coccham abzogen, und auf diese Art würden sie zu viel Silber kommen, selbst wenn es ihnen nicht gelang, Alfred vom Thron zu stoßen.

Aber Sigefrid, Erik und Haesten, so meinte ich, waren nicht nur hinter Silber her. Wessex war die Beute, auf die sie es abgesehen hatten, und um Wessex zu erobern, brauchten sie Männer. Guthrum würde sie nicht unterstützen, Mercien wurde zwischen Dänen und Sachsen aufgerieben und konnte kaum Männer stellen, die bereit waren, ihren Besitz ungeschützt zurückzulassen, aber jenseits von Mercien lag Northumbrien, und in Northumbrien regierte ein dänischer König, der auf die Ergebenheit eines großen dänischen Kriegers zählen konnte. Der König war Giselas Bruder und der Krieger, Ragnar, war mein Freund. Indem sie mich kauften, glaubten sie Northumbrien in ihrem Krieg an der Seite zu haben. Der dänische Norden würde den sächsischen Süden erobern. Das war es, was sie wollten. Das war es, was die Dänen wollten, solange ich zurückdenken kann. Und alles, was ich tun musste, war, meinen Schwur auf Alfred zu brechen und König in Mercien zu werden, und das Land, das manche England nannten, würde zu Daneland werden. Das, so glaubte ich, war der Grund, aus dem mich der tote Mann zu sich gerufen hatte.

Wir erreichten die Wæclingastræt bei Sonnenuntergang. Die Römer hatten die Straße mit einem Kiesbett und Einfassungen aus Stein verstärkt, und einige der gemauerten Steine aus ihrer Zeit waren noch unter dem bleichen Wintergras zu sehen, neben dem ein moosüberwachsener Meilenstein die Aufschrift Durocobrivis V zeigte. «Was ist Durocobrivis?», fragte ich Huda.

«Wir nennen es Dunastopol», sagte er mit einem Achselzucken, um anzudeuten, dass es sich dabei um einen vollkommen unbedeutenden Ort handelte.

Wir überquerten die Wæclingastræt. In einem gut regierten Land hätte man Wächter erwartet, die auf der Straße die Reisenden schützten, doch hier waren keine zu sehen. Nur ein paar Krähen flogen in ein nahe gelegenes Wäldchen, und im Westen zogen silbrige Wolken über den Himmel, während vor uns die Dämmerung schon schwer über Ostanglien hing. Niedrige Hügel erstreckten sich im Norden, und auf diese Hügel führte uns Huda zu und dann durch ein langgezogenes flaches Tal, in dem kahle Apfelbäume ihre Äste in die hereinbrechende Dunkelheit reckten. Als wir Eilafs Palas erreichten, war es Abend geworden.

Eilafs Männer begrüßten mich, als wäre ich schon ein König. Diener erwarteten uns am Tor der Palisade, um sich um unsere Pferde zu kümmern, und ein weiterer kniete am Eingang des Palas, um mir eine Schale mit Wasser zum Waschen und ein Tuch zum Abtrocknen meiner Hände anzubieten. Ein Verwalter nahm meine beiden Schwerter, Schlangenhauch mit der langen Klinge und den Bauchaufschlitzer Wespenstachel. Er nahm sie ehrerbietig, als ob er die Sitte ablehnte, nach der kein Mann eine Waffe mit in einen Palas nehmen durfte, aber es war ein sinnvoller Brauch. Klingen und Bier vertragen sich eben nicht gut.

Im Palas herrschte dichtes Gedränge. Mindestens vierzig Männer, die meisten von ihnen in Kettenhemden oder Lederpanzern, standen um die Feuerstelle in der Mitte des großen Raumes, von der hohe Flammen aufloderten und Ruß zur Balkendecke aufstieg. Einige der Männer verbeugten sich, als ich eintrat, andere starrten mich nur an, als ich meinem Gastgeber entgegenging, der mit seiner Frau und zwei Söhnen beim Feuer wartete. Haesten stand grinsend an ihrer Seite. Ein Diener brachte mir ein Trinkhorn mit Bier.

«Herr Uhtred!» Haesten grüßte mich so laut, dass jeder Mann und jede Frau im Palas wussten, wer ich war. Haestens Grinsen hatte etwas Mutwilliges, so als belustigten er und ich uns in diesem Palas an einem Scherz, den allein wir beide verstanden. Er hatte goldfarbenes Haar, ein kantiges Gesicht, helle Augen und trug einen Kittel aus feiner, grün gefärbter Wolle, über dem eine dicke Silberkette hing. Seine Arme waren bedeckt mit Ringen aus Silber und Gold, und Silberfibeln waren an seinen hohen Stiefeln befestigt. «Es ist gut, Euch zu sehen, Herr», sagte er und deutete eine Verbeugung an.

«Immer noch am Leben, Haesten?», sagte ich, ohne meinen Gastgeber zu beachten.

«Immer noch am Leben, Herr», sagte er.

«Und kein Wunder», sagte ich, «denn das letzte Mal habe ich dich bei Ethandun gesehen.»

«Ein regnerischer Tag, wie ich mich erinnere», sagte er.

«Und du bist gerannt wie ein Hase, Haesten», sagte ich.

Ein Schatten legte sich auf sein Gesicht. Ich hatte ihn der Feigheit bezichtigt, aber er verdiente meinen Angriff, denn er hatte geschworen, mein Mann zu sein, und diesen Schwur gebrochen, indem er aus meinem Heer davonlief.

Eilaf, der ahnte, dass ein Streit drohte, räusperte sich. Er war ein massiger, hochgewachsener Mann, und sein Haar leuchtete so rot, wie ich es noch niemals gesehen hatte. Es war gelockt, und auch sein Bart war gelockt, und die Farbe erinnerte an ein loderndes Feuer. Eilaf der Rote wurde er genannt, und obwohl er groß und wuchtig war, wirkte er doch kleiner als Haesten, der über ein außergewöhnlich starkes Vertrauen in seine eigenen Fähigkeiten verfügte. «Seid willkommen, Herr Uhtred», sagte Eilaf.

Ich beachtete ihn nicht. Haesten beobachtete mich, die

Stirn immer noch umwölkt, doch da grinste ich. «Allerdings ist Guthrums gesamtes Heer an diesem Tag davongelaufen», sagte ich, «und die Kämpfer aus seiner Truppe, die es nicht getan haben, sind alle tot. Also bin ich froh, dass ich dich habe weglaufen sehen.»

Da begann er zu lächeln. «Ich habe bei Ethandun acht Männer getötet», sagte er, begierig, seine Männer wissen zu lassen, dass er kein Hasenfuß war.

«Dann schätze ich mich glücklich, deinem Schwert nicht begegnet zu sein», sagte ich und glich meine Beleidigung mit falscher Schmeichelei aus. Dann wandte ich mich an den rothaarigen Eilaf. «Und Ihr?», fragte ich, «Wart Ihr in Ethandun?»

«Nein, Herr», sagte er.

«Dann habt Ihr einen denkwürdigen Kampf versäumt», sagte ich. «Stimmt es nicht, Haesten? Es war ein Kampf, den man nie vergisst!»

«Ein Blutbad im Regen, Herr», sagte Haesten.

«Und ich hinke seitdem», sagte ich, und das stimmte, wenn es auch nur ein leichtes Hinken war, das mich kaum behinderte.

Ich wurde drei anderen Männern vorgestellt. Alle drei waren Dänen, und alle waren gut gekleidet und trugen Armringe, um ihre Tapferkeit zu zeigen. Heute weiß ich ihre Namen nicht mehr, aber sie waren da, um mich kennenzulernen, und sie hatten ihre Gefolgsleute mitgebracht. Als Haesten uns einander vorstellte, wurde mir klar, dass er sich mit mir hervortun wollte. Er wollte beweisen, dass ich mich mit ihm zusammengetan hatte und dass es deshalb auch für sie sicher war, sich mit ihm zusammenzutun. Haesten bereitete in diesem Palas einen Aufstand vor. Ich zog ihn beiseite. «Wer sind sie?», wollte ich von ihm wissen.

«Sie haben Besitz und Männer in diesem Teil von Guthrums Königreich.»

«Und du willst ihre Männer?»

«Wir müssen ein Heer aufstellen», sagte Haesten einfach.

Ich sah auf ihn hinunter. Dieser Aufstand, dachte ich, richtete sich nicht nur gegen Guthrum von Ostanglien, sondern gegen Alfred von Wessex, und falls er Erfolg hatte, würde ganz Britannien unter Schwertern, Speeren und Äxten erbeben. «Und wenn ich es ablehne, mich dir anzuschließen?», fragte ich.

«Ihr werdet es tun, Herr», sagte er zuversichtlich.

«Werde ich das?»

«Denn heute Nacht, Herr, wird der Tote zu Euch sprechen.» Haesten lächelte, und in demselben Moment sagte Eilaf, alles sei bereit. «Wir werden den Toten erwecken», sagte Haesten mit wirkungsvoller Ergriffenheit und berührte das Hammeramulett, das um seinen Hals hing, «und danach werden wir feiern.» Er deutete auf die Tür an der Rückseite des langen Raumes. «Dort entlang, wenn Ihr erlaubt, Herr. Dort entlang.»

Und so ging ich zu meiner Verabredung mit dem Toten.

Haesten führte uns in die Dunkelheit, und ich erinnere mich daran, überlegt zu haben, wie einfach es war zu behaupten, dass der Tote auferstand und redete, wenn das alles in solcher Finsternis geschah. Woher sollten wir wissen, was vor sich ging? Wir konnten den Leichnam vielleicht hören, aber nicht sehen, und ich wollte schon Widerspruch erheben, als zwei von Eilafs Männern mit lodernden Fackeln vom Palas kamen, die in der dunstigen Nacht hell leuchteten. Sie gingen uns an einem Schweinepferch ent-

69

lang voraus, und in den Augen der Tiere spiegelte sich das Licht der Fackeln. Es hatte geregnet, während wir im Palas gewesen waren, ein kleiner winterlicher Schauer, doch das Wasser tropfte immer noch von den kahlen Zweigen. Finan, der sich unwohl fühlte bei dem Gedanken an das Zauberwerk, das wir gleich erleben würden, hielt sich nahe bei mir.

Wir folgten einem Pfad den Hügel hinunter bis zu einer kleinen Weide neben einem Gebäude, das ich für eine Scheune hielt. Dort wurden die Fackeln in vorbereitete Holzstapel gesteckt, die das Feuer schnell aufnahmen, sodass die Flammen aufloderten und die Holzwand der Scheune und das nasse Strohdach beleuchteten. Während es heller wurde, erkannte ich, dass ich keineswegs auf einer Weide, sondern auf einem Friedhof stand. Das kleine Geviert war mit niedrigen Erdhügeln übersät und sicher eingezäunt, damit keine Tiere die Toten aus den Gräbern wühlten.

«Das war unsere Kirche», erklärte Huda. Er war neben mir aufgetaucht und nickte in Richtung des Gebäudes, das ich für eine Scheune gehalten hatte.

«Bist du ein Christ?», fragte ich.

«Ja, Herr. Aber jetzt haben wir keinen Priester mehr.» Er bekreuzigte sich. «Unsere Toten werden ungesalbt zur letzten Ruhe gebettet.»

«Ein Sohn von mir liegt auf einem christlichen Friedhof», sagte ich und fragte mich sofort, warum ich das gesagt hatte. Ich dachte selten an meinen toten Sohn, der als kleines Kind gestorben war. Ich hatte ihn nicht gekannt. Seine Mutter und ich waren uns fremd geworden. Und doch musste ich in dieser dunklen Nacht an dieser feuchten Totenstätte an ihn denken. «Warum ist ein dänischer

Skalde in einem christlichen Grab beerdigt worden?»,
fragte ich Huda. «Du hast mir gesagt, er war kein Christ.»

«Er starb hier, Herr, und wir haben ihn begraben, bevor
wir es wussten. Ob das vielleicht der Grund dafür ist, dass
er seine Ruhe nicht findet?»

«Vielleicht», sagte ich, und dann hörte ich den Kampf
hinter mir und wünschte, ich hätte mir meine Schwerter
wiedergeben lassen, als ich Eilafs Palas verließ.

Ich drehte mich um und erwartete einen Angriff, doch
stattdessen sah ich zwei Männer einen dritten zu uns
schleppen. Der dritte Mann war schmächtig, jung und
blond. Seine Augen wirkten riesig im Licht der lodernden
Flammen. Er wimmerte. Die Männer, die ihn her-
angeschleppt hatten, waren viel größer als er, und seine Gegenwehr war sinnlos. Fragend sah ich Haesten an.

«Um den Toten zu erwecken, Herr», erklärte er, «müssen wir einen Boten über den Fluss schicken.»

«Wer ist er?»

«Ein Sachse», antwortete Haesten leichthin.

«Verdient er den Tod?», fragte ich. Ich war nicht gerade
überempfindlich, wenn es ums Sterben ging, aber ich
spürte, dass Haesten wie ein Kind töten würde, das eine
Maus ertränkt, und ich wollte nicht den Tod eines Mannes
auf dem Gewissen haben, der es nicht verdient hatte zu
sterben. Wir befanden uns in keiner Schlacht, in der ein
Mann die Möglichkeit hat, den Weg zu den ewigen Freuden der Totenhalle Odins anzutreten.

«Er ist ein Dieb», sagte Haesten.

«Ein zweifacher Dieb», fügte Eilaf hinzu.

Ich ging zu dem jungen Mann hinüber, hob sein Kinn an
und sah das Brandmal des verurteilten Räubers auf seiner
Stirn. «Was hast du gestohlen?», fragte ich ihn.

«Eine Decke, Herr», flüsterte er. «Es war kalt.»

«War das dein erster Diebstahl?», fragte ich, «Oder der zweite?»

«Der erste war ein Lamm», sagte Eilaf hinter mir.

«Ich hatte Hunger, Herr», sagte der junge Mann, «und mein Kind wäre fast verhungert.»

«Du hast zwei Mal gestohlen», sagte ich, «und das bedeutet, dass du sterben musst.» So lautete das Gesetz sogar in diesem gesetzlosen Land. Der junge Mann schluchzte, starrte mich aber immer weiter an. Er hoffte, ich würde von Mitleid ergriffen und befehlen, dass sein Leben geschont würde, doch ich wandte mich ab. Ich habe in meinem Leben vieles gestohlen, und fast alles war wertvoller als eine Decke oder ein Lamm, aber ich stehle, während der Besitzer zusieht und seinen Besitz mit seinem Schwert verteidigen kann. Es ist der Dieb, der im Verborgenen stiehlt, der den Tod verdient.

Huda bekreuzigte sich wieder und wieder. Er war sehr unruhig. Der junge Mann rief mir unverständliche Worte zu, bis ihm einer seiner Bewacher hart über den Mund schlug. Da ließ er den Kopf hängen und schluchzte nur noch. Finan und meine drei Sachsen klammerten sich an die Kreuze, die sie um den Hals trugen.

«Seid Ihr bereit, Herr?», fragte mich Haesten.

«Ja», sagte ich und bemühte mich um einen überlegenen Klang meiner Stimme, aber in Wirklichkeit war ich ebenso angespannt wie Finan. Ein Vorhang trennte unsere Welt vom Reich der Toten, und ein Teil von mir wollte, dass dieser Vorhang geschlossen blieb. Unwillkürlich tastete ich nach Schlangenhauchs Heft, aber natürlich war es nicht da.

«Steckt ihm die Botschaft in den Mund», befahl Haesten. Einer der Bewacher versuchte den Kiefer des jungen

Mannes aufzuspreizen, doch der Gefangene widerstand so lange, bis ein Messer auf seine Lippen einstach, erst dann öffnete er den Mund. Etwas wurde auf seine Zunge gelegt. «Eine Harfensaite», erklärte mir Haesten, «Bjorn wird seine Bedeutung verstehen. Tötet ihn jetzt», setzte er für die Bewacher hinzu.

«Nein!», schrie der junge Mann und spuckte die zusammengerollte Saite aus. Er begann zu weinen und zu schluchzen, als ihn die beiden Männer zu einem der Erdhügel zerrten. Sie stellten sich an den beiden Seiten des Hügels auf und hielten ihren Gefangenen auf dem Grab fest. Auf dem Friedhof roch es nach frischem Regen. «Nein, bitte, nein!», heulte der junge Mann zitternd. «Ich habe eine Frau, ich habe Kinder, nein! Bitte!»

«Tötet ihn», befahl Eilaf der Rote.

Einer der Bewacher schob die Harfensaite wieder in den Mund des Boten und presste ihm danach die Kiefer zusammen. Er kippte den Kopf des jungen Mannes zurück, zerrte ihn so hart nach hinten, dass die Kehle entblößt war, und der zweite Däne hieb sie mit einem schnellen geübten Schlag durch und riss gleich darauf die Klinge wieder zurück. Ich vernahm ein ersticktes, kehliges Geräusch und sah das hervorschießende Blut im Licht der Flammen schwarz aufglühen. Es bespritzte die beiden Männer, regnete über das Grab und klatschte schwer und nass auf das feuchte Gras. Der Körper des Boten zuckte eine Zeit lang, während der Blutstrom schwächer wurde. Dann schließlich sank der junge Mann zwischen seinen beiden Bewachern zusammen, die abwarteten, bis auch noch die letzten Blutstropfen auf das Grab gefallen waren. Erst als kein Blut mehr kam, zogen sie ihn weg und warfen seine Leiche neben den hölzernen Zaun des Friedhofs. Ich hielt den Atem an. Keiner von uns rührte sich. Eine Eule, deren Flügel in der nächtlichen Dunkelheit erstaunlich weiß aussahen, flog niedrig über mich hinweg, und ich griff unwillkürlich nach meinem Hammeramulett, denn ich war überzeugt, dass ich gerade die Seele des Diebes auf ihrem Weg in die andere Welt gesehen hatte.

Haesten stand dicht neben dem blutdurchtränkten Grab. «Du hast Blut, Bjorn!», rief er. «Ich habe dir ein Leben gegeben! Ich habe dir eine Botschaft gesandt!»

Nichts. Der Wind strich seufzend um das Strohdach der Kirche. Irgendwo in der Dunkelheit bewegte sich ein Tier und blieb dann wieder still stehen. Ein Holzscheit brach durch einen der brennenden Stapel und sandte einen Funkenregen himmelwärts.

«Du hast Blut!», rief Haesten erneut. «Willst du noch mehr Blut?»

Ich glaubte, nichts würde geschehen. Dass ich einen Tag vergeudet hatte.

Und dann bewegte sich das Grab.

ZWEI

Der Grabhügel bewegte sich.

Ich erinnere mich, wie sich Kälte in meinem Herzen ausbreitete und ein grässlicher Schrecken mich erfasste, doch ich konnte weder atmen noch mich bewegen. Ich stand unbeweglich, mit aufgerissenen Augen, und wartete auf das Entsetzliche.

Die Erde fiel leicht in sich zusammen, als würde sich ein Maulwurf aus seinem kleinen Hügel scharren. Dann bewegte sich noch mehr Erdreich, und etwas Graues tauchte auf. Das graue Etwas schwankte, und ich sah, dass die Erdklumpen schneller herabfielen, als sich das graue Etwas aus dem Erdhügel erhob. Alles geschah im Halbdunkel, denn die Feuer brannten hinter uns und warfen unsere Schatten über die Erscheinung, die aus dieser Wintererde geboren worden war, eine Erscheinung, die sich als verdreckter Leichnam entpuppte, der aus seinem geöffneten Grab taumelte. Ich sah einen toten Mann, der zuckte und halb fiel, als er das Gleichgewicht suchte, bis er endlich aufrecht stand.

Finan packte meinen Arm. Er wusste nicht das Geringste davon, dass er das tat. Huda kniete auf dem Boden und hielt sich an dem Kreuz fest, das er um den Hals trug. Und ich starrte nur.

Der Leichnam machte ein hustendes, würgendes Geräusch wie das Todesröcheln eines Mannes. Er spie etwas aus und würgte erneut, dann richtete er sich langsam hoch auf, und ich sah in dem schattenüberzuckten Licht des Feuers, dass der Körper des toten Mannes in ein besudeltes graues Tuch gewickelt war. Auf seinem bleichen Gesicht hatte die Erde schmutzige Streifen hinterlassen, einem Gesicht, das unberührt war von jeder Verwesung. Sein langes Haar lag strähnig und weiß auf seinen schmalen Schultern. Er atmete, doch er hatte Schwierigkeiten damit, genau wie ein sterbender Mann Schwierigkeiten mit dem Atmen hat. Und das war auch richtig so, erinnere ich mich gedacht zu haben, denn dieser Mann kam aus dem Totenreich zurück, und deshalb klang er genau so, wie er geklungen hatte, als er seine Reise dorthin angetreten hatte. Dann gab er ein langgezogenes Stöhnen von sich und holte etwas aus seinem Mund. Er warf es uns entgegen, und ich tat unwillkürlich einen Schritt zurück, bevor ich erkannte, dass es die zusammengerollte Saite einer Harfe war. Da wusste ich, dass das Unmögliche, was ich vor Augen hatte, Wirklichkeit war, denn ich hatte gesehen, wie die Bewacher dem Boten die Harfensaite in den Mund gezwungen hatten, und jetzt hatte uns die Leiche gezeigt, dass sie das Sendzeichen erhalten hatte. «Warum lasst ihr mir meinen Frieden nicht?» Der tote Mann sprach mit einer brüchigen, halblauten Stimme, und neben mir gab Finan ein Geräusch von sich, das wie sein letzter Seufzer klang.

«Willkommen, Bjorn», sagte Haesten. Von allen Versammelten schien sich allein Haesten durch die lebende Gegenwart des Leichnams nicht beunruhigen zu lassen. Man konnte sogar etwas wie Vergnügen aus seinem Ton heraushören.

«Ich will meinen Frieden», keuchte Bjorn.

«Das ist der Herr Uhtred», sagte Haesten und deutete dabei auf mich, «der viele gute Dänen an den Ort geschickt hat, an dem du jetzt lebst.»

«Ich lebe nicht», sagte Bjorn mit Bitterkeit. Dann begann er zu ächzen, und seine Brust hob und senkte sich krampfhaft, als schmerze die Nachtluft in seinen Lungen. «Ich verfluche dich», sagte er zu Haesten, doch seine Stimme war so schwach, dass aus den Worten keine Bedrohung sprach.

Haesten lachte. «Ich habe heute eine Frau gehabt, Bjorn. Erinnerst du dich noch an Frauen? An ihre weichen Schenkel? An ihre warme Haut? Erinnerst du dich an ihre Geräusche, wenn du in sie stößt?»

«Möge Hel dich küssen bis zum Ende der Zeiten», sagte Bjorn, «bis zur letzten Weltenverwirrung.» Hel war die Göttin des Todes, die verwesende Leiche einer Göttin, und der Fluch war grässlich, doch Bjorn sprach so schleppend, dass dieser zweite Fluch ebenso wie der erste nur eine leere Drohung war. Die Augen des toten Mannes waren geschlossen, seine Brust zuckte immer noch, und seine Hände machten sinnlose Greifbewegungen in der kalten Luft.

Ich war vor Furcht erstarrt und gebe es gerne zu. Es ist eine Gewissheit in dieser Welt, dass die Toten in ihre Häuser in der Erde eingehen und dort auch bleiben. Die Christen sagen, unsere Körper werden eines Tages auferstehen, und die Lüfte werden erfüllt sein von dem Klang der Engelstrompeten, und der Himmel wird glänzen wie getriebenes Gold, wenn die Toten wieder aus der Erde steigen, aber das habe ich nie geglaubt. Wir sterben und wir gehen in die jenseitige Welt, und dort bleiben wir. Doch Bjorn war zurückgekommen. Er hatte mit den Stürmen der Finsternis gekämpft und mit den Gezeiten des Todes, und er hatte sich in diese Welt zurückgequält und jetzt stand er vor uns, hager und groß und verdreckt und keuchend, und ich zitterte. Finan hatte sich auf ein Knie fallen lassen.

Meine anderen Männer standen hinter mir, aber ich wusste, dass sie schlotterten, genau wie ich schlotterte. Nur Haesten schien unberührt von der Gegenwart des toten Mannes. «Sag dem Herrn Uhtred», befahl er Bjorn, «was du von den Nornen erfahren hast.»

Die Nornen sind die Parzen, die drei Frauen, die unsere Lebensfäden am Fuße des Weltenbaumes Yggdrasil spinnen. Bei jeder Geburt eines Kindes beginnen sie einen neuen Faden zu spinnen, und sie wissen, wohin er führen, mit welchen anderen Fäden er sich verweben und wann er verbraucht sein wird. Sie wissen alles. Dort sitzen sie und spinnen und lachen uns aus, und manchmal überschütten sie uns mit Glück und manchmal verdammen sie uns zu Schmerz und Tränen.

«Sag ihm», forderte Haesten ungeduldig, «was die Nornen über ihn erzählt haben.»

Bjorn sagte nichts. Seine Brust hob und senkte sich schwer und seine Hände zuckten. Seine Augen waren geschlossen.

«Erzähl es ihm», sagte Haesten, «und ich gebe dir deine Harfe zurück.»

«Meine Harfe», wimmerte Bjorn flehentlich, «ich will meine Harfe.»

«Ich lege sie dir in dein Grab zurück», sagte Haesten, «dann kannst du vor den Toten singen. Aber zuerst sprichst du vor dem Herrn Uhtred.»

Bjorn schlug die Augen auf und starrte mich an. Ich erschrak vor diesen düsteren Augen, doch ich zwang mich zurückzustarren, heuchelte eine Tapferkeit, die ich nicht in mir spürte.

«Du wirst König werden, Herr Uhtred», sagte Bjorn und stieß ein langgezogenes Stöhnen aus wie ein Geschöpf, das Schmerzen leidet. «Du wirst König werden», seufzte er.

Der Wind war kalt. Fein sprühender Regen benässte meine Wangen. Ich sagte nichts.

«König von Mercien», sagte Bjorn unvermittelt mit erstaunlich lauter Stimme. «Du wirst zum König der Sachsen und Dänen werden, zum Feind der Waliser, zum König zwischen den Flüssen und zum Herrn über alle, die du regierst. Du wirst mächtig werden, Herr Uhtred, denn die drei Spinnerinnen lieben dich.» Er starrte mich an, und obwohl er mir ein glänzendes Schicksal voraussagte, lag Böswilligkeit in seinen toten Augen. «Du wirst König werden», sagte er, und das Wort König klang wie Gift aus seinem Mund.

Da verging meine Furcht. Sie wurde von einer Woge des Stolzes und des Machtgefühls weggespült. Ich bezweifelte Bjorns Botschaft nicht, denn die Götter sprechen nicht leichtfertig, und die Spinnerinnen kennen unser Schicksal. Wir Sachsen sagen wyrd bið ful āræd, und sogar die Christen glauben an diese Wahrheit. Das Schicksal ist unausweichlich. Das Schicksal lässt sich nicht ändern. Das Schicksal herrscht über uns. Unsere Leben werden gemacht, bevor wir sie leben. Und ich sollte König von Mercien werden.

An Bebbanburg dachte ich in diesem Moment nicht. Bebbanburg ist mein Landbesitz, meine Festung am Rande des Nordmeers, meine Heimat. Ich glaubte mein ganzes Leben lang, dass ich dazu bestimmt war, mir Bebbanburg von meinem Onkel zurückzuholen, der es mir gestohlen hatte, als ich noch ein Kind war. Ich träumte von Bebbanburg, und in meinen Träumen sah ich schroffe Felsen die graue See weiß schäumend zerspalten, und ich spürte, wie die Stürme an dem Strohdach des Palas zerrten, doch als Bjorn sprach, dachte ich nicht an Bebbanburg. Ich dachte daran, ein König zu sein. Ein Land zu regieren. Ein großes Heer zu führen und meine Feinde zunichtezumachen.

Und ich dachte an Alfred, an die Pflicht, die ich ihm schuldig war, und die Versprechen, die ich ihm gegeben hatte. Ich wusste, dass ich zum Eidesbrecher werden musste, wenn ich König sein wollte, doch wem werden Eide geleistet? Sie werden Königen geleistet, daher hatte ein König die Macht, mich von meinem Schwur zu entbinden, und so sagte ich mir, dass ich mich als König selbst von jedem beliebigen Eid entbinden konnte, und all das schoss durch meinen Kopf, wie ein Windstoß über den Dreschplatz fegt und die Spreu in den Himmel wirbeln lässt. Ich dachte keine klaren Gedanken. Ich war ebenso durcheinander wie die emporgewirbelte Spreu im Wind, und ich wog meinen Schwur auf Alfred nicht gegen meine Zukunft als König ab. Ich sah einfach nur zwei Wege vor mir, einer davon war mühevoll und steil, und der andere ein breites grünes Tal, das zu einem Königreich führte. Und außerdem, welche Wahl hatte ich schon? Wyrd bið ful āræd.

Dann, inmitten des Schweigens, kniete Haesten unvermittelt vor mir nieder. «Herr König», sagte er, und aus seiner Stimme klang unerwartete Ehrerbietung.

«Du hast deinen Schwur auf mich gebrochen», sagte ich schroff. Warum sagte ich das in diesem Augenblick? Ich hätte ihn früher zur Rede stellen können, im Palas, doch ich sprach die Beschuldigung erst vor dem offenen Grab aus.

«Das habe ich getan, Herr König», sagte er, «und ich bedaure es.»

Ich verharrte. Was dachte ich? Dass ich schon König wäre? «Ich vergebe dir», sagte ich dann. Ich hörte meinen

Herzschlag. Bjorn sah uns nur aufmerksam an, und das Licht des Feuers warf tiefe Schatten auf sein Gesicht.

«Ich danke Euch, Herr König», sagte Haesten, und neben ihm kniete Eilaf der Rote nieder, und dann knieten sich auch alle anderen Männer auf diesem regennassen Friedhof vor mich hin.

«Noch bin ich nicht König», sagte ich, mit einem Mal beschämt über den herrschaftlichen Ton, den ich Haesten gegenüber angeschlagen hatte.

«Das werdet Ihr aber, Herr», sagte Haesten. «Die Nornen haben es verkündet.»

Ich wandte mich an den Leichnam. «Was haben die drei Spinnerinnen sonst noch gesagt?»

«Dass du König werden wirst», sagte Bjorn, «und König über andere Könige. Du wirst Herr über das Land zwischen den Flüssen und die Geißel deiner Feinde. Du wirst König werden.» Unvermittelt hielt er inne und verkrampfte sich. Sein Oberkörper wurde nach vorn geworfen und von unbeherrschtem Zucken gepackt, dann hörten die Krämpfe wieder auf, und Bjorn blieb bewegungslos und leicht vorgebeugt stehen, ein trockenes Würgen kam aus seiner Kehle. Dann sank er langsam über dem aufgewühlten Grabhügel in sich zusammen.

Haesten erhob sich von den Knien. «Begrabt ihn wieder», sagte er schroff zu den beiden Männern, die dem Sachsen die Kehle durchgeschnitten hatten.

«Seine Harfe», sagte ich.

«Ich werde sie ihm morgen zurückgeben, Herr», sagte Haesten. Dann deutete er auf Eilafs Palas. «Dort gibt es Essen, Herr König, und Bier. Und eine Frau für Euch. Auch zwei, wenn Ihr wollt.»

«Ich habe eine Frau», sagte ich unfreundlich.

«Dann erwarten Euch dort Essen, Bier und Wärme», sagte er demütig. Die anderen Männer standen auf. Meine Krieger sahen mich seltsam an, sie waren verwirrt von der Botschaft, die sie vernommen hatten, doch ich beachtete sie nicht. König über andere Könige. Herr über das Land zwischen den Flüssen. König Uhtred.

Einmal wandte ich mich um und sah zwei Männer die Erde wegscharren, um Bjorns Grab wieder vorzubereiten, und dann folgte ich Haesten in den Palas und setzte mich auf den Stuhl, der in der Mitte an der Tafel stand, den Stuhl des Herrn, und betrachtete die Männer, die miterlebt hatten, wie der Tote auferstand, und ich sah, dass sie ebenso überzeugt waren, wie ich überzeugt war, und das bedeutete, dass sie Haesten mit ihren Truppen unterstützen würden. Der Aufstand gegen Guthrum, der Aufstand, der sich über ganz Britannien ausbreiten und Wessex vernichten sollte, wurde von einem toten Mann angeführt. Ich stützte mein Kinn in die Hände. Ich dachte daran, ein König zu sein. Ich dachte daran, ganze Heere zu führen.

«Eure Frau ist Dänin, wie ich höre?», unterbrach Haesten meine Gedanken.

«Das ist sie», sagte ich.

«Dann werden die Sachsen von Mercien einen sächsischen König haben», sagte er, «und die Dänen von Mercien werden eine dänische Königin haben. So werden sie alle zufrieden sein.»

Ich hob den Kopf und sah ihn aufmerksam an. Ich wusste, dass er schlau und gerissen war, doch an diesem Abend verhielt er sich mit Bedacht unterwürfig und respektvoll. «Was willst du, Haesten?», fragte ich ihn.

«Sigefrid und Erik», sagte er, ohne meine Frage zu beantworten, «wollen Wessex erobern.»

«Der alte Traum», gab ich höhnisch zurück.

«Und um das zu tun», sagte er, als habe er meinen Hohn nicht wahrgenommen, «brauchen wir die Männer aus Northumbrien. Ragnar wird kommen, wenn Ihr ihn darum bittet.»

«Das wird er», stimmte ich zu.

«Und wenn Ragnar kommt, werden ihm weitere folgen.» Er brach einen Laib Brot durch und schob mir das größere Stück zu. Eine Schale Eintopf stand vor mir, doch ich rührte sie nicht an. Stattdessen begann ich das Brot zu zerkrümeln, um festzustellen, ob Granitstückchen darin waren, die sich vom Mahlstein gelöst hatten. Ich dachte nicht darüber nach, was ich da tat, sondern hielt nur meine Hände beschäftigt, während ich Haesten beobachtete.

«Du hast meine Frage nicht beantwortet», sagte ich. «Was willst du?»

«Ostanglien», sagte er.

«König Haesten?», sagte ich lächelnd.

«Warum nicht, Herr König», gab er zurück, und sein Lächeln wurde noch breiter.

«König Æthelwold in Wessex», sagte Haesten, «König Haesten in Ostanglien und König Uhtred in Mercien.»

«Æthelwold?», fragte ich spöttisch und rief mir Alfreds immerzu betrunkenen Neffen vor Augen.

«Er ist der rechtmäßige König von Wessex, Herr», sagte Haesten.

«Und wie lange wird er am Leben bleiben?»

«Nicht sehr lange», räumte Haesten ein, «es sei denn, er ist stärker als Sigefrid.»

«Also heißt es Sigefrid von Wessex?», fragte ich.

Haesten lächelte. «Am Ende, Herr, ja.»

«Und was ist mit seinem Bruder, Erik?»

«Erik liebt das Leben als Wikinger», sagte Haesten. «Sein Bruder nimmt Wessex und Erik nimmt die Schiffe. Erik wird auf den Meeren ein König sein.»

Also würde es Sigefrid von Wessex werden, Uhtred von Mercien und Haesten von Ostanglien. Drei hinterlistige Wiesel in einem Sack, dachte ich, aber ich sagte es nicht. «Und wo», fragte ich stattdessen, «nimmt dieser Traum seinen Anfang?»

Sein Lächeln erlosch. Er war jetzt ganz ernst. «Sigefrid und ich haben Männer. Nicht genügend, aber den Kern eines guten Heeres. Ihr bringt Ragnar mit den northumbrischen Dänen, und damit haben wir mehr als genug Kämpfer, um Ostanglien zu nehmen. Die Hälfte von Guthrums Grafen wird sich uns anschließen, wenn sie Euch und Ragnar sehen. Dann gliedern wir die Männer von Ostanglien in unsere Streitmacht ein und erobern Mercien.»

«Und die Männer von Mercien gliedern wir ein», sprach ich für ihn weiter, «um Wessex zu erobern?»

«Ja», sagte er. «Wenn die Blätter fallen», setzte er fort, «und die Scheunen gefüllt sind, werden wir in Wessex einrücken.»

«Aber ohne Ragnar», sagte ich, «könnt Ihr nichts tun.»

Er neigte zustimmend den Kopf. «Und Ragnar wird sich uns nicht anschließen, solange Ihr nicht auf unserer Seite seid.»

Es könnte gelingen, dachte ich. Guthrum, der dänische König von Ostanglien, war wiederholt mit dem Vorhaben gescheitert, Wessex zu erobern, und jetzt hatte er seinen Frieden mit Alfred geschlossen. Aber nur, weil Guthrum ein Christ geworden und nun ein Verbündeter Alfreds war, hieß das noch nicht, dass auch die anderen Dänen ihre Träume von den üppigen Feldern in Wessex aufgegeben hatten. Wenn genug Männer zusammengebracht werden konnten, dann würde Ostanglien fallen, und seine Grafen, die immerzu auf Beute aus waren, würden in Mercien einbrechen. Danach konnten Northumbrier, Mercier und Ostangeln gemeinsam Wessex angreifen, das wohlhabendste Königreich und das letzte sächsische Königreich im Lande der Sachsen.

Doch ich war Alfreds Schwurmann. Ich hatte geschworen, Wessex zu verteidigen. Ich hatte vor Alfred einen Eid abgelegt, und ohne Eide sind wir nicht besser als die Tiere. Aber die Nornen hatten gesprochen. Das Schicksal ist unausweichlich, es kann nicht überlistet werden. Mein Lebensfaden war schon verwoben, und ich konnte seinen Verlauf genauso wenig verändern, wie ich die Sonne im Osten untergehen lassen konnte. Die Nornen hatten einen Boten über den schwarzen Totenfluss geschickt, um mir zu sagen, dass mein Eid gebrochen werden musste und dass ich König würde, und deshalb nickte ich Haesten zu. «So sei es», sagte ich.

«Ihr müsst mit Sigefrid und Erik sprechen», sagte er, «und wir müssen uns Eide schwören.»

«Ja», sagte ich.

«Morgen», sagte er und beobachtete mich genau, «machen wir uns auf den Weg nach Lundene.»

So hatte es angefangen. Sigefrid und Erik bereiteten sich darauf vor, Lundene zu verteidigen, und indem sie das taten, forderten sie die Leute von Mercien heraus, die Lundene für sich beanspruchten, und sie forderten Alfred heraus, der befürchtete, Lundene könnte zur Festung einer feindlichen Streitmacht werden, und sie forderten Guthrum heraus, der den Frieden in Britannien gewahrt sehen wollte. Doch Frieden würde es nicht geben.

«Morgen», wiederholte Haesten, «machen wir uns auf den Weg nach Lundene.»

Am nächsten Tag ritten wir los. Ich führte meine sechs Leute an, während Haesten einundzwanzig Männer mitgenommen hatte, und wir folgten der Wæclingastræt unter anhaltendem Regen, der die Straßenränder in tiefe Schlammfurchen verwandelte, nach Süden. Die Pferde quälten sich, wir quälten uns. Auf dem Ritt bemühte ich mich, mir jedes Wort ins Gedächtnis zu rufen, das Bjorn der Tote zu mir gesagt hatte, denn ich wusste, dass Gisela mich nach jeder winzigen Einzelheit dieses Gespräches fragen würde.

«Und?», wollte Finan bald nach der Mittagsstunde wissen. Haesten war etwas vorausgeritten, und Finan hatte sein Pferd angetrieben, um an meiner Seite zu reiten.

«Und?», fragte ich zurück.

«Wirst du König von Mercien werden?»

«Die Parzen sagen es», antwortete ich und vermied seinen Blick. Finan und ich hatten zusammen Sklavendienste auf einem Händlerschiff geleistet. Wir hatten gelitten, gefroren, durchgehalten und gelernt, uns wie Brüder zu lieben, und seine Ansichten bedeuteten mir viel.

«Die Parzen», sagte Finan, «sind Betrügerinnen.»

«Ist das eine Überzeugung der Christen?»

Er lächelte. Er hatte sich die Kapuze seines Umhangs über den Helm gezogen, sodass ich kaum etwas von seinen hageren, wilden Gesichtszügen sehen konnte, aber ich sah seine Zähne aufblitzen, als er lächelte. «Ich war in Irland ein bedeutender Mann», sagte er. «Meine Pferde waren schneller als der Wind, meine Frauen stellten die Sonne in den Schatten, und meine Waffen konnten es mit der ganzen Welt aufnehmen, aber dennoch haben mich die Parzen verdammt.»

«Du lebst noch», sagte ich, «und du bist ein freier Mann.»

«Ich bin dein Schwurmann», sagte er, «und ich habe dir meinen Schwur freiwillig geleistet. Und du, Herr, bist Alfreds Schwurmann.»

«Ja», sagte ich.

«Wurdest du dazu gezwungen, Alfred deinen Schwur zu leisten?», fragte Finan.

«Nein», gestand ich ihm zu.

Die Regentropfen trafen wie winzige Schläge auf mein Gesicht. Die Wolken trieben niedrig dahin, über dem Land hing Düsternis. «Wenn das Schicksal unausweichlich ist», sprach Finan weiter, «warum legen wir dann überhaupt Schwüre ab?»

Ich ging nicht auf seine Frage ein. «Wenn ich meinen Schwur auf Alfred breche», sagte ich stattdessen, «wirst du dann auch deinen Schwur auf mich brechen?»

«Nein, Herr», sagte er und lächelte erneut. «Ich würde nämlich deine Gesellschaft vermissen. Aber dir würde Alfred nicht fehlen.»

«Nein», gab ich zu, und dann ließen wir das Gespräch verebben, obwohl mich Finans Worte beunruhigten und mir nicht aus dem Kopf gingen.

Wir verbrachten die Nacht in der Nähe des Heiligen Grabes von Sankt Alban. Die Römer hatten dort eine Stadt gegründet, doch diese Stadt verfiel inzwischen, und deshalb kehrten wir etwas östlich davon in einem dänischen Hausstand ein. Unser Gastgeber hieß uns herzlich genug willkommen, doch im Gespräch blieb er vorsichtig. Er hatte gehört, dass Sigefrid den alten Teil Lundenes mit Bewaffneten besetzt hatte, doch weder verurteilte noch pries er diese Tat. Genau wie ich trug er ein Hammeramulett, doch er hielt sich auch einen sächsischen Priester, der über unserem Mahl aus Brot, Schinken und Bohnen seine Gebete sprach. Der Priester machte erkenntlich, dass sich dieser Palas in Ostanglien befand und dass Ostanglien dem Gesetz nach christlich war und in Frieden mit seinen christlichen Nachbarn lebte, aber unser Gastgeber achtete dennoch darauf, dass ein Querbalken das Tor seiner Palisade sicherte und bewaffnete Männer in der feuchten Nacht Wache hielten. Eine merkwürdige Ruhe lag über diesem Land, es war ein Gefühl, als ob jederzeit ein Sturm losbrechen könnte.

In der Nacht ließen Wind und Regen nach. Wir brachen in der Dämmerung auf und ritten durch eine frostige, schweigende Welt, wenn es auch auf der Wæclingastræt bald merklich lebhafter wurde, weil Männer ihre Rinder zum Markt nach Lundene trieben. Die Tiere waren mager, doch sie waren von der Herbstschlachtung ausgenommen worden, damit sie die Stadtbevölkerung im Winter ernähren konnten. Wir ritten an ihnen vorbei, und die Viehtreiber fielen auf die Knie, als so viele Männer waffenklirrend an ihnen vorüberzogen. Im Osten lockerten die Wolken auf, sodass, als wir um die Mittagszeit Lundene vor uns hatten, die Sonne strahlend hinter der dicken Wolke aus schwarzem Rauch stand, die ständig über der Stadt hängt.

Mir hat Lundene immer gefallen. Es ist ein Ort der Ruinen, des Handels und der Verruchtheit, der sich am Norddufer der Temes erstreckt. Die Ruinen waren einst Römerbauten, die übrig geblieben waren, als die Römer Britannien aufgaben. Ihre alte Stadt krönte die Hügel am östlichen Ende Lundenes und war von einer Verteidigungsmauer aus gebrannten Ziegeln und Steinen umgeben. Die Sachsen hatten die Bauten der Römer nie gemocht, weil sie die Geister der früheren Bewohner fürchteten, und deshalb hatten sie westlich davon ihre eigene Stadt errichtet. Sie bestand aus Stroh und Holz und Flechtwerk und engen Gassen und stinkenden Gräben, die das Abwasser in den Fluss leiten sollten, doch gewöhnlich nur voll feuchtem Unrat lagen, bis ein starker Regenschauer sie überflutete. In dieser neuen sächsischen Stadt ging es höchst betriebsam zu. Beißender Rauch von den Schmiedefeuern lag in den Straßen, die von den heiseren Rufen der Händler widerhallten. Es ging hier sogar so betriebsam zu, dass sich niemand darum kümmerte, einen Verteidigungswall anzulegen. Wozu brauchten sie einen Wall, brachten die Sachsen vor, wenn es die Dänen zufrieden waren, in der alten Stadt zu wohnen, und keinerlei Verlangen gezeigt hatten, die Bewohner der neuen Stadt abzuschlachten? Zwar gab es an wenigen Stellen Palisaden – ein Beweis dafür, dass doch ein paar Männer versucht hatten, der schnell wachsenden neuen Stadt einen Schutz zu verschaffen –, doch die Begeisterung hatte nie lange angehalten. Die Holzbalken der Palisaden verrotteten oder fehlten, weil sie gestohlen worden waren, um damit neue Gebäude entlang der stinkenden Gassen zu errichten.

Lundenes Handel lebte vom Fluss und den großen Straßen, die in jeden Teil Britanniens führten. Die Straßen waren natürlich römisch, und über sie floss ein Warenstrom aus Wolle und Töpferwaren, Metallbarren und Fellen, während die Temes edle Güter aus fernen Ländern und Sklaven aus dem Frankenland und streitsüchtige Männer herantrug. Und Streit gab es hier mehr als genug, denn die Stadt war dort errichtet worden, wo drei Königreiche aneinandergrenzten, und sie war in diesen Jahren ohne Regierung.

Im Osten Lundenes lag Ostanglien, über das Guthrum herrschte. Im Süden, am anderen Ufer der Temes, lag Wessex, während sich im Westen Mercien erstreckte, zu dessen Gebiet die Stadt gehörte. Doch Mercien war wie verkrüppelt, weil ihm ein König fehlte, und so fehlte auch ein Vogt, der die Ordnung in Lundene aufrechterhielt, und es fehlte ein mächtiger Herr, der das Recht durchsetzte. Männer gingen bewaffnet durch die Straßen, Frauen hatten Beschützer bei sich, und große Hunde waren an den Haustoren angekettet. Jeden Morgen wurden Leichen gefunden, falls die Flut sie nicht flussabwärts zum Meer und an der Küste vorbeigetragen hatte, an der die Dänen ihr großes Lager bei Beamfleot aufgeschlagen hatten. Von dort aus segelten die Schiffe der Nordmänner los, um von den Handelsschiffen, die durch die weite Mündung der Temes herauffuhren, Zölle zu erheben. Die Nordmänner hatten kein Recht, solche Abgaben zu fordern, aber sie hatten ihre Schiffe und Männer und Schwerter und Äxte, und damit machten sie ihre fehlenden Rechte mehr als wett.

Haesten hatte schon oft solche unberechtigten Abgaben eingetrieben, er war sogar reich geworden bei dieser Seeräuberei, reich und mächtig, aber er war dennoch unruhig, als wir in die Stadt einritten. Während wir an Lundene herangekommen waren, hatte er unaufhörlich geredet, meist über Belanglosigkeiten, und zu schnell gelacht, wenn ich säuerliche Bemerkungen über seine dummen Worte machte. Doch dann, als wir zwischen den halb verfallenen Türmen beiderseits eines großen Stadttors hindurchritten, wurde er still. Es standen Wachen an dem Tor, aber sie mussten Haesten erkannt haben, denn sie riefen uns nicht an, sondern zogen nur die Hürden weg, mit denen sie den bröckelnden Torbogen versperrt hatten. In dem Tordurchgang lag ein Stapel Balken, was bedeutete, dass sie das Tor erneuern würden.

Wir waren in der römischen Stadt angekommen, der alten Stadt, und unsere Pferde gingen im Schritt eine Straße entlang, die mit großen Steinplatten ausgelegt war, zwischen denen das Unkraut wucherte. Es war kalt. Noch immer lag Reif in schattigen Ecken, die bisher kein Sonnenstrahl erreicht hatte. Durch die geschlossenen Fensterläden der Häuser trieb der Rauch von Holzfeuern und wirbelte die Straße hinab. «Wart Ihr schon einmal hier?» Unvermittelt hatte Haesten mit dieser Frage das Schweigen gebrochen.

«Schon viele Male», sagte ich. Haesten und ich ritten nun an der Spitze.

«Sigefrid», begann Haesten und stellte dann fest, dass er nichts zu sagen hatte.

«Er ist ein Norweger, wie ich höre», sagte ich.

«Er ist unberechenbar», sagte Haesten, und sein Tonfall verriet mir, dass es Sigefrid war, der ihn unruhig machte. Haesten war ohne mit der Wimper zu zucken einem lebenden Leichnam entgegengetreten, doch der Gedanke an Sigefrid flößte ihm Furcht ein.

«Ich kann auch unberechenbar sein», sagte ich, «genau wie du.»

Darauf sagte Haesten nichts. Stattdessen berührte er sein Hammeramulett und lenkte sein Pferd dann in einen Torweg, worauf Diener herbeiliefen, um uns zu begrüßen. «Der Königspalas», sagte Haesten.

Ich kannte den Palas. Er war von den Römern als mächtiges, von einem Gewölbe überspanntes Gebäude mit Säulen und behauenem Stein errichtet worden, wenn es später auch von den mercischen Königen geflickt werden musste, sodass nun Dachstroh, Flechtwerk und Holzbalken die Lücken in dem zerfallenden Gemäuer schlossen. Den großen Saal säumten römische Säulen und seine Wände waren aus Ziegelsteinen, doch hatte an kleinen Stellen hier und da auch die Marmorverkleidung die Zeiten überstanden. Ich betrachtete das hohe Mauerwerk und staunte darüber, dass jemals Männer in der Lage gewesen waren, solche Mauern zu errichten. Wir selbst bauten mit Holz und Stroh, und beides verrottete früher oder später, und das hieß, dass wir nichts hinterlassen würden. Die Römer dagegen hinterließen Marmor und Stein, Ziegel und Pracht.

Ein Hausverwalter erklärte uns, Sigefrid und sein jüngerer Bruder seien in der alten Römerarena, die vom Königspalas aus in nördlicher Richtung lag. «Was tut er dort?», fragte Haesten.

«Er bringt ein Opfer, Herr», sagte der Verwalter.

«Dann werden wir ihn aufsuchen», sagte Haesten und sah mich fragend an.

«Das tun wir», sagte ich.

Wir ritten den kurzen Weg bis zur Arena. Bettler schraken vor uns zurück. Wir besaßen Geld, und das wussten sie, aber sie wagten nicht, uns um etwas zu bitten, denn wir waren bewaffnet und wir waren Fremde. Schwerter, Schilde, Äxte und Speere hingen an den schlammverspritzten Flanken unserer Pferde. Ladenbetreiber verbeugten sich vor uns, während Frauen ihre Kinder in den Rockfalten versteckten. Die meisten Leute, die im römischen Teil Lundenes wohnten, waren Dänen, doch sogar diese Dänen waren

92

ängstlich. Ihre Stadt war von Sigefrids Schiffsmannschaften eingenommen worden, die auf Geld und Frauen aus waren.

Ich kannte die weite, eiförmige römische Arena, die von verfallenden Steinstufen umgeben war, auf denen früher Holzplanken zum Sitzen gelegen hatten. Als Kind hatte ich hier von Toki dem Schiffsmeister die wichtigsten Hiebe mit dem Schwert gelernt. Kaum jemand war auf den steinernen Stufen zu sehen, nur ein paar Müßiggänger sahen den Männern zu, die in der Mitte der unkrautüberwucherten Arena standen. Es müssen vierzig oder fünfzig Männer gewesen sein, und etwa zwanzig gesattelte Pferde waren an einem Ende der Arena angebunden, doch was mich am meisten überraschte, als ich zwischen den hohen Mauern des Eingangs hindurchritt, war das christliche Kreuz, das zwischen den Männern aufgestellt worden war.

«Sigefrid ist ein Christ?», fragte ich Haesten erstaunt.

«Nein!», sagte Haesten nachdrücklich.

Die Männer hatten die Hufschläge gehört und drehten sich zu uns um. Alle waren für den Kampf gerüstet und wirkten bedrohlich in ihren Kettenhemden und Lederpanzern, mit ihren Schwertern oder Äxten, doch sie waren in fröhlicher Stimmung. Dann kam von dem Kreuz aus der Mitte der Gruppe mit stolzem Schritt Sigefrid auf uns zu.

Ich erkannte ihn, auch ohne dass man mir gesagt hatte, wer er war. Sigefrid war ein massiger Mann, und er wirkte noch massiger, weil er einen weiten Umhang aus schwarzem Bärenfell trug, der ihm bis zu den Knöcheln reichte. Darunter trug er hohe Lederstiefel, ein schimmerndes Kettenhemd und einen Schwertgürtel, der mit Silbernieten beschlagen war. Sein buschiger schwarzer Bart quoll unter einem Eisenhelm hervor, den silberne Beschläge zierten. Er zog den Helm vom Kopf, während er auf uns zukam, und sein Haar war ebenso schwarz und buschig wie sein Bart. Schwarze Augen saßen in seinem breiten Gesicht, eine Nase, die schon gebrochen und gequetscht worden war, und ein schlitzartiger Mund, der ihm ein bösartiges Aussehen verlieh. Dann blieb er mit gespreizten Beinen stehen und sah uns an, als erwarte er einen Angriff.

«Herr Sigefrid!», grüßte ihn Haesten mit erzwungener Leichtigkeit.

«Herr Haesten! Willkommen zurück! Wahrhaftig, willkommen!» Sigefrids Stimme war merkwürdig hoch, nicht weibisch, aber sie passte dennoch nicht zu solch einem riesigen, tückisch wirkenden Mann. «Und Ihr», er deutete mit einer schwarz behandschuhten Hand auf mich, «müsst Herr Uhtred sein!»

«Uhtred von Bebbanburg», stellte ich mich vor.

«Und Ihr seid willkommen, fürwahr willkommen!» Er trat einen Schritt vor und nahm selbst die Zügel meines Pferdes, was eine Ehre war, und dann lächelte er zu mir empor, und sein Gesicht, das so furchterregend ausgesehen hatte, wurde mit einem Mal verschmitzt, sogar fast freundlich. «Die Leute behaupten, Ihr wäret großgewachsen, Herr Uhtred!»

«Das habe ich auch schon gehört», sagte ich.

«Dann lasst uns feststellen, wer von uns der Größere ist», schlug er leutselig vor. «Ihr oder ich?» Ich glitt aus dem Sattel und schüttelte meine steifen Beine aus. Sigefrid, riesenhaft in seinem Fellumhang, hielt immer noch meine Zügel, und er lächelte auch immer noch. «Also?», fragte er die nächstbesten Männer.

«Ihr seid größer», beeilte sich einer von ihnen zu sagen.

«Und wenn ich Euch gefragt hätte, wer der Schönere ist», sagte Sigefrid, «was hättest du dann geantwortet?»

Der Mann sah von Sigefrid zu mir und von mir zu Sigefrid und wusste nicht, was er sagen sollte. Er starrte uns nur entsetzt an.

«Er befürchtet, die falsche Antwort zu geben», vertraute mir Sigefrid erheitert an, «weil ich ihn dann vielleicht töte.»

«Und würdet Ihr das?»

«Ich würde es mir überlegen. Hier!», rief er den Mann an, der nun ängstlich vortrat. «Nimm die Zügel», sagte Sigefrid, «und geh mit dem Pferd herum. Und wer ist nun der Größere?» Diese Frage galt Haesten.

«Ihr habt dieselbe Größe», sagte Haesten.

«Und sind einer so hübsch wie der andere», sagte Sigefrid und lachte. Er legte seine Arme um mich, und ich roch den widerlichen Gestank seines Fellumhangs. Er drückte mich an seine Brust. «Seid willkommen, Herr Uhtred, willkommen!» Dann trat er einen Schritt zurück und grinste. Ich mochte ihn in diesem Moment, denn sein Lächeln wirkte tatsächlich einladend. «Ich habe schon viel von Euch gehört», erklärte er.

«Und ich von Euch, Herr.»

«Und zweifellos wurden uns beiden viele Lügen aufgetischt! Aber gute Lügen. Aber ich habe auch noch einen Zwist mit Euch.» Er grinste abwartend, aber ich ging nicht auf seine Worte ein. «Jarrel!», erklärte er, «Ihr habt ihn umgebracht.»

«Das habe ich», sagte ich. Jarrel hatte die Besatzung des Wikingerschiffs angeführt, die ich an der Temes hingemetzelt hatte.

«Ich mochte Jarrel», sagte Sigefrid.

«Dann hättet Ihr ihm raten sollen, um Uhtred von Bebbanburg einen großen Bogen zu machen», sagte ich.

«Das stimmt», sagte Sigefrid, «und stimmt es auch, dass Ihr Ubba getötet habt?»

«Das habe ich.»

«Er kann nicht einfach zu töten gewesen sein! Und Ivarr?»

«Ivarr habe ich auch getötet», bestätigte ich.

«Aber er war alt, und seine Zeit war gekommen. Sein Sohn hasst Euch, wisst Ihr das?»

«Das weiß ich.»

Sigefrid schnaubte höhnisch. «Dieser Sohn ist ein Nichts. Ein Stück Knorpel. Er hasst Euch, aber warum sollte sich der Falke um den Hass des Spatzen scheren?» Er grinste mich an und richtete seinen Blick dann auf Smoca, meinen Hengst, der in der Arena herumgeführt wurde, sodass er sich nach dem langen Ritt langsam abkühlen konnte. «Das», sagte Sigefrid bewundernd, «ist ein Pferd!»

«So ist es!», stimmte ich zu.

«Ob ich es Euch vielleicht wegnehmen sollte?»

«Das haben schon viele versucht», sagte ich.

Das gefiel ihm. Er lachte wieder und legte mir eine schwere Hand auf die Schulter, um mich zu dem Kreuz zu führen. «Ihr seid Sachse, wie ich gehört habe?»

«Das bin ich.»

«Aber kein Christ?»

«Ich verehre die wahren Götter», sagte ich.

«Mögen sie Euch dafür lieben und belohnen», sagte er und drückte meine Schulter, und sogar durch den Kettenpanzer und das Leder spürte ich, wie stark er war. Dann wandte er sich ab. «Erik! Bist du mit einem Mal schüchtern geworden?»

Sein Bruder trat aus der Männergruppe. Er hatte das gleiche schwarze, buschige Haar, doch Erik hatte es mit einer Kordel fest nach hinten zusammengebunden. Sein Bart war geschnitten. Er war jung, vielleicht erst zwanzig oder einundzwanzig, und er hatte ein breites Gesicht mit hellen Augen, die zugleich neugierig und freundlich blickten. Es hatte mich überrascht festzustellen, dass ich Sigefrid mochte, aber Erik zu mögen, konnte niemanden überraschen. Sein Lächeln kam unvermittelt, seine Miene war offen und arglos. Er war, wie Gisclas Bruder, ein Mann, den man vom ersten Moment an gern hatte.

«Ich bin Erik», grüßte er mich.

«Er ist mein Ratgeber», sagte Sigefrid, «mein Gewissen und mein Bruder.»

«Gewissen?»

«Erik würde keinen Mann dafür töten, gelogen zu haben, oder, Bruder?»

«Nein», sagte Erik.

«Also ist er ein Narr, aber ich liebe diesen Narren.» Sigefrid lachte. «Glaubt aber nicht, dass dieser Narr ein Weichling ist, Herr Uhtred. Er kämpft wie ein böser Dämon aus Niflheim.» Er schlug seinem Bruder auf die Schulter, dann nahm er meinen Ellbogen und schob mich in Richtung des unerklärlichen Kreuzes. «Ich habe Gefangene», erklärte er mir, während wir näher herankamen, und da sah ich fünf Männer mit hinter dem Rücken gefesselten Händen auf dem Boden knien. Umhänge, Waffen und Kittel waren ihnen weggenommen worden, sodass sie nur noch ihre Hosen trugen. Sie zitterten in der Kälte.

Das Kreuz war neu und bestand aus zwei Holzbalken, die grob zusammengenagelt worden waren. Dann hatten sie es in einem schnell ausgehobenen Loch aufgerichtet, es neigte sich leicht zur Seite. An seinem Fuß lagen einige schwere Nägel und ein großer Hammer. «Man sieht immer den Tod am Kreuz auf ihren Standbildern und Schnitzereien», erklärte mir Sigefrid. «Und auch auf den Amuletten, die sie tragen, aber in Wirklichkeit sieht man diese Sache nie. Habt Ihr es schon einmal gesehen?»

«Nein», gab ich zu.

«Und ich verstehe nicht, wie ein Mann daran sterben kann», sagte er mit echtem Erstaunen in der Stimme. «Es sind doch nur drei Nägel! Ich habe im Kampf viel Schlimmeres ertragen.»

«Ich auch», sagte ich.

«Also habe ich mir gesagt, ich sollte herausfinden, was es damit auf sich hat!», endete er fröhlich und nickte dann mit seinem bärtigen Kinn in Richtung der Gefangenen, die am nächsten bei dem Kreuz knieten. «Die beiden Bastarde dort drüben sind Christenpriester. Wir nageln einen von ihnen oben fest und passen auf, ob er stirbt. Ich habe zehn Silberstücke darauf gesetzt, dass er nicht daran stirbt.»

Ich konnte von den beiden Priestern kaum mehr erkennen, als dass der eine von ihnen einen dicken Bauch hatte. Sein Kopf war gesenkt, aber nicht zum Gebet, sondern weil er schwer geprügelt worden war. Sein bloßer Rücken und seine Brust waren voller Prellungen und blutiger Stellen, und noch mehr Blut klebte in seinem lockigen braunen Haarschopf. «Wer sind sie?», fragte ich Sigefrid.

«Wer seid ihr?», knurrte er die Gefangenen an, und als keine Antwort kam, trat er den Nächstbesten von ihnen grob in die Rippen. «Wer seid ihr?», wiederholte er.

Der Mann hob den Kopf. Er war schon älter, mindestens vierzig Jahre alt, und hatte ein tief zerfurchtes Gesicht, in dem sich die Hoffnungslosigkeit derjenigen spiegelte, die wissen, dass sie dem Tod geweiht sind. «Ich bin Graf Sihtric», sagte er, «Berater von König Æthelstan.»

«Guthrum!», schrie Sigefrid, und was war das für ein Schrei. Ein Schrei reinen Hasses, der aus dem Nichts hervorbrach. In dem einen Augenblick war er freundlich und umgänglich gewesen und im nächsten verwandelte er sich in einen Dämonen. Speichelgeifernd kreischte er den Namen ein zweites Mal. «Guthrum! Sein Name ist Guthrum, du Bastard!» Er trat Sihtric gegen die Brust, und ich glaubte, dass der Tritt hart genug war, um Sihtric eine Rippe zu brechen. «Wie heißt er?», verlangte Sigefrid zu wissen.

«Guthrum», sagte Sihtric.

«Guthrum!», brüllte Sigefrid und trat den alten Mann erneut. Guthrum war, als er mit Alfred Frieden schloss, zum Christentum übergetreten und hatte den christlichen Namen Æthelstan angenommen. Ich dachte immer noch als Guthrum an ihn, genau wie Sigefrid, der sich nun offenbar vorgenommen hatte, Sihtric zu Tode zu treten. Der alte Mann bemühte sich, den Stiefeltritten auszuweichen, doch inzwischen lag er vor Sigefrid auf dem Boden und hatte keine Möglichkeit zu entkommen. Erik schien unberührt von dem wilden Zorn seines Bruders, doch nach einer Weile trat er vor, fasste nach Sigefrids Arm, und der größere Mann ließ sich von ihm wegziehen. «Bastard!», fauchte Sigefrid den stöhnenden Mann über die Schulter an. «Guthrum bei einem christlichen Namen zu nennen!», erklärte er mir seine Aufregung. Er zitterte noch immer von seinem Wutausbruch. Seine Augen hatten sich verengt und seine Miene war verzerrt, doch er schien sich wieder in die Gewalt zu bekommen, während er mir einen schweren Arm um die Schultern legte. «Guthrum hat sie geschickt», sagte er, «um mir zu sagen, dass ich aus Lundene abziehen soll. Aber das ist nicht Guthrums Angelegenheit! Lundene gehört nicht zu Ostanglien, es gehört zu Mercien! Es gehört König Uhtred von Mercien!» Damit benutzte zum ersten Mal jemand den Titel auf diese förmliche Art, und der Klang gefiel mir. Sigefrid drehte sich wieder zu Sihtric um, dessen Lippen nun blutverschmiert waren. «Wie lautete Guthrums Botschaft?»

«Dass die Stadt zu Mercien gehört, und dass Ihr abziehen müsst», brachte Sihtric heraus.

«Dann soll mich Mercien vertreiben», sagte Sigefrid höhnisch.

«Es sei denn, König Uhtred erlaubt uns zu bleiben?», schlug Erik mit einem Lächeln vor.

Ich sagte nichts. Der Titel klang gut, aber dennoch seltsam, so als widersetze er sich dem Webmuster, das die drei Spinnerinnen vorgesehen hatten.

«Alfred wird Euch nicht gestatten, hier zu bleiben.» Einer der anderen Gefangenen hatte zu sprechen gewagt.

«Wer schert sich hier um Alfred?», knurrte Sigefrid bösartig. «Soll der Bastard doch sein Heer schicken, damit seine Männer hier sterben können.»

«Ist das Eure Antwort, Herr?», fragte der Gefangene unterwürfig.

«Meine Antwort sind Eure abgeschlagenen Köpfe», entgegnete Sigefrid.

Ich sah flüchtig zu Erik hinüber. Er war der jüngere Bruder, aber eindeutig derjenige, der für die beiden das Denken besorgte. Er zuckte mit den Schultern. «Wenn wir verhandeln», erklärte er, «geben wir unseren Feinden Zeit, um ihre Kräfte zu sammeln. Besser, wir bleiben bei unserer Herausforderung.»

«Ihr wollt Krieg mit beiden? Mit Guthrum und mit Alfred?», fragte ich.

«Guthrum wird nicht kämpfen», sagte Erik mit großer Sicherheit. «Er droht damit, aber er wird nicht kämpfen. Er wird alt, Herr Uhtred, und er will die Zeit genießen, die ihm noch zum Leben bleibt. Und wenn wir ihm die abgeschlagenen Köpfe schicken? Ich glaube, dann versteht er die Botschaft, dass sein eigener Kopf in Gefahr ist, falls er uns behelligt.»

«Und Alfred?», fragte ich.

«Er ist vorsichtig», sagte Erik, «oder ist er das nicht?»

«Doch.»

«Wird er uns Geld anbieten, damit wir aus der Stadt abziehen?»

«Wahrscheinlich.»

«Und vielleicht nehmen wir es auch», sagte Sigefrid, «und bleiben trotzdem.»

«Alfred wird uns nicht vor dem Sommer angreifen», sagte Erik, ohne auf die Bemerkung seines Bruders einzugehen, «und bis dahin, Herr Uhtred, hoffen wir, dass Ihr Graf Ragnar in den Süden nach Ostanglien gebracht habt. Über diese Bedrohung kann Alfred nicht hinwegsehen. Er wird mit seiner Streitmacht gegen unsere vereinten Heere ziehen, nicht gegen die Garnison von Lundene, und unsere Aufgabe ist es dann, Alfred zu töten und seinen Neffen auf den Thron zu setzen.»

«Æthelwold?», fragte ich zweiflerisch. «Er ist ein Säufer.»

«Säufer oder nicht», sagte Erik, «ein sächsischer König wird den Leuten unsere Eroberung von Wessex schmackhafter machen.»

«Bis Ihr ihn nicht mehr braucht», sagte ich.

«Bis wir ihn nicht mehr brauchen», bestätigte Erik.

Der dickbäuchige Priester, der am Ende der Gefangenenreihe kniete, hatte zugehört. Er starrte mich an und dann Sigefrid, der seinen Blick bemerkte. «Was glotzt du so, du Scheißhaufen?», wollte Sigefrid wissen. Der Priester antwortete nicht, sondern sah mich einfach nur erneut an, und dann ließ er seinen Kopf sinken. «Mit dem fangen wir an», sagte Sigefrid. «Wir nageln den fetten Bastard ans Kreuz und stellen fest, ob er daran stirbt.»

«Sollen wir ihn nicht kämpfen lassen?», schlug ich vor.

Sigefrid starrte mich an. Er glaubte, nicht richtig verstanden zu haben. «Ihn kämpfen lassen?», fragte er.

«Der andere Priester ist mager», sagte ich, «also kann er viel leichter ans Kreuz genagelt werden. Dem Fettsack sollten wir ein Schwert geben und ihn kämpfen lassen.»

Sigefrid grinste verächtlich. «Glaubt Ihr, ein Priester kann kämpfen?»

Ich zuckte mit den Schultern, als wäre es mir gleichgültig, auf welche Weise dieser Mann nun zu Tode kam. «Ich sehe es einfach gern, wenn diese Dickbäuche einen Kampf verlieren», erklärte ich. «Es gefällt mir, wenn ihnen der Wanst aufgeschlitzt wird. Es gefällt mir, wenn ihre Gedärme herausplatzen.» Ich behielt beim Sprechen den Priester im Blick, und er sah wieder auf, um mir in die Augen zu sehen. «Ich will, dass endlose Gedärmschlangen über den Boden zucken», sagte ich mit wölfischer Grausamkeit, «und dann will ich Euren Hunden zusehen, wie sie seine Eingeweide fressen, während er noch lebendig ist.»

«Oder wir zwingen ihn, sie selbst zu fressen», meinte Sigefrid nachdenklich. Unvermittelt grinste er mich an. «Ihr gefallt mir, Herr Uhtred!»

«Er wird zu schnell sterben», sagte Erik.

«Dann muss er etwas haben, für das es sich zu kämpfen lohnt», sagte ich.

«Wofür kann dieses fette Schwein von einem Priester schon kämpfen?», fragte Sigefrid höhnisch.

Ich sagte nichts, und es war Erik, der für die Antwort sorgte. «Seine Freiheit?», sagte er. «Wenn er gewinnt, werden alle Gefangenen freigelassen, aber wenn er verliert, dann kreuzigen wir sie alle. Das sollte ihm genug Ansporn zum Kampf sein.»

«Er wird dennoch verlieren», sagte ich.

«Ja, aber er wird sich anstrengen», sagte Erik.

Sigefrid lachte. Die sinnlose Ungereimtheit dieses Kampfes belustigte ihn. Der Priester, halb nackt, dickbäuchig und entsetzt, sah uns nacheinander an, doch er fand nichts außer Erheiterung und Grausamkeit in unseren Mienen. «Schon mal ein Schwert in der Hand gehabt, Priester?», wollte Sigefrid von dem dicken Mann wissen. Der Priester sagte nichts.

Ich füllte das Schweigen mit Spott. «Er wird nur wie ein Schwein herumrennen», sagte ich.

«Wollt Ihr gegen ihn kämpfen?», fragte Sigefrid.

«Er wurde nicht mir als Bote gesandt, Herr», sagte ich respektvoll. «Übrigens habe ich gehört, dass es niemand mit Eurer Geschicklichkeit im Umgang mit der Klinge aufnehmen kann. Also fordere ich Euch dazu heraus, mir zu beweisen, dass Ihr mit einem einzigen Hieb seinen Bauchnabel treffen könnt.»

Sigefrid gefiel diese Herausforderung. Er wandte sich an den Priester. «Heiliger Mann! Willst du für deine Freiheit kämpfen?»

Der Priester zitterte vor Angst. Er sah seine Begleiter an, doch bei ihnen fand er keine Unterstützung. Es gelang ihm zu nicken. «Ja, Herr», sagte er.

«Dann kannst du gegen mich kämpfen», sagte Sigefrid

heiter, «und wenn ich gewinne, dann sterbt ihr alle. Und wenn du gewinnst, dann könnt ihr von hier wegreiten. Kannst du kämpfen?»

«Nein, Herr», sagte der Priester.

«Schon mal ein Schwert in der Hand gehabt?»

«Nein, Herr.»

«Also bist du bereit zu sterben?», fragte Sigefrid.

Der Priester sah den Norweger an, und trotz all seiner Striemen und blutigen Verletzungen flackerte so etwas wie Wut in seinen Augen auf, die die Unterwürfigkeit in seiner Stimme Lügen strafte. «Ja, Herr», sagte er, «ich bin bereit, zu sterben und vor meinen Heiland zu treten.»

«Schneidet ihm die Fesseln durch», befahl Sigefrid einem seiner Gefolgsleute. «Schneidet diesem Scheißhaufen die Fesseln durch und gebt ihm ein Schwert.» Er zog sein eigenes Schwert, das eine lange, zweischneidige Klinge besaß. «Schreckenspender» – so nannte er die Waffe mit zärtlicher Stimme – «braucht ein bisschen Beschäftigung.»

«Hier», sagte ich und zog Schlangenhauch, meine eigene wundervolle Waffe. Ich drehte sie so, dass ich das Schwert an der Klinge hielt, und warf es mit dem Heft voran dem Priester zu, der gerade von seinen Fesseln befreit worden war. Er verfehlte den Fang, sodass Schlangenhauch in das bleiche Wintergras fiel. Er starrte das Schwert einen Moment lang an, als habe er noch nie zuvor solch einen Gegenstand gesehen, und dann bückte er sich, um es aufzuheben. Er war unsicher, ob er Schlangenhauch in der rechten oder der linken Hand halten sollte. Dann entschied er sich für die linke und führte zur Probe einen unbeholfenen Hieb aus, über den die Männer Sigefrids erheitert lachten.

«Warum soll er mit Eurem Schwert kämpfen?», fragte Sigefrid.

«Er wird ohnehin nichts damit anfangen können», spottete ich.

«Und wenn ich die Klinge zerbreche?», fragte Sigefrid eindringlich.

«Dann weiß ich, dass der Schmied, der sie angefertigt hat, nichts von seinem Handwerk versteht», sagte ich.

«Eure Klinge, Eure Entscheidung», sagte Sigefrid gleichgültig und wandte sich an den Priester, der Schlangenhauch so hielt, dass die Spitze auf dem Boden stand. «Bist du bereit, Priester?», fragte er.

«Ja, Herr», sagte der Priester, und das war die erste ehrliche Antwort, die er dem Norweger gegeben hatte. Denn dieser Priester hatte schon viele Male zuvor ein Schwert in der Hand gehabt, und er verstand zu kämpfen, und ich bezweifelte sehr, dass er bereit war, vor seinen Heiland zu treten. Der Priester war Pater Pyrlig.

Wenn die Lehmerde deiner Äcker feucht ist und schwer, dann kannst du zwei Ochsen vor eine Pflugschar spannen, und du kannst die beiden Tiere mit dem Stachelstock antreiben, bis sie bluten, sodass die Schar den Boden umpflügt. Die Ochsen müssen gemeinsam ziehen, deshalb werden sie auch nebeneinander ins Joch gespannt, und im Leben heißt der eine Ochse Schicksal und der andere heißt Schwüre.

Das Schicksal bestimmt, was wir tun. Wir können ihm nicht entkommen. Wyrd bið ful āræd. Wir haben im Leben keine Wahl, wie sollten wir auch? Denn vom Moment unserer Geburt an wissen die drei Schwestern, wohin unser Lebensfaden uns führen wird und zu welchen Mustern er sich verwebt und wie er enden wird. Wyrd bið ful āræd.

Und doch wählen wir unsere Schwüre selbst. Als mir Alfred sein Schwert und seine Hände reichte, damit ich sie mit meinen Händen umschloss, hat er mir nicht befohlen, den Schwur auf ihn abzulegen. Er hat es mir angeboten, und ich habe gewählt. Aber war es tatsächlich meine Wahl? Oder haben die Parzen für mich gewählt? Und wenn sie es getan haben, warum soll ich mich dann um Schwüre scheren? Darüber habe ich mir oft den Kopf zerbrochen, und sogar jetzt, wo ich ein alter Mann geworden bin, zerbreche ich mir noch den Kopf darüber. Habe ich Alfred gewählt? Oder haben die Parzen miteinander gelacht, als ich mich vor ihn kniete und sein Schwert und seine Hände in meine nahm?

An diesem kalten, klaren Tag in Lundene haben die drei Nornen bestimmt gelacht, denn im gleichen Augenblick, in dem ich erkannte, dass der dickbäuchige Priester Pater Pyrlig war, erkannte ich auch, dass nichts im Leben einfach ist. Mir war in diesem Moment klargeworden, dass die Parzen mir keinen goldenen Schicksalsfaden gesponnen hatten, der zu einem Thron führte. Ihr Gelächter schien von den Wurzeln des Lebensbaums Yggdrasil bis zu mir herauf zuschallen. Sie hatten einen Scherz mit mir getrieben, und nun musste ich meine Wahl treffen.

Tat ich das? Vielleicht trafen auch die Parzen die Wahl für mich, doch in diesem Augenblick, in dem ich im Schatten des groben, düsteren Kreuzes stand, glaubte ich, meine Wahl zwischen den Brüdern Thurgilson und Pyrlig treffen zu müssen.

Sigefrid war kein Freund von mir, aber er war ein Respekt einflößender Mann, und mit ihm als Verbündetem konnte ich König von Mercien werden. Und Gisela würde Königin. Ich könnte zusammen mit Sigefrid, Erik, Haesten und Ragnar Wessex ausplündern. Ich könnte reich werden.

Ich würde ganze Heere anführen. Ich würde mein Banner mit dem Wolfskopf flattern lassen, und hinter Smoca würde eine Unzahl Speerwerfer in Kettenhemden reiten. Und das Donnern unserer Hufe würde meine Feinde bis in ihre Albträume verfolgen. All das wäre mein Leben, wenn meine Wahl darauf fiele, mich mit Sigefrid zu verbünden.

Und wenn meine Wahl auf Pyrlig fiele, würde ich alles verlieren, was mir von dem toten Mann versprochen worden war. Was bedeutete, dass Bjorn gelogen hatte, doch wie konnte ein Mann lügen, der mit einer Botschaft von den Nornen aus seinem Grab herausgesandt worden war? Ich erinnere mich, all das in der Zeit des Herzschlags vor meiner Entscheidung gedacht zu haben, wenn ich in Wahrheit auch nicht zögerte. Nicht einmal einen Herzschlag lang zögerte ich.

Pyrlig war ein Waliser, ein Britone, und wir Sachsen hassen die Britonen. Die Britonen sind heimtückische Diebe. Sie verstecken sich in ihren Hügelfestungen und kommen herunter, um unser Land zu plündern, und sie rauben unser Vieh und manchmal unsere Frauen und Kinder, und wenn wir sie verfolgen, dann ziehen sie sich noch tiefer in unwegsame Gebiete voller Nebel, Felsen, Sümpfe und Trübsal zurück. Und Pyrlig war außerdem noch ein Christ, und ich liebe die Christen nicht. Die Wahl schien so leicht! Auf der einen Seite ein Königreich, Freunde unter den Nordmännern und Reichtum und auf der anderen ein Britone, der Priester eines Glaubens war, der die Freude aus dieser Welt saugt, wie die Dämmerung das Tageslicht verschluckt. Doch ich dachte nicht nach. Ich wählte, oder das Schicksal wählte, und ich wählte die Freundschaft. Pyrlig war mein Freund. Ich hatte ihn im düstersten Winter kennengelernt, den Wessex je erlebt hat, als die Dänen nahezu das gesamte

Königreich unter ihre Herrschaft gebracht hatten und Alfred sich mit ein paar Getreuen in die Sumpfgebiete des Westens flüchten musste. Pyrlig war von seinem walisischen König als Botschafter gesandt worden, um das Maß von Alfreds Schwäche auszukundschaften oder auszunutzen, doch stattdessen hatte er sich Alfred angeschlossen und für ihn gekämpft. Pyrlig und ich hatten gemeinsam im Schildwall gestanden. Wir hatten Seite an Seite gekämpft. Wir waren Waliser und Sachse, Christ und Heide, und wir hätten Feinde sein müssen, doch ich liebte ihn wie einen Bruder.

Also gab ich ihm mein Schwert, und statt zuzusehen, wie er an ein Kreuz genagelt wurde, eröffnete ich ihm die Möglichkeit, um sein Leben zu kämpfen.

Und es war natürlich kein redlicher Kampf. Schon nach einem Moment war er beendet! In der Tat hatte er kaum begonnen, als er schon wieder endete, und nur mich allein überraschte dieses Ende nicht.

Sigefrid erwartete, einem fetten, ungeübten Priester gegenüberzutreten, doch ich wusste, dass Pyrlig ein Krieger gewesen war, bevor er seinen Gott gefunden hatte. Ein gewaltiger Krieger war er gewesen, ein Sachsentöter und ein Mann, über den sein Volk Lieder sang. Jetzt sah er nicht mehr wie ein gewaltiger Krieger aus. Er war halb nackt, fett, zerzaust, verschrammt und voller Blutergüsse. Er wartete mit einer Miene grässlichen Entsetzens auf Sigefrids Angriff und ließ Schlangenhauchs Spitze immer noch auf dem Boden aufstehen. Er wich rückwärts aus, als Sigefrid näher kam, und gab winselnde Geräusche von sich. Sigefrid lachte und holte fast wie im Spiel mit seinem Schwert aus, denn er rechnete damit, Pyrlig die Klinge aus der Hand zu schlagen, sodass der dicke Wanst ungeschützt war und er ihn mit seinem Schreckenspender aufschlitzen konnte.

Da bewegte sich Pyrlig wie ein Wiesel.

In einer anmutigen Bewegung hob er Schlangenhauch und tanzte ein paar Schritte zurück, sodass Sigefrids unvorsichtiger Hieb unter der Klinge hindurchfuhr, und dann trat er auf seinen Gegner zu und ließ Schlangenhauch heftig niederfahren, drehte ihn dabei aus dem Handgelenk und schmetterte ihn gegen Sigefrids Schwertarm, der noch im Auswärtsschwung war. Der Hieb war nicht stark genug, um die Kettenrüstung zu durchbrechen, aber er trieb Sigefrids Schwertarm noch weiter nach außen, und so bekam Pyrlig die Gelegenheit zum Zustoßen. Und Pyrlig stieß zu. Er war so schnell, dass Schlangenhauch wie ein silbriger Schemen auf Sigefrids Brust zufuhr.

Erneut durchbohrte die Klinge Sigefrids Kettenhemd nicht. Doch der Stoß trieb den großen Mann rückwärts, und ich sah rasende Wut in den Augen des Norwegers aufflackern, und ich sah ihn Schreckenspender in einem gewaltigen Schwung zurückbringen, der Pyrlig bestimmt in einem blutigroten Augenblick geköpft hätte, so viel Stärke und Wildheit lag in diesem mächtigen Hieb. Doch Pyrlig, der nur noch einen Herzschlag von seinem Tod entfernt schien, setzte nur sein Handgelenk wieder ein. Es sah aus, als bewege er sich gar nicht, und dennoch flackerte Schlangenhauch aufwärts und zur Seite.

Er traf Sigefrid mit der Schwertspitze an der Innenseite des Handgelenks, und ich sah das Blut wie roten Nebel in die Luft sprühen.

Und ich sah Pyrlig lächeln. Es war zwar eher eine Grimasse, doch in diesem Lächeln lag der Stolz des Kriegers und die Siegesfreude des Kriegers. Seine Klinge hatte Sigefrids Unterarm aufgeschlitzt, die Kettenrüstung aufgerissen, und Fleisch und Haut und Muskeln lagen vom Handgelenk bis zum Ellbogen offen, und Sigefrid konnte seinen mächtigen Hieb nicht mehr ausführen. Der Schwertarm des Norwegers erlahmte, und Pyrlig trat unvermittelt zurück und drehte Schlangenhauch, sodass er das Schwert abwärts fahren lassen konnte, und nun schien er auch endlich Kraft in die Klinge legen zu wollen. Sie machte ein pfeifendes Geräusch, als der Waliser auf das blutende Handgelenk Sigefrids einhackte. Beinahe hätte er die Hand abgetrennt, doch die Klinge glitt an einem Knochen ab und nahm sich nur Sigefrids Daumen, und Schreckenspender fiel auf den Boden der Arena, und Schlangenhauch schnellte zu Sigefrids Bart empor, und dann lag er an seiner Kehle.

«Nein!», rief ich.

Sigefrid war zu entsetzt, um wütend zu sein. Er konnte nicht glauben, was eben geschehen war. Mittlerweile musste er wissen, dass sein Gegner ein Schwertmann war, aber er konnte dennoch nicht glauben, dass er der Unterlegene sein sollte. Er hob seine blutigen Hände, als wolle er Pyrligs Klinge packen, und ich sah die Klinge zucken, und Sigefrid, der eine Haaresbreite vom Tod entfernt war, erstarrte.

«Nein», wiederholte ich.

«Warum sollte ich ihn nicht töten?», fragte Pyrlig, und seine Stimme war jetzt die Stimme eines Kriegers, hart und erbarmungslos, und seine Augen waren die Augen eines Kriegers, eiskalt und rasend vor Zorn.

«Nein», sagte ich wieder. Wenn Pyrlig Sigefrid tötete, würden Sigefrids Männer Rache nehmen.

Auch Erik wusste das. «Du hast gewonnen, Priester», sagte er leise. Dann ging er zu seinem Bruder. «Du hast gewonnen», sagte er wieder zu Pyrlig, «also leg das Schwert nieder.»

110

«Weiß er, dass ich ihn geschlagen habe?», fragte Pyrlig und starrte in Sigefrids schwarze Augen.

«Ich spreche für ihn», sagte Erik. «Du hast den Kampf gewonnen, Priester, und du bist frei.»

«Zuerst muss ich meine Botschaft überbringen», sagte Pyrlig. Blut tropfte von Sigefrids Hand herunter. Immer noch starrte er den Waliser fassungslos an. «Die Botschaft, die wir von König Æthelstan bringen», sagte Pyrlig und meinte Guthrum, «lautet, dass Ihr aus Lundene abziehen sollt. Es gehört nicht zu dem Gebiet, das Alfred dänischer Herrschaft überlassen hat. Versteht Ihr das?» Er ließ Schlangenhauch erneut zucken, aber Sigefrid antwortete nicht. «Und jetzt will ich Pferde», sprach Pyrlig weiter, «und Herr Uhtred soll uns bis vor die Tore Lundenes begleiten. Sind wir uns einig?»

Erik sah mich an, und ich nickte zustimmend. «Wir sind uns einig», sagte Erik zu Pyrlig.

Pyrlig übergab mir Schlangenhauch. Erik hielt den verwundeten Arm seines Bruders. Einen Moment lang glaubte ich, dass Sigefrid den unbewaffneten Waliser angreifen würde, doch es gelang Erik, ihn wegzuführen.

Dann wurden Pferde geholt. Die Männer in der Arena schwiegen trotz ihrer Aufgebrachtheit. Sie hatten die Demütigung ihres Anführers mit angesehen und verstanden nicht, weshalb es Pyrlig erlaubt wurde, mit den anderen Gesandten wegzureiten, dennoch erkannten sie Eriks Entscheidung an.

«Mein Bruder ist sehr halsstarrig», erklärte mir Erik. Er hatte mich zur Seite genommen, während die Pferde gesattelt wurden.

«Scheinbar versteht der Priester doch etwas vom Kämpfen», sagte ich entschuldigend.

Erik runzelte die Stirn, doch nicht verärgert, sondern verwirrt. «Der Christengott macht mich neugierig», gab er zu. Er betrachtete seinen Bruder, der gerade verbunden wurde. «Ihr Gott scheint sehr mächtig zu sein», sagte Erik. Ich ließ Schlangenhauch in die Scheide gleiten, und Erik sah das Silberkreuz, das den Knauf des Schwertes zierte. «Denkt Ihr auch so?»

«Das war ein Geschenk», sagte ich, «von einer Frau. Einer guten Frau. Einer Geliebten von mir. Dann hat sie der Christengott für sich beansprucht, und jetzt liebt sie keine Männer mehr.»

Erik streckte die Hand aus und berührte zaghaft das Kreuz. «Glaubt Ihr, dass es Eurem Schwert besondere Macht verleiht?», fragte er.

«Das tut vielleicht die Erinnerung an ihre Liebe», sagte ich, «aber die wahre Macht kommt von hier.» Ich berührte mein Amulett, den Hammer Thors.

«Ich fürchte ihren Gott», sagte Erik.

«Er ist streng», sagte ich, «lieblos. Er ist ein Gott, der gern Gesetze erlässt.»

«Gesetze?»

«Es ist verboten, die Frau seines Nachbarn zu begehren», sagte ich.

Erik lachte auf, doch dann sah er, dass ich es ernst meinte. «Wirklich?», fragte er ungläubig.

«Priester!», rief ich zu Pyrlig hinüber. «Erlaubt es Euer Gott einem Mann, die Frauen seiner Nachbarn zu begehren?»

«Er lässt es zu, Herr», sagte Pyrlig demütig, «aber er missbilligt es.»

«Hat er ein Gesetz darüber erlassen?»

«Ja, Herr, das hat er getan. Und noch ein anderes, in

dem er sagt, man soll nicht den Ochsen seines Nachbarn begehren.»

«Seht Ihr», sagte ich zu Erik, «man darf sich als Christ nicht einmal einen Ochsen wünschen.»

«Merkwürdig», sagte er nachdenklich. Er betrachtete Guthrums Gesandte, denen eben so knapp die Hälse gerettet worden waren. «Ihr habt nichts dagegen, sie zu begleiten?»

«Nein.»

«Vielleicht ist es gar nicht schlecht, wenn sie gehen», sagte er ruhig. «Warum Guthrum einen Grund liefern, uns anzugreifen?»

«Das würde er nicht», sagte ich überzeugt, «ob Ihr sie nun tötet oder nicht.»

«Möglicherweise nicht», stimmte er zu, «aber wir haben vereinbart, dass alle am Leben bleiben, wenn der Priester gewinnt. Also lasst sie am Leben. Und Ihr seid sicher, dass Ihr nichts dagegen habt, sie zu begleiten?»

«Natürlich nicht.»

«Danach kommt Ihr wieder her», sagte Erik herzlich, «wir brauchen Euch.»

«Ihr braucht Ragnar», sagte ich.

«Stimmt», gab er zu und lächelte. «Bringt diese Männer sicher aus der Stadt, und dann kommt wieder.»

«Ich habe Frau und Kinder, die ich zuerst holen muss.»

«Ja», sagte er und lächelte erneut. «Ihr könnt Euch glücklich schätzen. Aber werdet Ihr zurückkommen?»

«Bjorn der Tote hat es so gesagt», wich ich seiner Frage vorsichtig aus.

«Das hat er», sagte Erik. Er umarmte mich. «Wir brauchen Euch», sagte er wieder, «und zusammen können wir diese ganze Insel einnehmen.»

Dann ritten wir los, durch die Straßen der Stadt, durch das Westtor, das als Ludd's Gate bekannt war, und bis hinunter zu der Furt über den Fleot. Graf Sihtric hing über seinem Sattelknauf, immer noch quälten ihn die Schmerzen, die ihm Sigefrid mit seinen Fußtritten zugefügt hatte. Ich blickte über die Schulter zurück, als wir den Fluss überquert hatten, weil ich halb erwartete, dass Sigefrid die Entscheidung seines Bruders widerrufen und seine Männer auf uns gehetzt hatte, doch es tauchte keiner von ihnen auf. Schnell ritten wir durch das sumpfige Flusstal und dann die sanfte Anhöhe bis zur sächsischen Stadt hinauf.

Ich blieb nicht auf der Straße Richtung Westen, sondern wandte mich zu den Anlegeplätzen, an denen einige Schiffe vertäut waren. Es waren Flussschiffe, mit denen Handel zwischen Wessex und Mercien betrieben wurde. Nur wenige der Schiffsführer fuhren gern durch die gefährliche Lücke in der zerfallenen Brücke, die einst von den Römern über die Temes gebaut worden war. Daher waren die Händlerschiffe kleiner, mit Ruderleuten bemannt, und alle hatten mir in Coccham Abgaben gezahlt. Sie alle kannten mich, denn sie machten auf jeder Reise Geschäfte mit mir.

Wir drängten uns zwischen aufgestapelten Handelswaren hindurch, vorbei an offenen Feuern und durch die Sklavengruppen, die Fracht einluden oder ausluden. Nur ein Schiff war zum Ablegen bereit. Es trug den Namen *Swan*, und ich kannte es gut. Der *Swan* hatte eine sächsische Besatzung, die nun schon am Landeplatz versammelt war, während der Schiffsführer, ein Mann namens Osric, seinen Handel mit dem Kaufmann abschloss, dessen Waren er beförderte. «Ihr nehmt auch uns mit», verkündete ich ihm.

Wir ließen die meisten Pferde zurück, doch ich bestand

darauf, dass für Smoca Platz gefunden wurde, und auch Finan wollte seinen Hengst mitnehmen. Also wurden die beiden Tiere mit viel gutem Zureden in den offenen Laderaum des *Swan* geführt, wo sie zitternd stehen blieben. Dann legten wir ab. Die Flut kam, die Ruder tauchten ins Wasser, und wir glitten flussaufwärts. «Wohin soll ich Euch bringen, Herr?», fragte mich der Schiffsführer Osric.

«Nach Coccham», sagte ich.

Und zurück zu Alfred.

Der Fluss war breit, grau und träge. Die Strömung war stark, denn sie wurde von den Regenfällen des Winters genährt, und die hereinkommende Flut hatte ihr weniger und weniger entgegenzusetzen. Die zehn Ruderleute hatten schwer zu kämpfen, und ich fing Finans Blick auf und wir lächelten uns an. Er erinnerte sich, genau wie ich selbst, an unsere langen Monate als Rudersklaven auf einem Händlerschiff. Wir hatten gelitten, geblutet und gezittert, und wir hatten geglaubt, nur der Tod könne uns von diesem Schicksal erlösen, aber jetzt wurden wir von anderen gerudert, und der *Swan* kämpfte sich durch die weiten Schleifen der Temes, deren Ufer vom Hochwasser, das bis weit auf der Flussaue stand, fast aufgelöst wurden.

Ich saß auf der kleinen Plattform, die in dem stumpfen Bug des Schiffes errichtet worden war, als Pater Pyrlig zu mir kam. Ich hatte ihm meinen Umhang gegeben, und er hatte ihn sich eng um den Körper geschlungen. Irgendwo hatte er Brot und Käse aufgetrieben, was mich wenig verwunderte, denn ich habe niemals einen anderen Mann gekannt, der so viel aß. «Woher habt Ihr gewusst, dass ich Sigefrid schlagen würde?», fragte er.

«Das wusste ich gar nicht», sagte ich. «Eigentlich habe ich sogar gehofft, dass er Euch schlagen würde, sodass wir es mit einem Christen weniger zu tun gehabt hätten.»

Er lächelte über meine Worte und richtete seinen Blick dann auf einen Wasservogel, der auf den Wellen des angeschwollenen Flusses schaukelte. «Mir war klar, dass ich nur zwei oder drei Hiebe haben würde», sagte er, «bevor er erkannte, dass ich sehr wohl wusste, was ich tat. Dann hätte er mir das Fleisch von den Knochen gehauen.»

«Das hätte er», stimmte ich zu, «aber ich habe mit diesen drei Hieben gerechnet und damit, dass sie ausreichen würden.»

«Ich danke Euch, Uhtred», sagte er und brach ein Stück Käse ab, um es mir zu geben. «Wie fühlt Ihr Euch dieser Tage?»

«Gelangweilt.»

«Wie ich höre, habt Ihr geheiratet?»

«Sie langweilt mich nicht», beeilte ich mich zu sagen.

«Schön für Euch! Ich dagegen, ich kann meine Frau nicht ertragen. Guter Gott, was für eine scharfe Zunge hat diese Natter. Sie könnte mit bloßem Reden eine Schieferplatte spalten! Ihr habt meine Frau noch nicht kennengelernt, oder?»

«Nein.»

«Manchmal verwünsche ich Gott dafür, dass er eine Rippe Adams genommen hat, um daraus Eva zu machen, aber dann sehe ich ein junges Mädchen, und mein Herz hüpft vor Freude und ich finde, Gott hat schließlich doch gewusst, was er tat.»

Ich lächelte. «Ich dachte, die Christenpriester sollten den anderen ein Vorbild sein.»

«Und was ist daran falsch, Gottes Geschöpfe zu bewundern?», fragte Pyrlig empört. «Besonders ein junges mit drallen, runden Brüsten und einem schönen, dicken Hintern? Es wäre sündig, diese Zeichen seiner Gnade zu missachten.» Er grinste, dann wurde sein Blick sorgenvoll. «Wie ich gehört habe, wart Ihr in Gefangenschaft?»

«Das war ich.»

«Ich habe für Euch gebetet.»

«Dafür danke ich Euch», sagte ich, und ich meinte es auch. Ich betete nicht zum Gott der Christen, aber genau wie Erik befürchtete ich, dass er über eine gewisse Macht verfügen könnte, daher waren Gebete an ihn nicht vergeudet.

«Aber ich höre, dass es Alfred war, der Euch befreit hat?», fragte Pyrlig.

Ich schwieg einen Moment lang. Wie immer hasste ich es, anerkennen zu müssen, dass ich in Alfreds Schuld stand, doch dann räumte ich mürrisch ein, er habe mir geholfen. «Er hat die Männer geschickt, die mich befreit haben», sagte ich, «das stimmt.»

«Und Ihr vergeltet es ihm, Herr Uhtred, indem Ihr Euch selbst König von Mercien nennt?»

«Das habt Ihr gehört?», fragte ich wachsam.

«Natürlich habe ich es gehört! Dieser Ochse von einem Norweger hat es schließlich nur ein paar Schritte von meinem Ohr entfernt herausgebrüllt. Seid Ihr der König von Mercien?»

«Nein», sagte ich und widerstand dem Drang, hinzuzufügen: «Noch nicht.»

«Das habe ich auch nicht geglaubt», bemerkte Pyrlig milde. «Ich hätte davon gehört, meint Ihr nicht? Und ich glaube auch nicht, dass Ihr es noch werdet, es sei denn, Alfred macht Euch dazu.»

«Alfred kann seine Pisse trinken, wenn es nach mir geht», sagte ich.

«Und natürlich sollte ich ihm sagen, was ich gehört habe», sagte Pyrlig.

«Ja», sagte ich bitter, «das solltet Ihr.»

Ich lehnte mich an den geschwungenen Balken des Vorderstevens und starrte auf die Rücken der Ruderer. Dann suchte ich flussabwärts nach einem Verfolgerschiff, denn fast rechnete ich damit, ein wendiges Kriegsschiff, von den Schlägen vieler Ruderer angetrieben, herankommen zu sehen. Doch kein Mast zeigte sich über den weit geschwungenen Flussschleifen, und das hieß wohl, dass es Erik gelungen war, seinen Bruder davon abzubringen, sofort Rache für die Demütigung zu nehmen, die ihm Pyrlig zugefügt hatte. «Und wessen Einfall ist es», fragte Pyrlig, «dass Ihr König von Mercien sein sollt?» Er wartete auf eine Antwort, doch ich sagte nichts. «Das kommt von Sigefrid, oder?», sagte er. «Das ist Sigefrids aberwitziger Vorschlag.»

«Aberwitzig?»

«Dieser Mann ist kein Narr», sagte Pyrlig, «und sein Bruder schon gar nicht. Sie wissen, dass Æthelstan von Ostanglien alt wird, und sie fragen sich, wer wohl sein Nachfolger werden mag. Und Mercien hat keinen König. Aber Sigefrid kann nicht einfach Mercien einnehmen, oder? Die mercischen Sachsen werden gegen ihn kämpfen, und Alfred wird ihnen zu Hilfe kommen, und dann haben es die Brüder Thurgilson mit der geballten Wut der Sachsen zu tun! Also denkt sich Sigefrid, er sollte besser ein Heer aufstellen und zuerst Ostanglien einnehmen, dann Mercien und dann Wessex! Und um all das tun zu können, braucht er unbedingt Graf Ragnar und seine northumbrischen Männer.»

Es entsetzte mich, dass Pyrlig, ein Freund Alfreds, offenbar alles wusste, was Sigefrid, Erik und Haesten planten, doch ich verzog keine Miene. «Ragnar wird nicht kämpfen», versuchte ich das Gespräch zu beenden.

«Es sei denn, Ihr fordert ihn dazu auf», sagte Pyrlig in scharfem Ton. Ich zuckte bloß mit den Schultern. «Aber was hat Sigefrid Euch als Gegenleistung anzubieten?», fragte Pyrlig, und als ich auch darauf nicht einging, gab er selbst die Antwort. «Mercien.»

Ich lächelte gönnerhaft. «Das klingt alles recht verworren.»

«Sigefrid und Haesten», sagte Pyrlig, ohne meinen spöttischen Einwurf zu beachten, «haben den Ehrgeiz, Könige zu werden. Doch hier gibt es nur vier Königreiche! Northumbrien können sie nicht nehmen, weil sie nicht gegen Ragnar ankämen. Mercien können sie nicht nehmen, weil sie nicht gegen Alfred ankämen. Aber Æthelstan wird alt, also können sie Ostanglien nehmen. Und warum nicht weitermachen? Wessex erobern? Sigefrid sagt, er wird Alfreds Trunkenbold von einem Neffen auf den Thron setzen, und das wird ihm helfen, die Sachsen für die wenigen Monate ruhig zu halten, bis er ihn umbringt, und dann ist Haesten schon König von Ostanglien, und ein anderer, Ihr vielleicht, ist König von Mercien. Und zu diesem Zeitpunkt werden sie sich zweifellos gegen Euch wenden und Mercien zwischen sich aufteilen. Das ist ihr Plan, Herr Uhtred, und er ist nicht schlecht! Aber wer würde schon mit diesen beiden Gesetzlosen paktieren?»

«Niemand.» Ich log.

«Nur einer, der überzeugt davon ist, dass sie die Parzen auf ihrer Seite haben», sagte Pyrlig fast wie nebenbei. Dann sah er mich an. «Habt Ihr den toten Mann gesehen?», fragte er scheinbar in aller Unschuld, und diese Frage verblüffte mich so, dass ich nicht antworten konnte. Ich starrte nur Pyrligs breites, von den Schlägen geschwollenes Gesicht an. «Bjorn, so heißt er», fügte der Waliser hinzu und schob sich den nächsten Brocken Käse in den Mund.

«Die Toten lügen nicht», platzte ich heraus.

«Nein, die Lebenden tun es! Bei Gott, das tun sie! Sogar ich lüge, Herr Uhtred», sagte er und lächelte mutwillig. «Ich habe meiner Frau eine Botschaft geschickt und ihr gesagt, sie würde Ostanglien hassen!» Er lachte. Alfred hatte Pyrlig gebeten, nach Ostanglien zu gehen, weil er ein Priester war und weil er Dänisch sprach, und seine Aufgabe dort war es gewesen, Guthrum in den Christenglauben einzuweihen. «In Wirklichkeit würde es ihr dort sehr gut gefallen!», sprach Pyrlig weiter. «Es ist wärmer als zu Hause und es gibt keinen einzigen Berg, der diese Bezeichnung verdient. Flach und feucht, das ist Ostanglien, und ohne einen einzigen richtigen Berg! Meine Frau konnte Hügel und Berge noch nie ausstehen, und wahrscheinlich habe ich aus diesem Grund meinen Gott gefunden. Ich bin bis auf die Gipfel der Berge gezogen, nur um von ihr wegzukommen, und auf einem Berggipfel ist man näher bei Gott. Bjorn ist nicht tot.»

Die letzten vier Worte sagte er mit unvermittelter Schroffheit und ich antwortete ebenso grob: «Ich habe ihn aber gesehen.»

«Ihr saht einen Mann aus einem Grab aufstehen, das habt Ihr gesehen.»

«Ich habe ihn gesehen!», beharrte ich.

«Gewiss habt Ihr das! Und Euch ist nie eingefallen, in Frage zu stellen, was Ihr gesehen habt, oder etwa doch?» Pyrlig stellte diese Frage in sehr unfreundlichem Ton.

«Bjorn war erst kurz bevor Ihr kamt in dieses Grab gelegt worden! Sie haben Erde über ihn gehäuft, und er hat durch einen Schilfhalm geatmet.»

Ich erinnerte mich daran, dass Bjorn etwas ausgespuckt hatte, während er sich schwankend erhob. Nicht die Harfensaite, sondern etwas anderes. Ich hatte es für Erde gehalten, aber in Wirklichkeit war seine Farbe dafür zu hell gewesen. Ich hatte damals nicht weiter darüber nachgedacht, doch jetzt verstand ich, dass die ganze Auferstehung eine List gewesen war, und ich setzte mich aufs Vordeck der *Swan* und spürte, wie die letzten Überbleibsel meines Traums in sich zusammenfielen. Ich würde kein König sein. «Woher wisst Ihr das alles?», fragte ich bitter.

«König Æthelstan ist kein Narr. Er hat seine Späher.» Pyrlig legte mir die Hand auf den Arm. «War es sehr überzeugend?»

«Sehr», sagte ich, immer noch voller Bitterkeit.

«Er ist einer von Haestens Leuten, und wenn wir ihn je zu fassen bekommen, schicken wir ihn geradewegs in die Hölle. Was hat er Euch erzählt?»

«Dass ich König von Mercien würde», sagte ich leise. Ich sollte König über Sachsen und Dänen werden, ein Feind der Waliser, König zwischen den Flüssen, und Herr über alle, die ich regierte. «Ich habe ihm geglaubt», sagte ich reuig.

«Aber wie solltet Ihr König von Mercien werden», fragte Pyrlig, «wenn Euch nicht Alfred dazu macht?»

«Alfred?»

«Ihr habt ihm Euren Schwur geleistet, oder habt Ihr das nicht getan?»

Es beschämte mich, die Wahrheit zu sagen, doch ich tat es trotzdem. «Ja», räumte ich ein.

«Und deshalb muss ich es ihm erzählen», sagte Pyrlig ernst, «denn ein Mann, der seinen Eid bricht, ist ein schwerwiegender Fall, Herr Uhtred.»

«So ist es», stimmte ich zu.

«Und Alfred hat das Recht, Euch zu töten, wenn ich es ihm erzähle.»

Ich zuckte die Schultern.

«Besser man hält seinen Schwur», sagte Pyrlig, «als von Männern zum Narren gehalten zu werden, die aus einem lebendigen Mann eine Leiche machen. Die Parzen sind nicht auf Eurer Seite, Herr Uhtred. Glaubt mir.»

Ich sah ihn an, und in seinen Augen stand Mitleid. Er mochte mich, und doch erklärte er mir, dass ich zum Narren gehalten worden war, und er hatte recht, mein ganzer schöner Traum zerplatzte. «Welche Wahl habe ich noch?», fragte ich ihn niedergeschlagen. «Ihr wisst, dass ich nach Lundene gegangen bin, um mich ihnen anzuschließen, und Ihr müsst Alfred davon berichten, und er wird mir niemals mehr vertrauen.»

«Ich bezweifle, dass er Euch bisher vertraut hat», sagte Pyrlig heiter. «Alfred ist ein weiser Mann. Aber er kennt Euch, Uhtred, er weiß, dass Ihr ein Krieger seid, und er braucht Krieger.» Er hielt inne, um das hölzerne Kreuz hervorzuziehen, das um seinen Hals hing. «Schwört darauf», sagte er.

«Was schwören?»

«Dass Ihr Euren Eid auf Alfred nicht brechen werdet! Tut es, und ich werde schweigen. Tut es, und ich werde leugnen, was vorgefallen ist. Tut es, und ich werde Euch schützen.»

Ich zögerte.

«Wenn Ihr Euren Eid auf Alfred brecht», sagte Pyrlig,

«dann seid Ihr mein Feind und ich bin gezwungen, Euch zu töten.»

«Glaubt Ihr, dazu wärt Ihr in der Lage?»

Ein mutwilliges Grinsen breitete sich über sein ganzes Gesicht aus. «Ach, Ihr mögt mich, Herr, obwohl ich ein Waliser bin und noch dazu ein Priester, und Ihr würdet zögern, wenn Ihr mich töten wolltet. Ich hätte drei Hiebe, bevor Ihr Euch der Gefahr bewusst wärt, und so, ja, Herr, so würde ich Euch töten.»

Ich legte meine Rechte auf das Kreuz. «Ich schwöre es», sagte ich.

Und ich blieb weiter Alfreds Mann.

DREI

Noch am gleichen Abend erreichten wir Coccham, und ich beobachtete, wie sich Gisela, die das Christentum ebenso wenig liebte wie ich, bald von Pyrligs Wesen einnehmen ließ. Er umschmeichelte sie auf schamloseste Art, überschüttete sie mit Artigkeiten und spielte mit unseren Kindern. Wir hatten damals zwei, und das Glück war uns treu geblieben, denn beide Kinder und ihre Mutter hatten die Geburt überlebt. Mein Ältester hieß Uhtred. Mein Sohn. Er war vier Jahre alt, besaß ebenso goldfarbenes Haar wie ich und ein kräftiges kleines Gesicht mit einer breiten Nase, blauen Augen und einem eigensinnigen Kinn. Ich liebte ihn. Meine Tochter Stiorra war zwei Jahre alt. Sie trug einen merkwürdigen Namen, und zuerst hatte er mir nicht gefallen, aber Gisela hatte mich so eindringlich darum gebeten, und ich konnte ihr ohnehin kaum etwas abschlagen, und ganz bestimmt nicht, den Namen ihrer Tochter auszusuchen. Stiorra bedeutete einfach «Stern», und Gisela schwor, dass wir uns unter einem glücklichen Stern begegnet waren und dass unsere Tochter unter demselben Stern geboren war. Ich hatte mich damals schon an den Namen gewöhnt und liebte ihn genauso, wie ich das Kind liebte, das die dunklen Haare seiner Mutter und ihr schmales Gesicht und ihr unvermitteltes verschmitztes Lächeln hatte. «Stiorra, Stiorra!», sagte ich, wenn ich sie kitzelte oder sie mit meinen Armringen spielen ließ. Stiorra, die wunderschöne.

Ich spielte mit ihr an dem Abend, bevor Gisela und ich

nach Wintanceaster aufbrachen. Es war Frühling und die Temes war so weit gesunken, dass die Flussauen wieder zu sehen waren, und über der ganzen Welt lag ein grüner Hauch, als die Bäume zu knospen begannen. Die ersten Lämmer stakten über Wiesen, die vor lauter Schlüsselblumen leuchteten, und die Amseln erfüllten den Himmel mit ihrem trillernden Gesang. Die Lachse waren in den Fluss zurückgekehrt, und unsere geflochtenen Weidenreusen brachten guten Fang ein. Die Birnbäume in Coccham waren voller Knospen und genauso voller Finken, die wir von kleinen Jungen verscheuchen ließen, damit wir im Sommer etwas von den Früchten hatten. Es war eine gute Zeit im Jahr. Die Zeit, in der die Natur sich wieder regte und die Zeit, in der wir zur Hochzeit von Alfreds Tochter Æthelflaed mit meinem Cousin Æthelred in die Hauptstadt von Wessex gerufen worden waren. Und an diesem Abend, als ich so tat, als sei mein Knie ein Pferd und Stiorra die Reiterin, dachte ich über mein Versprechen nach, das Hochzeitsgeschenk für Æthelred zu beschaffen. Eine Stadt als Geschenk. Lundene.

Gisela spann Wolle. Sie hatte nur mit den Schultern gezuckt, als ich ihr erklärte, sie würde nicht zur Königin von Mercien, und mit ernster Miene genickt, als ich gesagt hatte, dass ich meinen Schwur auf Alfred halten würde. Sie fand sich leichter mit dem Schicksal ab als ich. Das Schicksal und dieser Glücksstern, so sagte sie, hatten uns zusammengebracht, trotz allem, was die Welt getan hatte, um uns daran zu hindern. «Wenn du deinen Schwur auf Alfred hältst», sagte sie unvermittelt und unterbrach mich im Spiel mit Stiorra, «musst du dann Lundene von Sigefrid zurückerobern?»

«Ja», sagte ich und wunderte mich wie so oft, dass ihre und meine Gedankengänge so häufig übereinstimmten.

«Kannst du das?», fragte sie.

«Ja», sagte ich. Sigefrid und Erik waren immer noch im alten Teil der Stadt, ihre Männer bewachten die römische Mauer, die sie mit Holzbalken ausgebessert hatten. Kein Schiff kam die Temes herauf, ohne den Brüdern Abgaben zu zahlen, und diese Abgaben waren sehr hoch, sodass der Handel auf dem Fluss zum Erliegen gekommen war, denn die Kaufleute suchten nach anderen Wegen, um ihre Waren nach Wessex zu bringen. König Guthrum von Ostanglien hatte Sigefrid und Erik mit Krieg gedroht, doch es war eine leere Drohung gewesen. Guthrum wollte keinen Krieg, er wollte lediglich Alfred davon überzeugen, dass er sein Bestes tat, um den Friedensvertrag zu wahren. Wenn also Sigefrid vertrieben werden sollte, dann würden die Westsachsen diese Aufgabe erfüllen müssen, und ich würde derjenige sein, der für ihre Anführung verantwortlich war.

Ich hatte meine Pläne gemacht. Ich hatte dem König geschrieben und darauf hatte er den Aldermännern der Grafschaften geschrieben, und mir waren vierhundert erfahrene Kämpfer und der Fyrd von Berrocscire zugesagt worden. Der Fyrd war ein Heer, das aus Bauern, Holzarbeitern und Knechten bestand, und obwohl sie zahlreich waren, so besaßen sie doch keine geübten Krieger. Ich würde mich auf die vierhundert erfahrenen Kämpfer verlassen müssen, aber die Kundschafter berichteten, dass Sigefrid wenigstens sechshundert Männer in der alten Stadt hatte. Die Kundschafter sagten auch, dass Haesten in sein Lager bei Beamfleot zurückgekehrt war, doch das war nicht weit von Lundene, und er würde seinen Verbündeten sofort zu Hilfe kommen, ebenso wie diejenigen Dänen aus Ostanglien, die mit Guthrums Christenherrschaft unzufrieden waren und darauf brannten, dass Sigefrid und Erik mit ihrem Eroberungsfeldzug begannen. Der Feind, so glaubte ich, würde über wenigstens tausend Männer verfügen, und alle wären im Umgang mit dem Schwert, der Axt oder dem Speer geübt. Es waren Kriegs-Dänen. Feinde, die es zu fürchten galt.

«Der König», sagte Gisela milde, «wird wissen wollen, was du vorhast.»

«Dann muss ich es ihm sagen.»

Sie warf mir einen zweifelnden Blick zu. «Das wirst du tun?»

«Natürlich», sagte ich, «er ist der König.»

Sie ließ den Spinnrocken auf ihren Schoß sinken und sah mich stirnrunzelnd an. «Du wirst ihm die Wahrheit sagen?»

«Natürlich nicht», erwiderte ich. «Er mag der König sein, aber ich bin dennoch kein Narr.»

Sie lachte, und Stiorra lachte mit ihr. «Ich wünschte, ich könnte mit dir nach Lundene kommen», sagte Gisela sehnsüchtig.

«Das kannst du nicht», sagte ich nachdrücklich.

«Ich weiß», antwortete sie mit einer Nachgiebigkeit, die ihr sonst nicht eigen war. Dann legte sie sich die Hand auf den Bauch. «Ich kann wirklich nicht.»

Ich starrte sie an. Ich starrte, bis ihre Mitteilung endlich meinen Verstand erreicht hatte. Ich starrte, ich lächelte und dann lachte ich. Ich warf Stiorra hoch in die Luft, sodass ihr schwarzes Haar beinahe das rauchgeschwärzte Stroh der Decke erreichte. «Deine Mutter ist schwanger», rief ich dem glücklich kreischenden Kind zu.

«Und daran ist ganz allein dein Vater schuld», ergänzte Gisela.

Wir waren so glücklich.

Æthelred war mein Cousin, der Sohn des Bruders meiner Mutter. Er war Mercier, doch nun war er Alfred von Wessex schon seit Jahren treu ergeben, und an diesem Tag in Wintanceaster, der großen Kirche, die Alfred erbaut hatte, erhielt Æthelred von Mercien den Lohn für seine Treue.

Sein Lohn war Æthelflaed, Alfreds älteste Tochter und sein zweites Kind. Ihr Haar leuchtete wie Gold und ihre Augen strahlten wie ein wolkenloser Sommertag. Æthelflaed war zu dieser Zeit dreizehn oder vierzehn Jahre alt, das richtige Alter für ein Mädchen, um zu heiraten, und sie hatte sich zu einer hochgewachsenen jungen Frau mit stolzer Haltung und kühnem Blick entwickelt. Sie war jetzt schon ebenso groß wie der Mann, den sie heiraten würde.

Heute gilt Æthelred als Held. Ich höre Geschichten über ihn, Geschichten, die in ganz England beim abendlichen Feuer erzählt werden. Æthelred der Unerschrockene, Æthelred der Krieger, Æthelred der Kämpfer. Ich lächle, wenn ich diese Märchen höre, doch ich sage nichts, nicht einmal, wenn mich die Männer fragen, ob es wahr ist, dass ich Æthelred einst gekannt habe. Natürlich kannte ich Æthelred, und es stimmt, dass er ein Krieger war, bevor er durch Krankheit immer langsamer und kraftloser wurde, und unerschrocken war er auch – doch sein klügster Schlag war es, Sänger als seine Höflinge zu bezahlen, damit sie Lieder über seine Tapferkeit schrieben. An Æthelreds Hof konnte ein Mann reich werden, indem er Worte wie Perlen aneinanderfädelte.

Er war niemals König von Mercien, wenn er es auch gerne geworden wäre. Dafür sorgte Alfred, denn Alfred wollte keinen König in Mercien. Er wollte in Mercien einen treuen Gefolgsmann als Herrscher, und er sorgte dafür, dass dieser treue Gefolgsmann von westsächsischem

Geld abhing, und Æthelred war der Mann, den er sich dafür aussuchte. Er verlieh ihm den Rang eines Aldermanns von Mercien, und bis auf den Titel besaß er alles, was einen König ausmacht, obwohl die Dänen im nördlichen Mercien seine Stellung dennoch niemals anerkannten. Sie erkannten allein seine Macht an, und diese Macht besaß er, weil er Alfreds Schwiegersohn war, und aus demselben Grund fanden sich die Thegn aus dem südlichen Mercien mit ihm ab. Sie mochten nicht viel für den Aldermann Æthelred übrig haben, doch sie wussten, dass er die westsächsischen Streitkräfte rufen konnte, falls die Dänen einen Vorstoß nach Süden wagen sollten.

Und an diesem Frühlingstag in Wintanceaster, einem strahlenden Tag voller Sonnenschein und Vogelgezwitscher, erlangte Æthelred seine Stellung. Er stolzierte mit einem breiten Lächeln auf dem rotbärtigen Gesicht in Alfreds große neue Kirche. Er litt immer an dem Wahn, dass ihn die anderen mochten, und vielleicht gab es sogar ein paar Männer, die ihn mochten, aber ich mochte ihn nicht. Mein Cousin war kleingewachsen, streitsüchtig und voller Prahlerei. Sein breites Kinn wirkte angriffslustig, in seinen Augen lag Herausforderung. Er war zweimal so alt wie seine Braut, und fast fünf Jahre lang hatte er nun Alfreds Haustruppe angeführt, und die Einsetzung in diesen Rang hatte er weniger seinen Fähigkeiten und mehr seiner Geburt zu verdanken. Sein Glück war es gewesen, Land geerbt zu haben, das sich über den größten Teil des südlichen Mercien erstreckte, und das machte ihn zu Merciens bedeutendstem Edelmann und, wie ich ungern einräume, zum natürlichen Oberhaupt dieses armseligen Landes. Außerdem war er, wie ich gerne einräume, ein Haufen Ziegenschiss.

Das alles hat Alfred nie wahrgenommen. Er ließ sich von Æthclreds auffällig zur Schau getragener Frömmigkeit blenden und von der Tatsache, dass Æthelred jederzeit bereit war, dem König von Wessex nach dem Mund zu reden. Ja, Herr, nein, Herr, lasst mich Euren Scheißekübel ausleeren, Herr, und lasst mich Euren königlichen Arsch lecken, Herr. Das war Æthelred, und seine Belohnung dafür war Æthelflaed.

Sie kam wenige Momente nach Æthelred in die Kirche, und genau wie er lächelte sie. Sie war in die Liebe verliebt, und dieser Tag war der Gipfel ihrer Freude und ließ ihr süßes Gesicht strahlen. Sie bewegte sich geschmeidig und hatte schon einen fraulichen Hüftschwung. Ihre Beine waren lang und schlank, und ihr stupsnasiges Gesicht war von keiner Narbe oder Krankheit gezeichnet. Auf ihr Kleid aus blassblauem Leinen waren Täfelchen genäht, die Heilige mit Kreuzen und goldenen Lichterkränzen über dem Kopf zeigten. Um ihre Mitte war ein Quastengürtel aus Goldstoff geschlungen, den kleine Silberglöckchen schmückten. Von ihren Schultern floss ein Umhang aus weißem Leinen herab, der unter ihrem Kinn von einer kristallenen Fibel zusammengehalten wurde. Während sie ging, raschelte der Umhang über das Schilfrohr, mit dem der Steinboden ausgelegt worden war. Ihr golden glänzendes Haar war um ihren Kopf herum aufgedreht und wurde von Kämmen aus Elfenbein festgehalten. An diesem Frühlingstag trug sie ihr Haar, als Zeichen dafür, dass sie nun eine verheiratete Frau war, zum ersten Mal hochgesteckt, und die Frisur enthüllte ihren langen, schmalen Hals. Wie anmutig sie war an diesem Tag.

Während sie auf den mit weißen Tüchern verhängten Altar zuging, fing sie meinen Blick auf, und ihre Augen, die schon vor Entzücken glänzten, schienen noch heller aufzustrahlen. Sie lächelte mich an, und ich konnte nicht anders, als zurückzulächeln, und sie lachte vor Freude, bevor sie zu ihrem Vater und dem Mann ging, der ihr Ehemann werden würde. «Sie hat dich sehr gern», sagte Gisela mit einem Lächeln.

«Wir sind schon seit ihrer Kindheit Freunde.»

«Sie ist immer noch ein Kind», sagte Gisela sanft, während die Braut den mit Blumen bestreuten Altar erreichte, auf dessen Mitte ein Kreuz stand.

Ich erinnere mich, damals gedacht zu haben, dass Æthelflaed auf diesem Altar geopfert werden sollte, doch wenn das zutraf, dann war sie ein sehr williges Opfer. Sie war immer ein schelmisches und eigensinniges Kind gewesen, und ich bezweifelte nicht, dass sie unter den säuerlichen Blicken ihrer Mutter und den strengen Regeln ihres Vaters litt. Sie sah in der Ehe eine Möglichkeit zur Flucht von Alfreds trübseligem, frömmlerischem Hof, und an diesem Tag erfüllte sie Alfreds ganze neue Kirche mit ihrem Glück. Ich sah Steapa, den vielleicht größten Krieger von Wessex, weinen. Steapa war Æthelflaed genauso zugetan, wie ich es war.

Fast dreihundert Menschen befanden sich in der Kirche. Es waren Abgesandte von den fränkischen Königreichen jenseits des Meeres gekommen und andere aus Northumbrien, Mercien, Ostanglien und den walisischen Königreichen, und diese Männer, sämtlich Priester und Edelleute, erhielten die Ehrenplätze in der Nähe des Altars. Auch die Aldermänner und die Großvögte von Wessex hatten dort ihre Plätze, doch am nächsten beim Altar stand eine dunkel gewandete Schar Priester und Mönche. Ich hörte von der Messfeier wenig, denn Gisela und ich standen ganz hinten in der Kirche und unterhielten uns mit Freunden. Gelegentlich verlangte ein Priester ungehalten nach Ruhe, aber darum scherte sich niemand.

Hild, die Äbtissin des Frauenklosters von Wintanceaster, umarmte Gisela. Gisela hielt mit zwei Christen enge Freundschaft. Da war zuerst Hild, die einst ihre Kirche verlassen hatte, um meine Geliebte zu werden, und dann war da Thyra, Ragnars Schwester, mit der ich aufgewachsen war und die ich wie eine Schwester liebte. Thyra war natürlich Dänin und mit der Verehrung Thors und Odins aufgewachsen, doch dann hatte sie sich taufen lassen und war in den Süden nach Wessex gekommen. Sie kleidete sich wie eine Nonne. Sie trug ein graubraunes Gewand mit einer Kapuze, unter der sie ihre außerordentliche Schönheit verbarg. Ein schwarzer Gürtel lag um ihre Mitte, die üblicherweise ebenso schlank war wie Giselas, nun aber von einer Schwangerschaft prall und rund geworden war. Sanft legte ich ihr eine Hand auf den Gürtel. «Noch eins?», fragte ich.

«Und bald», antwortete Thyra. Sie hatte drei Kinder geboren, von denen eines, ein Junge, noch lebte.

«Dein Ehemann ist unersättlich», sagte ich mit gespieltem Tadel.

«Es ist Gottes Wille», sagte Thyra ernst. Ihr fröhliches Wesen, an das ich mich aus ihrer Kindheit erinnerte, hatte sich mit ihrer Konversion verflüchtigt, obwohl es ihr in Wahrheit vermutlich schon verloren gegangen war, als sie die Feinde ihres Bruders in Dunholm als Sklavin gehalten hatten. Sie war von ihren Entführern geraubt, geschändet und in den Wahnsinn getrieben worden, und Ragnar und ich hatten uns blutig nach Dunholm hineingekämpft, um sie zu befreien, aber in Wahrheit war es der Christenglauben gewesen, der sie von ihrem Wahnsinn befreit und in die ruhige Frau verwandelt hatte, die nun so würdevoll vor mir stand.

«Und wie geht es deinem Ehemann?», fragte ich sie.

«Gut, danke.» Ihr Gesicht erhellte sich, als sie von ihm sprach. Thyra hatte die Liebe gefunden, nicht nur die Liebe Gottes, sondern die Liebe eines guten Mannes, und dafür dankte ich dem Schicksal.

«Du wirst das Kind natürlich Uhtred nennen, wenn es ein Junge wird», sagte ich streng.

«Wenn es der König gestattet», sagte Thyra, «dann nennen wir ihn Alfred, und wenn es ein Mädchen wird, dann nennen wir es Hild.»

Darauf stiegen Hild vor Rührung Tränen in die Augen, und Gisela eröffnete den beiden, dass auch sie ein Kind erwartete, und die drei Frauen begannen ein endloses Gespräch über Säuglinge. Ich rettete mich zu Steapa, der mit Kopf und Schultern die versammelte Menge überragte. «Weißt du, dass ich Sigefrid und Erik aus Lundene vertreiben soll?», fragte ich ihn.

«Ich habe es gehört», sagte er auf seine langsame, bedächtige Art.

«Bist du dabei?»

Er lächelte mich kurz an, und das nahm ich als Zustimmung. Er hatte ein furchteinflößendes Gesicht, die Haut spannte sich eng über seinen grobknochigen Schädel, sodass es wirkte, als sei er in einer Grimasse erstarrt. In der Schlacht war er wahrhaft schreckenerregend, ein riesiger, wilder Krieger, der das Schwert meisterlich beherrschte. Er war als Sklave geboren, doch seine Größe und seine Kampfestüchtigkeit hatte ihn bis zu seiner jetzigen Stellung aufsteigen lassen. Er diente in Alfreds Leibwache, besaß selbst Sklaven und bestellte ein ausgedehntes Stück fruchtbaren

Landes in Wiltunscir. Meine Männer waren vor Steapa auf der Hut, denn niemals wich der zornige Ausdruck aus seiner Miene. Doch ich kannte ihn als freundlichen Mann. Sehr klug war er allerdings nicht und einen Denker konnte man ihn auch nicht nennen, aber er war gutartig, und er war treu. «Ich werde den König bitten, dich freizustellen», sagte ich.

«Er will, dass ich mit Æthelred reite.»

«Du solltest besser bei den Männern sein, die das Kämpfen erledigen, findest du nicht?»

Steapa blinzelte, er war zu langsam im Kopf, um die Beleidigung zu verstehen, mit er ich meinen Cousin soeben bedacht hatte. «Ich werde kämpfen», sagte er, und dann legte er seinen enormen Arm auf die Schulter seiner Frau, einer winzigen Person mit sorgenvoller Miene und kleinen Augen. Ihren Namen konnte ich mir nie merken, also grüßte ich sie nur höflich und schob mich weiter durch die Menge.

Da entdeckte mich Æthelwold. Alfreds Neffe hatte wieder mit dem Trinken angefangen, und seine Augen waren blutunterlaufen. Er war ein sehr ansehnlicher junger Mann gewesen, doch inzwischen quoll sein Gesicht auf, und die geplatzten Adern schimmerten rot unter seiner Haut. Er zog mich in eine Ecke der Kirche, und dort standen wir unter einem Banner, auf das mit roter Wolle eine lange Ermahnung aufgestickt war. *Worum du Gott auch bittest*, stand auf dem Banner, *das wirst du erhalten, wenn du nur glaubst. Wo inbrünstige Gebete flehen, wird demütiger Glaube belohnt.* Ich vermutete, dass Alfreds Frau und ihre Gesellschaftsdamen die Stickerei angefertigt hatten, doch der Gedanke klang nach Alfred. Æthelwold hatte sich so fest in meinen Ellbogen gekrallt, dass es schmerzte. «Ich dachte, du wärst auf meiner Seite», zischte er vorwurfsvoll.

«Das bin ich auch», sagte ich.

Misstrauisch starrte er mich an. «Hast du Bjorn gesehen?»

«Ich habe einen Mann gesehen, der sich als Toter ausgab», sagte ich.

Darauf ging er nicht ein, und das überraschte mich. Ich erinnerte mich sehr wohl, wie betroffen er nach seiner Begegnung mit Bjorn gewesen war, der Eindruck war sogar so stark gewesen, dass Æthelwold für ein Weilchen nüchtern geblieben war, und nun tat er es als unbedeutend ab, dass ich den auferstandenen Toten zu einer Täuschung erklärte. «Verstehst du denn nicht?», sagte er, weiterhin in meinen Ellbogen verkrallt. «Eine günstigere Gelegenheit werden wir nicht mehr finden!»

«Eine günstigere Gelegenheit wozu?», fragte ich geduldig.

«Ihn loszuwerden», stieß er viel zu leidenschaftlich aus, sodass sich einige Leute in der Nähe nach uns umdrehten. Ich sagte nichts. Natürlich wollte Æthelwold seinen Onkel loswerden, doch ihm fehlte der Mut, den Schlag selbst auszuführen, und das war der Grund, aus dem er immerzu nach Verbündeten wie mir suchte. Er sah in mein Gesicht auf und fand dort offenkundig keine Unterstützung, denn er ließ endlich meinen Arm los. «Sie wollen wissen, ob du Ragnar gefragt hast», setzte er schließlich mit leiserer Stimme nach.

Æthelwold stand also weiterhin in Verbindung mit Sigefrid? Das war bemerkenswert, andererseits aber nicht allzu überraschend. «Nein», sagte ich, «das habe ich nicht.»

«Herrgott, warum nicht?»

«Weil Bjorn gelogen hat», sagte ich, «und es nicht mein Schicksal ist, König von Mercien zu werden.»

«Wenn ich jemals König von Wessex werde», sagte Æthelwold bitter, «dann läufst du am besten um dein Leben.» Dazu lächelte ich nur, und dann sah ich ihn so lange unverwandt an, dass er sich schließlich abwandte und etwas Unverständliches murmelte, was vermutlich eine Entschuldigung sein sollte. Mit finsterer Miene starrte er auf die andere Seite der Kirche. «Diese dänische Hure», brach es dann hitzig aus ihm heraus.

«Welche dänische Hure?», fragte ich, und einen Herzschlag lang dachte ich, er meinte Gisela.

«Die dort», er nickte in Thyras Richtung. «Die mit dem Schwachkopf verheiratet ist. Die bigotte Hure. Die mit dem dicken Bauch.»

«Thyra?»

«Sie ist schön», sagte Æthelwold lüstern.

«Das ist sie.»

«Und sie ist mit einem alten Narren verheiratet!» Hasserfüllt starrte er zu Thyra hinüber. «Sobald sie ihr Junges geworfen hat, lege ich sie auf den Rücken», sagte er. «Und dann zeige ich ihr, wie ein echter Mann ein Feld bestellt.»

«Weißt du, dass sie eine Freundin von mir ist?», fragte ich.

Das beunruhigte ihn. Offenkundig hatte er nichts von meiner langen Zuneigung zu Thyra gewusst, und nun versuchte er, alles zurückzunehmen. «Ich finde sie einfach sehr schön», sagte er missmutig, «das ist alles.»

Ich lächelte und beugte mich zu seinem Ohr hinab. «Fass sie bloß einmal an», flüsterte ich, «und ich steck dir mein Schwert in den Arsch und schlitze dich von unten bis oben auf und dann verfüttere ich deine Innereien an meine Schweine. Fass sie einmal an, Æthelwold, nur ein einziges Mal, und du bist tot.»

Da ging er weg. Er war ein Narr und ein Säufer und voll

lüsterner Gier, und ich tat ihn als harmlos ab. Und darin täuschte ich mich, wie sich noch herausstellen sollte. Er war trotz allem der rechtmäßige König von Wessex, aber nur er und eine Handvoll weiterer Narren glaubten ernsthaft, dass er an Alfreds Statt König sein sollte. Alfred war alles, was sein Neffe nicht war: nüchtern, gewitzt, fleißig und ernsthaft.

Und glücklich war er auch an diesem Tag. Er sah zu, wie seine Tochter mit einem Mann verheiratet wurde, den er fast wie einen Sohn liebte, und er lauschte dem Psalmodieren der Mönche, und er blickte in der Kirche umher, die er erbaut hatte, mit all ihren vergoldeten Balken und bemalten Statuen, und er wusste, dass er durch diese Eheschließung das südliche Mercien in die Hand bekam.

Und das bedeutete, dass Wessex, ebenso wie die Kinder, die Thyra und Gisela in sich trugen, weiter anwuchs.

Pater Beocca entdeckte mich vor der Kirche, wo die Hochzeitsgäste im Sonnenschein darauf warteten, zum Festmahl in Alfreds Palas gerufen zu werden. «In der Kirche wurde zu viel geschwatzt!», beschwerte sich Beocca. «Das war ein heiliger Tag, Uhtred, ein Tag der Weihe, die Feier des Ehesakraments, und die Leute haben geschwatzt, als wären sie auf dem Markt!»

«Ich habe auch dazugehört», sagte ich.

«Du auch?», fragte er und blinzelte zu mir empor. «Nun, du hättest nicht reden sollen. Das ist ein völlig ungehobeltes Benehmen! Und eine Beleidigung Gottes! Ich muss mich über dich wundern, Uhtred, das muss ich wirklich! Ich muss mich wundern und ich bin enttäuscht.»

«Ja, Pater», sagte ich lächelnd. Beoccas Tadel war mir seit Jahr und Tag vertraut. Während meiner Kindheit war

Beocca im Hause meines Vaters der Priester und Beichtvater gewesen, und er war, ebenso wie ich, aus Northumbrien geflüchtet, als mein Onkel Bebbanburg an sich gerissen hatte. Beocca hatte an Alfreds Hof Aufnahme gefunden, und der König schätzte seine Frömmigkeit, seine Gelehrsamkeit und seinen Eifer. Dieser königliche Gunstbeweis strahlte weit aus und verhinderte, dass Beocca zu oft verspottet wurde, denn fürwahr, in ganz Wessex war kein hässlicherer Mann als er zu finden. Er hatte einen Klumpfuß, er schielte, und seine linke Hand war gelähmt. Er hatte ein blindes Auge, dessen Blick unstet umherirrte und das inzwischen so weiß geworden war wie sein Haar, denn er musste mittlerweile nahezu fünfzig Jahre alt sein. Die Kinder auf der Straße johlten hinter ihm her, und manche Leute bekreuzigten sich bei seinem Anblick, weil sie glaubten, seine Hässlichkeit sei ein Teufelsmal, doch in Wahrheit war er der beste Christ, den ich jemals gekannt habe. «Es ist gut, dich zu sehen», sagte er wie nebenbei, als fürchte er, ich könnte ihm glauben. «Und du weißt doch, dass der König dich zu sprechen wünscht, nicht wahr? Ich habe ein Treffen nach dem Festmahl vorgeschlagen.»

«Dann bin ich betrunken.»

Er seufzte, dann hob er seine gute Hand, um das Hammeramulett zu verstecken, das um meinen Hals hing. Er schob es unter meinen Kittel. «Bemühe dich, nüchtern zu bleiben», sagte er.

«Also vielleicht lieber morgen?»

«Der König ist ein vielbeschäftigter Mann, Uhtred! Er kann sich nicht nach deiner Bequemlichkeit einrichten!»

«Dann muss er eben mit mir sprechen, wenn ich betrunken bin.»

«Und ich mache dich darauf aufmerksam, dass er wissen

will, wie schnell du Lundene einnehmen kannst. Deshalb wünscht er dich zu sprechen.» Unvermittelt unterbrach er sich, denn Gisela und Thyra kamen auf uns zu, und Beoccas Antlitz verwandelte sich vor lauter Glück. Er starrte Thyra an wie ein Mann, der eine Erscheinung vor sich hat, und als sie ihn anlächelte, glaubte ich, ihm würde vor Stolz und Hingabe gleich das Herz stehen bleiben. «Frierst du auch nicht, meine Liebe?», erkundigte er sich fürsorglich. «Ich kann dir einen Umhang holen.»

«Ich friere nicht.»

«Deinen blauen Umhang?»

«Mir ist warm genug, mein Lieber», sagte sie und legte ihm die Hand auf den Arm.

«Es würde mir keine Umstände machen!», sagte Beocca.

«Ich friere nicht, Liebster», sagte Thyra, und wieder sah Beocca aus, als würde er gleich sterben vor lauter Glück.

Sein ganzes Leben lang hatte Beocca von Frauen geträumt. Von blonden Frauen. Von Frauen, die ihn heiraten und ihm Kinder schenken würden, und sein ganzes Leben lang hatte ihm seine missgestaltete Erscheinung nur Hohn eingebracht, bis er, auf einem blutdurchtränkten Hügel, Thyra begegnet war und die Dämonen aus ihrer Seele verbannt hatte. Sie waren nun seit vier Jahren verheiratet. Schon ein Blick genügte, um sicher zu sein, dass kein anderes Paar jemals weniger zueinandergepasst hatte. Ein alter, hässlicher, haarspalterischer Priester und eine junge Dänin mit goldfarbenem Haar, doch wer in ihre Nähe kam, spürte sofort ihr Glück wie die Wärme eines großen Feuers in einer dunklen Winternacht. «Du solltest nicht so lange stehen, meine Liebe», erklärte er ihr. «Nicht in deinem Zustand. Ich werde dir einen Schemel holen.»

«Ich werde mich ohnehin bald hinsetzen, Liebster.»

«Einen Schemel, denke ich, oder einen Stuhl. Und bist du sicher, dass du keinen Umhang brauchst? Es würde mir wirklich keine Umstände machen, dir einen zu bringen.»

Gisela sah mich an und lächelte, aber Beocca und Thyra hatten uns über all ihr Aufhebens umeinander längst vergessen. Dann machte Gisela eine fast unmerkliche Kopfbewegung, und als ich in die angezeigte Richtung blickte, sah ich einen jungen Mönch in unserer Nähe stehen, der mich unverwandt anstarrte. Offenkundig versuchte er schon länger, meinen Blick aufzufangen, und genauso offenkundig war er sehr aufgeregt. Er war mager, nicht sehr groß, braunhaarig und hatte ein bleiches Gesicht, das bemerkenswerte Ähnlichkeiten mit Alfreds Zügen aufwies. Das gleiche verhärmte und angespannte Aussehen, die gleichen ernsten Augen und der gleiche schmale Mund, und der Mönchskutte nach zu schließen, zweifellos auch die gleiche Frömmigkeit. Er war Novize, denn er trug noch keine Tonsur, und er fiel auf ein Knie, als ich ihn ansah. «Herr Uhtred», sagte er bescheiden.

«Osferth!», sagte Beocca, als er der Anwesenheit des jungen Mönchs gewahr wurde. «Du solltest dich schon längst wieder deinen Studien widmen! Die Hochzeitszeremonie ist vorbei, und Novizen sind nicht zum Festmahl geladen.»

Doch Osferth beachtete Beocca nicht. Stattdessen sagte er mit bescheiden gesenktem Kopf zu mir: «Ihr kanntet meinen Onkel, Herr.»

«Wirklich?», fragte ich misstrauisch. «Ich habe viele Männer gekannt», fügte ich hinzu, um ihn auf die Ablehnung vorzubereiten, mit der ich sicher war, auf alles zu reagieren, was er von mir erbitten mochte.

«Leofric, Herr.»

Und schon die Erwähnung dieses Namens löste all mein Misstrauen und meine Feindseligkeit auf. Leofric. Ich lächelte sogar. «Ich habe ihn gekannt», sagte ich freundlich, «und ich habe ihn geliebt.» Leofric war ein überaus starker westsächsischer Krieger gewesen, und er hatte mich den Krieg gelehrt. Earsling hatte er mich genannt und damit etwas gemeint, was aus einem Hintern gefallen war, und er hatte mich gestählt, mich gequält, mich angebrüllt, mich geschlagen und war mein Freund geworden und bis zu jenem Tag mein Freund geblieben, an dem er auf dem regendurchtränkten Schlachtfeld bei Ethandun gestorben war.

«Meine Mutter ist seine Schwester, Herr», sagte Osferth.

«An deine Studien, junger Mann!», sagte Beocca streng.

Ich legte eine Hand auf Beoccas lahmen Arm, um ihn zurückzuhalten. «Wie heißt deine Mutter?», fragte ich Osferth.

«Eadgyth, Herr.»

Ich beugte mich hinab und hob Osferths Kinn an, damit ich ihm ins Gesicht sehen konnte. Kein Wunder, dass er aussah wie Alfred, denn dies war Alfreds Bastard, den er einer jungen Dienerin im Palas angehängt hatte. Niemand würde jemals zugeben, dass Alfred der Vater dieses Jungen war, doch es war ein offenes Geheimnis. Bevor Alfred Gott gefunden hatte, hatte er mit den Dienerinnen im Palas höchst irdische Freuden entdeckt, und Osferth war das Ergebnis dieses jugendlichen Überschwangs. «Lebt Eadgyth noch?», fragte ich ihn.

«Nein, Herr. Sie ist vor zwei Jahren am Fieber gestorben.»

«Und was tust du hier, in Wintanceaster?»

141

«Er bereitet sich mit seinen Studien auf den Dienst an der Kirche vor», sagte Beocca barsch, «denn seine Berufung ist es, Mönch zu werden.»

«Ich möchte Euch dienen, Herr», sagte Osferth unsicher und starrte mir ins Gesicht.

«Geh!» Beocca versuchte den jungen Mann wegzuschieben. «Geh! Geh weg! Zurück ans Lernen, oder soll ich dich vom Novizenmeister auspeitschen lassen?»

«Hast du schon einmal ein Schwert in der Hand gehabt?», fragte ich Osferth.

«Ich habe das Schwert, Herr, das mir mein Onkel gegeben hat.»

«Aber gekämpft hast du noch nicht damit?»

«Nein, Herr», sagte er und sah mich weiter unsicher und verschreckt an, mit diesem Gesicht, das aussah wie das Gesicht seines Vaters.

«Wir studieren das Leben des heiligen Cedd», sagte Beocca zu Osferth, «und ich erwarte von dir, dass du die ersten zehn Seiten bis zum Sonnenuntergang abgeschrieben hast.»

«Möchtest du denn Mönch werden?», fragte ich Osferth.

«Nein, Herr.»

«Und was sonst?», fragte ich und achtete gar nicht auf Beocca, der vor Widerspruch schäumte, aber unfähig war, hinter meinem Schwertarm vorzukommen, mit dem ich ihn zurückhielt.

«Ich möchte in die Fußstapfen meines Onkels treten, Herr», sagte Osferth.

Fast hätte ich gelacht. Leofric war einer der stärksten Kämpfer gewesen, die jemals gelebt hatten und gestorben waren, während Osferth nichts war als ein kümmerlicher, bleicher Jüngling. Doch es gelang mir, eine ernste Miene zu bewahren. «Finan!», rief ich.

Der Ire tauchte an meiner Seite auf. «Herr?»

«Dieser junge Mann tritt in meine Haustruppe ein», sagte ich und gab Finan ein paar Münzen.

«Du kannst nicht ...», begann Beocca aufzubegehren, doch dann verstummte er, weil sowohl Finan als auch ich ihn mit finsterer Miene anstarrten.

«Nimm Osferth mit», sagte ich zu Finan, «besorge ihm Männerkleidung und Waffen.»

Zweiflerisch ließ Finan seinen Blick auf Osferth ruhen. «Waffen?»

«Er hat Kriegerblut in den Adern», sagte ich, «also werden wir ihm das Kämpfen beibringen.»

«Ja, Herr», sagte Finan, und ich hörte seiner Stimme an, dass er mich für nicht ganz gescheit hielt, aber dann sah er sich die Münzen an, die ich ihm gegeben hatte, und erkannte, dass er einen schönen Gewinn für sich herausschlagen konnte. Er grinste. «Wir machen schon noch einen Krieger aus ihm, Herr», sagte er und glaubte bestimmt, dass er log. Dann führte er Osferth weg.

Beocca ging um mich herum. «Weißt du, was du da gerade getan hast?», zischte er.

«Ja», sagte ich.

«Du weißt, wer dieser Junge ist?»

«Er ist der Bastard des Königs», sagte ich schonungslos, «und ich habe Alfred damit einen Gefallen getan.»

«Ach, hast du das?», fragte Beocca immer noch wutschnaubend, «und welcher Gefallen wäre das, bitte schön?»

«Was glaubt Ihr, wie lange er überleben wird», fragte ich, «wenn wir ihn in den Schildwall stellen? Wie lange

143

wird es wohl dauern, bis ihn eine dänische Klinge aufschlitzt wie einen frischen Hering? Das, Pater, ist der Gefallen. Ich habe Euren frömmlerischen König gerade von seinem lästigen Bastard befreit.»

Dann gingen wir zu dem Festmahl.

Das Hochzeitsmahl war genauso schauderhaft, wie ich es erwartet hatte. An Alfreds Tafel aß man niemals gut, selten reichlich, und sein Bier war immer dünn. Es wurden Reden gehalten, doch ich hörte keine davon, und Harfenspieler sangen, doch ich vernahm ihre Lieder nicht. Ich sprach mit Freunden, schüchterte mehrere Priester, die mein Hammeramulett nicht mochten, mit meinen Blicken ein, und stieg am Kopfende der Halle auf das Podium, um Æthelflaed, die dort am Tisch saß, einen keuschen Kuss zu geben. Sie strahlte förmlich. «Ich bin das glücklichste Mädchen auf der Welt», erklärte sie mir.

«Ihr seid jetzt eine Frau, Herrin», sagte ich und lächelte über ihre aufgesteckte Frisur. Sie war nun erwachsen, nicht mehr das fröhliche, eigensinnige Kind, das ich so lange gekannt hatte, und verheiratet mit einem Aldermann, deshalb sprach ich sie nun förmlich an und nannte sie meine Herrin.

Sie biss sich auf die Unterlippe, wirkte erst verlegen und lächelte dann mutwillig, als Gisela zu uns kam. Sie umarmten sich, goldfarbenes Haar hob sich von schwarzem ab, und Ælswith, Alfreds sauertöpfisches Weib, blickte mich finster an. Ich verbeugte mich tief vor ihr. «Einen schönen Tag, Herrin», sagte ich.

Ælswith ging nicht darauf ein. Sie saß neben meinem Cousin, der mit einer Schweinerippe in meine Richtung fuchtelte. «Wir haben eine wichtige Angelegenheit zu besprechen», sagte er.

«Das haben wir», sagte ich.

«Das haben wir, Herr», verbesserte mich Ælswith scharf. «Herr Æthelred ist der Aldermann von Mercien.»

«Und ich bin der Herr von Bebbanburg», sagte ich mit einer Schroffheit, die ihrer in nichts nachstand. «Wie geht es dir, Cousin?»

«Morgen früh», sagte Æthelred, «werde ich dir sagen, was wir vorhaben.»

«Mir wurde mitgeteilt», sagte ich, ohne darauf einzugehen, dass Alfred mich damit beauftragt hatte, das Vorgehen bei der Einnahme von Lundene festzulegen, «wir sollten uns schon heute Abend beim König einfinden.»

«Ich habe heute Abend etwas anderes vor», sagte Æthelred mit einem Blick auf seine junge Braut, und für einen winzigen Moment war sein Ausdruck unbeherrscht, fast wild, doch dann lächelte er mich an. «Morgen früh, nach dem Gebet.» Er winkte erneut mit der Schweinerippe und ich war entlassen.

Gisela und ich übernachteten im größten Zimmer des Gasthauses Zwei Kraniche. Wir lagen eng aneinandergeschmiegt, mein Arm um ihre Schultern, und wir sprachen nicht viel. Der Rauch des Herdfeuers im Gastraum drang ebenso wie die Gesänge von trinkenden Männern durch die Bodendielen zu uns herauf. Unsere Kinder schliefen auf der anderen Seite des Zimmers mit Stiorras Amme. Über uns im Strohdach raschelten die Mäuse. «Jetzt wird es wohl so weit sein», brach Gisela unser Schweigen mit wehmütiger Stimme.

«Jetzt?»

«Die arme kleine Æthelflaed wird eine Frau», sagte sie.

«Sie kann es gar nicht erwarten, bis es so weit ist», sagte ich.

Gisela schüttelte den Kopf. «Er wird ihr Gewalt antun wie ein wilder Eber», sagte sie flüsternd. Ich sagte nichts. Gisela legte ihren Kopf auf meine Brust, und ihr Haar lag über meinem Mund. «Die Liebe sollte zärtlich sein», fuhr sie fort.

«Sie ist zärtlich.»

«Mit dir schon», sagte sie, und einen Augenblick lang glaubte ich, dass sie weinte.

Ich strich ihr übers Haar. «Was ist?»

«Ich habe sie gern, nichts weiter.»

«Æthelflaed?»

«Sie besitzt Geist und er besitzt keinen.» Sie hob ihren Kopf, um mich ansehen zu können, und in der Dunkelheit sah ich nur ihre Augen glitzern. «Du hast mir nie erzählt», sagte sie vorwurfsvoll, «dass dieses Gasthaus hier ein Dirnenhaus ist.»

«Es gibt nicht viele Betten in Wintanceaster», sagte ich, «und sie reichen nicht annähernd für all die geladenen Gäste, also haben wir noch Glück gehabt, dass wir dieses Zimmer gefunden haben.»

«Und du bist hier wohlbekannt, Uhtred», sagte sie anklagend.

«Es ist eben auch ein Gasthaus», verteidigte ich mich.

Sie lachte, dann streckte sie einen langen, schlanken Arm aus und schob den Fensterladen auf, sodass wir mit einem Mal in einen Himmel voller Sterne sehen konnten.

Der Himmel war auch am nächsten Morgen noch klar, als ich zum Palas ging, meine beiden Schwerter abgab und von einem jungen und sehr ernsthaften Priester in Alfreds Zimmer begleitet wurde. Ich hatte ihn schon oft in dieser kleinen, schmucklosen Kammer besucht, in der sich überall Pergamente häuften. Er wartete dort, angetan mit einem braunen Gewand, das ihn aussehen ließ wie einen Mönch, und bei ihm war Æthelred, der seine Schwerter trug, denn als Aldermann von Mercien genoss er dieses Privileg innerhalb des Palas. Der dritte Mann im Raum war Asser, der walisische Mönch, und er starrte mich mit unverhülltem Abscheu an. Er war ein schmächtiger, kleiner Mann mit einem außerordentlich bleichen Gesicht, von dem er mit peinlicher Sorgfalt den Bart abgeschabt hatte. Er hatte Grund genug, mich zu hassen. Ich hatte ihn in Cornwalum zum ersten Mal gesehen, wo ich eine Schlacht für das Königreich geführt hatte und er Gesandter gewesen war. Ich hatte Asser töten wollen, es dann aber doch nicht getan, und das ist ein Versäumnis, das ich mein ganzes Leben lang bedauert habe. Er starrte mich finster an, und ich antwortete ihm mit einem fröhlichen Grinsen, von dem ich wusste, dass es ihn ärgern würde.

Alfred sah bei meinem Eintreten nicht von seiner Beschäftigung auf, doch er machte mit seiner Feder eine Geste in meine Richtung. Die Geste war offensichtlich mein Willkommensgruß. Er stand an dem hohen Pult, an dem er gewöhnlich schrieb, und einige Augenblicke lang war nichts zu hören als die Feder, die spritzend über die Tierhaut kratzte. Æthelred lächelte feixend und schien sehr zufrieden mit sich selbst, doch andererseits war das bei ihm immer so.

«De consolatione philosophiae», sagte Alfred, ohne von seiner Arbeit aufzublicken.

«Sieht nach Regen aus», sagte ich, «im Westen liegt Dunst am Himmel, Herr, und der Wind hat aufgefrischt.»

Er warf mir einen verärgerten Blick zu. «Was ist in diesem Leben erstrebenswerter», fragte er, «und reizvoller, als in der Nähe des Königs sein und ihm dienen zu dürfen?»

«Nichts!», kam es schwärmerisch von Æthelred.

Ich gab keine Antwort, denn ich war viel zu erstaunt. Alfred legte Wert auf Förmlichkeit und gute Sitten, Unterwürfigkeit verlangte er nicht, doch diese Frage legte nahe, dass er von mir erwartete, tölpelhaft Bewunderung für ihn auszudrücken. Alfred bemerkte meine Überraschung und seufzte. «Diese Frage», erklärte er, «wird in dem Werk gestellt, das ich hier abschreibe.»

«Ich bin begierig darauf, es lesen zu können», sagte Æthelred. Asser sagte nichts. Er beobachtete mich mit seinen düsteren Waliseraugen. Asser war ein kluger Mann und ungefähr so vertrauenswürdig wie ein hungriges Wiesel.

Alfred legte die Feder nieder. «Der König, Herr Uhtred, kann in diesem Zusammenhang als der Vertreter des allmächtigen Gottes verstanden werden, und die Frage verweist auf das Wohlbehagen, nicht wahr, das man durch die Nähe zu Gott gewinnen kann. Ist es nicht so? Allerdings befürchte ich, dass du weder in der Philosophie noch in der Religion Trost findest.» Er schüttelte den Kopf und versuchte dann, sich mit einem feuchten Tuch die Tinte von den Fingern zu wischen.

«Er würde allerdings besser daran tun, bei Gott seinen Trost zu suchen, Herr König», Asser hatte zum ersten Mal gesprochen, «wenn seine Seele nicht im ewigen Höllenfeuer brennen soll.»

«Amen», sagte Æthelred.

Alfred sah sich betrübt seine Hände an, die nun völlig mit Tinte verschmiert waren. «Lundene», sagte er und wechselte damit kurz angebunden den Gesprächsgegenstand.

«Besetzt von Plünderern», sagte ich, «die den Handel zum Erliegen bringen.»

«So viel weiß ich selbst», erwiderte er kalt. «Dieser Mann Sigefrid.»

«Ein-Daumen-Sigefrid», sagte ich, «dank Pater Pyrlig.»

«Das weiß ich ebenfalls», erklärte der König, «aber was ich nur allzu gern wüsste, ist, was du in der Gesellschaft Sigefrids zu tun hattest.»

«Ich habe sie ausgekundschaftet, Herr», sagte ich gutgelaunt, «gerade so, wie Ihr vor all den Jahren Guthrum ausgekundschaftet habt.» Ich sprach von der Winternacht, in der sich Alfred, närrisch wie er war, als Musiker verkleidet und nach Cippanhamm geschlichen hatte, das Guthrum besetzt hatte, der damals noch ein Feind von Wessex gewesen war. Alfreds Tapferkeit hatte sich böse gegen ihn gewendet, und wäre ich nicht da gewesen, so wage ich zu behaupten, dann wäre Guthrum König von Wessex geworden. Ich lächelte Alfred an, und er wusste, dass ich ihn daran erinnerte, sein Leben gerettet zu haben, doch statt Dankbarkeit zu zeigen, wirkte er einfach nur empört.

«Das ist aber nicht, was uns berichtet wurde.» Bruder Asser stürzte sich in den Angriff.

«Und was wurde Euch berichtet, Bruder?», fragte ich.

Er hob seinen mageren Zeigefinger. «Dass Ihr zusammen mit dem Seeräuber Haesten in Lundene eingetroffen seid», ein zweiter Finger gesellte sich zu dem ersten, «dass Ihr von Sigefrid und seinem Bruder Erik willkommen geheißen wurdet», mit heimtückisch blitzenden schwarzen Augen hielt er inne, und dann hob er einen dritten Finger, «und Euch diese Heiden als König von Mercien angeredet haben.» Langsam krümmte er die drei Finger, als wären seine Beschuldigungen unwiderlegbar.

Ich schüttelte in gespielter Verwunderung den Kopf. «Ich kenne Haesten, seit ich ihm vor vielen Jahren das Leben gerettet habe», sagte ich, «und ich habe diese Bekanntschaft ausgenutzt, um nach Lundene eingeladen zu werden. Und wessen Schuld ist es, wenn mich Sigefrid mit einem Titel anredet, den ich weder will noch besitze?» Asser antwortete nicht, Æthelred bewegte sich unruhig hinter mir, und Alfred starrte mich einfach nur an. «Wenn Ihr mir nicht glaubt», sagte ich, «dann fragt Pater Pyrlig.»

«Er wurde nach Ostanglien zurückgesandt», sagte Asser barsch, «um seine Mission fortzusetzen. Aber wir werden ihn fragen. Da könnt Ihr ganz sicher sein.»

«Ich habe ihn schon gefragt», sagte Alfred und machte eine abwiegelnde Geste in Assers Richtung, «und Pater Pyrlig hat für dich gebürgt.» Die letzten Worte hatte er mit Zurückhaltung geäußert.

«Und warum», fragte ich, «hat Guthrum für die Beleidigungen, die seinen Gesandten zugefügt wurden, keine Rache genommen?»

«König Æthelstan», sagte Alfred und benutzte Guthrums Christennamen, «hat jeden Anspruch auf Lundene aufgegeben. Es gehört zu Mercien. Seine Streitkräfte werden Merciens Grenzen nicht überschreiten. Aber ich habe ihm versprochen, ihm Sigefrid und Erik als Gefangene zu schicken. Das ist unsere Aufgabe.» Ich nickte, ohne etwas dazu zu sagen. «Also, wie willst du Lundene einnehmen?», verlangte Alfred zu wissen.

Ich schwieg einige Momente lang. «Habt Ihr versucht, die Stadt freizukaufen, Herr?», fragte ich dann.

Alfred schien von der Frage verwirrt, dann nickte er unvermittelt. «Ich habe Silber angeboten», sagte er steif.

«Erhöht Euer Angebot», schlug ich vor.

Er warf mir einen höchst unzufriedenen Blick zu. «Erhöhen?»

«Die Stadt ist schwer einzunehmen, Herr», sagte ich. «Sigefrid und Erik haben Hunderte von Männern. Und Haesten wird sich ihnen anschließen, sobald er hört, dass wir unser Heer in Bewegung gesetzt haben. Wir würden über Steinmauern hinweg angreifen müssen, Herr, und bei solchen Angriffen sterben die Männer wie die Fliegen.»

Erneut bewegte sich Æthelred unruhig hinter mir. Ich wusste, dass er meine Bedenken als Feigheit abtun wollte, aber sein bisschen Verstand reichte doch gerade noch so weit, dass er den Mund hielt.

Alfred schüttelte den Kopf. «Ich habe ihnen Silber geboten», sagte er bitter, «mehr Silber, als sich irgendein Mann erträumen kann. Ich habe ihnen Gold geboten. Sie haben gesagt, sie würden sich mit der Hälfte all dessen zufrieden geben, was ich geboten habe, wenn ich mein Angebot um ein Ding erweitere.» Er sah mich streitsüchtig an. Ich zuckte leicht die Schultern, um anzudeuten, dass er sich wohl einen guten Handel hatte entgehen lassen. «Sie wollten Æthelflaed», sagte er.

«Sie können stattdessen Bekanntschaft mit meinem Schwert machen», sagte Æthelred kampflustig.

«Sie wollten Eure Tochter?», fragte ich erstaunt.

«Diese Bedingung haben sie gestellt», sagte Alfred, «weil sie wussten, dass ich sie nicht erfüllen würde, und weil sie mich beleidigen wollten.» Er zuckte mit den Schultern, um zu zeigen, dass diese Beleidigung so wirkungslos wie kindisch war. «Wenn also die Brüder Thurgilson aus Lundene vertrieben werden sollen, dann musst du es tun. Erkläre mir, wie du es machen wirst.»

Ich tat so, als würde ich mich sammeln. «Sigefrid hat nicht genügend Männer, um die gesamte Stadtmauer rings um Lundene zu bewachen», sagte ich, «also führen wir einen schweren Angriff gegen das westliche Tor, und dann brechen wir von Norden aus tatsächlich in die Stadt ein.»

Alfred runzelte die Stirn und durchsuchte den Stapel Pergamente, der auf dem Fensterbrett lag. Als er das gesuchte Pergament gefunden hatte, versenkte er sich in das Schriftstück. «Wenn ich es recht verstehe», sagte er dann, «besitzt die alte Stadt sechs Tore. Von welchem sprichst du?»

«Vom Westtor», sagte ich, «das Tor, das am dichtesten am Fluss liegt. Die Leute dort nennen es Ludd's Gate.»

«Und im Norden?»

«Dort gibt es zwei Tore», sagte ich, «eines führt unmittelbar in das alte Fort der Römer, und das andere führt auf den Marktplatz.»

«Das Forum», stellte Alfred richtig.

«Wir nehmen das Tor, das auf den Marktplatz führt», sagte ich.

«Nicht das Fort?»

«Das Fort ist Teil der Befestigungsanlage», erklärte ich, «wenn wir dieses Tor einnehmen, müssen wir noch die südliche Mauer des Forts überwinden. Aber wenn wir den Marktplatz einnehmen, haben unsere Männer Sigefrid den Rückzug abgeschnitten.»

Ich redete solchen Unsinn aus sehr gutem Grund, wenn es auch durchaus einleuchtender Unsinn war. Einen Angriff von der neuen sächsischen Stadt aus über den Fluss Fleot gegen die Mauern der alten Stadt zu führen, würde die Verteidiger zu Ludd's Gate ziehen, und wenn eine kleinere, erfahrenere Streitmacht dann von Norden her angreifen würde, fände sie die Stadtmauer dort wohl nur spärlich bewacht. Einmal in der Stadt, könnte diese Streitmacht Sigefrids Männern in den Rücken fallen und Ludd's Gate öffnen, um unsere übrigen Truppen in die Stadt zu lassen. Es war tatsächlich die naheliegendste Art, Lundene anzugreifen, sie war sogar so naheliegend, dass ich sicher war, Sigefrid würde sich davor zu schützen wissen.

Alfred dachte über den Vorschlag nach.

Æthelred sagte nichts. Er wartete die Meinung seines Schwiegervaters ab.

«Der Fluss», begann Alfred zögerlich, dann unterbrach er sich kopfschüttelnd, als ob sein Einfall zu nichts führen könnte.

«Der Fluss, Herr?»

«Eine Annäherung mit dem Schiff», schlug Alfred immer noch zögernd vor.

Ich ließ den Vorschlag im Raum stehen, und er hing wie ein verlockendes Stück Knorpel vor der Nase eines Welpen.

Und der Welpe versuchte erwartungsgemäß danach zu schnappen. «Ein Angriff vom Schiff aus ist offen gesagt ein viel besserer Vorschlag», sagte Æthelred zuversichtlich. «Vier oder fünf Schiffe. Und dann mit der Strömung fahren. Wir können die Anlegeplätze benutzen und die Stadtmauer von hinten angreifen.»

«Ein Angriff von Land aus birgt viele Gefahren», sagte Alfred bedenklich und legte damit nahe, dass er den Gedanken seines Schwiegersohnes unterstützte.

«Und ist vermutlich zum Scheitern verurteilt», steuerte Æthelred selbstbewusst bei. Er bemühte sich nicht, seine Ablehnung meines Plans zu verbergen.

«Hast du einen Angriff vom Schiff aus überdacht?», fragte mich Alfred.

«Das habe ich, Herr.»

«Mir scheint es ein sehr tauglicher Plan zu sein!», sagte Æthelred entschlossen.

Also bekam der Welpe jetzt von mir, was er verdiente. «Es gibt auch an der Flussseite eine Befestigungsmauer, Herr», sagte ich. «Wir können die Anlegeplätze benutzen, aber wir müssten immer noch eine Mauer überwinden.» Die Mauer war wenige Schritte hinter den Anlegeplätzen errichtet worden. Noch ein Stück römischer Arbeit, ganz aus Mauerwerk, Ziegelstein und in Abständen besetzt mit runden Bollwerken.

«Ah», sagte Alfred.

«Aber selbstverständlich, Herr, wenn mein Cousin wünscht, einen Angriff gegen die Flussmauer zu führen?»

Æthelred war mit einem Mal ganz still.

«Die Flussmauer», sagte Alfred, «ist sie hoch?»

«Hoch genug und gerade neu instand gesetzt», sagte ich, «aber wie Ihr wisst, beuge ich mich gerne der Erfahrung Eures Schwiegersohns.»

Alfred wusste, dass ich das weder gerne noch überhaupt tun würde, und warf mir einen gereizten Blick zu, bevor er beschloss, mich genauso läppisch aussehen zu lassen, wie ich es mit Æthelred getan hatte. «Pater Beocca hat mir berichtet, dass du Bruder Osferth in deine Dienste genommen hast.»

«Das habe ich, Herr», sagte ich.

«Das ist nicht, was ich für Bruder Osferth wünsche», sagte Alfred nachdrücklich, «also wirst du ihn zurückschicken.»

«Natürlich, Herr.»

«Er ist berufen, der Kirche zu dienen», sagte Alfred, und aus seiner Stimme klang deutliches Misstrauen gegenüber meiner bereitwilligen Zustimmung. Dann wandte er sich um und sah aus dem kleinen Fenster. «Ich kann Sigefrids Anwesenheit nicht dulden», sagte er. «Wir müssen den Fluss wieder für die Schifffahrt öffnen, und wir müssen es bald tun.» Seine tintenverschmierten Hände waren hinter seinem Rücken verschränkt, und ich sah, wie sich seine Finger ineinander verschlangen und wieder voneinander lösten. «Ich will, dass es getan ist, bevor der erste Kuckuck ruft. Herr Æthelred wird die Streitkräfte befehligen.»

«Ich danke Euch, Herr», sagte Æthelred und fiel auf ein Knie.

«Aber du wirst dich nach Lord Uhtreds Rat richten», fügte der König an seinen Schwiegersohn gewandt hinzu.

«Natürlich, Herr», erklärte sich Æthelred heuchlerisch einverstanden.

«Herr Uhtred hat mehr Erfahrung mit dem Krieg als du», erklärte der König.

«Ich werde seine Unterstützung zu schätzen wissen, Herr.» Æthelred war ein recht überzeugender Lügner.

«Und ich will, dass die Stadt eingenommen ist, bevor der erste Kuckuck ruft!», wiederholte der König.

Was bedeutete, dass wir vielleicht noch sechs Wochen hatten. «Werdet Ihr jetzt die Männer zusammenrufen?», fragte ich Alfred.

«Das werde ich», sagte er, «und ihr werdet beide eure jeweiligen Vorbereitungen treffen.»

«Und ich werde Euch Lundene übergeben», sagte Æthelred voller Begeisterung. «Wo inbrünstige Gebete flehen, Herr, wird demütiger Glaube belohnt!»

«Ich will Lundene nicht», gab Alfred schroff zurück, «es gehört zu Mercien, es gehört dir», er neigte den Kopf leicht in Æthelreds Richtung, «aber vielleicht gestattest du es mir ja, einen Bischof und einen Statthalter einzusetzen?»

«Gewiss, Herr», sagte Æthelred.

Ich war entlassen und ließ Schwiegervater und Schwiegersohn in der Gesellschaft des griesgrämigen Asser zurück. Dann stand ich draußen im Sonnenschein und dachte darüber nach, wie ich Lundene einnehmen sollte, denn ich wusste, dass ich es würde tun müssen, und zwar, ohne dass Æthelred auch nur das Geringste von meinem Vorgehen ahnte. Und es konnte gelingen, dachte ich, aber nur mit Gerissenheit und mit Glück. Wyrd bið ful āræd.

Darauf ging ich Gisela suchen. Ich überquerte den äußeren Hof und sah eine Gruppe Frauen neben einer der Türen die Köpfe zusammenstecken. Eanflæd war eine von ihnen, und ich wollte hinübergehen, um sie zu grüßen. Sie war früher eine Hure gewesen, dann war sie Leofrics Geliebte geworden, und jetzt war sie eine Gefährtin von Alfreds Frau. Ich bezweifelte, dass Ælswith von der Vergangenheit ihrer Freundin als Hure wusste, obwohl ich manchmal auch dachte, sie wisse es vielleicht und es kümmere sie nicht, denn was die beiden Frauen so eng miteinander verband, waren ihre Gefühle der Verbitterung. Ælswith hegte einen Groll darüber, dass man in Wessex die Frau des Königs nicht Königin nannte, während Eanflæd die Männer zu gut kannte, um irgendeinen von ihnen wirklich zu schätzen. Ich dagegen schätzte sie sehr und änderte meine Richtung, um mit ihr zu sprechen. Doch als sie mich kommen sah, schüttelte sie den Kopf, damit ich mich fernhielt.

Also blieb ich stehen. Und da sah ich, dass Eanflæd ihren Arm um eine jüngere Frau gelegt hatte, die mit gesenktem Kopf auf einem Stuhl saß. Mit einem Mal blickte sie auf und sah mich. Es war Æthelflaed, und ihr hübsches Gesicht war bleich, schmerzerfüllt und verängstigt. Sie hatte geweint, und in ihren Augen glänzten noch immer die Tränen. Sie schien mich nicht zu erkennen, doch dann tat sie es und schenkte mir ein scheues Lächeln. Ich gab ihr das Lächeln zurück, verbeugte mich leicht und ging weiter.

Und ich dachte über Lundene nach.

ZWEITER TEIL

Die Stadt

VIER

Wir hatten in Wintanceaster vereinbart, dass Æthelred mit den Truppen von Alfreds Hof, seinen eigenen Kriegern und jedem Mann, den er sonst noch in seinen ausgedehnten Besitzungen im südlichen Mercien ausheben konnte, flussabwärts nach Coccham kommen sollte. Sobald er angekommen wäre, würden wir gemeinsam mit dem Fyrd von Berrocscire und meinen eigenen Haustruppen gegen Lundene ziehen. Alfred hatte betont, dass Eile geboten war, und Æthelred hatte versprochen, innerhalb von zwei Wochen bereit zu sein.

Doch dann ging ein ganzer Monat ins Land und Æthelred war immer noch nicht da. Zwischen Bäumen, die noch nicht voll belaubt waren, wurden die ersten Vögel flügge. Die Birnbäume blühten weiß und die Bachstelzen flogen mit hastigem Flügelschlag ihre Nester unter dem Dachvorsprung unseres Hauses an. Ich beobachtete einen Kuckuck, der diese Nester sorgfältig im Auge behielt, um den richtigen Moment abzupassen, in dem er einer Bachstelze sein Ei ins Nest legen konnte. Der Kuckuck hatte noch nicht angefangen zu rufen, aber er würde es bald genug tun, und dann wollte Alfred Lundene von uns erobert sehen.

Ich wartete. Ich langweilte mich und ebenso meine Haustruppen, denn sie waren bereit, in den Krieg zu ziehen, und deshalb litten sie am Frieden. Es waren gerade nur sechsundfünfzig Krieger. Eine kleine Anzahl, kaum ausreichend, um ein Schiff zu bemannen, aber Männer kosten Geld, und in diesen Tagen zog ich es vor, mein Silber zu horten. Fünf der Männer waren Neulinge, noch nie hatten sie die wichtigste Bewährungsprobe einer Schlacht überstehen müssen: den Schildwall. Deshalb unterwarf ich diese fünf Männer, während wir auf Æthelred warteten, Tag für Tag neuen Kampfesübungen. Osferth, Alfreds Bastard, war einer von ihnen. «Er taugt nichts», sagte Finan wiederholt zu mir.

«Er braucht Zeit», sagte ich ebenso oft.

«Er braucht eine dänische Klinge», sagte Finan boshaft, «und dann kannst du beten, dass sie seinen Mönchswanst aufschlitzt.» Er spie aus. «Wollte ihn der König nicht zurück in Wintanceaster haben?»

«Das wollte er.»

«Warum schickst du ihn also nicht zurück? Er ist uns vollkommen unnütz.»

«Alfred hat zu viele andere Sachen im Kopf», sagte ich, ohne auf Finans Frage einzugehen, «und denkt nicht mehr an Osferth.» Das traf nicht zu. Alfreds Denken verlief höchst wohlgeordnet, und er hatte weder Osferths Abwesenheit von Wintanceaster vergessen noch meinen Ungehorsam, der darin bestand, dass ich den Jungen nicht zu seinen Studien zurücksandte.

«Aber warum willst du ihn nicht zurückschicken?», beharrte Finan.

«Weil ich seinen Onkel mochte», sagte ich, und das stimmte auch. Ich hatte Leofric geliebt, und um seinetwillen würde ich seinen Neffen gut behandeln.

«Oder willst du etwa bloß den König verdrießen, Herr?», fragte Finan grinsend und ging weg, ohne eine Antwort abzuwarten. «Einhaken und ziehen, du Bastard!», brüllte er Osferth an. «Einhaken und ziehen!»

Osferth drehte sich nach Finan um, und augenblicklich

fuhr ein Eichenprügel auf seinen Kopf nieder, den Clapa geschwungen hatte. Wenn es eine Axt gewesen wäre, hätte sie Osferths Helm gespalten und wäre tief in seinen Schädel gefahren, aber der Prügel betäubte ihn bloß halb, sodass er auf die Knie sank.

«Komm hoch, du Weichling!», knurrte Finan. «Komm hoch, hake dich ein und zieh!»

Osferth mühte sich aufzustehen. Sein bleiches Gesicht sah kläglich unter dem verbeulten Helm hervor, den ich ihm gegeben hatte. Er schaffte es, auf die Füße zu kommen, doch augenblicklich schwankte er wieder und sank erneut in die Knie.

«Gib her», sagte Finan und schnappte die Axt aus Osferths kraftlosen Händen. «Und jetzt pass auf! Es ist nicht schwer! Das könnte sogar meine Frau!»

Die fünf neuen Männer waren fünf meiner erfahrenen Krieger gegenübergestellt worden. Den Jungen waren Äxte, echte Waffen, gegeben worden, und dann hatten sie die Anweisung erhalten, den Schildwall aufzubrechen, dem sie gegenüberstanden. Es war nur ein kleiner Wall, gerade fünf überlappende Schilde, die mit Holzknüppeln verteidigt wurden. Clapa grinste, als Finan näher kam.

«Was du zu tun hast», erklärte Finan an Osferth gewandt, «ist, die Schneide der Axt über dem oberen Schildrand des feindlichen Bastards einzuhaken. Ist das wirklich so schwer? Du hakst dich ein, ziehst den Schild herunter und lässt deinen Nebenmann den Earsling dahinter umbringen. Wir machen es langsam, Clapa, damit er begreift, wie es geht. Und hör auf zu grinsen.»

Sie machten das Einhaken und Herunterziehen in lächerlicher Langsamkeit vor. Die Axt kam gemächlich hoch, um sich mit der Schneide hinter Clapas Schild einzuhaken, und dann ließ Clapa zu, dass Finan den oberen Rand des Schildes in seine Richtung herabzog. «So», Finan drehte sich zu Osferth um, nachdem Clapas Körper ungeschützt einem Hieb preisgegeben war, «bricht man einen Schildwall auf! Und jetzt machen wir's richtig, Clapa.»

Clapa grinste erneut, denn er witterte eine Gelegenheit, Finan mit seinem Knüppel eins überzuziehen. Finan tat einen Schritt zurück, leckte sich über die Lippen, und dann schlug er blitzschnell zu. Er schwang die Axt genauso, wie er es vorgemacht hatte, doch Clapa kippte den Schild nach hinten, damit der Hieb die hölzerne Vorderseite traf, und in derselben Bewegung rammte er seinen Knüppel mit aller Kraft unter dem Schild hindurch, um Finans Schritt zu treffen.

Es war immer ein Vergnügen, den Iren kämpfen zu sehen. Finan war mit der Klinge schneller als jeder andere Mann, dem ich je begegnet bin, und ich bin vielen begegnet. Ich dachte, Clapas Vorstoß würde ihn in der Mitte zusammenklappen und betäubt auf die Wiese sinken lassen, doch Finan wich mit einem Schritt seitwärts aus, packte mit der Linken den unteren Rand des Schildes und riss ihn kraftvoll nach oben, sodass der eisenbeschlagene obere Rand gegen Clapas Gesicht fuhr. Clapa taumelte rückwärts, seine Nase war blutig, dann senkte sich die Axt mit der Geschwindigkeit einer zustoßenden Schlange, und die Klinge hakte sich um Clapas Knöchel. Finan zog, Clapa fiel auf den Rücken, und jetzt war es der Ire, der grinste. «Das ist nicht das richtige Einhaken und Ziehen», sagte er zu Osferth, «aber im Grunde geht es genauso.»

«Wenn Ihr einen Schild gehabt hättet, wäre es nicht gegangen», maulte Clapa.

«Was du da im Gesicht hast, Clapa», sagte Finan, «das Ding, das immerzu auf- und zugeht. Dieses hässliche Ding, in das du dein Essen hineinschaufelst. Lass es zu.» Er warf Osferth die Axt zu. Der Junge versuchte, den Griff in der Luft zu erwischen, doch er verfehlte ihn, und die Axt landete in einer Schlammpfütze.

Es war ein regnerischer Frühling geworden. Es goss in Strömen, der Fluss trat über seine Ufer, und überall war es matschig. Stiefel und Kleidung verrotteten. Das bisschen Korn, das noch in den Speichern war, begann zu keimen, und ich schickte meine Männer auf die Jagd oder zum Fischen, damit wir genug zu essen hatten. Die ersten Kälber wurden geboren, ihre blutigen Leiber glitten in eine feuchte Welt. Jeden Tag erwartete ich Alfred zu einer neuerlichen Überprüfung der Fortschritte, die wir in Coccham machten, doch in diesen regendurchtränkten Tagen zog er es vor, in Wintanceaster zu bleiben. Allerdings sandte er einen Botschafter, es war ein blässlicher Priester, der mir einen Brief übergab, der in einen gut eingefetteten Lammfellbeutel eingenäht war. «Solltet Ihr nicht lesen können, Herr», erbot er sich zaghaft, während ich den Beutel öffnete, «könnte ich ...»

«Ich kann lesen», knurrte ich. Und das stimmte. Ich war auf diese Fähigkeit nicht übermäßig stolz, denn nur Priester und Mönche waren wirklich auf die Kunst des Lesens angewiesen, doch Pater Beocca hatte mir sämtliche Buchstaben eingebläut, als ich ein Junge war, und inzwischen hatten sich diese Lektionen als recht nützlich erwiesen. Alfred hatte verfügt, dass alle Herren in seinem Lande lesen können mussten, nicht nur, damit sie sich durch die Gebetbücher hindurchstottern konnten, die uns der König unaufhörlich als Geschenke zusandte, sondern auch, damit sie in der Lage waren, seine Botschaften zu lesen.

Ich glaubte, das Schreiben enthielte Neuigkeiten über Æthelred, möglicherweise eine Erklärung dafür, was ihn so lange davon abhielt, seine Männer nach Coccham zu bringen, doch stattdessen war es eine Anweisung, für je dreißig Männer einen Priester auf dem Zug gegen Lundene mitzunehmen. «Was soll ich?», fragte ich laut.

«Der König ist in Sorge um das Seelenheil der Männer», sagte der Priester.

«Und deshalb muss ich unnütze Esser mitnehmen? Richtet ihm aus, dass er mir ausreichend Korn schicken soll, dann nehme ich ein paar von seinen verfluchten Priestern mit.» Erneut betrachtete ich den Brief, der von einem der königlichen Schreiber abgefasst worden war, doch ganz unten stand eine Zeile in Alfreds ausgeprägter Handschrift. «Wo ist Osferth?», hieß es dort. «Er hat heute zurückzukehren. Schicke ihn mit Pater Cuthbert auf den Weg.»

«Ihr seid Pater Cuthbert?», fragte ich den ängstlichen Priester.

«Ja, Herr.»

«Nun, Ihr könnt Osferth nicht mit zurücknehmen», sagte ich, «er ist krank.»

«Krank?»

«Er leidet wie ein Hund», sagte ich, «und voraussichtlich wird er sterben.»

«Aber ich dachte, ihn gesehen zu haben», sagte Pater Cuthbert und deutete zur offenen Tür hinaus auf die Wiese, auf der Finan sich bemühte, Osferth zu etwas mehr Geschicklichkeit und Eifer anzustacheln. «Seht doch», sagte der Priester strahlend, weil er sich freute, mir die gute Nachricht mitteilen zu können, dass Osferth keineswegs krank war.

«Er wird sogar sehr wahrscheinlich sterben», sagte ich

langsam und bösartig. Pater Cuthbert öffnete den Mund zu einer Entgegnung, überlegte es sich aber anders, nachdem er meinen Blick gesehen hatte. «Finan!», rief ich und wartete, bis der Ire mit einem blanken Schwert in der Hand hereingekommen war. «Wie lange», fragte ich, «wird der junge Osferth deiner Meinung nach überleben?»

«Wenn er Glück hat, einen Tag», sagte Finan, der davon ausging, dass ich danach gefragt hatte, wie lange Osferth in einer Schlacht am Leben bleiben würde.

«Seht Ihr?», sagte ich zu Pater Cuthbert. «Er ist krank. Er wird sterben. Also richtet dem König aus, dass ich um Osferth trauern werde. Und richtet dem König auch aus, dass der Feind in Lundene umso stärker wird, je länger sich mein Cousin Zeit lässt.»

«Es liegt am Wetter, Herr», sagte Pater Cuthbert. «Herr Æthelred findet keine ausreichende Verpflegung.»

«Sagt ihm, in Lundene gibt es genügend Nahrungsmittel», erwiderte ich und wusste, dass ich nur meinen Atem verschwendete.

Æthelred kam schließlich Mitte April, und unsere vereinten Streitkräfte machten fast achthundert Mann aus, von denen jedoch weniger als vierhundert wirklich einsatzfähig waren. Die anderen stammten aus dem Fyrd von Berrocscire oder waren von Æthelreds Besitzungen im südlichen Mercien gerufen worden, die er von seinem Vater, dem Bruder meiner Mutter, geerbt hatte. Die Männer des Fyrd waren Bauern, und sie kamen mit Äxten oder Jagdbögen. Ein paar hatten Schwerter oder Speere, noch ein paar weniger hatten eine bessere Rüstung aufzuweisen als ein Lederwams, und einige tauchten lediglich mit einer frisch geschärften Hacke auf. Wenn es Händel auf der Straße gibt, kann eine Hacke zu einer schrecklichen Waffe werden, doch sie eignet sich kaum, um einen Wikinger zu schlagen, der mit Kettenhemd, Schild, Axt, Kurzschwert und einer langen Klinge bewaffnet ist.

Die Gruppe der einsatzfähigen Männer setzte sich aus meiner Haustruppe, der gleichen Anzahl Männer aus Æthelreds Haustruppe und dreihundert von Alfreds Wachen zusammen, die von dem grimmigen, sie um einen Kopf überragenden Steapa angeführt wurden. Diese kampferprobten Männer würden das eigentliche Kämpfen übernehmen, während alle anderen einfach dafür sorgen sollten, dass unsere Streitmacht groß und bedrohlich aussah.

Doch in Wahrheit würden Sigefrid und Erik genau wissen, wie bedrohlich wir waren. Den ganzen Winter und Vorfrühling hindurch waren immer wieder Reisende von Lundene stromauf gekommen, und einige von ihnen waren zweifellos Kundschafter der Brüder Thurgilson gewesen. Sie würden wissen, mit wie vielen Männern wir anrückten, wie viele dieser Männer echte Kämpfer waren, und die gleichen Kundschafter mussten Sigefrid noch am gleichen Tag, den wir mit der Überquerung des Flusses verloren hatten, berichtet haben, dass wir auf der nördlichen Uferseite weiterzogen.

Wir gingen ein Stück flussauf von Coccham über den Fluss, und wir benötigten dazu einen ganzen Tag. Æthelred murrte über die Verzögerung, doch die Furt, die wir benutzten, war den ganzen Winter über nicht passierbar gewesen und der Wasserstand dort war erneut so hoch, dass die Pferde nur mit gutem Zureden über den Fluss gingen. Die Vorräte mussten auf die Schiffe geladen werden; wenn auch nicht an Bord von Æthelreds Schiff, von dem er behauptete, es könne keine Ladung aufnehmen.

Alfred hatte seinem Schwiegersohn für den Kriegszug die *Heofonhlaf* zur Verfügung gestellt. Sie war das kleinere von Alfreds Flussschiffen, und Æthelred hatte über dem Heck gerade vor der Steuerplattform ein Dach errichten lassen, um einen regengeschützten Unterstand zu haben. Er hatte ihn mit Kissen und Pelzen, einem Tisch und Stühlen ausgestattet, und Æthelred verbrachte den gesamten Tag damit, von dort aus zuzusehen, wie wir über den Fluss setzten, während er sich von seinen Dienern mit Essen und Bier versorgen ließ.

Er war in Gesellschaft von Æthelflaed, die zu meiner Überraschung ihren Ehemann begleitete. Ich bemerkte sie zum ersten Mal, während sie über das enge, etwas erhöhte Schiffsdeck der *Heofonhlaf* ging. Als sie mich sah, hob sie die Hand zum Gruß. Zur Mittagszeit wurden Gisela und ich zu ihrem Ehemann gerufen, und Æthelred begrüßte Gisela mit großem Aufheben wie eine alte Freundin und verlangte, dass ein Pelzumhang für sie herbeigebracht wurde. Æthelflaed betrachtete das Getue schweigend und warf mir einen ausdruckslosen Blick zu. «Reist Ihr zurück nach Wintanceaster, Herrin?», fragte ich sie.

«Ich komme mit euch», sagte sie ausdruckslos.

Ich erschrak. «Ihr kommt …», begann ich, doch ich beendete den Satz nicht.

«Mein Ehemann wünscht es», sagte sie sehr förmlich, dann zeigte sich in einem winzigen Lächeln die alte Æthelflaed, «und ich bin froh darüber. Ich möchte eine Schlacht sehen.»

«Ein Schlachtfeld ist kein passender Ort für eine Herrin», sagte ich nachdrücklich.

«Sorge dich nicht um die Frau, Uhtred!», rief Æthelred über das Deck. Er hatte meine letzten Worte gehört.

«Mein Weib wird ganz und gar sicher sein, das habe ich ihr zugesagt.»

«Krieg ist nichts für Frauen», beharrte ich.

«Sie wünscht uns siegen zu sehen», gab Æthelred zurück, «also soll sie uns siegen sehen, nicht wahr, mein Entchen?»

«Quak, quak», sagte Æthelflaed so leise, dass nur ich allein sie hören konnte. Aus ihrer Stimme klang Bitterkeit, doch als ich sie ansah, war da nichts als ein süßes Lächeln für ihren Ehemann.

«Ich würde auch mitkommen, wenn ich könnte», sagte Gisela und berührte ihren Bauch. Von dem Baby war noch nichts zu sehen.

«Du kannst aber nicht», sagte ich und erntete eine scherzhafte Grimasse von Gisela. In diesem Moment erklang vom Bug der *Heofonhlaf* eine wütende Stimme.

«Kann ein Mann nicht ein Mal in Ruhe schlafen?», dröhnte es zornig. «Du sächsischer Earsling! Du hast mich aufgeweckt!»

Pater Pyrlig hatte unter dem kleinen Bugpodest geschlafen, und dabei hatte ihn ein unglückseliger Mann gestört. Nun kroch der Waliser in das trübe Tageslicht und sah mich blinzelnd an. «Gütiger Gott», sagte er voller Abscheu, «da haben wir ja den Herrn Uhtred.»

«Ich dachte, Ihr seid in Ostanglien», rief ich ihm zu.

«Das war ich auch, aber König Æthelstan hat mich gesandt, um sicher zu sein, dass ihr unnützen Sachsen euch nicht in die Hosen pisst, wenn ihr ein paar Nordmänner auf den Wällen von Lundene entdeckt.» Ich brauchte einen Augenblick, um mir klarzumachen, dass Æthelstan der christliche Name von Guthrum war. Pyrlig kam zu uns herüber. Ein schmutziges Hemd bedeckte seinen Wanst, und darüber hing ein hölzernes Kreuz. «Guten Morgen, Herrin», grüßte er Æthelflaed frohsinnig.

«Es ist schon nach Mittag, Pater», sagte Æthelflaed, und die Herzlichkeit in ihrer Stimme verriet mir, dass sie den walisischen Priester mochte.

«Es ist Nachmittag? Gütiger Gott, ich habe wie ein Säugling geschlafen. Frau Gisela! Welche Freude. Meiner Treu, hier sind wirklich alle Schönheiten versammelt!» Er strahlte die beiden Frauen an. «Wenn es nicht regnen würde, könnte ich mich im Himmel wähnen. Mein Herr», die letzten beiden Worte waren an meinen Cousin gerichtet, und ihr Klang machte nur allzu klar, dass die beiden Männer sich nicht mochten. «Benötigt Ihr einen Rat, mein Herr?», fragte Pyrlig.

«Keineswegs», gab mein Cousin unwirsch zurück.

Pater Pyrlig grinste mich an. «Alfred hat mich gebeten, als Berater mitzukommen.» Er hielt inne, um sich an einem Flohbiss auf seinem Bauch zu kratzen. «Ich soll den Herrn Æthelred beraten.»

«Wie ich auch», sagte ich.

«Und zweifellos lautet der Rat des Herrn Uhtred ebenso wie meiner», fuhr Pyrlig fort, «nämlich, dass wir uns mit der Geschwindigkeit eines Sachsen bewegen sollten, der ein walisisches Schwert gesichtet hat.»

«Er will sagen, dass wir uns so schnell wie möglich weiterbewegen sollten», erklärte ich Æthelred, der ganz genau verstanden hatte, was der Waliser gemeint hatte.

Mein Cousin achtete nicht auf mich. «Äußert Ihr Euch mit Vorsatz so unflätig?», fragte er Pyrlig steif.

«Ja, Herr!» Pyrlig grinste. «Das tue ich!»

«Ich habe schon ein Dutzend Waliser getötet», sagte mein Cousin.

«Dann werdet Ihr mit den Dänen ja keine Schwierigkeiten haben, oder etwa doch?», gab Pyrlig zurück, ohne auf die Herausforderung einzugehen. «Aber mein Rat gilt dennoch, Herr. Eilt Euch! Die Heiden wissen, dass wir kommen, und je mehr Zeit wir ihnen geben, desto schwerer wird ihre Verteidigung zu überwinden sein!»

Wir hätten schnell sein können, wenn wir genügend Schiffe gehabt hätten, doch weil Sigefrid und Erik inzwischen wussten, dass wir kamen, hatten sie allen Schiffsverkehr auf der Temes zum Erliegen gebracht, und so verfügten wir, ohne die *Heofonhlaf* zu zählen, lediglich über sieben Schiffe, und das waren nicht annähernd genug, um unsere Männer aufzunehmen, sodass nur die Langsamsten und die Vorräte und Æthelreds Leute auf dem Wasserweg vorankamen. Die anderen mussten über Land ziehen, und deshalb benötigten wir vier Tage, und jeden Tag sahen wir Reiter nördlich von uns oder Schiffe flussabwärts vor uns, und ich wusste, das waren Sigefrids Kundschafter, die noch einmal unsere Stärke überprüften, während sich unsere dürftige Streitmacht schwerfällig in Richtung Lundene bewegte. Einen ganzen Tag vergeudeten wir, weil es ein Sonntag war und Æthelred darauf bestand, dass die Priester, die unser Heer begleiteten, eine Messe lasen. Ich hörte sie ihre Gebete herunterleiern, während ich die berittenen Späher des Feindes um uns herum beobachtete. Haesten, das wusste ich, würde jetzt schon in Lundene sein, und seine Männer, wenigstens zweihundert oder dreihundert, wären bereit, die Verteidigung der Stadtmauer zu unterstützen.

Æthelred fuhr an Bord der *Heofonhlaf* und verließ das Schiff nur abends, um etwas zwischen den Wachposten auf und ab zu gehen, die ich aufgestellt hatte. Er machte es sich zur Aufgabe, diese Wachposten an andere Stellen zu schicken, als ob ich von meiner Pflicht nichts verstünde, und ich ließ ihn gewähren. Am letzten Abend, bevor wir Lundene erreichten, lagerten wir auf einer kleinen Halbinsel, deren schilfüberwachsenes Ufer von der Nordseite des Flusses aus nur über einen engen, schlammigen Pfad zu erreichen war, sodass Sigefrid Schwierigkeiten haben würde, das Lager zu erreichen, falls er einen Angriff im Sinn hatte. Wir lenkten unsere Schiffe in den Wasserlauf nördlich der Insel, und als die Ebbe einsetzte und die Frösche die Dämmerung mit ihrem Quaken erfüllten, liefen die Schiffe auf den tiefen, schlammigen Grund. Auf der Festlandseite entzündeten wir Feuer, die uns in ihrem Schein jeden anrückenden Feind zeigen würden, und rund um die Insel stellte ich Männer auf.

Æthelred kam an diesem Abend nicht an Land. Stattdessen ließ er mir durch einen Diener ausrichten, ich solle mich bei ihm an Bord der *Heofonhlaf* einfinden. Also zog ich meine Stiefel und meine Hosen aus, watete durch den klebrigen Schlamm bis zu seinem Schiff und zog mich über die Seite an Bord. Steapa, der mit den Männern von Alfreds Leibwache in den Kampf zog, begleitete mich. Ein Diener zog eimerweise Flusswasser von der anderen Seite des Decks hoch, und wir wuschen uns damit den Schlamm von den Beinen, bevor wir uns wieder anzogen und zu Æthelred unter sein Schutzdach im Heck der *Heofonhlaf* gingen. Bei meinem Cousin befand sich der Befehlshaber über seine Haustruppe. Es war ein junger mercischer Edelmann namens Aldhelm, der ein schmales, hochmütiges Gesicht, dunkle Augen und dichtes, schwarzes Haar besaß, das er mit Öl zum Glänzen brachte.

Auch Æthelflaed war da. Sie befand sich in Begleitung

einer Magd und des grinsenden Paters Pyrlig. Ich verneigte mich vor ihr, und sie lächelte mich an, allerdings war es eher ein schwaches Lächeln, und dann beugte sie sich wieder über ihre Stickarbeit, die sie im Schein einer Lampe verrichtete, die von einem Schild aus Horn abgeschirmt wurde. Sie fädelte weiße Wolle durch ein dunkelgraues Gewebe und ließ so das Bild eines sich aufbäumenden Pferdes entstehen, das ihr Ehemann auf dem Banner führte. Das gleiche Banner, jedoch viel größer, hing schlaff vom Mast des Schiffes herunter. Es war windstill, und der Rauch von den Kochfeuern Lundenes hing östlich von uns wie ein regloser Schmutzstreifen am dämmrigen Himmel.

«Wir greifen im Morgengrauen an», verkündete Æthelred, ohne sich die Mühe einer Begrüßung gemacht zu haben. Er trug ein Kettenhemd und hatte sich die Hüften mit seinen beiden Schwertern, einem langen und einem kurzen, gegürtet. Er wirkte noch selbstgefälliger als gewöhnlich, wenn er sich auch bemühte, seine Stimme ganz beiläufig klingen zu lassen. «Aber ich werde meinen Truppen erst dann den Befehl zum Vorstoß geben», fuhr er fort, «wenn ich weiß, dass dein Angriff begonnen hat.»

Ich runzelte die Stirn bei diesen Worten. «Du wirst nicht angreifen», wiederholte ich bedachtsam, «bevor du weißt, dass ich meinen Angriff begonnen habe?»

«Das ist nicht allzu schwer zu begreifen, oder?», fragte Æthelred streitlustig.

«Für die meisten Männer zweifellos nicht», sagte Aldhelm spöttisch. Er verhielt sich Æthelred gegenüber genauso, wie sich Æthelred gegenüber Alfred benahm, und weil er sich der Gunst meines Cousins sicher war, glaubte er, sich diese kaum verhüllte Beleidigung erlauben zu können.

174

«Ich begreife es jedenfalls nicht!», warf Pater Pyrlig lebhaft ein. «Der vereinbarte Plan», sprach der Waliser an Æthelred gewandt weiter, «sieht vor, dass Ihr einen Scheinangriff an der westlichen Stadtmauer durchführt, und sobald die Verteidiger von der nördlichen Stadtmauer zur Verstärkung kommen, Uhtreds Männer den eigentlich Vorstoß machen.»

«Nun, ich habe eben meine Absichten geändert», sagte Æthelred leichthin. «Jetzt werden Uhtreds Männer für den Ablenkungsangriff sorgen, und ich werde den eigentlichen Angriff durchführen.» Herausfordernd hob er sein breites Kinn und starrte mich an.

Æthelflaed sah mich ebenfalls an, und ich spürte, dass sie hoffte, ich würde ihrem Ehemann widersprechen, doch stattdessen überraschte ich sie alle, indem ich meinen Kopf wie in duldsamer Hinnahme senkte. «Wenn du darauf bestehst», sagte ich.

«Das tue ich», sagte Æthelred, außerstande, seine Befriedigung über diesen offenbar so leicht errungenen Sieg zu verbergen. «Du kannst deine eigenen Haustruppen einsetzen», fuhr er widerwillig fort, als hätte er die Macht, mir meine eigenen Männer zu nehmen, «und noch dreißig andere dazu.»

«Wir waren übereingekommen, dass ich fünfzig haben kann», sagte ich.

«Auch darüber habe ich meine Ansicht geändert!», erwiderte er kämpferisch. Zuvor hatte er schon darauf bestanden, dass die Männer des Fyrd von Berrocscire, meine Männer, seine Reihen verstärkten, und auch damit hatte ich mich widerspruchslos einverstanden erklärt, ebenso wie ich mich eben damit einverstanden erklärt hatte, dass er den Ruhm ernten konnte, wenn der Angriff erfolgreich verlief. «Du kannst dreißig haben», wiederholte er schroff. Ich hätte Einwände vorbringen können, und vielleicht hätte ich das auch tun sollen, aber ich wusste, dass nichts Gutes dabei herauskommen würde. Æthelred war zu einem vernünftigen Gespräch ohnehin nicht in der Lage, er wollte nur seiner jungen Frau zeigen, über welche Macht er verfügte. «Erinnere dich daran», sagte er, «dass Alfred mir den Befehl über diesen Feldzug gegeben hat.»

«Das hatte ich nicht vergessen», sagte ich. Pater Pyrlig behielt mich misstrauisch im Auge, zweifellos fragte er sich, warum ich dem Druck meines Cousins so bereitwillig nachgegeben hatte. Aldhelm lächelte leicht, vermutlich glaubte er, dass ich von Æthelred vollkommen einge-schüchtert worden war.

«Du ziehst vor uns los», sagte Æthelred als Nächstes.

«Ich werde bald abrücken», sagte ich, «das ist notwendig.»

«Meine Haustruppen», sagte Æthelred und sah Steapa an, «werden den eigentlichen Angriff führen. Und du wirst ihnen mit den königlichen Truppen folgen.»

«Ich gehe mit Uhtred», sagte Steapa.

Æthelred blinzelte überrascht. «Du bist der Anführer», sagte er dann langsam, als spräche er zu einem kleinen Kind, «von Alfreds Leibwache! Und du wirst sie an die Stadtmauer führen, sobald meine Männer die Leitern an-gelegt haben.»

«Ich gehe mit Uhtred», wiederholte Steapa. «Der Kö-nig hat es angeordnet.»

«Der König hat nichts dergleichen getan!», sagte Æthelred abweisend.

«Er hat es aufgeschrieben», sagte Steapa. Er runzelte die Stirn, dann tastete er in einem Beutel herum und förderte ein kleines Stück Pergament zutage. Er starrte es an, unsicher, wo bei der Schrift oben und unten war, dann zuckte er einfach die Schultern und gab es meinem Cousin.

Æthelred runzelte die Stirn, als er die Botschaft im Licht von Æthelflaeds Lampe las. «Das hättest du mir schon früher geben sollen», sagte er gereizt.

«Vergessen», sagte Steapa, «und ich soll sechs Männer meiner Wahl mitnehmen.» Steapas Art zu sprechen ermutigte niemanden dazu, Streit mit ihm zu suchen. Er sprach langsam, schroff und dumpf, sodass er den Eindruck hervorrief, zu dumm zu sein, um den mindesten Einwand gegen seine Worte zu verstehen. Außerdem erweckte er den Eindruck, dass er einen Mann, der ihm zu widersprechen wagte, womöglich einfach abschlachten könnte. Und Æthelred gab, angesichts von Steapas Sturheit und der bloßen Anwesenheit dieses großen, massigen Mannes mit dem Totenschädelgesicht, ohne Einwände klein bei.

«Wenn es der König angeordnet hat», sagte er und gab Steapa das Stück Pergament zurück.

«Das hat er», bekräftigte Steapa. Er nahm das Pergament und schien nicht recht zu wissen, was er damit anfangen sollte. Einen Herzschlag lang glaubte ich, er würde es aufessen, doch dann warf er es einfach über Bord und sah stirnrunzelnd nach Osten zu der langgestreckten Rauchwolke, die über der Stadt hing.

«Sorge dafür, dass ihr morgen früh genug dort seid», sagte Æthelred zu mir. «Davon hängt unser Erfolg ab.»

Damit waren wir offenkundig entlassen. Ein anderer Mann hätte uns Bier und zu essen angeboten, aber Æthelred drehte sich nur von uns weg, und so streiften Steapa und ich wieder unsere Hosen ab und wateten durch den klebrigen Schlamm zurück ans Ufer. «Hast du Alfred darum gebeten, mit mir kommen zu können?», fragte ich Steapa, während wir uns durch den Schilfgürtel schoben.

«Nein», sagte er, «es war der König, der wollte, dass ich mit dir komme. Es war sein Einfall.»

«Gut», sagte ich, «darüber freue ich mich.» Und das meinte ich auch. Steapa und ich waren zuerst Feinde gewesen, aber dann waren wir Freunde geworden. Unsere Verbindung war beim gemeinsamen Kampf im Schildwall geschmiedet worden, als wir Schild an Schild den Feind vor Augen gehabt hatten. «Ich würde keinen anderen lieber dabeihaben», erklärte ich mit warmer Stimme, während ich mich hinabbeugte, um meine Stiefel anzuziehen.

«Ich komme mit dir», sagte er auf seine langsame Art, «weil ich dich töten soll.»

Ich erstarrte und spähte durch die Dunkelheit zu ihm hin. «Du sollst was?»

«Ich soll dich töten», sagte er, und dann erinnerte er sich, dass der Befehl Alfreds noch einen weiteren Bestandteil gehabt hatte, «wenn sich herausstellt, dass du auf Sigefrids Seite bist.»

«Aber das bin ich nicht.»

«Er will einfach nur sicher sein», sagte Steapa. «Und dieser Mönch, Asser? Er sagt, man könne dir nicht trauen. Wenn du also deinen Befehlen nicht folgst, soll ich dich töten.»

«Warum erzählst du mir das?», fragte ich ihn.

Er zuckte die Schultern. «Weil es nicht darauf ankommt, ob du darauf vorbereitet bist oder nicht», sagte er, «denn ich werde dich in jedem Fall töten.»

«Nein», sagte ich und verbesserte seine Wortwahl, «du wirst versuchen, mich zu töten.»

Darüber dachte er recht lange nach, dann schüttelte er

den Kopf. «Nein», sagte er, «ich werde dich töten.» Und er war dazu in der Lage.

Wir rückten in nächtlicher Finsternis unter einem bewölkten Himmel ab. Die feindlichen Reiter, die zu unserer Beobachtung geschickt worden waren, hatten sich mit der Abenddämmerung in die Stadt zurückgezogen, aber ich war sicher, dass Sigefrid seine Späher auch in der Nacht aussandte, und deshalb folgten wir eine Stunde oder etwas länger einem Weg, der durch die Marschen nordwärts führte. Es war schwer, nicht von dem Weg abzukommen, doch nach einer Weile wurde der Grund fester und stieg zu einem Dorf hin an, wo in Lehmhütten, die mit hochaufgetürmtem Stroh gedeckt waren, kleine Feuer brannten. Ich schob eine Tür auf und hatte eine Familie vor mir, die schreckerfüllt um ihr Kochfeuer hockte. Sie fürchteten sich, weil sie uns gehört hatten, und sie wussten, dass sich in der nächtlichen Finsternis nichts bewegt, bis auf gefährliche Kreaturen, die Unheil und Tod bringen. «Wie wird dieser Ort genannt?», fragte ich, und einen Moment lang wagte niemand zu antworten. Dann begann ein Mann wie im Krampf vor mir mit dem Kopf zu nicken und erklärte, er glaube, diese Ansiedlung heiße Padintune. «Padintune?», fragte ich. «Paddas Anwesen? Ist Padda hier?»

«Er ist tot, Herr», sagte der Mann, «er ist schon vor Jahren gestorben, Herr. Keiner hier kennt ihn, Herr.»

«Wir kommen in Freundschaft», erklärte ich ihm, «aber wenn hier irgendwer sein Haus verlässt, ist es mit der Freundschaft vorbei.» Kein Dorfbewohner sollte nach Lundene rennen, um Sigefrid davon zu berichten, dass wir in Padintune angehalten hatten. «Verstehst du das?», fragte ich den Mann.

«Ja, Herr.»

«Ein Schritt aus dem Haus», sagte ich, «und du stirbst.»

Ich versammelte meine Männer auf der schmalen Dorf-straße und ließ Finan vor jeder Hütte eine Wache aufstel-len. «Keiner darf heraus», erklärte ich ihm. «Sie können in ihren Betten schlafen, aber keiner darf das Dorf verlassen.»

Steapas massiger Körper zeichnete sich gegen den Nachthimmel ab. «Sollten wir nicht weiter nordwärts zie-hen?», fragte er.

«Doch, aber wir tun es nicht», gab ich zurück. «Also ist jetzt der Moment gekommen, in dem du mich töten sollst. Ich missachte die Anordnungen.»

«Ah», knurrte er und ließ sich in die Hocke nieder. Ich hörte sein Lederwams knarren und die Glieder seines Ket-tenhemdes gegeneinander klirren.

«Du könntest jetzt deinen Sax ziehen», schlug ich vor, «und mir mit einem Hieb den Bauch aufschlitzen. Ein Stoß in meinen Wanst? Aber mach es schnell, Steapa. Schlitz mir den Wanst auf und treib die Klinge so lange weiter, bis sie mein Herz erreicht. Aber vorher lässt du mich noch mein Schwert ziehen, oder? Ich verspreche, es nicht gegen dich zu erheben. Ich will einfach nur in Odins Halle einzie-hen, wenn ich tot bin.»

Er gluckste in sich hinein. «Ich verstehe dich nicht, Uhtred», sagte er.

«Ich bin eine ganz schlichte Seele», erklärte ich ihm. «Ich will einfach nur nach Hause.»

«Nicht in Odins Halle?»

«Am Ende schon», sagte ich, «aber zuerst nach Hause.»

«Nach Northumbrien?»

«Dort habe ich eine Festung am Meer», sagte ich sehn-süchtig, und ich dachte an Bebbanburg auf seiner steilen

Klippe und an die wilde graue See, die endlos gegen die Felsen wogte, und an den kalten Nordwind und an die weißen Möwen und ihre Schreie in der sprühenden Gischt. «Zuhause», sagte ich.

«Das dir dein Onkel geraubt hat?», fragte Steapa.

«Ælfric», sagte ich rachsüchtig, und wieder dachte ich an das Schicksal. Ælfric war der jüngere Bruder meines Vaters, und er war in Bebbanburg geblieben, während ich mit meinem Vater nach Eoferwic geritten war. Ich war noch ein Kind. Mein Vater war in Eoferwic gestorben, niedergemacht von einer dänischen Klinge, und ich war als Sklave zu Ragnar dem Älteren gekommen, der mich wie einen Sohn aufgezogen hatte. Mein Onkel hatte sich über die Wünsche meines Vaters hinweggesetzt und Bebbanburg für sich selbst behalten. Diese Heimtücke zerfraß mir seitdem das Herz, und eines Tages würde ich dafür Rache nehmen. «Eines Tages», erklärte ich Steapa, «werde ich Ælfric vom Schritt bis zum Brustbein aufschlitzen und ihm beim Sterben zusehen, aber ich werde mir Zeit lassen. Sein Herz werde ich nicht durchbohren. Ich werde ihm beim Sterben zusehen und auf ihn pissen, während er sich windet. Und danach töte ich seine Söhne.»

«Und heute Nacht?», fragte Steapa. «Wen tötest du heute Nacht?»

«Heute Nacht nehmen wir Lundene», sagte ich.

Ich konnte sein Gesicht in der Dunkelheit nicht erkennen, aber ich fühlte, dass er lächelte. «Ich habe Alfred gesagt, dass er dir vertrauen kann», sagte er.

Jetzt war ich mit dem Lächeln an der Reihe. Irgendwo in Padintune jaulte ein Hund auf und wurde mit einem Ruf zum Schweigen gebracht. «Aber ich bin nicht sicher, dass Alfred mir vertrauen kann», sagte ich nach längerer Stille.

«Warum?», fragte Steapa erstaunt.

«Weil ich auf eine bestimmte Art ein sehr guter Christ bin», sagte ich.

«Du? Ein Christ?»

«Ich liebe meine Feinde», sagte ich.

«Die Dänen?»

«Ja.»

«Ich nicht», sagte er rau. Steapas Eltern waren von Dänen abgeschlachtet worden. Ich erwiderte nichts. Ich dachte über die Vorsehung nach. Wenn die drei Spinnerinnen unser Schicksal kennen, warum schwören wir dann unsere Eide? Und wenn wir dann einen Eid brechen, ist das Verrat? Oder ist es Schicksal? «Wirst du morgen also gegen sie kämpfen?», fragte Steapa.

«Natürlich», sagte ich. «Aber nicht so, wie es Æthelred erwartet. Und daher widersetze ich mich den Befehlen, und dein Befehl lautet, mich zu töten, wenn ich das tue.»

«Ich töte dich später», sagte Steapa.

Æthelred hatte den vereinbarten Plan geändert, ohne überhaupt auf den Gedanken zu kommen, dass ich mich ohnehin nie hatte daran halten wollen. Er war viel zu leicht zu durchschauen. Wie sollte eine Streitmacht eine Stadt anders angreifen als mit dem Versuch, die Verteidiger von dem Abschnitt der Befestigungsanlage wegzulocken, an dem der wirkliche Einfall geplant war? Sigefrid würde wissen, dass unser erster Vorstoß ein Scheinangriff war, und er würde seine Kräfte so lange am Ort lassen, bis er wusste, wo die eigentliche Gefahr drohte, und dann würden wir am Fuße der Wallmauern sterben und Lundene würde ein Bollwerk der Nordmänner bleiben.

Und daher konnte Lundene nur mit einer List eingenommen werden und indem wir ein verzweifeltes Wagnis auf uns nahmen. «Was ich tun werde», erklärte ich Steapa, «ist, zu warten, bis Æthelred von der Insel abrückt. Dann gehen wir dorthin zurück, und dann nehmen wir zwei von den Schiffen. Es wird gefährlich, sogar sehr gefährlich, weil wir im Dunkeln durch die Lücke in der Römerbrücke müssen, und dort gehen sogar bei Tageslicht Schiffe unter. Aber wenn es uns gelingt, hindurchzukommen, dann haben wir auf der anderen Seite leichten Zugang zur alten Stadt.»

«Ich dachte, auch die Flussseite ist mit der Stadtmauer gesichert?»

«Das ist sie auch», sagte ich, «aber an einer Stelle gibt es eine Öffnung.» Ein Römer hatte sich ein großes Haus am Fluss gebaut und neben seinem Haus einen kurzen, breiten Wassergraben angelegt. Dafür hatte er die Stadtmauer durchbrochen. Ich vermutete, dass der Römer reich gewesen war und einen Anlegeplatz für seine Schiffe haben wollte, und deshalb hatte er ein Stück der Mauer an der Flussseite eingerissen, und das war mein Weg nach Lundene.

«Warum hast du Alfred nichts davon gesagt?», fragte Steapa.

«Alfred kann ein Geheimnis bewahren», sagte ich, «aber Æthelred kann es nicht. Er würde es jemandem erzählen, und dann wüssten die Dänen innerhalb von zwei Tagen, was wir planen.» Und das stimmte. Wir hatten Kundschafter, und sie hatten Kundschafter, und wenn ich meine wahren Absichten enthüllt hätte, dann hätten Sigefrid und Erik den Wassergraben mit Schiffen abgeriegelt und das große Haus daneben mit ihren Männern besetzt. Wir wären an den Landeplätzen gestorben, und auch so konnten wir noch leicht sterben, denn ich wusste nicht, ob wir genau in die Lücke der Römerbrücke hineinsteuern konnten, und wenn wir es konnten, ob es uns dann gelingen würde, heil durch diese gefährliche Einsturzöffnung zu kommen, an der sich der Flusspegel unvermittelt senkte und das Wasser schäumend hinabrauschte. Wenn wir die richtige Stelle nicht trafen, wenn eines der Schiffe auch nur eine halbe Ruderlänge zu weit südlich oder nördlich fuhr, dann würde es die scharfzackigen Pfeiler rammen, und Männer würden in den Fluss fallen und ich würde nicht hören, wie sie ertranken, weil sie augenblicklich von ihren Rüstungen und Waffen unter Wasser gezogen würden.

Steapa hatte nachgedacht, was bei ihm immer seine Zeit brauchte, doch nun stellte er eine scharfsinnige Frage. «Warum landen wir nicht vor der Brücke flussaufwärts? Dort muss es in der Mauer doch auch Stadttore geben.»

«Es gibt wenigstens ein Dutzend Stadttore», sagte ich, «vielleicht sogar zwanzig, und Sigefrid hat sie bestimmt alle geschlossen und gesichert, aber was er nicht erwartet, ist ein Vorstoß mit Schiffen durch die Lücke in der Römerbrücke.»

«Weil Schiffe dort untergehen?», fragte Steapa.

«Weil Schiffe dort untergehen», bestätigte ich. Einmal hatte ich es mit angesehen. Ich hatte gesehen, wie ein Handelsschiff, gerade im Moment der Gezeitenumkehr, bei der das Wasser stillsteht, durch die Lücke fahren wollte, und der Steuermann hatte das Boot zu weit seitwärts gelenkt, und die gebrochenen Pfeiler hatten die Planken des Schiffsrumpfs aufgerissen. Die Lücke war etwa vierzig Schritte breit und, wenn der Fluss ruhig war, beim Wechsel zwischen Ebbe und Flut stillstand und auch kein Wind das Wasser aufwühlte, dann sah die Lücke ganz unschuldig aus, doch sie war es nie. Lundenes Brücke war eine Todesfalle, und um Lundene einzunehmen, musste ich mich dieser Brücke stellen.

Und wenn wir überlebten? Wenn wir bis zu dem römischen Ankerplatz kamen und an Land gehen konnten? Dann würden wir wenige sein und der Feind wäre zahlreich, und manche von uns würden in den Straßen sterben, lange bevor es Æthelreds Truppen über die Stadtmauer geschafft hatten. Ich berührte Schlangenhauchs Heft und spürte das kleine Silberkreuz, das dort eingelassen war. Das Geschenk von Hild. Das Geschenk einer Geliebten. «Hast du schon einen Kuckuck rufen hören?», fragte ich Steapa.

«Noch nicht.»

«Es ist Zeit, sich auf den Weg zu machen», sagte ich, «es sei denn, du willst mich jetzt töten.»

«Vielleicht später», sagte Steapa, «aber jetzt kämpfe ich an deiner Seite.»

Und einen Kampf würde es geben. Das wusste ich. Und ich berührte mein Hammeramulett und sandte ein Gebet hinaus in die Dunkelheit. Ich betete darum, zu überleben, um das Kind sehen zu können, das in Giselas Bauch wuchs.

Osric, der mich zusammen mit Pater Pyrlig von Lundene weggebracht hatte, war einer unserer Schiffsführer, und der andere war Ralla, der Mann, der meine Streitkräfte dorthin gebracht hatte, wo wir für die Dänen einen Hinterhalt gelegt und deren Leichen am Ufer des Flusses an die Bäume gehängt hatten. Ralla hatte die Brücke von Lundene schon öfter durchfahren, als er sich erinnern konnte. «Aber noch nie bei Nacht», erklärte er mir, als wir auf die Insel zurückkehrten.

«Kann es gelingen?»

«Das werden wir heute herausfinden, Herr, oder nicht?»

Æthelred hatte hundert Männer zur Bewachung der Insel und der Schiffe zurückgelassen, und diese Männer standen unter dem Befehl Egberts, eines alten Kriegers, dessen Stellung von einer Silberkette angezeigt wurde, die um seinen Hals hing. Als wir so unerwartet zurückkehrten, stellte er mich sofort zur Rede. Er traute mir nicht und glaubte, ich hätte den Angriff im Norden deshalb nicht durchgeführt, um zu verhindern, dass Æthelred Erfolg hatte. Ich brauchte Männer von ihm, doch je mehr ich bat, desto größer wurde seine Feindseligkeit. Meine eigenen Männer gingen an Bord der beiden Schiffe. Sie wateten durch das kalte Wasser und zogen sich an den Seiten über die Reling. «Woher soll ich wissen, dass Ihr nicht einfach nach Coccham zurückgeht?», fragte Egbert argwöhnisch.

«Steapa!», rief ich. «Erzähl Egbert, was wir vorhaben.»

«Dänen töten», knurrte Steapa von seinem Platz an einem Lagerfeuer herüber. Die Flammen spiegelten sich in seinem Kettenhemd und seinen gnadenlosen, düsteren Augen.

«Gebt mir zwanzig Männer», bat ich Egbert.

Er starrte mich an, dann schüttelte er den Kopf. «Das kann ich nicht», sagte er.

«Warum nicht?»

«Wir sind beauftragt, unsere Herrin Æthelflaed zu beschützen», sagte er. «So lautet der Befehl des Herrn Æthelred. Wir sind hier, um sie zu beschützen.»

«Dann lasst zwanzig Männer auf ihrem Schiff», sagte ich, «und gebt mir die übrigen.»

«Das kann ich nicht», beharrte Egbert verbissen.

Ich seufzte. «Tatwine hätte mir Männer gegeben», sagte ich. Tatwine hatte die Haustruppen unter Æthelreds Vater angeführt. «Ich kannte Tatwine», sagte ich.

«Ich weiß, dass Ihr ihn kanntet. Ich erinnere mich an Euch», sagte Egbert knapp, und die verborgene Mitteilung in seinem Tonfall war, dass er mich nicht mochte. Als junger Mann hatte ich ein paar Monate lang unter Tatwine gedient, und damals war ich dreist, ehrgeizig und überheblich gewesen. Offenkundig glaubte Egbert, dass ich immer noch dreist, ehrgeizig und überheblich war, und vielleicht hatte er auch recht.

Er wandte sich ab, und ich dachte, damit sei ich entlassen, doch er sah nur dorthin, wo ein bleicher, geisterhafter Schatten hinter den Lagerfeuern sichtbar wurde. Es war Æthelflaed, die augenscheinlich unsere Rückkehr bemerkt hatte und nun in einen weißen Umhang gehüllt ans Ufer watete, um festzustellen, was vor sich ging. Ihr Haar war nicht aufgesteckt und fiel ihr in einem goldenen Wirrwarr über die Schultern. Bei ihr war Pater Pyrlig.

«Ihr seid nicht bei Æthelred?», erkundigte ich mich, überrascht, den walisischen Priester vor mir zu sehen.

«Seine Herrschaft war der Auffassung, keinen Rat mehr nötig zu haben», sagte Pyrlig, «also bat er mich, hierzubleiben und für ihn zu beten.»

«Das war keine Bitte», stellte Æthelflaed richtig, «er hat Euch befohlen, hierzubleiben und für ihn zu beten.»

«Das hat er», sagte Pyrlig, «und wie Ihr sehen könnt, bin ich passend zum Gebet gekleidet.» Er trug ein Kettenhemd und hatte sich mit seinen Schwertern gegürtet. «Und Ihr?», fragte er herausfordernd, «ich dachte, Ihr zieht von der Nordseite aus gegen die Stadt.»

«Wir fahren den Fluss hinunter», erklärte ich, «und greifen Lundene vom Landeplatz aus an.»

«Kann ich mitkommen?», fragte Æthelflaed sofort.

«Nein.»

Sie lächelte über diese barsche Ablehnung. «Weiß mein Ehemann, was du hier tust?»

«Er wird es herausfinden, Herrin.»

Sie lächelte erneut, dann kam sie zu mir und zog meinen Umhang zur Seite, damit sie sich an mich lehnen konnte. Dann zog sie meinen schwarzen Umhang über ihren weißen. «Ich friere», erklärte sie Egbert, in dessen Miene Überraschung und Entrüstung über ihr Verhalten standen.

«Wir sind alte Freunde», sagte ich zu Egbert.

«Sehr alte Freunde», stimmte Æthelflaed zu, und sie legte mir einen Arm um die Mitte und schmiegte sich eng an mich. Egbert konnte ihren Arm unter meinem Umhang nicht sehen. Mir war ihr goldenes Haar direkt unter meinem Bart sehr bewusst, und ich fühlte ihren zarten Körper beben. «Uhtred ist für mich wie ein Onkel», sagte sie zu Egbert.

«Ein Onkel, der Eurem Ehemann zum Sieg verhelfen wird», erklärte ich ihr, «aber ich brauche noch Männer. Und Egbert will mir keine Männer geben.»

«Will er das nicht?», fragte sie.

«Er sagt, er braucht alle seine Männer, um Euch zu beschützen.»

«Gebt ihm Eure besten Männer», sagte sie zu Egbert in sorglosem, freundlichem Ton.

«Herrin», sagte Egbert, «mein Befehl lautet …»

«Ihr gebt ihm Eure besten Männer!» Mit einem Mal klang aus Æthelflaeds Stimme entschlossene Härte. Sie trat unter meinem Umhang hervor in das grelle Licht der Lagerfeuer. «Ich bin die Tochter eines Königs!», sagte sie hochmütig, «und verheiratet mit dem Aldermann von Mercien! Und ich verlange von Euch, Uhtred Eure besten Männer zu geben! Jetzt gleich!»

Sie hatte sehr laut gesprochen, sodass alle Männer auf der Insel zu ihr hinstarrten. Egbert wirkte beleidigt, doch er sagte nichts. Stattdessen straffte er sich und setzte eine sture Miene auf. Pyrlig fing meinen Blick auf und lächelte verschmitzt.

«Hat keiner von euch den Mut, an Uhtreds Seite zu kämpfen?», fragte Æthelflaed in die Runde der Männer. Sie war vierzehn Jahre alt, ein schmächtiges, bleiches Mädchen, doch aus ihrer Stimme klang die Abstammung von einem alten Königshaus. «Mein Vater würde wollen, dass ihr euch heute Nacht mutig zeigt!», fuhr sie fort, «oder muss ich nach Wintanceaster zurückkehren und meinem Vater berichten, dass ihr am Feuer gesessen habt, während Uhtred kämpfte?» Bei der letzten Frage hatte sie sich wieder zu Egbert gewandt.

«Zwanzig Männer», bat ich ihn eindringlich.

«Gebt ihm mehr!», sagte Æthelflaed bestimmt.

«In den Booten ist nur noch Platz für vierzig zusätzliche Männer», sagte ich.

«Also gebt ihm vierzig!», sagte Æthelflaed.

«Herrin», fing Egbert zögernd an, doch dann unterbrach er sich, weil Æthelflaed ihre kleine Hand erhoben hatte. Sie drehte sich um und sah mich an.

«Ich kann dir doch trauen, Herr Uhtred?», fragte sie.

Das schien mir aus dem Mund eines Kindes, das ich fast sein gesamtes Leben lang gekannt hatte, eine merkwürdige Frage zu sein, und ich lächelte darüber. «Ihr könnt mir trauen», sagte ich leichthin.

Da verhärtete sich ihre Miene, und ihre Augen blickten kalt. Vielleicht spiegelte sich auch nur das Feuer in ihren Augen, aber mit einem Mal war mir klar, dass dies viel mehr war als ein Kind, Æthelflaed war die Tochter eines Königs. «Mein Vater», sagte sie mit klarer Stimme, sodass sie von den Umstehenden gehört werden konnte, «sagt, du bist der beste Krieger in seinen Diensten. Aber er traut dir nicht.»

Eine unbehagliche Stille machte sich breit. Egbert räusperte sich und starrte auf den Boden. «Ich habe Euren Vater niemals im Stich gelassen», sagte ich schroff.

«Er fürchtet, deine Treue sei käuflich», sagte sie.

«Er hat meinen Eid», gab ich immer noch mit abweisender Stimme zurück.

«Und jetzt will ich ihn», verlangte sie und streckte mir eine schmale Hand entgegen.

«Welchen Eid?», fragte ich.

«Dass du deinen Eid auf meinen Vater hältst», sagte Æthelflaed, «und dass du den Sachsen Treue gegenüber den Dänen schwörst, und dass du für Mercien kämpfen wirst, wenn Mercien danach verlangt.»

«Herrin», begann ich, entsetzt über die Anzahl ihrer Forderungen.

«Egbert!», unterbrach mich Æthelflaed. «Ihr gebt dem Herrn Uhtred keine Männer, bevor er nicht schwört, Mercien zu dienen, solange ich lebe.»

«Nein, Herrin», murmelte Egbert.

Solange sie lebte? Weshalb hatte sie das gesagt? Ich erinnere mich, über diese Worte nachgedacht zu haben, und ich erinnere mich auch daran, gedacht zu haben, dass mein Plan zur Besetzung Lundenes in der Waagschale lag. Æthelred hatte mich der Männer beraubt, die ich brauchte, und Æthelflaed hatte die Macht, meine Reihen wieder aufzufüllen, doch um meinen Sieg zu erringen, musste ich mich an einen weiteren Eid binden, den ich nicht schwören wollte. Was kümmerte mich Mercien? Was mich in dieser Nacht kümmerte, war, Männer durch eine Todesbrücke zu bringen, um zu beweisen, dass ich dazu imstande war. Mich kümmerte mein Ansehen, mich kümmerte mein Name, mich kümmerte mein Ruhm.

Ich zog Schlangenhauch, denn ich wusste, warum sie die Hand ausgestreckt hatte, und ich reichte ihr die Klinge mit dem Heft voran. Dann kniete ich nieder und legte meine Hände um ihre, die wiederum um das Heft des Schwertes geschlossen waren. «Ich schwöre es, Herrin», sagte ich.

«Du schwörst», sagte sie, «dass du meinem Vater treulich dienen wirst?»

«Ja, Herrin.»

«Und dass du, solange ich lebe, Mercien dienen wirst?»

«Solange Ihr lebt, Herrin», sagte ich. Und als ich so im Schlamm kniete, fragte ich mich, welch ein Narr ich war. Ich wollte im Norden leben, und ich wollte Alfreds Frömmigkeit los sein, ich wollte bei meinen Freunden sein, und doch kniete ich hier und schwor Treue auf Alfreds Ziele und auf seine Tochter mit dem goldfarbenen Haar. «Ich schwöre es», sagte ich und drückte als Zeichen meiner Wahrhaftigkeit leicht ihre Hände.

«Gebt ihm Männer, Egbert», befahl Æthelflaed.

Er gab mir dreißig, und um Egbert Gerechtigkeit widerfahren zu lassen: Er gab mir seine fähigsten Männer, die jung und stark waren, während er die älteren und kranken Kämpfer damit beauftragte, Æthelflaed und das Lager zu bewachen. Damit führte ich nun mehr als siebzig Männer an, und zu diesen Männern gehörte Pater Pyrlig. «Ich danke Euch, meine Herrin», sagte ich zu Æthelflaed.

«Du könntest dich erkenntlich zeigen», sagte sie. Noch einmal klang sie wie ein Kind, und ihre Ernsthaftigkeit war der alten Schalkhaftigkeit gewichen.

«Wie?»

«Indem du mich mitnimmst?»

«Niemals», sagte ich grob.

Sie runzelte die Stirn über meinen Ton und sah mir in die Augen. «Bist du böse auf mich?», fragte sie mit sanfter Stimme.

«Nur auf mich selbst, Herrin», sagte ich und wandte mich ab.

«Uhtred!» Sie klang unzufrieden.

«Ich werde meine Eide halten, Herrin», sagte ich voller Zorn darüber, dass ich sie geleistet hatte, doch wenigstens hatten sie mir Männer gebracht, mit denen ich die Stadt einnehmen konnte, siebzig Männer hatte ich nun an Bord der beiden Schiffe, die sich jetzt von dem Wasserlauf in die starke Strömung der Temes schoben.

Ich war an Bord von Rallas Schiff, jenes Schiffes, das wir von Jarrel erbeutet hatten, dem Dänen, dessen aufgehängte Leiche schon längst zum Gerippe geworden war. Ralla lehnte sich im Heck an das Steuerruder. «Bin nicht sicher, ob wir das tun sollten, Herr», sagte er.

«Warum nicht?»

Er spie in den schwarzen Fluss. «Das Wasser fließt zu schnell. Wird durch die Lücke rasen wie ein Wasserfall. Sogar wenn Ebbe und Flut wechseln und das Wasser stillsteht, kann die Lücke wie verwünscht sein.»

«Fahr geradewegs darauf zu», sagte ich, «und bete, ganz gleich, an welchen Gott du glaubst.»

«Wenn wir die Lücke überhaupt erkennen können», sagte er unheilverkündend. Er spähte auf der Suche nach einem Zeichen von Osrics Schiff hinter sich, doch die Dunkelheit hatte es gänzlich verschlungen. «Ich habe einmal gesehen, wie es bei Ebbe gemacht wurde», sagte Ralla, «aber das war bei Tageslicht, und die Strömung war schwach.»

«Hat die Ebbe schon eingesetzt?»

«Entwickelt gerade den stärksten Sog», sagte Ralla finster.

«Dann bete», sagte ich knapp.

Während das Schiff mit dem abfließenden Wasserstrom schneller wurde, berührte ich mein Hammeramulett und dann Schlangenhauchs Griff. Die Ufer lagen weit von uns entfernt. Hier und da war ein Lichtschimmer zu sehen, der erkennen ließ, dass in einem Haus ein Herdfeuer brannte, während vor uns unter dem mondlosen Himmel ein matter Widerschein mit einem schwarzen Schleier darüber den neuen, sächsischen Teil Lundenes anzeigte. Der Schein stammte von den Feuern der Stadt, und der Schleier hatte sich aus dem Rauch dieser Feuer gebildet, und ich wusste, dass irgendwo unter diesem Schleier Æthelred seine Männer aufstellte, um durch das Tal des Fleot vorzustoßen und dann die römische Stadtmauer anzugreifen. Sigefrid, Erik und Haesten würden wissen, dass er dort war, denn bestimmt war jemand aus der neuen Stadt losgeeilt, um die Besatzer der alten Stadt zu warnen. Nun würden Dänen, Norweger und Friesen, sogar ein paar Sachsen ohne Dienstherrn eilig die Befestigungsmauern der alten Stadt bemannen.

Und wir glitten den schwarzen Fluss hinunter.

Es wurde nicht viel geredet. Jeder Mann in den beiden Schiffen wusste, auf welche Gefahr wir uns zubewegten. Ich drängte mich zwischen den an Deck hockenden Gestalten hindurch, und Pater Pyrlig musste mein Näherkommen gespürt haben, oder vielleicht hatte sich auch ein schwacher Lichtschimmer in dem Wolfskopf gespiegelt, der den silbernen Kamm meines Helmes bildete, denn er grüßte mich, noch bevor ich ihn sah. «Hier, Herr», sagte er.

Er saß auf dem Ende einer Ruderbank, und ich stellte mich neben ihn. Um meine Stiefel schwappte das Wasser des Kielraums. «Habt Ihr gebetet?», fragte ich ihn.

«Ich höre kaum jemals auf zu beten», sagte er ernst. «Manchmal glaube ich, dass Gott meiner Stimme längst überdrüssig geworden sein muss. Auch Bruder Osferth hier betet.»

«Ich bin kein Bruder», sagte Osferth missmutig.

«Aber vielleicht nutzen deine Gebete mehr, wenn Gott denkt, du wärst einer», sagte Pyrlig.

Alfreds Bastardsohn hockte neben Pater Pyrlig. Finan hatte Osferth mit einem Kettenhemd ausgerüstet, das man ausgebessert hatte, nachdem einem Dänen ein sächsischer Speer in den Wanst gerammt worden war. Außerdem hatte er einen Helm, hohe Stiefel, Lederhandschuhe, einen runden Schild und sowohl ein Langschwert als auch ein Kurzschwert. Also sah er wenigstens wie ein Kämpfer aus. «Ich soll dich nach Wintanceaster zurückschicken», erklärte ich ihm.

«Ich weiß.»

«Herr», erinnerte ihn Pyrlig.

«Herr», sagte Osferth, wenn auch mit deutlichem Zögern.

«Ich will dem König nicht deinen Leichnam schicken müssen», sagte ich, «also halte dich dicht bei Pater Pyrlig.»

«Ganz dicht, mein Junge», sagte Pyrlig, «tu so, als würdest du mich lieben.»

«Bleib immer hinter ihm», befahl ich Osferth.

«Vergiss das mit der Liebe», beeilte sich Pyrlig zu sagen. «Tu einfach so, als wärst du mein Hund.»

«Und sag deine Gebete auf», kam ich zum Schluss. Ich konnte ihm keinen nützlicheren Rat erteilen, es sei denn, seine Rüstung abzulegen, ans Ufer zu schwimmen und in sein Kloster zurückzukehren. Ich hatte in seine Fähigkeiten als Krieger genauso viel Vertrauen wie Finan, also gar keines. Osferth war sauertöpfisch, untauglich und plump. Wäre es mir nicht um seinen toten Onkel Leofric gegangen, hätte ich ihn mit Freuden nach Wintanceaster zurückgeschickt, aber Leofric hatte mich als unerfahrenen Jungen aufgenommen und zu einem Schwertkrieger gemacht, und deshalb würde ich Osferth um Leofrics willen ertragen.

Wir waren inzwischen auf gleicher Höhe mit der neuen Stadt. Ich roch die Kohlenfeuer der Schmieden und sah den Widerschein von Feuern in den engen Gassen zucken. Dann wandte ich meinen Blick nach vorn, wo sich die Brücke über den Fluss spannte, doch dort war nichts als Schwärze.

«Ich muss die Lücke sehen», rief Ralla von der Steuerplattform aus.

Wie blind ertastete ich mir zwischen den hockenden Männern meinen Weg zurück ins Heck.

«Wenn ich sie nicht sehe», Ralla hörte mich kommen, «dann kann ich es nicht versuchen.»

«Wie nahe sind wir?»

«Zu nahe.» Aus seiner Stimme klang Unruhe.

Ich stieg neben ihn auf die Steuerplattform. Ich konnte jetzt die alte Stadt erkennen, die von ihrer römischen Mauer umgeben auf den Hügeln lag. Ich konnte sie erkennen, weil die Feuer in der Stadt ihren trüben Schein verbreiteten. Und Ralla hatte recht. Wir waren nahe herangekommen.

«Wir müssen uns entscheiden», sagte er. «Wir müssen stromauf vor der Brücke ans Ufer.»

«Dort entdecken sie uns», sagte ich. Die Dänen hatten

stromauf vor der Brücke ganz bestimmt Männer zur Bewachung der Stadtmauer aufgestellt.

«Also sterbt Ihr entweder dort mit einem Schwert in der Hand», sagte Ralla erbarmungslos, «oder Ihr ertrinkt.»

Ich starrte nach vorn und sah nichts. «Dann wähle ich das Schwert», sagte ich mit dumpfer Stimme, als ich erkannte, dass mein verzweifelter Plan gescheitert war.

Ralla holte tief Luft, um den Ruderern etwas zuzurufen, doch der Ruf kam nicht, denn, ganz unvermittelt und weit vor uns, dort, wo die Temes sich verbreiterte und in die See aufging, wurde ein gelber Streif sichtbar. Es war kein helles Gelb, kein Wespengelb, sondern ein trübes, eiterfarbenes, dunkles Gelb, das durch einen Spalt in den Wolken sickerte. Über der See setzte die Morgendämmerung ein, eine verhangene Dämmerung, eine langsame Dämmerung, aber sie brachte Licht, und Ralla rief weder etwas, noch steuerte er uns ans Ufer. Stattdessen berührte er das Amulett, das um seinen Hals hing, und hielt das Schiff auf seinem Vorauskurs. «Geht in die Hocke, Herr», sagte er, «und haltet Euch irgendwo fest.»

Das Schiff zitterte wie ein Pferd vor der Schlacht. Wir waren nun hilflos den Fängen des Flusses ausgeliefert. Das Wasser strömte von weit landeinwärts herab, genährt von den Regenfällen des Frühlings und der ablaufenden Flut, und wo es auf die Brücke traf, türmte es sich weißschäumend in wilde Höhe auf. Es kochte, brüllte und dampfte zwischen den steinernen Pfeilern, aber in der Mitte der Brücke, wo die Lücke war, stürzte es sich wie ein glattes Band in einer schimmernden Bahn mannshoch auf den niedrigeren Wasserstand hinab, und dort strudelte und grollte der Fluss, bevor er sich endlich wieder beruhigte. Ich hörte das Wasser mit der Brücke ringen, hörte das

Donnern der Fluten so laut wie sturmgepeitschte Brecher, die sich polternd auf einen Strand stürzen.

Und Ralla steuerte auf die Lücke zu, von der er gegen das fahle Gelb am östlichen Himmel gerade nur den Umriss erkennen konnte. Hinter uns war nichts als Schwärze, wenn ich auch einmal den Widerschein dieses trübseligen Morgenlichts auf dem wasserglänzenden Vordersteven von Osrics Schiff sah und damit wusste, dass er uns dichtauf folgte.

«Festhalten!», rief Ralla unserer Mannschaft zu, und das Schiff zischte, immer noch zitternd, und schien noch schneller zu werden, und ich sah die Brücke auf uns zukommen, und dann ragte sie schwarz über uns auf, während ich mich an die Schiffsflanke kauerte und mich an einem Balken festklammerte.

Und dann waren wir in der Lücke, und ich spürte, wie wir fielen, als seien wir in eine Kluft zwischen den Welten gekippt. Der Lärm war ohrenbetäubend. Es war der Lärm von Wasser, das brüllend gegen Stein anrennt, reißendes Wasser, stürzendes Wasser, flutendes Wasser, ein Lärm, der bis zum Himmel hinaufreichte, ein Lärm, lauter noch als der Donner Thors, und das Schiff schlingerte, und ich dachte, es müsse einen Pfeiler gerammt haben und würde sich auf die Seite legen, und wir würden in den Tod hinabtaumeln, aber irgendwie richtete es sich wieder auf und fuhr weiter. Über uns war Dunkelheit, die Dunkelheit der Balkenstümpfe von der eingestürzten Brücke, und dann wurde der Lärm noch gewaltiger, und Gischt spritzte übers Deck und wir wurden nach unten gerissen, das Schiff kippte, und dann gab es ein Knacken, als würden die Tore zur Totenhalle Odins zugeschlagen, und ich wurde herumgeschleudert, während uns immer neue Wassermassen unter sich begruben. Wir waren auf Stein gelaufen, so dachte ich, und wartete darauf zu ertrinken, und ich erinnerte mich sogar daran, nach Schlangenhauchs Heft zu greifen, damit ich mit meinem Schwert in der Hand starb, aber dann richtete sich das Schiff schwankend auf, und ich verstand, dass der laute Schlag von den Rudern gestammt hatte, die nach der Brücke krachend ins Wasser gefahren waren, und dass wir noch lebten.

«Rudert!», brüllte Ralla. «Rudert, ihr glücklichen Hunde!»

Das Wasser stand hoch im Kielraum, aber unser Schiff war unbeschädigt, und am östlichen Himmel rissen die Wolken auf und im dämmrigen Licht sahen wir die Stadt, und wir sahen die Stelle, an der die Stadtmauer eingerissen worden war. «Und das Übrige», sagte Ralla, und aus seiner Stimme klang Stolz, «liegt nun bei Euch, Herr.»

«Es liegt bei den Göttern», sagte ich, und als ich mich umdrehte, sah ich Osrics Schiff, das sich aus dem Mahlstrom der Wasserschnellen kämpfte. So waren unser beider Schiffe durchgekommen, und die starke Strömung trug uns flussab an der Stelle vorbei, an der wir landen wollten, aber die Ruderer wendeten und kämpften gegen die Fluten, sodass wir den Anlegeplatz aus Richtung Osten erreichten, und das war gut so, denn nun würde jeder, der uns sah, annehmen, dass wir von Beamfleot flussauf gerudert waren. Sie würden uns für Dänen halten, die zur Verstärkung der Festung gekommen waren, die sich auf Æthelreds Angriff vorbereitete.

Ein großes Schiff, das für weite Fahrten übers Meer gebaut war, lag an der Anlegestelle, an der wir landen wollten. Ich konnte es genau erkennen, denn Fackeln loderten an der weißen Mauer des Herrenhauses, zu dem die Anlegestelle gehörte. Es war ein schönes Schiff, sein Vordersteven und sein Heck schwangen sich in stolze Höhe. Köpfe von Untieren waren nicht zu sehen, denn kein Nordmann würde mit diesen geschnitzten Köpfen die Geister eines befreundeten Landes erschrecken. Ein einzelner Mann befand sich an Bord und sah uns beim Näherkommen zu. «Wer seid Ihr?», rief er.

«Ragnar Ragnarson!», rief ich zurück. Ich warf ihm ein Tau aus Walrosshaut zu. «Wird schon gekämpft?»

«Noch nicht, Herr», sagte er. Er nahm das Tau und wand es um den Vordersteven seines Schiffs. «Aber wenn es so weit ist, werden sie allesamt abgeschlachtet!»

«Also kommen wir nicht zu spät?», sagte ich. Ich schwankte, als unser Schiff leicht gegen das andere lief, dann stieg ich auf eine der leeren Ruderbänke. «Wem gehört dieses Schiff?», fragte ich den Mann.

«Sigefrid, Herr. Der *Wellenbändiger*.»

«Ein wundervolles Schiff», sagte ich. Dann wandte ich mich um. «An Land!», rief ich auf Englisch und sah zu, wie meine Männer Schilde und Waffen aus dem überfluteten Kielraum zogen. Osrics Schiff kam hinter uns herein, es lag tief im Wasser, und mir wurde klar, dass es halb überschwemmt gewesen sein musste, während es durch die Lücke in der Brücke geschnellt war. Männer begannen, auf den *Wellenbändiger* hinüberzusteigen, und der Nordmann, der mein Tau genommen hatte, bemerkte die Kreuze, die manche von ihnen um den Hals hängen hatten.

«Ihr …», fing er an und stellte dann fest, dass er nichts weiter zu sagen hatte. Er wandte sich halb um, weil er sich an Land retten wollte, doch ich hatte ihm den Weg abgeschnitten. In seinem Gesicht stand Entsetzen, Entsetzen und Verwirrung.

«Leg deine Hand an den Griff deines Schwertes», sagte ich und zog Schlangenhauch.

«Herr», sagte er, als wolle er um sein Leben flehen, aber dann verstand er, dass sein Leben zu Ende war, weil ich ihn nicht verschonen konnte. Ich konnte ihn nicht gehen lassen, weil er Sigefrid sofort von unserer Ankunft berichtet hätte, und wenn ich ihn an Händen und Füßen gefesselt auf dem *Wellenbändiger* zurückgelassen hätte, dann wäre er vielleicht von jemandem gefunden und befreit worden. All das wusste er, und auf seiner Miene wurde die Verwirrung von Trotz abgelöst, und statt einfach die Hand um den Griff seines Schwertes zu legen, fing er an, die Waffe aus der Scheide zu ziehen.

Und starb.

Schlangenhauch fuhr ihm in die Kehle. Kraftvoll und schnell. Ich fühlte seine Spitze groben Stoff und Muskeln durchbohren. Sah das Blut. Sah seinen Arm herabfallen und seine Klinge in die Scheide zurückrutschen, und ich griff mit meiner linken Hand nach seiner Schwerthand und legte sie über den Griff seines Schwertes. Ich achtete darauf, dass er den Griff gepackt hielt, während er starb, denn so würde er in die Festhalle der Toten gelangen. Ich hielt seine Hand fest und ließ ihn gegen meine Brust sinken. Sein Blut lief an meinem Kettenhemd hinab. «Geh in Odins Halle», sagte ich leise zu ihm, «und halte mir einen Platz frei.»

Er konnte nicht sprechen. Er hustete würgend, als ihm Blut in die Luftröhre geriet.

«Mein Name ist Uhtred», sagte ich, «und eines Tages werde ich mit dir in der Totenhalle feiern, und wir werden zusammen lachen und zusammen trinken und wir werden Freunde sein.»

Ich ließ seinen Körper zu Boden gleiten, kniete mich neben ihn und suchte nach seinem Amulett. Es war ein Thorshammer, und ich durchschnitt die Kordel, an der er hing, mit Schlangenhauch. Ich steckte den Hammer in einen Beutel, säuberte die Spitze meines Schwertes am Umhang des toten Mannes und ließ die Klinge in ihre mit Vlies gefütterte Scheide gleiten. Dann ließ ich mir von meinem Diener Sihtric meinen Schild reichen.

«Lasst uns an Land gehen», sagte ich, «und eine Stadt erobern.»

Denn die Zeit zum Kämpfen war gekommen.

FÜNF

Dann, mit einem Mal, war alles still.

Nicht ganz still, natürlich. Der Fluss rauschte immer noch zischend durch die Brücke, kleine Wellen schwappten gegen die Schiffskörper, die lodernden Fackeln an der Hauswand knackten, und ich hörte die Schritte meiner Männer, die an Land kamen. Schilde und Speerspitzen schlugen gegen Schiffsplanken, Hunde bellten in der Stadt und irgendwo stieß ein Ganter seinen durchdringenden Schrei aus, und dennoch wirkte alles still. Die Dämmerung verbreitete nun ein fahleres gelbes Licht, das halb von dunklen Wolken verdeckt wurde.

«Und jetzt?» Finan war neben mir aufgetaucht. Groß und düster stand Steapa an seiner Seite, doch er sagte nichts.

«Wir gehen zu dem Tor», sagte ich, «Ludd's Gate.» Dennoch bewegte ich mich nicht vorwärts. Ich wollte mich nicht vorwärtsbewegen. Ich wollte zurück in Coccham bei Gisela sein. Es war keine Feigheit. Mit der Feigheit müssen wir immer leben, und die Tapferkeit, die Eigenschaft, die Sänger dazu bringt, Lieder über uns zu machen, ist kaum mehr als der Entschluss, die Angst zu überwinden. Es war Müdigkeit, die mich zögerlich werden ließ, aber keine körperliche Müdigkeit. Ich war jung zu dieser Zeit, und die Kriegswunden sollten erst später an meinen Kräften zehren. Ich glaube, ich war es müde, in Wessex zu sein, ich war es müde, für einen König zu kämpfen, den ich nicht mochte, und als ich an diesem Anlegeplatz von Lundene stand, wusste ich nicht mehr, warum ich überhaupt für ihn kämpfte. Und heute, wenn ich über all die Jahre hinweg zurückschaue, frage ich mich, ob diese Mattigkeit von dem Mann verursacht worden war, den ich gerade getötet und dem ich unser Wiedersehen in der Totenhalle Odins versprochen hatte. Ich glaube daran, dass wir für immer untrennbar mit den Männern verbunden sind, die wir töten. Ihre Lebensfäden bestehen geisterhaft weiter und werden von den Parzen um unseren Lebensfaden gewickelt, damit sie uns heimsuchen können, bis schließlich eine scharfe Klinge unser Leben beendet. Sein Tod reute mich.

«Schlaft Ihr gleich ein?», fragte mich Pater Pyrlig. Er hatte sich zu Finan gesellt.

«Wir gehen zu dem Tor», sagte ich.

Es war wie ein Traum. Ich bewegte mich vorwärts, aber meine Seele war anderswo. So, dachte ich, wandern die Toten auf unserer Welt umher, denn die Toten kehren zurück. Nicht so, wie Bjorn vorgegeben hatte, zurückzukehren – sie wandern in den dunkelsten Nächten, wenn kein Lebender sie sehen kann, auf unserer Welt umher. Sie können, so stellte ich mir vor, alles nur halb erkennen, als ob die Orte, die sie gekannt hatten, mit Winternebel verhangen wären, und ich fragte mich, ob mein Vater mich beobachtete. Warum dachte ich das? Ich hatte meinen Vater nicht geliebt und er mich auch nicht, und er war gestorben, als ich noch sehr jung war, aber er war ein Krieger gewesen. Die Skalden sangen Lieder über ihn. Und was würde er von mir denken? Ich lief in Lundene umher, statt Bebbanburg anzugreifen, und das hätte ich eigentlich tun sollen. Ich hätte in den Norden gehen sollen. Ich hätte meinen gesamten Silberhort aufwenden sollen, um Männer zu bezahlen und sie über die Landzunge und die Wälle von Bebbanburg zum Angriff gegen den großen Palas zu führen und dort ein Blutbad anzurichten. Danach würde ich in meinem eigenen Haus leben können, dem Haus meines Vaters, für immer. Ich könnte in der Nähe Ragnars leben und wäre weit weg von Wessex.

Doch meine Kundschafter, von denen ich ein Dutzend in Northumbrien beschäftigte, hatten mir berichtet, was mein Onkel mit meiner Festung gemacht hatte. Er hatte die Tore zur Landseite hin geschlossen. Er hatte sie ganz abgerissen, und an ihrer Stelle standen nun Befestigungswälle, neu gebaut und mit Stein verstärkt, und wenn ein Mann jetzt in die Festung hineinwollte, musste er einem Pfad folgen, der ans nördliche Ende des Kliffs führte, auf dem die Festung lag. Und jeder Schritt auf diesem Pfad würde unter diesen hohen Befestigungswällen getan werden müssen, unter dauernden Angriffen, und dann, am nördlichen Ende angekommen, wo sich die Wellen brachen und saugend zurückzogen, stand man vor einem kleinen Tor. Hinter diesem Tor führte ein steiler Pfad zu einem weiteren Befestigungswall und einem weiteren Tor. Bebbanburg war eingesiegelt worden, und um es zu erobern, würde eine Streitmacht benötigt, die ich mir selbst mit all meinem gehorteten Silber nicht beschaffen konnte.

«Ich wünsche Euch Glück!» Dieser Ruf einer Frau riss mich aus meinen Gedanken. Die Leute aus der alten Stadt sahen uns vorbeiziehen und hielten uns für Dänen, weil ich meinen Männern befohlen hatte, ihre Kreuze zu verstecken.

«Tötet die sächsischen Bastarde!», erklang eine andere Stimme.

Unsere Schritte hallten von den Häusern wider, die alle wenigstens drei Stockwerke hoch waren. Einige waren mit wundervollen Steinmetzarbeiten geschmückt, und ich dachte daran, dass früher überall solche Häuser gestanden hatten. Ich erinnere mich, wie ich das erste Mal eine römische Treppe hinaufstieg und was für ein seltsames Gefühl das war, und ich wusste, dass den Menschen in vergangenen Zeiten solche Bauwerke selbstverständlich gewesen waren. Jetzt bestand die Welt aus Dung und Stroh und Holz, das sich mit Feuchtigkeit vollgesogen hatte. Wir hatten natürlich auch Steinmetze, aber es ging schneller, mit Holz zu bauen, und das Holz verrottete, aber das schien niemanden zu kümmern. Die ganze Welt verrottete, während wir vom Licht in die Dunkelheit glitten und dabei immer näher an die dunkle Verwirrung herankamen, in der diese Mittelerde enden wird, in der die Götter miteinander kämpfen und in der alle Liebe, alles Licht und Lachen verschlungen werden. «Dreißig Jahre», sagte ich laut.

«Ist das Euer Alter?», fragte Pater Pyrlig.

«So lange bleibt bei uns ein Palas stehen», sagte ich, «wenn man ihn nicht immer wieder instand setzt. Unsere Welt löst sich auf, Pater.»

«Gütiger Gott, seid Ihr unter die Schwarzseher gegangen?», sagte Pyrlig belustigt.

«Und ich sehe mir an, was Alfred tut», fuhr ich fort. «Wie er versucht, Ordnung in unserer Welt zu schaffen. Listen! Listen und Pergamente! Er ist wie ein Mann, der versucht, mit einer Hürde eine Überschwemmung aufzuhalten.»

«Eine gut aufgestellte Hürde», Steapa hatte uns zugehört und mischte sich nun ein, «kann einen Fluss umlenken.»

«Und es ist besser, eine Überschwemmung zu bekämpfen, als in ihr zu ertrinken», bemerkte Pyrlig.

«Seht Euch das an!», sagte ich und deutete auf den Kopf

eines Untiers, das aus Stein gemeißelt und an einer Ziegelsteinwand festgemauert worden war. Solch ein Tier hatte ich noch nie gesehen. Es war eine große Katze mit zottigem Fell, und ihr offenes Maul hing über einem angeschlagenen steinernen Becken, sodass man sich vorstellen konnte, dass früher Wasser von dem Maul in das Becken geflossen war. «Könnten wir so etwas machen?», fragte ich verbittert.

«Wir haben Handwerker, die solche Dinge machen können», sagte Pyrlig.

«Und wo sind die?», forderte ich wütend eine Antwort. Ich dachte dabei, dass all diese Dinge, die Steinmetzarbeiten, die Ziegel und der Marmor, vor Pyrligs Religion auf die Insel gekommen waren. Lag darin der Grund für den Verfall der Welt? Bestraften uns die wahren Götter, weil inzwischen so viele Männer den angenagelten Gott verehrten? Ich sagte Pyrlig nichts von diesem Gedanken, sondern zog es vor zu schweigen. Die Häuser ragten über uns auf, nur an manchen Stellen war eines davon in einen Trümmerhaufen zusammengefallen. Ein Hund strich an einer Mauer entlang, blieb stehen, hob das Bein und drehte sich dann zähnefletschend nach uns um. In einem Haus weinte ein Säugling. Unsere Schritte dröhnten durch die Straßen. Die meisten meiner Männer schwiegen, voller Argwohn gegen die Geister, die ihrer Überzeugung nach in diesen Überbleibseln einer älteren Zeit hausten.

Der Säugling schrie wieder, noch lauter. «In dem Haus ist bestimmt eine junge Mutter», sagte Rypere gut gelaunt. Rypere war sein Spottname, es bedeutete «Dieb», und er war ein dürrer Sachse aus dem Norden, schlau und durchtrieben, wenigstens er hatte etwas anderes im Kopf als Geister.

«Ich würde mich weiter an die Ziegen halten, wenn ich

du wäre», sagte Clapa, «die haben nämlich nichts gegen deinen Gestank.» Clapa war Däne, einer, der mir einen Schwur geleistet hatte und mir treu diente. Er war ein ungeschlachter großer Junge, der auf einem Bauernhof aufgewachsen war, stark wie ein Ochse und immer guter Laune. Er und Rypere waren Freunde und hörten niemals auf, sich gegenseitig zu necken.

«Still!», sagte ich, bevor Rypere Gelegenheit zu einer Erwiderung hatte. Ich wusste, dass wir inzwischen nahe an die westliche Stadtmauer herangekommen waren. An der Stelle, an der wir ans Ufer gegangen waren, stieg die Stadt den weiten, gestuften Hügel bis hinauf zum Palas an. Doch nun wurde der Hügel flacher, und das bedeutete, dass wir uns dem Tal des Fleot näherten. Hinter uns wurde der Himmel immer heller, und ich wusste, dass Æthelred annehmen würde, ich hätte meinen Scheinangriff kurz vor der Dämmerung nicht durchgeführt, und diese Annahme, so befürchtete ich, hatte ihn vielleicht dazu gebracht, seinen eigenen Angriff aufzugeben. Führte er seine Männer schon wieder zurück auf die Insel? Dann wären wir allein, nur von Feinden umgeben, und dem Tod geweiht.

«Gott steh uns bei», sagte Pyrlig unvermittelt.

Ich hob eine Hand, um meine Männer zum Stehenbleiben zu bringen, denn vor uns, auf dem letzten Stück der Straße, bevor sie unter den Torbogen von Ludd's Gate führte, drängten sich Männer. Bewaffnete Männer. Männer, in deren Helmen, Axtschneiden und Speerspitzen sich der matte Schein der aufgehenden Sonne brach.

«Gott steh uns bei», sagte Pyrlig erneut und bekreuzigte sich. «Das müssen zweihundert sein.»

«Mehr», sagte ich. Sie waren so zahlreich, dass sie nicht alle auf der Straße Platz hatten und einige in den Gassen zu beiden Seiten stehen mussten. Alle Männer, die wir sehen konnten, hatten sich dem Tor zugewandt, und deshalb verstand ich, was der Feind tat, und sofort wurde mein Verstand klar, als habe sich ein Nebelschleier gehoben. Zu meiner Rechten war ein Hof, und ich deutete in Richtung des offenen Eingangstors. «Dort rein», befahl ich.

Ich erinnere mich an einen Priester, ein schlauer Geselle, der mich besuchte, um mich nach meinen Erlebnissen mit Alfred zu fragen, die er in ein Buch schreiben wollte. Er hat es nie getan, denn er starb am Blutfluss, kurz nachdem er bei mir gewesen war. Aber er war ein kluger Mann und nachsichtiger als die meisten Priester, und ich erinnere mich an seine Bitte, ihm die Freuden der Schlacht zu beschreiben. «Das können Euch die Sänger meiner Frau erzählen», sagte ich.

«Die Sänger Eurer Frau haben niemals selbst gekämpft», betonte er darauf, «sie nehmen einfach nur Lieder über andere Helden und tauschen die Namen aus.»

«Das tun sie?»

«Natürlich tun sie das», hatte er gesagt, «würdet Ihr es nicht ebenso machen, Herr?»

Ich mochte diesen Priester, und deshalb redete ich mit ihm, und die Antwort, die ich ihm schließlich auf die Frage nach der Freude der Schlacht gab, lautete, dass es das Vergnügen war, die andere Seite zu überlisten. Zu wissen, was die Feinde tun werden, bevor sie es tun, und den Gegenschlag vorbereitet zu haben, sodass sie, wenn sie den Ausfall machen, der dich töten soll, stattdessen selber sterben. Und in diesem Moment, in der feuchten Düsternis dieser Straße von Lundene wusste ich, was Sigefrid vorhatte, und ich wusste auch, obwohl er es nicht wusste, dass er mir Ludd's Gate damit auslieferte.

Der Hof gehörte einem Steinhändler. Seine Steinbrüche waren die römischen Gebäude von Lundene, und an den Wänden entlang des Hofes waren behauene Steine aufgeschichtet, die er ins Frankenreich verschiffen würde. Noch mehr Steine blockierten in einem großen Haufen das Tor, das durch die Flussmauer zu den Landeplätzen führte. Sigefrid, dachte ich, musste einen Angriff von der Flussseite aus befürchtet haben, aber er hätte sich niemals träumen lassen, dass jemand durch die Brücke fahren würde, um auf die unbewachte östliche Seite zu kommen. Aber wir hatten es getan, und meine Männer waren in dem Hof vor den Blicken verborgen, während ich am Eingang stand und den Feind beobachtete, der sich an Ludd's Gate drängte.

«Wir verstecken uns?», fragte Osferth. Seine Stimme hatte einen Jammerton an sich, so als ob er sich ständig über etwas beschweren würde.

«Zwischen uns und dem Tor stehen Hunderte von Männern», erklärte ich geduldig, «und wir sind zu wenige, um uns den Weg freizukämpfen.»

«Also sind wir gescheitert», sagte er. Es war keine Frage, sondern eine verdrießliche Feststellung.

Ich wollte ihn schlagen, doch dann konnte ich mich gerade noch zügeln. «Erklärt ihm», sagte ich zu Pyrlig, «was vor sich geht.»

«Gott hat in seiner großen Weisheit», begann der Waliser, «Sigefrid davon überzeugt, einen Angriff außerhalb der Stadt zu führen! Sie werden das Tor öffnen, mein Junge, und hinaus auf das Marschland ziehen, und auf die Reihen von Herrn Æthelreds Männern einhacken. Und weil viele von Herrn Æthelreds Männern aus dem Fyrd stammen und die meisten von Sigefrids Männern echte Krieger sind, wissen wir alle, was dabei herauskommen wird!» Pater Pyrlig berührte sein Kettenhemd an der Stelle, unter der sein hölzernes Kreuz verborgen war. «Dank sei Gott!»

Osferth starrte den Priester an. «Ihr meint», sagte er einige Momente später, «dass Æthelreds Männer abgeschlachtet werden?»

«Einige von ihnen werden sterben!», räumte Pyrlig voller Heiterkeit ein, «und ich hoffe bei Gott, dass sie in Würde sterben, Junge, denn sonst werden sie niemals die himmlischen Chöre vernehmen, oder?»

«Ich hasse Chöre», knurrte ich.

«Nein, das tut Ihr nicht», sagte Pyrlig. «Verstehst du, Junge», er hatte sich wieder an Osferth gewandt, «wenn sie erst einmal aus dem Tor hinaus sind, wird es nur noch von einer Handvoll Männer bewacht werden. Und dann greifen wir an! Und unversehens wird sich Sigefrid mit einem Feind vor Augen und dem anderen im Rücken wiederfinden, und diese unangenehme Lage kann in einem Mann schon den Wunsch aufkommen lassen, am Morgen lieber im Bett geblieben zu sein.»

An einem der hohen Fenster, die auf den Hof gingen, wurde ein Laden geöffnet. Eine junge Frau sah in den Morgenhimmel, dann streckte sie die Arme weit über den Kopf und gähnte herzhaft. Durch ihre Bewegung spannte sich ihr Linnenhemd eng um ihre Brüste, dann bemerkte sie meine Männer unter sich im Hof und verschränkte unwillkürlich die Arme vor der Brust. Sie war bekleidet, doch sie musste sich gefühlt haben, als sei sie nackt. «Oh, ich danke meinem göttlichen Retter für eine weitere süße Gnade», sagte Pyrlig und ließ sie nicht aus den Augen.

«Aber wenn wir das Tor einnehmen», sagte Osferth, der sich um die Schwierigkeiten sorgte, die er kommen sah, «dann werden uns die Männer angreifen, die in der Stadt geblieben sind.»

«Das werden sie», stimmte ich zu.

«Und Sigefrid ...», begann er.

«Wird vermutlich umkehren, um uns niederzumetzeln», beendete ich den Satz an seiner Stelle.

«Also?», sagte er und verstummte dann, weil er nichts als Blut und Tod auf sich zukommen sah.

«Alles», erklärte ich, «hängt von meinem Cousin ab. Wenn er zu unserer Unterstützung kommt, werden wir wohl siegen. Und wenn nicht?» Ich zuckte mit den Achseln, «dann halt dein Schwert gut fest.»

Da klang lautes Gebrüll von Ludd's Gate herüber, und ich wusste, dass das Tor geöffnet worden war und die Männer die Straße hinunterstürmten, die zum Fleot führte. Wenn Æthelred noch dabei war, seinen Angriff vorzubereiten, würde er sie kommen sehen und sich entscheiden müssen. Er konnte bleiben und in der neuen sächsischen Stadt kämpfen oder davonlaufen. Ich hoffte darauf, dass er blieb. Ich mochte ihn nicht, aber an Mut hatte es ihm nie gefehlt. Allerdings auch nicht an Dummheit, und das konnte bedeuten, dass er einen Kampf vermutlich sogar begrüßen würde.

Es dauerte lange, bis sämtliche Männer Sigefrids durch das Tor waren. Ich beobachtete sie von dem dunklen Winkel des Hofeingangs aus und schätzte, dass wenigstens vierhundert Männer die Stadt verließen. Æthelred hatte mehr als dreihundert gute Kämpfer, die meisten stammten aus Alfreds Haustruppe, aber der Rest der Streitmacht kam aus dem Fyrd und hatte einem wütenden, schweren Angriff nichts entgegenzusetzen. Der Vorteil lag bei Sigefrid, dessen Männer nicht froren, ausgeruht waren und gegessen hatten, während Æthelreds Truppen die Nacht über Land gezogen waren und erschöpft sein mussten.

«Je früher wir es machen», sagte ich zu niemand Besonderem, «desto besser.»

«Also jetzt?», schlug Pyrlig vor.

«Wir gehen einfach zum Tor!», rief ich meinen Männern zu. «Kein Laufschritt! Tut, als würdet ihr hierhergehören!»

Und so machten wir es.

Damit, mit einem friedlichen Gang über eine Straße von Lundene, begann dieser erbitterte Kampf.

Kaum dreißig Männer waren bei Ludd's Gate zurückgeblieben. Einige waren Späher und zur Bewachung des Torbogens abgestellt worden, doch die meisten standen müßig auf der Wallmauer, um Sigefrids Ausfall zu beobachten. Ein großer, einbeiniger Mann stieg die unregelmäßigen Stufen mit seinen Krücken hinauf. Auf halbem Weg blieb er stehen, um uns herankommen zu sehen. «Wenn Ihr Euch beeilt, Herr», rief er mir zu, «könnt Ihr sie noch erreichen!»

Er nannte mich Herr, weil er einen Herrn vor sich sah. Er sah einen Kriegsherrn.

Nur wenige Männer konnten in den Kampf ziehen, wie ich es tat. Es waren Anführer, Grafen, Könige und Herren. Die Männer, die genügend andere Männer getötet hatten, um das Vermögen anzuhäufen, das notwendig war, um Kettenrüstungen, Helme und Waffen zu kaufen. Und auch nicht irgendeine Kettenrüstung. Mein Kettenhemd war im Frankenreich gefertigt worden und kostete einen Mann mehr als den Preis eines Kriegsschiffs. Sihtric hatte das Metall mit Sand gescheuert, sodass es wie Silber glänzte. Der Saum des Hemdes reichte bis an meine Knie, und daran hingen achtunddreißig Thorshämmer. Einige waren aus Knochen, einige aus Elfenbein und einige aus Silber, aber alle hatten einst von den Hälsen tapferer Feinde herabgehangen, die ich im Kampf getötet hatte, und ich trug ihre Amulette, damit mich ihre früheren Besitzer erkennen würden, wenn ich einst in die Totenhalle käme, und sie mich grüßen würden und Bier mit mir trinken.

Über dem Kettenhemd trug ich einen schwarz gefärbten wollenen Umhang, auf dessen Rücken Gisela einen weißen Blitz gestickt hatte, der von meinem Nacken bis zu meinen Fersen reichte. Der Umhang konnte in der Schlacht hinderlich sein, doch nun trug ich ihn, weil er mich größer aussehen ließ, und ich war ohnehin schon höher gewachsen als die meisten Männer. Thors Hammer hing von meinem Hals herab und war das einzige armselige Ding, das ich an mir trug. Ein wahrhaft jämmerliches Amulett aus einem Ochsenknochen, das sich ständig verfärbte und an dessen Rändern von all dem Abkratzen und Reinigen kleine Stückchen herausgebrochen waren, doch ich hatte diesen kleinen Knochenhammer mit meinen Fäustchen gepackt, als ich ein kleiner Junge war, und ich liebte ihn. Ich trage ihn bis heute.

Mein Helm dagegen war überaus prachtvoll. Er war so glänzend poliert, dass er die Augen blendete, mit Einlegemustern aus Silber und bekrönt mit einem silbernen Wolfskopf. Die Gesichtsplatten zierten silberne Spiralen. Schon dieser Helm allein zeigte dem Feind, dass ich ein vermögender Mann war. Wenn mich ein Gegner tötete und diesen Helm nähme, wäre er augenblicklich reich, aber meine Feinde hätten eher meine Armringe genommen, die ich, nach Art der Dänen, über den Ärmeln meines Kettenhemdes trug. Meine Armringe waren aus Silber und Gold, und es waren so viele, dass ich einige oberhalb der Ellbogen tragen musste. Sie erzählten von Männern, die ich getötet, und Reichtümern, die ich gehortet hatte. Meine Stiefel waren aus dickem Leder und rundum mit eisernen Platten besetzt, damit die Speerstöße daran abglitten, die unterhalb des Schildrandes gegen mich geführt wurden. Der Schild selbst besaß einen Eisenrand und war mit einem Wolfskopf bemalt, meinem Zeichen, und an meiner Linken hing Schlangenhauch und an meiner Rechten Wespenstachel, und als ich auf das Tor zuschritt, hatte ich die aufgehende Sonne im Rücken, sodass mein Schatten lang auf die mit Unrat übersäte Straße geworfen wurde.

Ich war ein Kriegsherr in all seiner Pracht, ich war gekommen, um zu töten, und niemand am Tor ahnte es.

Sie sahen uns kommen, doch sie hielten uns für Dänen. Die meisten Feinde standen oben auf dem Schutzwall, nur fünf von ihnen waren unten bei dem offenen Tor geblieben, und alle sahen Sigefrids Streitmacht nach, die den kurzen, steilen Abhang zum Fleot hinunterzog. Die sächsische Ansiedlung befand sich kurz dahinter, und ich hoffte, dass Æthelred dort war. «Steapa», rief ich, immer noch so weit vom Tor entfernt, dass mich von dort aus niemand Englisch sprechen hören konnte, «nimm deine Männer und töte diese Scheißer im Tordurchgang.»

Ein Grinsen überzog Steapas Totenschädelgesicht. «Soll ich das Tor schließen?», fragte er.

«Lass es offen», sagte ich. Ich wollte Sigefrid zurücklocken, um zu verhindern, dass seine erbarmungslosen Krieger in Æthelreds Fyrd wüteten, und wenn das Tor offen war, würde Sigefrid vermutlich eher uns angreifen.

Das Tor war zwischen zwei turmartigen Steinbauten mit jeweils einer eigenen Treppe erbaut worden. Ich erinnerte mich daran, wie mir Pater Beocca, als ich noch ein Kind war, den Christenhimmel beschrieben hatte. Kristallene Treppen gäbe es dort, hatte er behauptet, und begeistert eine große, gläsern schimmernde Treppenflucht beschrieben, die zu einem weiß verhangenen Thron aus Gold führte, auf dem sein Gott saß. Er sei von lauter Engeln umgeben, von denen ein jeder leuchtender strahlte als die Sonne, während sich die Heiligen, wie Beocca die toten Christen nannte, auf der Treppe drängten und Loblieder sängen. Auf mich wirkte das höchst reizlos, und daran hat sich nichts geändert. «In der nächsten Welt», erklärte ich Pyrlig, «werden wir alle Götter sein.»

Er sah mich überrascht an und überlegte vermutlich, woher diese Behauptung wohl stammen mochte. «Wir werden bei Gott sein», stellte er richtig.

«In Eurem Himmel vielleicht», sagte ich, «aber nicht in meinem.»

«Es gibt nur einen Himmel, Herr Uhtred.»

«Dann lasst meinen Himmel diesen einen Himmel sein», sagte ich, und ich wusste in diesem Moment, dass meine Wahrheit die Wahrheit war, und dass Pyrlig, Alfred und all die anderen Christen unrecht hatten. Sie hatten unrecht. Wir bewegten uns nicht aufs Licht zu, wir entfernten uns von ihm. Wir gingen auf die Weltenverwirrung zu. Wir gingen auf den Tod zu und auf den Himmel des Todes, und als wir näher an den Feind herangekommen waren, begann ich zu rufen. «Ein Himmel für Männer! Ein Himmel für Krieger! Ein Himmel, in dem die Schwerter blitzen! Ein Himmel für tapfere Kämpfer! Ein Himmel voll Grausamkeit! Ein Himmel voller Leichen-Götter! Ein Himmel des Todes!»

Alle starrten mich an, Freund und Feind. Sie starrten

215

und hielten mich für irrsinnig, und vielleicht war ich auch irrsinnig, als ich die Treppe auf der rechten Seite hinaufstieg, auf der mich der Mann mit den Krücken angaffte. Ich trat ihm eine der Krücken weg, sodass er fiel. Die Krücke klapperte die Stufen hinunter, und einer meiner Männer trat noch einmal dagegen, sodass sie in einem Bogen bis an den Fuß der Treppe flog. «Todeshimmel!», brüllte ich, und jeder Mann auf dem Wall sah mich an, und sie hielten mich immer noch für einen Freund, weil ich meinen seltsamen Schlachtruf auf Dänisch ausstieß.

Ich lächelte hinter den Wangenstücken meines Helmes, und dann zog ich Schlangenhauch. Unter mir, außerhalb meiner Sichtweite, begannen Steapa und seine Männer mit dem Töten.

Keine zehn Minuten früher hatte ich mich in einem Wachtraum befunden, und jetzt war der Wahnsinn über mich gekommen. Ich hätte warten sollen, bis meine Männer die Treppe herauf waren und einen Schildwall gebildet hatten, aber irgendein Gefühl trieb mich vorwärts. Ich brüllte immer noch, doch jetzt brüllte ich meinen eigenen Namen, und Schlangenhauch sang sein gieriges, blutdürstiges Lied, und ich war ein Kriegsherr.

Das Glück der Schlacht. Der Rausch. Es bedeutet nicht nur, einen Feind zu überlisten, es bedeutet, sich zu fühlen wie ein Gott. Ich hatte einmal versucht, es Gisela zu erklären, und sie hatte mit ihren langen Fingern mein Gesicht berührt und gelächelt. «Ist es besser als das?», hatte sie gefragt.

«Das Gleiche», hatte ich gesagt.

Aber es ist nicht das Gleiche. In der Schlacht setzt ein Mann alles aufs Spiel, um Ruhm zu gewinnen. Im Bett setzt er gar nichts aufs Spiel. Die Freude ist vergleichbar, aber die Freuden mit einer Frau sind flüchtig, während Ruhm ewig währt. Männer sterben, Frauen sterben, alle sterben, aber der Ruhm lässt den Mann weiterleben, der ihn errungen hat, und deshalb brüllte ich meinen Namen, als Schlangenhauch sich die erste Seele raubte. Sie gehörte einem großgewachsenen Mann mit einem angeschlagenen Helm und einem Speer mit langer Klinge, den er unwillkürlich nach mir schleuderte, genauso unwillkürlich wie ich seinen Vorstoß mit meinem Schild abwehrte und ihm Schlangenhauch in die Kehle stieß. Dann tauchte ein Mann zu meiner Rechten auf, und ich rammte ihn mit einem Schulterstoß zu Boden und stampfte auf seinem Schritt herum, während mein Schild einen Schwertstreich von links abfing. Ich trat über den Mann hinweg, dessen Schritt ich zu Brei zertrampelt hatte, und hatte nun die Schutzmauer des Walls auf meiner Rechten, wo ich sie haben wollte, und vor mir waren die Feinde.

Ich warf mich auf sie. «Uhtred!», brüllte ich, «Uhtred von Bebbanburg!»

Ich forderte den Tod heraus. Weil ich allein angriff, war der Feind bald auch hinter mir, aber in diesem Moment war ich unsterblich. Die Zeit hatte sich verlangsamt, die Feinde bewegten sich wie Schnecken, und ich war so schnell wie der Blitz auf meinem Umhang. Ich brüllte immer noch, als sich Schlangenhauch in das Auge eines Mannes bohrte, bis mein Schwert auf die Knochen der Augenhöhle traf, und dann schwang ich es nach links, um einen Streich auf mein Gesicht abzuwehren, und mein Schild hob sich, um einen Axthieb aufzuhalten, und Schlangenhauch senkte sich und ich stieß kraftvoll vorwärts, um die Lederweste des Mannes zu durchdringen, dessen Schwertstreich ich gerade abgewehrt hatte. Ich drehte dabei die Klinge, damit sie nicht in

seinem Wanst steckenblieb, während sie Blut und Einge-
weide aus ihm herausbohrte, und dann trat ich einen
Schritt nach links und rammte den Eisenbuckel meines
Schildes gegen den Axtkämpfer.

Er taumelte rückwärts. Schlangenhauch fuhr aus dem
Körper des Schwertkämpfers, beschrieb einen weiten Bogen und krachte gegen das nächste Schwert. Ich folgte meiner Klinge, immer noch brüllend, und sah das Entsetzen
auf dem Gesicht des Feindes, und ein entsetzter Feind er-
zeugt Grausamkeit. «Uhtred!», schrie ich und starrte ihn
an, und er sah den Tod vor sich, und er versuchte, vor mir
zurückzuweichen, aber da behinderten ihn andere Männer
von hinten beim Rückzug, und ich lächelte und zog ihm
Schlangenhauch durchs Gesicht. Blut sprühte in den Morgenhimmel, und beim Rückschwung schlitzte ich ihm die
Kehle auf, und zwei Männer schoben sich an ihm vorbei,
und den einen wehrte ich mit dem Schwert ab und den anderen mit meinem Schild.

Diese beiden Männer waren keine Narren. Ihre Schilde
berührten sich, während sie auf mich zukamen, und sie
wollten mich gegen die Festungsmauer drängen und mich
dort mit ihren Schilden festnageln, sodass ich Schlangenhauch nicht benutzen konnte. Wenn sie mich einmal so
weit hätten, würden sie andere Männer auf mich einstechen
lassen, bis ich so viel Blut verloren hätte, dass ich nicht
mehr stehen konnte. Diese beiden wussten, wie sie mich töten konnten, und jetzt wollten sie es tun.

Doch ich lachte nur. Ich lachte, weil ich wusste, was sie
vorhatten, aber sie schienen so langsam zu sein, und ich
rammte ihnen meinen eigenen Schild entgegen, und sie
dachten, sie hätten mich in der Falle, weil ich nicht hoffen
konnte, zwei Männer auf einmal von mir wegzuschieben.

Sie duckten sich hinter ihre Schilde und warfen sich nach vorn, und da machte ich einfach einige Schritte nach hinten und zog meinen eigenen Schild zurück, sodass sie ins Stolpern kamen, weil mein Gegendruck unversehens fehlte. Während sie stolperten, senkten sie leicht ihre Schilde, und da stieß Schlangenhauch vor wie eine Viper, und die blutige Spitze meiner Klinge bohrte sich in die Stirn des Mannes auf der linken Seite. Ich fühlte, wie sein Knochen brach, sah seinen Blick glasig werden, hörte, wie sein Schild polternd zu Boden fiel, und ich schwang Schlangenhauch nach rechts, und der zweite Mann fing meinen Hieb ab. Er rammte mir seinen Schild entgegen, weil er hoffte, mich aus dem Gleichgewicht bringen zu können, aber genau in diesem Moment ertönte von links lautes Gebrüll. «Für Jesus Christus und Alfred!» Es war Pater Pyrlig, und hinter ihm schwärmten meine Männer über das weitläufige Bollwerk. «Du verdammter heidnischer Narr!», schrie mich Pyrlig an.

Ich lachte nur. Pyrligs Schwert fuhr in den Arm meines Gegners, und Schlangenhauch schlug ihm den Schild aus der Hand. Ich erinnere mich daran, wie er mich darauf ansah. Er hatte einen guten Helm, an dessen Seiten Rabenflügel befestigt waren. Sein Bart war goldfarben, seine Augen waren blau, und in diesen blauen Augen stand das Wissen von seinem bevorstehenden Tod, während er sich mühte, mit dem verwundeten Arm sein Schwert zu heben.

«Halt dein Schwert gut fest», sagte ich zu ihm. Er nickte.

Pyrlig tötete ihn, doch das sah ich nicht. Ich war schon an dem Mann vorbei, um die übrigen Feinde anzugreifen, und an meiner Seite schwang Clapa seine Axt mit so viel Gewalt, dass er für unsere Seite eine ebenso große Gefahr darstellte wie für den Feind. Doch kein Feind wollte uns beiden gegenübertreten. Sie flohen die Festungsmauer entlang, und das Tor gehörte uns.

Ich lehnte mich an den niedrigeren Außenring des Walls und trat sofort wieder einen Schritt zurück, denn die Steine drohten unter meinem Gewicht nachzugeben. Das Mauerwerk bröckelte. Ich klatschte mit der Hand gegen die losen Steine und lachte vor Freude laut auf. Sihtric grinste mich an. «Amulette, Herr?», fragte er.

«Das dort.» Ich deutete auf den Mann, dessen Helm mit den Rabenflügeln verziert war. «Er ist tapfer gestorben, ich nehme seines.»

Sihtric beugte sich hinab, um das Hammeramulett des Mannes an sich zu nehmen. Hinter ihm starrte Osferth auf das halbe Dutzend toter Männer, die in ihrem Blut auf den Steinen lagen. Die Spitze des Speeres in seiner Hand war rot. «Du hast jemanden getötet?», fragte ich ihn.

Er sah mich aus aufgerissenen Augen an. Dann nickte er. «Ja, Herr.»

«Gut», sagte ich und deutete mit dem Kinn in Richtung der leblosen Körper. «Welchen?»

«Es war nicht hier, Herr», sagte er. Er wirkte einen Augenblick lang verwirrt, dann sah er zu der Treppe, über die wir heraufgekommen waren. «Es war dort drüben, Herr.»

«Auf der Treppe?»

«Ja.»

Ich starrte ihn so lange an, bis er unbehaglich den Blick abwandte. «Sag mir», forderte ich ihn auf, «hat er dich bedroht?»

«Er war ein Feind, Herr.»

«Was hat er getan?», fragte ich. «Hat er dir mit seiner Krücke gedroht?»

«Er», setzte Osferth an, doch dann schien er nicht mehr weiterzuwissen. Er starrte auf einen der Männer hinunter, die ich getötet hatte. Dann runzelte er die Stirn. «Herr?»

«Ja?»

«Ihr habt uns erklärt, dass es den Tod bedeutet, den Schildwall zu verlassen.»

Ich beugte mich zu dem Umhang eines der Toten hinab, um die Klinge Schlangenhauchs daran abzuwischen. «Und?»

«Ihr habt den Schildwall verlassen, Herr», sagte Osferth nahezu vorwurfsvoll.

Ich richtete mich auf und berührte meine Armringe. «Du bleibst am Leben», erklärte ich ihm barsch, «indem du die Regeln befolgst. Und du verschaffst dir Ansehen, Junge, indem du sie brichst. Aber du verschaffst dir kein Ansehen damit, Krüppel zu töten.» Ich spie diese letzten Worte geradezu aus, dann kehrte ich ihm den Rücken. Vor mir sah ich, dass Sigefrids Männer den Fleot überquert hatten, dann aber auf den Aufruhr hinter sich aufmerksam geworden waren und nun angehalten hatten und zum Tor zurückblickten.

Da tauchte Pyrlig neben mir auf. «Lasst uns diesen Lumpen loswerden», sagte er, und da bemerkte ich das Banner, das von der Stadtmauer herabhing. Pyrlig zog es zu uns hoch und zeigte mir den Raben darauf. Sigefrids Zeichen. «Wir werden sie wissen lassen», sagte Pyrlig, «dass die Stadt einen neuen Herrn hat.» Er hob sein Kettenhemd und zog ein gefaltetes Banner darunter hervor, das in seinem Hosenbund gesteckt hatte. Er schüttelte es auf, und so wurde ein schwarzes Kreuz auf einem tristen weißen Feld sichtbar. «Gott sei gepriesen», sagte Pyrlig. Darauf ließ er das Banner über die Stadtmauer hinab und sicherte es, indem er den oberen Rand des Tuchs mit den Waffen toter Männer beschwerte. Jetzt würde Sigefrid wissen, dass Ludd's Gate für ihn verloren war. Vor seiner Nase wehte das Banner der Christen.

Dennoch hatten wir nun eine Zeit lang Ruhe. Ich vermute, dass Sigefrids Männer von den Ereignissen verwirrt waren und sich von der Überraschung erholen mussten. Sie zogen nicht länger in Richtung der neuen sächsischen Stadt, sondern starrten immer noch zurück zu dem Tor, an dem jetzt das Kreuz hing. In der alten Römerstadt dagegen sammelten sich Männer in den Straßen und sahen zu uns empor.

Ich hatte meinen Blick auf die neue Stadt gerichtet. Ich fand kein Anzeichen von Æthelreds Männern. Auf dem niedrigen Hang, auf dem die sächsische Stadt erbaut worden war, zog sich eine lückenhafte Holzpalisade entlang, und es war möglich, dass Æthelreds Truppen hinter dieser Palisade waren, die an manchen Stellen verfiel und an anderen vollkommen fehlte.

«Wenn Æthelred nicht kommt», sagte Pyrlig leise.

«Dann sind wir tot», beendete ich den Satz für ihn. Zu meiner Linken glitt der Fluss grau wie das leibhaftige Elend in Richtung der eingestürzten Brücke und dahinter auf das Meer zu. Von dem Grau hoben sich weiß einige Möwen ab. Weiter entfernt, auf der südlichen Uferseite, erkannte ich ein paar Hütten, von deren Herdfeuern Rauch aufstieg. Das war Wessex. Vor mir, wo sich Sigefrids Männer nicht vor und nicht zurück bewegten, lag Mercien, während hinter mir, nördlich des Flusses, Ostanglien begann.

«Schließen wir das Tor?», fragte Pyrlig.

«Nein», sagte ich. «Ich habe Steapa gesagt, er soll es offen lassen.»

«Wirklich?»

«Sigefrid soll uns angreifen», sagte ich, und ich dachte, dass ich, wenn Æthelred uns im Stich gelassen hatte, unter dem Tor sterben würde, an dem drei Königreiche aneinandergrenzten. Noch immer war von Æthelreds Streitmacht nichts zu sehen, und dennoch verließ ich mich darauf, dass uns die Männer meines Cousins zum Sieg verhelfen würden. Wenn ich Sigefrid und seine Krieger zurück zum Tor locken und sie dort halten konnte, hätte Æthelred die Möglichkeit, sie von hinten anzugreifen. Deshalb wollte ich, dass das Tor offen blieb. Es sollte auf Sigefrid wie eine Einladung wirken. Wenn ich es geschlossen hatte, dann wäre er vermutlich durch ein anderes Tor in die römische Stadt gekommen, und Æthelred hätte sie nicht angreifen können.

Zuerst aber mussten wir uns um die Dänen kümmern, die in der Stadt geblieben waren und die sich langsam von ihrer Überraschung erholten. Einige von ihnen waren auf den Straßen, während andere zu beiden Seiten der Stadtmauer bei Ludd's Gate Gruppen gebildet hatten. Die Stadtmauer war niedriger als die Tortürme, was bedeutete, dass jeder Angriff auf uns über die engen Steintreppen stattfinden musste, die von der Mauer und von der Straße auf die Türme und den Umgang führten. Jede der Treppen, die von der Stadtmauer aus nach oben führten, musste mit wenigstens fünf Männern verteidigt werden, ebenso wie die beiden Treppen, die von der Straße kamen. Ich überlegte, ob ich die Tortürme unbesetzt lassen sollte, doch wenn der Kampf unten im Durchgang des Tores ungünstig verlief, dann hatten wir von oben aus die besten Verteidigungsmöglichkeiten. «Ihr habt zwanzig Männer», erklärte ich Pyrlig, «um diesen Turm zu verteidigen. Und den hier könnt Ihr ebenfalls haben.» Ich nickte in Osferths Richtung. Ich wollte Alfreds krüppeltötenden Sohn nicht unten beim Torbogen haben, wo der Kampf am heftigsten geführt werden würde. Dort unten würden wir zwei Schildwälle aufstellen, einer auf die Stadt und der andere auf den Fleot ausgerichtet, und dort würden die Schildwälle aufeinandertreffen, und dort, so glaubte ich, würden wir sterben, denn noch immer sah ich nichts von Æthelreds Heer.

Ich war in Versuchung, mit meinen Männern abzuziehen. Es wäre einfach gewesen, wenn wir uns auf demselben Weg, auf dem wir gekommen waren, wieder zurückgezogen hätten. Wir hätten es nur mit den paar Männern auf den Straßen zu tun gehabt. Wir hätten Sigefrids Boot nehmen können, den *Wellenbändiger*, und mit ihm ans westsächsische Ufer hinüberfahren können. Aber ich war Uhtred von Bebbanburg, und ich platzte fast vor Kriegerstolz, und ich hatte geschworen, Lundene einzunehmen. Wir blieben.

Fünfzig von uns stiegen die Treppen hinunter und stellten sich unter dem Tor auf. Zwanzig richteten sich nach der Stadt aus, während die übrigen in Sigefrids Richtung blickten. Unter dem Torbogen war gerade genügend Platz für acht Männer, um mit ihren Schilden nebeneinander zu stehen. Im Schatten des Torbogens bildeten wir unseren Doppelschildwall. Steapa führte die zwanzig an, die in Richtung der Stadt kämpfen sollten, während ich in der ersten Reihe derjenigen stand, die vom Tor in Richtung Westen sahen.

Dann trat ich aus dem Schildwall und ging ein paar Schritte auf das Tal des Fleot zu. Der kleine Fluss, verschmutzt von den Gräben der Färber weiter stromauf, lief schmutzig und träge auf die Temes zu. Auf der anderen Seite des Fleot hatten Sigefrid, Haesten und Erik schließlich die Zugrichtung ihrer Streitkräfte umgekehrt, und wer in den letzten Reihen der Nordmänner aufgestellt gewesen war, zog nun als Erster über den seichten Fleot zurück, um meine kleine Truppe unschädlich zu machen.

Ich stand höher als sie und zeichnete mich gegen den Himmel ab. Die wolkenverhangene Sonne war hinter mir, doch ihr bleiches Licht spiegelte sich auf dem Silber meines Helmes und verlieh Schlangenhauchs Klinge einen matten Schein. Ich hatte mein Schwert wieder gezogen, und jetzt stand ich mit dem Schwert ausgestreckt in meiner rechten und dem Schild in der linken Hand. Ich stand über ihnen, ein Herr in voller Pracht, ein Mann in Rüstung, ein Krieger, der andere Krieger zum Kampf herausfordert, und ich sah auf dem Hügel hinter dem Feind keine verbündeten Truppen.

Und wenn Æthelred abgezogen war, dachte ich, dann würden wir sterben.

Ich packte Schlangenhauchs Griff fester. Ich starrte auf Sigefrids Männer, dann schlug ich Schlangenhauchs Klinge gegen meinen Schild. Ich ließ sie drei Mal donnernd gegen den Schild fahren, und das Geräusch wurde von der Stadtmauer hinter mir zurückgeworfen, und dann drehte ich mich um und nahm wieder in meinem kleinen Schildwall Aufstellung.

Und mit Zornesschreien und dem Gebrüll von Männern, die den Sieg vor Augen haben, rückte Sigefrids Heer an, um uns zu töten.

Ein Dichter hätte die Geschichte dieses Kampfes aufschreiben sollen.

Dazu sind Dichter da.

Meine derzeitige Frau, die eine Närrin ist, bezahlt Dichter dafür, dass sie von Jesus Christus singen, der ihr Gott ist. Aber sie verfallen in beschämtes Schweigen, wenn ich hereinhinke. Sie kennen Dutzende von Liedern über ihre Heiligen, und sie singen traurige Weisen über den Tag, an dem ihr Gott ans Kreuz genagelt wurde, aber wenn ich da bin, singen sie die wahren Lieder, die Lieder, von denen mir der schlaue Priester erzählt hatte, dass sie für andere Männer geschrieben worden waren, deren Namen nun durch meinen ersetzt wurden.

Das sind Lieder über die Schlacht, Lieder über Kämpfer, wahre Lieder.

Krieger beschützen ihr Haus, sie beschützen Kinder, sie beschützen Frauen, sie beschützen die Ernte, und sie töten die Feinde, die kommen, um dies alles zu rauben. Ohne Krieger würde das Land veröden, verwahrlosen, und überall herrschte Jammern und Wehklagen. Doch die wahre Belohnung eines Kriegers sind nicht das Silber und Gold, das er an den Armen tragen kann, sondern sein Ruhm, und deshalb gibt es Dichter. Dichter erzählen die Geschichten der Männer, die das Land verteidigen und die Feinde eines Landes töten. Dazu sind Dichter da. Doch über den Kampf in Ludd's Gate gibt es kein Lied.

Dort, wo früher Mercien war, gibt es ein Lied, in dem besungen wird, wie Herr Æthelred Lundene einnahm, und es ist ein schönes Lied, doch mein Name kommt darin nicht vor, und auch nicht Steapas Name, Pyrligs Name oder die Namen der anderen Männer, die an diesem Tag wirklich gekämpft haben. Wenn man dieses Lied hört, könnte man glauben, dass Æthelred anrückte und diejenigen, die von den Sängern «die Heiden» genannt werden, einfach davonliefen.

Aber so war es nicht.

So war es ganz und gar nicht.

Ich sage dagegen, dass die Nordmänner auf uns zustürmten, und das taten sie auch, aber Sigefrid war kein Narr, wenn es ums Kämpfen ging. Er sah, wie wenige von uns den Torweg versperrten, und er wusste, dass wir unter diesem alten römischen Bogen sterben würden, wenn es ihm gelang, meinen Schildwall mit einem schnellen Vorstoß aufzubrechen.

Ich war wieder zu meiner Truppe zurückgekehrt. Der Rand meines Schildes lag über den Schildrändern der Männer, die neben mir standen, und ich bereitete mich auf den Angriff vor, als ich sah, was Sigefrid vorhatte.

Seine Männer hatten nicht einfach nur auf das Tor gestarrt, sondern waren neu aufgestellt worden. Acht Krieger würden den ersten Angriff führen. Vier von ihnen trugen wuchtige, lange Speere, die mit beiden Händen gehalten werden mussten. Diese vier hatten keine Schilde, doch neben jedem Speermann ging ein kräftiger Kämpfer, der mit Schild und Axt ausgestattet war. Und hinter ihnen rückten weitere Männer mit Schilden, Speeren und Langschwertern auf uns zu. Ich wusste genau, was geschehen würde. Die vier Männer würden auf uns zuhetzen und ihre vier Speere in vier unserer Schilde fahren lassen. Das Gewicht der Speere und die Gewalt des Angriffs würden vier von uns gegen die Männer aus der zweiten Reihe treiben, und dann würden die Axtmänner zuschlagen. Sie würden nicht versuchen, unsere Schilde zersplittern zu lassen, sondern sie würden die Lücken vergrößern, die von den vier Speermännern in unseren Schildwall gerissen worden waren, sie würden sich mit ihren Äxten in die Schilde unserer zweiten Reihe einhaken und sie herunterziehen, sodass wir keinen Schutz vor den Langschwertern der Männer hatten, die hinter den Axtkämpfern anrückten. Sigefrid ging es vor allem um eines, und das war, unseren Schildwall so schnell wie möglich aufzubrechen, und ich zweifelte nicht daran, dass diese acht Männer nicht nur geübt hatten, einen Schildwall in ein paar Augenblicken aufzubrechen, sondern dass sie es auch schon oft genug getan hatten.

«Wappnet euch!», rief ich, obwohl es ein müßiger Ruf war. Meine Männer wussten, was sie zu tun hatten. Sie hatten auszuhalten und zu sterben. Das war es, was sie mir in ihren Eiden auf mich geschworen hatten.

Und ich wusste, dass wir sterben würden, wenn Æthelred nicht kam. Sigefrid würde mit der schieren Wucht seines Angriffs unseren Schildwall aufreißen, und ich hatte keine Speere, die lang genug waren, um die vier Krieger abzuwehren, die auf uns zukamen. Wir konnten nur versuchen, so viel Gegenwehr wie möglich zu leisten, aber wir waren in der Unterzahl und der Feind voller Selbstvertrauen. Sie brüllten Beleidigungen und sagten uns den Tod voraus. Und der Tod kam.

«Sollen wir das Tor schließen, Herr?», schlug Cerdic, der neben mir stand, unruhig vor.

«Zu spät», sagte ich.

Dann kam der Angriff.

Die vier Speerkrieger brüllten, während sie auf uns zurannten. Ihre Waffen waren so dick wie der Schaft eines Ruders, und die Speerspitzen hatten die Größe von Kurzschwertern. Sie hielten die Speere niedrig, und ich wusste, das sie den unteren Teil unserer Schilde treffen wollten, damit die oberen Ränder nach vorne schnellten, sodass die Axtmänner sich leichter einhaken und damit unseren Widerstand in einem Augenblick zunichtemachen konnten.

Und ich wusste, dass es ihnen gelingen würde, denn die

Männer, die uns angriffen, waren Sigefrids Schildwall-Brecher. Das hatten sie geübt, und damit hatten sie Erfahrung, und in Odins Totenhalle mussten sich ihre Opfer drängen. Sie brüllten irgendwelche Herausforderungen, während sie auf uns zu rannten. Ich sah ihre verzerrten Mienen. Acht Männer, großgewachsene Männer, mit wilden Bärten und Kettenhemden, Krieger, die man fürchten musste, und ich packte meinen Schild und duckte mich leicht, weil ich hoffte, ein Speer würde nur den schweren Metallbuckel in der Mitte meines Schildes treffen. «Von hinten gegen uns drücken!», rief ich meiner zweiten Reihe zu.

Ich sah, dass einer der Speere auf meinen Schild gerichtet war. Wenn er niedrig genug traf, würde mein Schild oben nach vorn schnellen, und der Axtmann würde seine Waffe von oben auf mich herabfahren lassen. Tod an einem Frühlingsmorgen. Also stemmte ich mein linkes Bein gegen meinen Schild, weil ich dachte, so vielleicht den Schild am Kippen hindern zu können, aber in Wahrheit vermutete ich, dass der Speer einfach durch das Lindenholz hindurchfahren und sich in meinen Schritt bohren würde. «Wappnet euch!», rief ich erneut.

Und die Speere kamen auf uns zu. Ich sah den Speerkämpfer vor Anstrengung das Gesicht verzerren, als er sich bereit machte, seine Waffe gegen meinen Schild zu schleudern. Und der Zusammenprall von Metall auf Holz war nur noch einen Herzschlag entfernt, als stattdessen Pyrlig zuschlug.

Ich wusste zuerst nicht, was vor sich ging. Ich erwartete den Aufprall des Speeres und war bereit, mit Schlangenhauch einen Axthieb abzuwehren, als etwas vom Himmel fiel und wuchtig zwischen den Angreifern niederging. Die langen Speere wurden fallen gelassen, und ihre Spitzen bohrten sich nur ein paar Schritte vor mir in die Erde, und die acht Männer taumelten, all ihr Zusammenhalt und ihr Schwung war verloren. Zuerst glaubte ich, zwei von Pyrligs Männern seien von der Wehrmauer des Turmes gesprungen, aber dann sah ich, dass der Waliser zwei Tote von oben herabgeschleudert hatte. Es waren die Körper zweier massiger Krieger, noch angetan mit ihren Kettenhemden, und ihr Gewicht war auf die Schäfte der Speere getroffen und hatte in den vorderen Reihen der Feinde Verwirrung angerichtet. Im einen Moment hatten sie noch in geregelter Ordnung ihren bedrohlichen Angriff geführt, und im nächsten stolperten sie zwischen Leichen umher.

Ich bewegte mich, ohne darüber nachzudenken. Schlangenhauchs Klinge traf krachend auf den Helm eines Axtmannes, ich zog sie zurück und sah Blut durch das zerborstene Metall schimmern. Dieser Axtkämpfer ging zu Boden, während ich schon meinen schweren Schildbuckel einem Speermann ins Gesicht rammte und seine Knochen brechen fühlte.

«Schildwall!», rief ich und trat zurück.

Finan war mit mir nach vorne gekommen und hatte einen anderen der Speerkrieger getötet. Die Angreifer wurden nun von drei Leichen und mindestens einem betäubten Mann beim Vorrücken behindert, und als ich mich wieder unter den Torbogen zurückzog, wurden noch zwei weitere Tote von oben herabgeschleudert. Die Leichen trafen schwer auf den Weg, prallten noch einmal leicht hoch, und dann lagen sie als weitere Stolpersteine in Sigefrids Weg. Und dann sah ich auch Sigefrid.

Er ging in der zweiten Reihe, eine bedrohliche Gestalt in seinem dicken Umhang aus Bärenfell. Das Fell allein konnte schon viele Schwerthiebe abfangen, und darunter trug er eine schimmernde Kettenrüstung. Er brüllte seinen Männern zu, sie sollten vorrücken, aber dass es so unvermittelt Tote regnete, hatte sie zum Stehenbleiben gebracht. «Vorwärts!», schrie Sigefrid, drängte sich zur ersten Reihe durch und kam geradewegs auf mich zu. Er starrte mich an und er brüllte, aber was er brüllte, weiß ich heute nicht mehr.

Sigefrids Angriff hatte alle Geschwindigkeit verloren. Statt uns einfach zu überrennen, kamen sie mit langsamen Schritten auf uns zu, und ich erinnere mich, meinen Schild nach vorn gestoßen zu haben, und an das Krachen, mit dem unsere beiden Schilde aufeinandertrafen, und an den unvermittelten Widerstand, den mir Sigefrids schwerer Körper entgegensetzte, wenn er das auch ebenso erlebt haben muss, denn keiner von uns kam aus dem Gleichgewicht. Er schlug mit seinem Schwert auf mich los, und ich spürte den Schlag dröhnend auf meinen Schild treffen. Ich hatte Schlangenhauch in die Scheide geschoben. Es war und ist eine wundervolle Klinge, aber ein Langschwert ist von keinerlei Nutzen, wenn die Schildwälle so nah wie Liebende aufeinander zurücken. Ich hatte Wespenstachel gezogen, mein Kurzschwert, und ich suchte nach einer Lücke zwischen den Schilden des Feindes und stieß zu. Ich traf nichts.

Sigefrid drängte sich gegen mich. Wir drückten dagegen. Eine Reihe Schilde war auf eine andere Reihe getroffen, und dahinter wurde auf beiden Seiten geschoben und geflucht, geächzt und gestöhnt. Eine Axt wurde von dem Mann hinter Sigefrid gegen meinen Kopf geschwungen, doch hinter mir hatte Clapa seinen Schild gehoben und fing den Schlag ab, der kraftvoll genug war, um Clapas Schild auf meinen Kopf krachen zu lassen. Einen Moment lang sah ich nichts mehr, doch dann schüttelte ich den

Kopf, und mein Blick wurde wieder klar. Eine weitere Axt war am oberen Rand meines Schildes eingehakt worden, und der Angreifer versuchte, meinen Schild herunterzuziehen, doch ich stand zu eng an Sigefrids Schild gedrängt, sodass es ihm nicht gelingen konnte. Sigefrid verfluchte mich, spuckte mir ins Gesicht, und ich nannte ihn einen ziegenrammelnden Hurensohn und stach mit Wespenstachel nach ihm. Als ich hinter den feindlichen Schilden etwas traf, fuhr ich mit der Klinge noch weiter vor und drehte sie, doch was sie anrichtete, weiß ich bis heute nicht.

Die Sänger erzählen von solchen Schlachten, doch kein Sänger, den ich kenne, hat jemals in der ersten Reihe eines Schildwalls gestanden. Sie rühmen die Tapferkeit eines Kriegers und berichten, wie viele Männer er getötet hat. Hell blitzend zuckte seine Klinge in der Sonne auf, singen sie, und zahlreich fielen die Opfer unter seinem Speer. Doch so war es nie. Die Klingen blitzten nicht in der Sonne auf, sondern wurden blutbesudelt in der Enge des Schildwalls vorgerammt. Die Männer fluchten, drängten und schwitzten. Es starben nicht viele, nachdem die Schilde einmal aufeinander getroffen waren und das Schieben begann, weil nicht genügend Raum war, um mit einem Schwert auszuholen. Das eigentliche Töten würde anfangen, wenn ein Schildwall aufbrach, doch unser Schildwall hielt diesem ersten Angriff stand. Ich sah nicht viel, denn mein Helm war mir weit über die Augen gedrückt worden, aber ich erinnere mich an Sigefrids offenen Mund, an all die fauligen Zähne und den gelben Speichel. Er verfluchte mich, und ich verfluchte ihn, und mein Schild dröhnte von Schlägen, und überall brüllten Männer. Einer schrie. Dann hörte ich noch einen schreien, und da trat Sigefrid unvermittelt zurück. Sein ganzer Schildwall bewegte sich von uns weg, und einen Moment lang glaubte ich, sie wollten uns aus dem Torbogen locken, doch ich blieb, wo ich war. Ich wagte mich mit meinem kleinen Schildwall nicht unter dem Torbogen hervor, denn die großen Steinmauern zu beiden Seiten schützten meine Flanken. Dann erklang ein dritter Schrei, und schließlich sah ich, warum Sigefrids Männer den Kampf unterbrochen hatten. Große Steinblöcke fielen von der Wehrmauer. Pyrlig wurde offenbar nicht angegriffen, also brachen er und seine Männer Steinbrocken aus dem Mauerwerk und ließen sie auf die Feinde herabfallen, und der Mann hinter Sigefrid war am Kopf getroffen worden, und Sigefrid stolperte über ihn.

«Hierbleiben!», rief ich meinen Männern zu. Sie waren versucht vorzurücken und aus dem Durcheinander unter den Feinden ihren Vorteil zu schlagen, doch das hätte bedeutet, die Sicherheit des Torbogens aufzugeben. «Bleibt!», brüllte ich wütend. Und sie blieben.

Sigefrid zog sich zurück. Er wirkte zornig und verwirrt. Er hatte einen leichten Sieg erwartet, doch stattdessen hatte er Männer verloren, während wir ohne Verluste davongekommen waren. Cerdics Gesicht war blutüberströmt, aber er schüttelte den Kopf, als ich ihn fragte, ob er schwer verwundet worden war. Dann hörte ich hinter mir lautes Brüllen, und meine Männer, die dichtgedrängt unter dem Torbogen standen, wurden etwas nach vorn geschoben, als der Feind von den Straßen der Stadt aus angriff. Steapa führte unsere Männer auf der anderen Seite, und ich drehte mich nicht nach dem Kampf um, so sicher war ich, dass Steapa standhalten würde. Außerdem hörte ich über mir Schwerter klirrend aufeinandertreffen, und da wusste ich, dass Pyrlig nun ebenfalls um sein Leben kämpfte.

Sigefrid sah Pyrligs Männer kämpfen und schloss daraus, dass nun kein Mauerwerk mehr auf ihn herabgeschleudert werden würde. Er rief seinen Männern zu, sie sollten sich bereitmachen. «Tötet die Bastarde!», brüllte er. «Tötet sie! Aber den Großen lasst leben. Er gehört mir.» Er deutete mit seinem Schwert auf mich, und mir fiel der Name seiner Klinge wieder ein, Schreckenspender. «Du gehörst mir!», rief er mir zu, «und ich muss immer noch einen Mann kreuzigen! Und dieser Mann bist du!» Er war zornig und bösartig, und alles, was er mir bei unserer ersten Begegnung in der römischen Arena an Achtung entgegengebracht haben mochte, war von ihm abgefallen. Sie hatten mich mit Bjorn betrogen, und anders, als sie es geplant hatten, kämpfte ich nun auf der Seite ihres Feindes.

Dann lachte Sigefrid, schob Schreckenspender in die Scheide und ließ sich von einem seiner Leute eine Kriegsaxt mit langem Schaft geben. Er grinste mir gehässig zu, deckte seinen Körper mit seinem rabenverzierten Schild und rief seinen Männern zu, sie sollten vorrücken. «Tötet sie alle! Alle bis auf den großen Bastard! Tötet sie!»

Doch dieses Mal versuchte er nicht, uns durch das Tor zu pressen, wie man einen Stöpsel in einen Flaschenhals drückt, sondern ließ seine Männer eine Schwertlänge entfernt anhalten, damit sie versuchten, mit ihren langstieligen Kriegsäxten unsere Schilde herunterzuziehen. Unser Kampf wurde verzweifelt.

Im Schildwall ist eine Axt eine mächtige Waffe. Wenn sie keinen Schild herabzieht, kann sie immer noch die Bohlen zersplittern lassen. Mit dem ganzen Körper spürte ich Sigefrids Hiebe auf meinen Schild niederfahren, sah die Axtklinge durch eine Spalte in dem Lindenholz, und alles, was ich tun konnte, war zu versuchen, den Angriff zu überstehen. Ich wagte es nicht vorzurücken, weil ich damit unseren Schildwall geöffnet hätte, und wenn unser gesamter Schildwall vorgerückt wäre, dann hätten unsere Flanken keine Deckung mehr gehabt und wir wären gestorben.

Ein Speer stocherte nach meinen Knöcheln. Eine zweite Axt fuhr auf meinen Schild nieder. Auf die ganze Breite unserer kurzen Reihe gingen zahllose Schläge nieder, die Schilde splitterten, und der Tod lauerte auf uns. Ich hatte keine Axt, die ich schwingen konnte, denn mir hat diese Waffe nie sonderlich gelegen, obwohl ich wusste, wie tödlich sie sein konnte. Ich hielt Wespenstachel in der Hand, hoffte, dass Sigefrid ganz bis an mich herankommen würde, sodass ich meine Klinge an seinem Schild vorbei in seinen fetten Wanst rammen könnte, doch er hielt sich eine Axtlänge entfernt, und mein Schild war gebrochen und ich wusste, dass mir einer der nächsten Hiebe den Unterarm zerschmettern und in eine nutzlose Masse aus Blut und Knochenstücken verwandeln würde.

Ich wagte einen Schritt nach vorn. Ich bewegte mich schnell, sodass Sigefrids nächster Hieb nicht traf, obwohl der Axtstiel an meine linke Schulter prallte. Er musste seinen Schild senken, um mit der Axt ausholen zu können, und ich stieß mit Wespenstachel nach ihm, und die Klinge fuhr auf seine rechte Schulter nieder, doch sein gutes Kettenhemd hielt. Er tat einen Schritt zurück. Ich wollte ihm Wespenstachel durchs Gesicht ziehen, doch da rammte er seinen Schild gegen meinen und drängte mich zurück, und im Augenblick darauf ließ er schon wieder seine Axt auf meinen Schild herabfahren.

Er verzog sein Gesicht zu einer Maske aus verfaulten Zähnen, zornblitzenden Augen und struppigem Bart. «Ich will dich lebend», sagte er. Er holte mit der Axt seitlich aus, und mir gelang es, meinen Schild so zu drehen, dass die

Klinge nur gegen den Schildbuckel krachte. «Lebend», wiederholte er, «und du stirbst einen Tod, den ein Mann verdient, der seinen Eid gebrochen hat.»

«Ich habe Euch keinen Eid geleistet», knurrte ich.

«Aber du wirst sterben, als hättest du es getan», sagte er, «mit Händen und Füßen an ein Kreuz genagelt. Und deine Schreie werden erst enden, wenn ich sie nicht mehr hören will.» Erneut verzerrte sich sein Gesicht, als er mit der Axt zum letzten Hieb ausholte, mit dem er meinen Schild endgültig zersplittern lassen wollte. «Und ich ziehe dir die Haut ab, Uhtred, du Betrüger», sagte er, «und dann gerbe ich sie und beziehe meinen Schild damit. Und ich pisse in deine tote Kehle und tanze auf deinen Knochen.» Er schwang die Axt, und der Himmel fiel herab.

Ein langes Stück Mauerwerk war von der Wehrmauer gewälzt worden und stürzte krachend in Sigefrids Reihen. Überall waren Staub und Schreie und verletzte Männer. Sechs Krieger waren getroffen, sie lagen auf dem Boden oder tasteten nach gebrochenen Gliedmaßen. Sie waren alle hinter Sigefrid, und er wandte sich nach der neuen Verwirrung um, und genau in diesem Moment sprang Osferth, Alfreds Bastardsohn, von dem Tor herab.

Er hätte sich die Beine brechen müssen, doch irgendwie überstand er den unheimlichen Sprung unverletzt. Er kam zwischen Steintrümmern und zerschmetterten Körpern auf, die zu Sigefrids zweiter Linie gehört hatten, und er schrie wie ein Mädchen, als er sein Schwert gegen den Kopf des riesigen Norwegers schwang. Die Klinge donnerte gegen Sigefrids Helm. Sie zerschlug das Metall nicht, doch der Hieb musste Sigefrid für einen Moment betäubt haben. Ich hatte meinen Schildwall geöffnet, indem ich zwei Schritte vorwärts tat, und ich rammte meinen gebrochenen

Schild gegen den benommenen Mann und stach mit Wespenstachel nach seinem linken Schenkel. Dieses Mal brach die Klinge durch die Glieder seiner Kettenrüstung und ich drehte sie, durchschnitt Muskeln. Sigefrid schwankte, und in diesem Moment stach Osferth, aus dessen Gesicht reines Grauen sprach, dem Norweger sein Schwert ins Kreuz. Ich glaube nicht, dass Osferth klar war, was er tat. Er hatte sich vor Angst in die Hose gepisst, er war wie betäubt, er war vollkommen durcheinander, der Feind hatte sich neu aufgestellt und wollte ihn töten, und Osferth stach einfach mit der Kraft der Verzweiflung zu, und sein Schwert bohrte sich in Sigefrids Umhang aus Bärenfell, in Sigefrids Kettenrüstung und schließlich in Sigefrid selbst.

Der gewaltige Mann schrie vor Schmerz. Finan war an meiner Seite, tanzte, wie er in der Schlacht immer tanzte, täuschte den Mann neben Sigefrid mit einem geraden Stoß seines Schwertes, um dann blitzschnell seitwärts auszuholen und dem Mann die Klinge durchs Gesicht zu ziehen. Dann rief er Osferth zu, er solle zu uns kommen.

Doch Alfreds Sohn war wie erstarrt vor Entsetzen. Er hätte keinen Augenblick mehr zu leben gehabt, wenn ich nicht die Überreste meines Schildes vom Arm geschüttelt und Osferth an dem schreienden Sigefrid vorbei und zu mir gezogen hätte. Ich schob ihn hinter mich in die zweite Reihe und wartete, ohne einen Schild zum Schutz, auf den nächsten Angriff.

«Mein Gott, ich danke dir, dir, Herr Gott, sei Dank», sagte Osferth. Er klang jämmerlich.

Sigefrid lag wimmernd auf den Knien. Zwei Männer zogen ihn weg, und ich sah Erik erschrocken auf seinen verwundeten Bruder starren. «Komm und stirb!», rief ich ihm zu. Doch Erik beantwortete meine Herausforderung nur mit einem traurigen Blick. Er nickte mir zu, als erkenne er an, dass mich der Brauch zwang, ihn zu bedrohen, dass diese Drohung seinen Respekt für mich jedoch nicht schmälerte. «Kommt!», reizte ich ihn, «kommt und lernt Schlangenhauch kennen!»

«Ich komme, wenn ich bereit bin, Herr Uhtred», rief Erik zurück. Seine Höflichkeit allein bedeutete schon einen Tadel meines wilden Gebrülls. Er beugte sich zu seinem verletzten Bruder hinab. Sigefrids Verletzung hatte den Feind dazu gebracht, mit dem nächsten Angriff auf uns zu zögern. So konnte ich mich umdrehen und sah, dass Steapa den Angriff abgeschlagen hatte, der von der Stadt aus gegen uns geführt worden war.

«Was geht auf den Wehrtürmen vor?», fragte ich Osferth.

Er starrte mich mit reinem Entsetzen an. «Ich danke dir, Herr Jesus», stammelte er.

Ich rammte ihm meine linke Faust in den Magen. «Was ist dort oben los?», brüllte ich ihn an.

Er glotzte mich an, stammelte unverständlich, und dann brachte er endlich ein paar zusammenhängende Worte heraus. «Nichts, Herr. Die Heiden kommen die Treppen nicht hinauf.»

Ich wandte mich wieder zum Feind um. Pyrlig hielt die Wehrtürme, Steapa hielt die Innenseite des Tores, also musste ich auch die Stellung an der Außenseite des Tores halten. Ich berührte mein Hammeramulett, fuhr mit der Linken über Schlangenhauchs Heft und dankte den Göttern dafür, dass ich noch am Leben war. «Gib mir deinen Schild», sagte ich zu Osferth. Ich riss ihm den Schild aus den Händen, schob meinen geprellten Arm unter die Lederschlaufen und beobachtete, wie sich der Feind neu aufstellte.

«Hast du Æthelreds Männer gesehen?», fragte ich Osferth.

«Æthelred?» Er klang, als habe er diesen Namen noch nie zuvor gehört.

«Mein Cousin», knurrte ich. «Hast du ihn gesehen?»

«Oh, ja, Herr», sagte Osferth, «er rückt gerade an.» Er teilte mir diese Nachricht mit, als sei sie vollkommen unwichtig, als würde er mir erzählen, dass er es weiter draußen vor der Stadt habe regnen sehen.

Ich wagte es, mich ihm zuzuwenden. «Er rückt an?»

«Ja, Herr», sagte Osferth.

Und das tat Æthelred wirklich. Unser Kampf endete da mit mehr oder weniger, denn Æthelred hatte sein Vorhaben nicht aufgegeben, die Stadt anzugreifen, und brachte nun seine Männer über den Fleot, um von hinten gegen die Feinde zu stürmen, und diese Feinde flohen Richtung Norden zum nächsten Stadttor. Wir verfolgten sie ein Stück weit. Ich zog Schlangenhauch, weil er sich für den offenen Kampf besser eignete, und ich erwischte einen Dänen, der zu fett war, um schnell laufen zu können. Er drehte sich um, wollte einen Speer auf mich schleudern, doch ich lenkte den Speer mit meinem geborgten Schild ab und schickte den Mann mit einem Hieb in die Totenhalle. Æthelreds Männer brüllten, als sie auf dem Abhang vor dem Tor kämpften, und weil ich vermutete, dass sie meine Männer leicht mit den Feinden verwechseln könnten, rief ich meine Truppen wieder zu Ludd's Gate. Unter dem Torbogen war nun niemand mehr, auf beiden Seiten jedoch lagen blutüberströmte Leichen und zersplitterte Schilde. Die Sonne stand inzwischen höher, doch der Wolkenvorhang ließ ihr Licht immer noch schmutzig gelb erscheinen.

Einige von Sigefrids Männern starben vor der Stadtmauer, und der kopflose Schrecken in Æthelreds Fyrd war so groß, dass die Männer manche ihrer Feinde mit frisch-geschärften Hauen zerstückelten. Die meisten schafften es durch das nächste Tor in die alte Stadt und wurden dort von uns zur Strecke gebracht.

Es war eine entfesselte Jagd mit lautem Gebrüll. Sigefrids Männer, die in der Stadt geblieben waren, begriffen nur langsam, dass sie zur unterlegenen Seite gehörten. Sie blie-ben auf den Wehrmauern, bis sie den Tod auf sich zukom-men sahen, und dann flohen sie in die Straßen und Gassen, in denen sich schon Männer, Frauen und Kinder drängten, die vor dem sächsischen Angriff flüchteten. Sie rannten den Hügel von Lundene zu den Schiffen hinab, die unterhalb der Brücke an den Landeplätzen festgemacht waren. Einige, welche Narren, wollten ihre Habseligkeiten retten, und das war verhängnisvoll, denn so mussten sie ihre Besitztümer schleppen und wurden auf den Straßen gestellt und nieder-gemacht. Ein junges Mädchen schrie, als sie von einem mer-cischen Speerkrieger in ein Haus gezerrt wurde. Tote Män-ner lagen in den Abflussgräben der Straßen, und Hunde schnüffelten an ihnen. An einigen Häusern hingen Kreuze, um zu zeigen, dass hier Christen lebten, doch dieser Schutz hatte keinerlei Wirkung, wenn in dem Haus ein hübsches Mädchen wohnte. Ein Priester hielt vor einem niedrigen Eingang sein hölzernes Kreuz in die Höhe und rief, dass es Christenfrauen waren, die in seiner kleinen Kirche Zuflucht gesucht hatten, doch der Priester wurde mit einer Axt er-schlagen, und das Schreien begann. Etwa zwanzig Nord-männer wurden im Palas gefangen, wo sie die Schätze be-wachten, die Sigefrid und Erik angehäuft hatten, und sie alle starben dort, und ihr Blut bildete Rinnsale zwischen den kleinen Mosaikfliesen auf dem Fußboden des Römerbaus.

Es war der Fyrd, der die größte Verheerung anrichtete. Die Haustruppen waren an Ordnung gewöhnt und blieben zusammen, und es waren die Haustruppen, von denen die Nordmänner aus Lundene gejagt wurden. Ich blieb in der Straße bei der Flussmauer, der Straße, durch die wir in die Stadt gekommen waren, und wir trieben die Flüchtenden vor uns her, als wären sie Schafe und wir Wölfe. Pater Pyrlig hatte sein Banner mit dem Kreuz an einen dänischen Speer geknotet und schwenkte es über unseren Köpfen, um Æthelred zu zeigen, dass wir Freunde waren. Aus den höher gelegenen Straßen drang Schreien und Gebrüll bis zu uns. Mit einem großen Schritt trat ich über ein totes Kind hinweg. Die goldenen Locken des Mädchens waren mit dem Blut ihres Vaters verklebt, der neben ihr gestorben war. Als Letztes hatte er nach dem Arm des Kindes gegriffen, und seine tote Hand umfasste noch immer ihren Ellbogen. Ich dachte an meine Tochter, Stiorra. «Herr!», rief Sihtric, «Herr!» Er deutete mit seinem Schwert nach vorn.

Er hatte eine große Gruppe Nordmänner entdeckt. Vermutlich war ihnen der Weg abgeschnitten worden, als sie sich auf ihre Schiffe zurückziehen wollten, und nun hatten sie sich auf die eingestürzte Brücke geflüchtet. Das nördliche Ende der Brücke wurde von römischen Wehrtürmen bewacht, zwischen denen sich ein Rundbogen spannte, wenn auch das Tor, das diesen Rundbogen verschlossen hatte, längst verschwunden war. Stattdessen war der Durchgang auf den eingestürzten Balkendamm der Brücke von einem Schildwall versperrt. Jetzt waren die Nordmänner in derselben Lage, in der ich an Ludd's Gate gewesen war, als die Flanken meines Schildwalls von den hohen Steinmauern geschützt wurden. Die Schilde füllten den Bogen aus, und ich erkannte hinter der vordersten Linie mit

241

überlappenden Schilden noch wenigstens sechs weitere Reihen kampfbereiter Männer.

Steapa stieß einen knurrenden Laut aus und hob seine Axt. «Nein», sagte ich und legte ihm eine Hand auf seinen muskulösen Schildarm.

«Mach einen Eberzahn», sagte er kampflustig, «töte die Bastarde. Töte sie alle.»

«Nein», wiederholte ich. Ein Eberzahn war ein Keil aus Männern, die wie eine menschliche Speerspitze in den Schildwall vorstießen, doch kein Eberzahn würde diesen Nordmänner-Schildwall durchbrechen. Sie standen zu dicht gedrängt unter dem Torbogen, und sie waren verzweifelt, und verzweifelte Männer kämpfen blindwütig ums Überleben. Am Schluss würden sie sterben, das stimmte, doch viele meiner Krieger würden mit ihnen sterben.

«Bleibt hier», sagte ich zu meinen Männern. Ich übergab Sihtric meinen ausgeborgten Schild und dann noch meinen Helm. Ich steckte Schlangenhauch in die Scheide. Pyrlig tat es mir nach und nahm seinen Helm ab. «Ihr müsst nicht mit mir kommen», erklärte ich ihm.

«Und warum sollte ich nicht?», fragte er lächelnd. Er reichte Rypere seine notdürftige Flagge, legte seinen Schild auf die Erde, und weil ich um die Begleitung des Walisers froh war, gingen wir Seite an Seite auf das Brückentor zu.

«Ich bin Uhtred von Bebbanburg», verkündete ich den grimmigen Männern, die über die Ränder ihrer Schilde starrten, «und wenn ihr heute Abend in Odins Totenhalle feiern wollt, dann bin ich bereit, euch dorthin zu schicken.»

Hinter mir schrie die Stadt, und dichter Rauch zog über den Himmel. Die neun Männer in der vordersten Reihe der Feinde starrten mich nur an, niemand sprach ein Wort.

«Aber wenn ihr die Freuden dieser Welt noch länger genießen wollt», fuhr ich fort, «dann sprecht mit mir.»

«Wir dienen unserem Grafen», sagte endlich einer der Männer.

«Und der ist?»

«Sigefrid Thurgilson», sagte der Mann.

«Er hat gut gekämpft», sagte ich. Vor kaum zwei Stunden hatte ich Sigefrid noch Beleidigungen entgegengebrüllt, doch nun war die Zeit für sanftere Töne gekommen. Die Zeit, mit dem Feind über seine Ergebung zu sprechen und so das Leben meiner Männer zu schonen. «Ist Graf Sigefrid noch am Leben?», fragte ich.

«Er lebt», sagte der Mann knapp und deutete mit einer Kopfbewegung an, dass Sigefrid irgendwo hinter ihm auf der Brücke war.

«Dann sagt ihm, Uhtred von Bebbanburg wünscht ihn zu sprechen, um zu entscheiden, ob er weiterlebt oder ob er stirbt.»

Es war nicht an mir, diese Wahl zu treffen. Die Parzen hatten es längst entschieden, und ich war nichts weiter als ihr Werkzeug. Der Mann, der mit mir gesprochen hatte, rief die Botschaft den Männern zu, die hinten auf der Brücke standen, und ich wartete. Pyrlig betete. Ob er allerdings um Gnade für das Volk bat, das hinter uns schrie, oder um den Tod der Männer vor uns, habe ich ihn nie gefragt.

Dann kam Bewegung in den eng gedrängten Schildwall unter dem Torbogen, und in der Mitte wurde ein Durchgang freigemacht. «Graf Erik will mit Euch sprechen», erklärte mir der Mann.

Und so gingen Pyrlig und ich zum Feind.

SECHS

«Mein Bruder sagt, ich soll Euch töten», lautete Eriks Begrüßung. Der jüngere der Brüder Thurgilson hatte mich auf der Brücke erwartet, und obwohl seine Worte eine Drohung enthielten, war in seiner Miene nichts Bedrohliches zu lesen. Er war ruhig und gelassen, und offenbar bereitete ihm seine Lage keine Sorgen. Sein schwarzes Haar war unter einen einfachen Helm gezwängt und sein gutes Kettenhemd mit Blutspritzern bedeckt. Der Rand des Helmes war eingerissen, und ich vermutete, dass ihn an dieser Stelle ein Speer getroffen hatte, der unter seinen Schild gestoßen worden war, doch allem Anschein nach war er unverletzt geblieben. Sigefrids Verletzungen dagegen waren grauenvoll. Ich sah ihn auf dem Boden liegen, gebettet auf seinen Umhang aus Bärenfell, und er krümmte sich und zuckte vor Schmerzen, und zwei Männer kümmerten sich um ihn.

«Euer Bruder», sagte ich verächtlich, den Blick immer noch auf Sigefrid gerichtet, «denkt, dass man mit dem Tod jede Frage beantworten kann.»

«Dann ist er Euch in dieser Hinsicht sehr ähnlich», sagte Erik mit einem flüchtigen Lächeln, «wenn es stimmt, was die Leute über Euch sagen.»

«Und was sagen die Leute über mich?», fragte ich neugierig.

«Dass Ihr wie ein Nordmann tötet», sagte Erik. Er wandte sich um und starrte den Fluss hinab. Eine kleine Flotte dänischer und norwegischer Schiffe hatte von den Anlegeplätzen entkommen können, doch einige von ihnen wurden nun wieder stromauf gerudert. Die Besatzung versuchte, einige der Flüchtlinge zu retten, die sich am Ufer des Flusses drängten, doch die Sachsen wüteten schon unter dieser todgeweihten Menschenmenge. Ein erbitterter Kampf tobte an den Anlegeplätzen, Männer hackten erbarmungslos aufeinander ein. Um dem Gemetzel zu entkommen, sprangen manche einfach ins Wasser. «Ich denke manchmal», sagte Erik düster, «dass der Tod der eigentliche Sinn des Lebens ist. Wir verherrlichen den Tod, wir verbreiten den Tod, wir glauben, dass er uns Freude verschafft.»

«Ich verherrliche den Tod nicht», sagte ich.

«Die Christen tun es», bemerkte Erik mit einem Seitenblick auf Pyrlig, über dessen Kettenhemd sein hölzernes Kreuz hing.

«Nein», sagte Pyrlig.

«Und weshalb dann das Bildnis eines toten Mannes?», fragte Erik.

«Unser Herr Jesus Christus ist von den Toten auferstanden», sagte Pyrlig leidenschaftlich. «Er hat den Tod besiegt! Er starb, um uns das Leben zu geben, und hat sein eigenes Leben im Tod wiedergewonnen. Der Tod, Herr, ist nur das Tor zu einem anderen Leben.»

«Und warum fürchten wir dann den Tod?», fragte Erik in einem Ton, der deutlich machte, dass er keine Antwort erwartete. Er sah wieder auf das Durcheinander flussabwärts. Flüchtende Männer hatten die beiden Schiffe besetzt, mit denen wir durch die Brücke gekommen waren, und eines dieser Schiffe war in kurzer Entfernung von den Anlegeplätzen gesunken. Männer waren ins Wasser gerutscht, und viele mussten ertrunken sein, während es einigen anderen gelungen war, das schlammige Ufer wieder zu erreichen, an dem sie von höhnisch brüllenden Männern mit Speeren, Schwertern, Äxten und Hauen zu Tode gehackt wurden. Andere Überlebende klammerten sich an das Wrack und suchten Deckung vor einer Handvoll sächsischer Bogenschützen, deren lange Jagdpfeile dröhnend in die Schiffsplanken schlugen. Der Tod war überall an diesem Morgen. Die Straßen der niedergeworfenen Stadt stanken nach Blut und hallten von den Wehklagen der Frauen wider, die bis zu dem trüben gelblichen Himmel hinaufzusteigen schienen, über den grauschwarze Rauchwolken zogen. «Wir haben dir vertraut», sagte Erik niedergeschlagen, ohne den Blick vom Fluss abzuwenden. «Du wolltest uns Ragnar bringen, du wolltest König von Mercien werden, und du wolltest uns die ganze Insel Britannien verschaffen.»

«Der tote Mann hat gelogen», sagte ich, «Bjorn hat gelogen.»

Erik wandte sich mir wieder zu. Seine Miene war ernst. «Ich habe ihnen gesagt, dass wir nicht versuchen sollten, Euch mit einer List zu betrügen», sagte er, «aber Graf Haesten ist beharrlich geblieben.» Erik zuckte mit den Schultern, dann sah er Pater Pyrlig an und ließ seinen Blick auf dem Kettenhemd und den abgenutzten Griffen seiner Schwerter ruhen. «Aber auch Ihr habt uns betrogen», fuhr Erik fort. «Ich glaube, Ihr wusstet, dass dieser Mann kein Priester ist, sondern ein Krieger.»

«Er ist beides», sagte ich.

Erik verzog das Gesicht. Vielleicht erinnerte er sich gerade an die Geschicklichkeit, mit der Pyrlig in der Arena seinen Bruder geschlagen hatte. «Ihr habt gelogen», sagte er traurig, «und wir haben gelogen, aber wir hätten immer noch zusammen Wessex erobern können. Und jetzt?» Er

246

deutete in Sigefrids Richtung, «jetzt weiß ich nicht einmal, ob mein Bruder leben oder sterben wird.» Erneut verzog er das Gesicht. Sigefrid rührte sich nicht mehr, und einen Augenblick lang glaubte ich, er sei schon in die Totenhalle eingezogen, doch dann drehte er langsam seinen Kopf zu mir und starrte mich drohend an.

«Ich werde für ihn beten», sagte Pyrlig.

«Ja», sagte Erik einfach, «bitte.»

«Und was soll ich tun?», fragte ich.

«Ihr?» Erik runzelte die Stirn. Meine Frage erstaunte ihn.

«Lasse ich euch beide leben, Erik Thurgilson?», fragte ich. «Oder töte ich euch?»

«Es wird schwierig sein, uns zu töten», sagte er.

«Aber töten werde ich euch dennoch», gab ich zurück, «wenn ich es muss.» In diesen beiden Sätzen lag der eigentliche Kern unserer Verhandlung. Die Wahrheit war, dass Erik und seine Männer in der Falle saßen und dem Tod geweiht waren, aber um sie zu töten, müssten wir uns den Weg durch diesen furchterregenden Schildwall kämpfen, und dann müssten wir verzweifelte Männer niederschlagen, deren einziger Gedanke es wäre, so viele wie möglich von uns mit in die nächste Welt zu nehmen. Ich würde hier bestimmt zwanzig Männer verlieren, und andere aus meiner Haustruppe wären fürs Leben verkrüppelt. Diesen Preis wollte ich nicht zahlen, und Erik wusste das, aber er wusste auch, dass dieser Preis trotzdem gezahlt würde, wenn er nicht mit sich reden ließ. «Ist Haesten hier?», fragte ich ihn und sah über die Brücke.

Erik schüttelte den Kopf. «Ich habe ihn abziehen sehen», sagte er und nickte flussabwärts.

«Das ist bedauerlich», sagte ich, «denn er hat seinen

Eid auf mich gebrochen. Wenn er hier gewesen wäre, dann hätte ich euch alle im Austausch für sein Leben gehen lassen.»

Erik starrte mich einen Moment lang an und überlegte, ob ich die Wahrheit gesagt hatte. «Dann tötet mich an Haestens Stelle», sagte er schließlich, «und lasst all die anderen gehen.»

«Ihr habt keinen Eid auf mich gebrochen», sagte ich, «also schuldet Ihr mir auch kein Leben.»

«Ich will, dass diese Männer am Leben bleiben», sagte Erik mit einem Mal leidenschaftlich, «und mein Leben ist ein kleiner Preis für ihres. Ich werde ihn bezahlen, Herr Uhtred, und als Gegenleistung bekommen meine Männer von Euch ihr Leben und den *Wellenbändiger*.» Er deutete auf das Schiff seines Bruders, das noch an dem kleinen Anlegeplatz lag, an dem wir an Land gegangen waren.

«Ist das ein angemessener Preis, Pater?», fragte ich Pater Pyrlig.

«Wer kann den Wert eines Lebens bemessen?», fragte er zurück.

«Ich kann es», sagte ich schroff und wandte mich wieder an Erik. «Ihr werdet jede Waffe zurücklassen, die ihr mit auf die Brücke gebracht habt. Ihr werdet die Schilde zurücklassen. Ihr werdet Eure Kettenhemden zurücklassen und Eure Helme auch. Ihr werdet Eure Armringe, Eure Ketten, Eure Broschen, Eure Münzen und Eure Gürtelschnallen zurücklassen. Ihr werdet alles Wertvolle zurücklassen, Erik Thurgilson, und dann könnt Ihr Euch ein Schiff meiner Wahl nehmen und abziehen.»

«Ein Schiff Eurer Wahl?», sagte Erik.

«Ja.»

Er lächelte matt. «Ich habe den *Wellenbändiger* für meinen Bruder gebaut», sagte er. «Zuerst habe ich im Wald seinen Kiel gefunden. Es war eine Eiche mit einem Stamm, so gerade wie der Schaft eines Speeres, und ich habe sie eigenhändig gefällt. Wir haben sieben weitere Eichen gebraucht, Herr Uhtred, für die Spanten und die Querstücke, für die Steven und die Planken. Zum Kalfatern haben wir die Haare von Bären verwendet, die ich mit meinem eigenen Speer getötet habe, und die Nägel für dieses Schiff habe ich in meiner eigenen Esse geschmiedet. Meine Mutter hat das Segel gemacht, ich habe die Taue gedreht, und ich habe das Schiff Thor gewidmet, indem ich ein Pferd tötete, das ich liebte, und den Steven mit seinem Blut bespritzte. Dieses Schiff hat meinen Bruder und mich durch Stürme und Nebel und Eis getragen. Es ist», er drehte sich um und betrachtete den *Wellenbändiger*, «dieses Schiff ist wundervoll. Ich liebe es.»

«Mehr als Euer Leben?»

Er dachte einen Moment lang nach. Dann schüttelte er den Kopf. «Nein.»

«Dann wird es ein Schiff meiner Wahl sein», sagte ich unbeugsam, und damit hätte die Verhandlung beendet sein können, wenn nicht unter dem Torbogen Unruhe entstanden wäre, unter dem immer noch der Schildwall der Nordmänner meinen Truppen gegenüberstand.

Æthelred war zur Brücke gekommen und forderte, durch den Torbogen gelassen zu werden. Erik sah mich fragend an, als ihm diese Botschaft gebracht wurde, und ich zuckte mit den Schultern. «Er führt hier den Befehl», sagte ich.

«Also werde ich für unseren Abzug seine Zustimmung brauchen?»

«So ist es», sagte ich.

Erik schickte die Nachricht zum Schildwall, dass Æthelred durchgelassen werden sollte, und mein Cousin stolzierte mit seiner üblichen Großspurigkeit auf die Brücke. Begleitet wurde er nur von Aldhelm, dem Anführer seiner Leibwache. Æthelred beachtete Erik nicht, sondern blieb wütend vor mir stehen. «Du erlaubst dir, in meinem Namen Verhandlungen zu führen?», beschuldigte er mich.

«Nein», sagte ich.

«Und was machst du sonst hier?»

«Ich verhandle in meinem eigenen Namen», sagte ich. «Dies ist Graf Erik Thurgilson», stellte ich den Norweger auf Englisch vor, doch dann wechselte ich ins Dänische. «Und dies», sagte ich zu Erik, «ist der Aldermann von Mercien, der Herr Æthelred.»

Erik ging auf die Vorstellung ein, indem er sich leicht in Æthelreds Richtung verneigte, doch diese Höflichkeit war vergeudet. Æthelred sah sich nur auf der Brücke um und zählte die Männer, die sich hierher zurückgezogen hatten. «Es sind nicht so viele», sagte er dann schroff. «Sie müssen alle sterben.»

«Ich habe ihnen schon ihr Leben angeboten», sagte ich.

Æthelred maß mich mit Blicken. «Wir hatten Befehl», sagte er schneidend, «Sigefrid, Erik und Haesten gefangen zu nehmen und sie an König Æthelstan auszuliefern.» Ich bemerkte, wie sich Eriks Augen leicht weiteten. Ich war davon ausgegangen, dass er nicht Englisch sprach, doch nun wurde mir klar, dass er genug von dieser Sprache gelernt haben musste, um Æthelreds Worte zu verstehen. «Verweigerst du meinem Schwiegervater den Gehorsam?», fragte Æthelred herausfordernd, als ich nichts sagte.

Ich beherrschte mich. «Du kannst hier gegen sie kämpfen», erklärte ich geduldig, «und du wirst viele gute Männer verlieren. Zu viele. Du kannst sie hier auf der Brücke wie in einer Falle bewachen, aber wenn das Wasser beim Gezeitenwechsel steht, wird ein Schiff an die Brücke rudern und sie befreien.» Das wäre wahrhaftig nicht leicht, aber ich hatte gelernt, die Seefahrerkünste der Nordmänner nicht zu unterschätzen. «Oder du kannst Lundene von ihrer Anwesenheit befreien», sagte ich, «und das ist, was ich zu tun gewählt habe.» Aldhelm lächelte bei meinen Worten in sich hinein und deutete damit an, dass ich die Wahl eines Feiglings getroffen hatte. Ich sah ihn an, und herausfordernd hielt er meinem Blick stand.

«Tötet sie alle, Herr», sagte Aldhelm zu Æthelred, ohne mich aus den Augen zu lassen.

«Wenn du gegen sie kämpfen willst», sagte ich, «dann ist dies natürlich dein Vorrecht, aber ich werde mich nicht daran beteiligen.»

Einen Moment lang waren sowohl Æthelred als auch Aldhelm in Versuchung, mich einen Feigling zu nennen. Ich konnte den Gedanken an ihren Gesichtern ablesen, aber auch sie lasen etwas an meinem Gesicht ab und ließen ihre Gedanken unausgesprochen. «Du hast die Heiden eben schon immer geliebt», höhnte Æthelred stattdessen.

«Ich habe sie sogar so sehr geliebt», gab ich verärgert zurück, «dass ich in der dunkelsten Nacht mit zwei Schiffen durch diese Lücke gefahren bin.» Ich deutete auf die gezackten Pfeilerstümpfe, an denen der Bohlengang der Brücke unterbrochen war. «Ich habe Männer in die Stadt geführt, Cousin, und ich habe Ludd's Gate eingenommen, und ich habe an diesem Tor eine Schlacht geschlagen, wie ich niemals mehr eine schlagen will, und in diesem Kampf habe ich für dich Heiden getötet. Und ja, ich liebe sie.»

Æthelred sah zu der Lücke hinüber. Immer noch

sprühte dort die Gischt, hochgepeitscht von dem brodeln-den Wasser, das mit solcher Kraft durch die Lücke schoss, dass die alten Holzbohlen oben auf der Brücke zitterten und alles vom Lärm des Flusses erfüllt war. «Du hattest keinen Befehl, mit dem Schiff hierherzukommen», sagte Æthelred ungehalten, und ich wusste, dass er mir mein Vorgehen übel nahm, weil es ihn etwas von dem Ruhm kosten könnte, den er sich von seiner Eroberung Lundenes erhofft hatte.

«Ich hatte den Befehl, dir die Stadt zu geben», erwiderte ich, «und hier ist sie!» Ich deutete auf den Rauch, der zusammen mit den nicht enden wollenden Schreien der Opfer über dem Hügel schwebte. «Dein Hochzeitsgeschenk», sagte ich und verhöhnte ihn, indem ich mich vor ihm verbeugte.

«Und nicht nur die Stadt, Herr», sagte Aldhelm zu Æthelred, «sondern auch alles, was sich in ihr befindet.»

«Alles?», fragte Æthelred, als könne er sein Glück nicht fassen.

«Alles», sagte Aldhelm mit wölfischer Lüsternheit.

«Und falls dir das gefällt», warf ich säuerlich ein, «dann kannst du dich bei deiner Frau bedanken.»

Æthelred fuhr herum und starrte mich mit aufgerissenen Augen an. Etwas an meinen Worten musste ihn vollkommen überrascht haben, denn er sah mich an, als hätte ich ihm einen Schlag versetzt. In seinem breiten Gesicht standen Ungläubigkeit und Wut, und einen Moment lang war er unfähig zu sprechen. «Meine Frau?», fragte er schließlich.

«Wenn Æthelflaed nicht gewesen wäre», erklärte ich, «hätten wir die Stadt nicht einnehmen können. Gestern Abend hat sie mir Männer gegeben.»

«Du hast sie gestern Abend gesehen?», fragte er ungläubig.

Ich betrachtete ihn und fragte mich, ob er mit einem Mal toll geworden war. «Natürlich habe ich sie gestern Abend gesehen!», sagte ich. «Wir sind zur Insel zurück, um an Bord der Schiffe zu gehen! Und sie war dort! Sie hat deine Männer so beschämt, dass sie mit mir gekommen sind.»

«Und sie hat sich von dem Herrn Uhtred einen Eid schwören lassen», ergänzte Pyrlig, «den Eid, Euer Mercien zu verteidigen, Herr Æthelred.»

Æthelred achtete nicht auf den Waliser. Er starrte mich immer noch an, doch nun stand in seiner Miene blanker Hass. «Du bist an Bord meines Schiffes gegangen?», er konnte vor Zorn kaum sprechen, «und hast meine Frau gesehen?»

«Sie ist ans Ufer gekommen», sagte ich, «mit Pater Pyrlig.»

Ich hatte mir bei meinen Worten nichts gedacht. Ich hatte lediglich berichtet, was geschehen war, und hoffte, dass Æthelred seine Frau für ihren Einsatz bewundern würde, doch schon beim Reden wurde mir klar, dass ich einen Fehler begangen hatte. Einen Augenblick lang glaubte ich, Æthelred würde mich schlagen, so erbittert war der Zorn auf seinem breiten Gesicht, doch dann beherrschte er sich, wandte sich um und ging davon. Aldhelm eilte hinter ihm her, und es gelang ihm, meinen Cousin lange genug aufzuhalten, um mit ihm zu sprechen. Ich sah Æthelred eine wütende, bedenkenlose Handbewegung machen, dann wandte sich Aldhelm zu mir um. «Ihr müsst tun, was Ihr für das Beste haltet», rief er mir zu. Dann folgte er seinem Herrn und Meister durch den Torbogen, unter dem die Nordmänner einen Durchgang in ihrem Schildwall für die beiden freigaben.

«Das tue ich immer», sagte ich zu niemand Besonderem.

«Und das ist?», fragte Pater Pyrlig und starrte auf den Torbogen, hinter dem mein Cousin so unvermittelt verschwunden war.

«Was ich für das Beste halte», sagte ich. Dann runzelte ich die Stirn. «Was ist denn auf der Insel vorgefallen?», fragte ich Pyrlig.

«Es gefällt ihm einfach nicht, wenn andere Männer mit seiner Frau sprechen», sagte der Waliser. «Das habe ich bemerkt, als ich mit den beiden auf dem Schiff war, während wir die Temes herabfuhren. Er ist eifersüchtig.»

«Aber ich kenne Æthelflaed schon immer!», rief ich aus.

«Er fürchtet, dass du sie nur allzu gut kennst», sagte Pyrlig, «und das treibt ihn in den Wahnsinn.»

«Aber das ist töricht!», gab ich wütend zurück.

«Es ist Eifersucht», sagte Pyrlig, «und alle Eifersucht ist töricht.»

Erik hatte Æthelred ebenfalls weggehen sehen und war so verwirrt, wie ich es war. «Er ist Euer Befehlshaber?», fragte der Norweger.

«Er ist mein Cousin», sagte ich mit Bitterkeit.

«Und er ist Euer Befehlshaber?», fragte Erik erneut.

«Der Herr Æthelred befiehlt», erklärte Pyrlig, «und der Herr Uhtred verweigert den Gehorsam.»

Darüber lächelte Erik. «Nun, Herr Uhtred, haben wir eine Vereinbarung?» Er stellte diese Frage auf Englisch und suchte zögernd nach den Worten.

«Euer Englisch ist gut», sagte ich und gab mich überrascht.

Er lächelte. «Eine sächsische Sklavin hat es mich gelehrt.»

«Ich hoffe, sie war schön», sagte ich, «und ja, wir haben eine Vereinbarung, allerdings mit einer Abänderung.»

Erik wollte widersprechen, doch dann hielt er sich zurück. «Eine Abänderung?», fragte er wachsam.

«Ihr könnt den *Wellenbändiger* nehmen», sagte ich.

Ich dachte, Erik würde mich küssen. Einen Herzschlag lang glaubte er mir meine Worte nicht, dann sah er, dass ich es ernst meinte, und ein Lächeln überzog sein Gesicht. «Herr Uhtred», begann er.

«Nehmt ihn», unterbrach ich ihn. Ich wollte seine Dankbarkeit nicht. «Nehmt ihn einfach und zieht ab!»

Es waren Aldhelms Worte gewesen, die meinen Sinneswandel hervorgerufen hatten. Er hatte recht gehabt. Alles, was zu der Stadt gehörte, war nun mercischer Besitz, und Æthelred war der Gebieter über Mercien, und mein Cousin begehrte alles Schöne, und wenn er feststellte, dass ich den *Wellenbändiger* für mich selbst wollte, und das wollte ich, dann würde er ihn mir sicherlich nehmen. Und deshalb entzog ich das Schiff seinem Zugriff, indem ich es den Brüdern Thurgilson zurückgab.

Sigefrid wurde auf sein eigenes Schiff getragen. Die Nordmänner, all ihrer Waffen und Wertgegenstände ledig, wurden auf ihrem Weg zum *Wellenbändiger* von meinen Männern bewacht. Es dauerte lange, doch schließlich waren alle an Bord, und sie schoben sich von der Anlegestelle weg, und ich sah zu, wie sie stromab auf die niedrigen Nebelbänke zu ruderten, die immer noch über dem Unterlauf des Flusses lagen.

Und irgendwo in Wessex rief der erste Kuckuck.

Ich schrieb Alfred einen Brief. Ich habe das Schreiben immer gehasst, und es war Jahre her, dass ich zuletzt einen Federkiel benutzt hatte. Heute kratzen die Priester meiner Frau meine Briefe auf das Pergament, aber sie wissen, dass ich lesen kann, was sie schreiben, und deshalb achten sie darauf, genau das zu schreiben, was ich ihnen vorsage. Doch an diesem Abend von Lundenes Untergang schrieb ich mit eigener Hand an Alfred. «Lundene gehört Euch, Herr König», erklärte ich ihm, «und ich bleibe hier, um seine Befestigungsanlagen wieder aufzubauen.»

Sogar diese Worte erschöpften schon meine Geduld. Der Kiel kratzte, das Pergament war uneben, und die Tinte, die ich in einer Holztruhe mit Beute gefunden hatte und die offensichtlich aus einem Klosterraub stammte, spritzte Tropfen über das gesamte Pergament. «Jetzt bring Pater Pyrlig zu mir», sagte ich zu Sihtric, «und auch Osferth.»

«Herr», sagte Sihtric unruhig.

«Ich weiß», erwiderte ich ungeduldig, «du willst deine Hure heiraten. Aber zuerst holst du mir Pater Pyrlig und Osferth. Die Hure kann warten.»

Pyrlig erschien wenig später, und ich schob ihm das Schreiben über den Tisch. «Ich will, dass Ihr zu Alfred geht», erklärte ich ihm, «ihm das hier gebt und ihm erzählt, was hier geschehen ist.»

Pyrlig las meine Botschaft, und ich sah ein kleines Lächeln in seinem Gesicht aufblitzen, das schnell wieder verschwand, damit mich sein Urteil über meine Handschrift nicht kränkte. Er sagte nichts zu meiner Mitteilung, doch er wandte sich erstaunt um, als Sihtric Osferth hereinbrachte.

«Ich sende Bruder Osferth mit Euch», erklärte ich dem Waliser.

Osferth erstarrte. Er verabscheute es, Bruder genannt zu werden. «Ich möchte hierbleiben», sagte er, «Herr.»

«Der König will dich in Wintanceaster haben», sagte ich abweisend, «und wir gehorchen dem König.» Ich nahm Pyrlig das Schreiben wieder ab, tauchte den Federkiel in die Tinte, die zu einem Rostbraun verblichen war, und fügte noch mehr Worte hinzu. «Sigefrid», schrieb ich mühselig, «wurde von Osferth geschlagen, den ich gern in meiner Haustruppe behalten würde.»

Warum schrieb ich das? Ich mochte Osferth nicht mehr, als ich seinen Vater mochte, und doch war er von dem Wehrturm gesprungen und hatte damit Mut gezeigt. Törichten Mut vielleicht, aber dennoch Mut, und wenn Osferth nicht gesprungen wäre, dann könnte Lundene bis auf den heutigen Tag in norwegischer oder dänischer Hand sein. Osferth hatte sich seinen Platz im Schildwall verdient, auch wenn seine Aussichten, dort zu überleben, niederschmetternd gering waren.

«Pater Pyrlig», sagte ich zu Osferth, während ich auf die Tinte blies, «wird dem König von deinen heutigen Taten berichten, und dieses Schreiben bittet darum, dass du zu mir zurückgeschickt wirst. Dennoch musst du diese Entscheidung Alfred überlassen.»

«Er wird nein sagen», erklärte Osferth missmutig.

«Pater Pyrlig wird ihn überzeugen», sagte ich. Der Waliser hob als stumme Frage eine Augenbraue, und ich bedeutete ihm mit einem fast unmerklichen Nicken, dass ich meine Worte ernst gemeint hatte. Dann gab ich Sihtric das Schreiben und sah ihm dabei zu, wie er das Pergament faltete und es dann mit Wachs verschloss. Ich drückte mein Zeichen mit dem Wolfskopf in das Siegelwachs, dann reichte ich Pyrlig den Brief. «Erzählt Alfred die Wahrheit darüber, was hier geschehen ist», sagte ich, «denn von meinem Cousin wird er eine andere Fassung zu hören bekommen. Und reist schnell!»

Pyrlig lächelte. «Ihr wollt, dass wir vor den Boten Eures Cousins beim König sind?»

«Ja», sagte ich. Diese Lektion hatte ich gelernt, dem ersten Bericht wird üblicherweise Glauben geschenkt. Ich zweifelte nicht daran, dass Æthelred seinem Schwiegervater eine siegestrunkene Nachricht senden würde, und ich zweifelte ebenso wenig daran, dass in seinem Bericht unser Anteil am Sieg auf ein Nichts gemindert würde. Ob der König glauben würde, was er da hörte, war allerdings eine andere Sache.

Pyrlig und Osferth ritten vor Tagesanbruch los. Sie nahmen zwei der vielen Pferde, die wir in Lundene erbeutet hatten. Ich machte bei Sonnenaufgang eine Runde über den Wehrgang der Stadtmauer und sah mir die Stellen an, die eine Instandsetzung nötig hatten. Meine Männer standen Wache. Die meisten stammten aus dem Fyrd von Berrocscire, der am Vortag unter Æthelred gekämpft hatte, und ihre Begeisterung über ihren offensichtlich so leicht errungenen Sieg war noch kaum schwächer geworden.

Einige von Æthelreds Männern waren ebenfalls an der Wehrmauer aufgestellt, obwohl sich die meisten noch von all dem Bier und Honigwein erholen mussten, den sie in der Nacht getrunken hatten. An einem der nördlichen Stadttore, die auf nebelverhangene grüne Hügel ausgerichtet waren, fand ich Egbert, den älteren Mann, der Æthelflaeds Bitten nachgegeben und mir seine besten Männer gegeben hatte. Ich belohnte ihn mit einem silbernen Armring, den ich einem der vielen Leichname abgenommen hatte. Diese Toten waren noch nicht begraben, und in der Dämmerung taten sich Raben und Milane an ihnen gütlich. «Ich danke Euch», sagte ich.

«Ich hätte Euch vertrauen sollen», sagte er unbehaglich.

«Ihr habt mir vertraut.»

Er zuckte die Schultern. «Wegen ihr, ja.»

«Ist Æthelflaed hier?», fragte ich.

«Noch auf der Insel.»

«Ich dachte, Ihr solltet sie beschützen.»

«Das sollte ich auch», sagte Egbert düster, «aber gestern Abend hat mich Herr Æthelred gegen einen anderen ausgewechselt.»

«Er hat Euch ausgewechselt?», fragte ich. Dann sah ich, dass ihm die Silberkette, das Zeichen seiner Befehlsgewalt, abgenommen worden war.

Er zuckte erneut mit den Schultern, wie um anzudeuten, dass er die Entscheidung nicht verstand. «Hat mich hierherbefohlen», sagte er, «aber als ich kam, wollte er mich nicht sehen. Er war krank.»

«Etwas Ernstes, hoffe ich.»

Ein leichtes Lächeln huschte über Egberts Gesicht. «Er hat sich erbrochen, wurde mir gesagt. Vermutlich ist es nichts.»

Mein Cousin hatte sich im Palas oben auf dem Hügel von Lundene eingerichtet, während ich in dem Römerhaus am Fluss wohnte. Mir gefiel dieses Haus. Mir haben römische Gebäude immer schon gefallen, weil ihre Mauern den großen Vorzug besitzen, Wind, Regen und Schnee abzuhalten. Das Haus war groß. Man betrat es durch einen Bogen, der von der Straße in einen Innenhof mit einem Säulenumgang führte. Auf drei Seiten des Hofes befanden sich kleine Räume, in denen früher wohl die Bediensteten geschlafen hatten oder Vorräte aufbewahrt worden waren. Einer der Räume war eine Küche mit einem gemauerten Brotofen, der so groß war, dass man genügend Brote backen konnte, um drei Schiffsmannschaften gleichzeitig zu versorgen. An der vierten Seite des Hofes lagen sechs Räume. Zwei von ihnen waren so groß, dass ich meine gesamte Leibwache dort hätte versammeln können. Jenseits dieser beiden großen Räume befand sich eine Terrasse mit gepflastertem Boden, die auf den Fluss hinausging und die abends ein angenehmer Aufenthaltsort war, wenn auch bei Ebbe der Gestank der Temes wahrhaftig überwältigend sein konnte.

Ich hätte nach Coccham zurückkehren können, aber ich blieb trotzdem, und die Männer des Fyrd von Berrocscire blieben ebenfalls, wenn sie auch nicht glücklich damit waren, weil Frühling war und es auf ihren Bauernhöfen viel zu tun gab. Ich behielt sie in Lundene, um die Stadtmauer zu befestigen. Ich wäre nach Hause gegangen, wenn ich geglaubt hätte, dass sich Æthelred dieser Aufgabe annehmen würde, doch er schien sich in seliger Unwissenheit zu befinden, was den Zustand der Verteidigungsanlagen betraf. Sigefrid hatte einige Stellen ausgebessert und die Tore verstärkt, doch es blieb immer noch ausreichend zu tun. Das alte Mauerwerk bröckelte und war hier und da sogar in den Außengraben abgerutscht. Meine Männer fällten Bäume und bearbeiteten die Stämme, damit wir überall, wo die Mauer Schwachstellen hatte, neue Palisaden errichten konnten. Dann räumten wir den Außengraben frei, holten verfilzten Unrat heraus, und als Willkommensgruß für jeden Angreifer rammten wir Stangen hinein, die wir oben angespitzt hatten.

Alfred schickte den Befehl, dass die gesamte alte Stadt

wieder instand gesetzt werden sollte. Jedes ausbesserungsfähige Römergebäude sollte erhalten werden, während verfallene Ruinen abgetragen und durch Häuser aus kräftigem Balkenwerk und Strohdächern ersetzt werden sollten. Doch wir hatten weder ausreichend Männer noch die Mittel, um diese Aufgaben anzugehen. Alfreds Vorstellung war, dass die Sachsen aus der ungeschützten neuen Stadt in das alte Lundene zogen und hinter den Wehranlagen sicher wären, aber diese Sachsen fürchteten noch immer die Geister der römischen Baumeister, und deshalb widerstanden sie halsstarrig jedem Angebot, die verlassenen Anwesen zu übernehmen. Meine Männer aus dem Fyrd von Berrocscire fürchteten sich genauso vor den Geistern der Römer, aber noch mehr fürchteten sie mich, und deshalb blieben sie und arbeiteten.

Æthelred kümmerte sich nicht um das, was ich tat. Er musste seine Krankheit überstanden haben, denn er ging eifrig auf die Jagd. Jeden Tag ritt er in die Wälder nördlich der Stadt, um Rotwild zu erlegen. Nie ließ er sich von weniger als vierzig Männern begleiten, denn es bestand immer die Möglichkeit, dass ein Trupp plündernder Dänen bis hierher vorstieß. Es gab viele von diesen Trupps, aber das Verhängnis wollte es, dass niemals einer in Æthelreds Nähe kam. Jeden Tag sah ich im Osten Reiter, die sich ihren Weg durch das trostlose Marschland suchten, das sich flussabwärts vor der Stadt erstreckte. Es waren Dänen, sie beobachteten uns, und zweifellos versorgten sie Sigefrid mit Berichten.

Auch ich erfuhr Neuigkeiten über Sigefrid. Er war am Leben, wie die Kundschafter sagten, doch seine Verwundung hatte ihn zum Krüppel gemacht, und er konnte weder gehen noch stehen. Er hatte sich zusammen mit seinem

Bruder nach Beamfleot zurückgezogen, und von dort aus schickten sie Plünderer in die Mündung der Temes. Sächsische Schiffe wagten es nicht mehr, ins Frankenreich zu segeln, denn die Nordmänner waren nach ihrer Niederlage in Lundene voller Rachgier. Ein drachenköpfiges dänisches Schiff ruderte sogar die Temes bis an die Wasserstrudel vor der eingestürzten Brücke herauf, um uns herauszufordern. Sie hatten sächsische Gefangene an Bord und töteten sie, einen nach dem anderen, wobei sie darauf achteten, dass wir die blutige Metzelei genau sehen konnten. Es waren auch Frauen unter den Gefangenen, und wir hörten ihre Schreie. Ich schickte Finan und ein Dutzend weitere Männer zur Brücke. Sie nahmen eine Tonschale mit, in der Feuer brannte, und als sie auf der Brücke angekommen waren, benutzten sie Jagdbogen, um die Eindringlinge mit Feuerpfeilen zu beschießen. Jeder Schiffsführer fürchtet das Feuer, und die Pfeile, von denen allerdings die meisten gänzlich fehlgingen, überzeugten die Dänen schnell, so weit flussabwärts zu fahren, bis sie außer Reichweite der Pfeile waren. Doch weit entfernten sie sich nicht, und ihre Ruderer hielten das Schiff gegen die Strömung, und noch mehr Gefangene wurden getötet. Sie blieben, bis ich eines der erbeuteten Schiffe bemannte, die noch am Anlegeplatz lagen, erst dann wendeten sie und ruderten in der Abenddämmerung flussabwärts.

Andere Schiffe aus Beamfleot kreuzten über den weiten Mündungstrichter der Temes und brachten Männer hinüber nach Wessex. Dieser Teil von Wessex war ein fremdartiger Landstrich. Einst war er das Königreich von Cent gewesen, doch dann hatten die Westsachsen es erobert, und obwohl die Männer von Cent Sachsen waren, besaßen sie eine sehr eigentümliche Aussprache. Es war immer eine raue, verwilderte Gegend gewesen, in großer Nähe zu den Ländern auf der anderen Seite des Meeres, und nur allzu verlockend für die Raubzüge der Wikinger. Nun sandten Sigefrids Männer ein Schiff nach dem anderen über die Mündung der Temes und zogen plündernd bis tief nach Cent hinein. Aus den niedergebrannten Dörfern brachten sie Sklaven mit. Eines Tages kam ein Bote bei mir an. Er war von Swithwulf, dem Bischof von Hrofeceastre, geschickt worden, der mich um Hilfe bat. «Die Heiden waren in Contwaraburg», berichtete mir der Bote, ein junger Priester, niedergeschlagen.

«Haben sie den Erzbischof getötet?», erkundigte ich mich frohgestimmt.

«Er war nicht dort, Herr, Gott sei gepriesen.» Der Priester bekreuzigte sich. «Die Heiden sind überall, Herr, und niemand kann sich mehr sicher fühlen. Bischof Swithwulf erbittet Eure Hilfe.»

Doch ich konnte dem Bischof nicht helfen. Ich brauchte meine Männer, um Lundene zu schützen, nicht Cent, und ich brauchte meine Männer, um meine Familie zu schützen, denn eine Woche nachdem wir die Stadt erobert hatten, waren Gisela, Stiorra und ein halbes Dutzend Dienerinnen angekommen. Ich hatte Finan mit dreißig Männern geschickt, damit sie sicher den Fluss herunterkamen, und das Haus an der Temes schien mir wärmer, seit das Gelächter der Frauen durch die Räume hallte. «Du hättest einmal das Haus ausfegen lassen können», tadelte mich Gisela.

«Das habe ich doch!»

«Ha!» Sie deutete an die Decke. «Und was ist das?»

«Spinnweben», sagte ich, «die halten die Deckenbalken fest.»

Die Spinnweben wurden weggefegt, und die Küchenfeuer wurden angezündet. In einer Ecke des Innenhofes, dort, wo sich die Ziegeldächer des Säulengangs trafen, lag eine alte steinerne Urne, die voller Unrat steckte. Gisela holte den Schmutz heraus, und dann schrubbte sie mit zwei Dienerinnen die Außenseite der Urne ab, worauf sich weißer Marmor zeigte, in den zartgliedrige Frauengestalten eingeschnitten waren, die Harfen in der Hand hielten und offenbar Nachlaufen spielten. Gisela liebte diese Steinschnitzerei. Sie hockte sich neben die Urne, strich mit dem Finger über das Haar einer Römerin, und dann versuchte sie mit ihren Dienerinnen, die Haartracht nachzuahmen. Das Haus liebte sie ebenfalls und ertrug sogar den Gestank des Flusses, um abends auf der Terrasse sitzen und auf das vorbeiziehende Wasser sehen zu können. «Er schlägt sie», sagte sie mir an einem dieser Abende.

Ich wusste, von wem sie sprach, und sagte nichts.

«Sie hat Striemen und Blutergüsse», sagte Gisela, «und sie ist schwanger, und er schlägt sie.»

«Sie ist was?», fragte ich überrascht.

«Æthelflaed», sagte Gisela geduldig, «ist schwanger.» Nahezu jeden Tag machte sich Gisela auf den Weg zum Palas, um eine Weile bei Æthelflaed zu sein. Æthelflaed dagegen wurde es nie gestattet, uns zu besuchen.

Giselas Eröffnung überraschte mich. Ich weiß nicht, warum ich davon hätte überrascht sein sollen, aber ich war es. Vermutlich dachte ich an Æthelflaed immer noch wie an ein Kind. «Und er schlägt sie?», fragte ich.

«Weil er glaubt, dass sie andere Männer liebt.»

«Tut sie das?»

«Nein, natürlich nicht, aber er fürchtet, dass sie es tut.» Gisela hielt inne, um mehr Wolle um ihren Spinnrocken zu winden. «Er glaubt, dass sie dich liebt.»

Ich erinnerte mich an Æthelreds unvermittelten Zorn auf der Brücke von Lundene. «Er ist närrisch!», sagte ich.

«Nein, er ist eifersüchtig», sagte Gisela und legte mir ihre Hand auf den Arm. «Und ich weiß, dass er auf nichts eifersüchtig sein muss.» Sie lächelte mich an und widmete sich dann wieder ihrem Spinnrocken. «Eine merkwürdige Art, seine Liebe zu zeigen, nicht wahr?»

Æthelflaed war einen Tag nach dem Fall der Stadt gekommen. Ein Schiff hatte sie bis zur sächsischen Stadt gebracht, und von dort aus war sie mit einem Ochsenkarren über den Fleot und bis hinauf zum neuen Palas ihres Ehemannes gefahren. Männer säumten ihren Weg und schwenkten frisch belaubte Zweige, ein Priester ging vor dem Ochsengespann, um Weihwasser zu verspritzen, und eine Schar Frauen folgte dem Karren, der ebenso wie die Hörner der Ochsen mit Frühlingsblumen geschmückt war. Æthelflaed, die sich an der Seitenplanke des Karrens festhielt, um nicht von ihrem Sitzbrett geworfen zu werden, hatte unwohl ausgesehen, aber sie hatte mir dennoch ein schwaches Lächeln geschenkt, während sie die Ochsen über die buckligen Pflastersteine durch das Stadttor zogen.

Æthelflaeds Ankunft wurde mit einem Festmahl im Palas gefeiert. Ich bin sicher, dass Æthelred mich nicht einladen wollte, doch meine Stellung ließ ihm kaum eine Wahl, und deshalb war am Nachmittag vor der Feier eine widerwillig abgefasste Botschaft bei mir eingetroffen. Das Festmahl hatte nichts Außergewöhnliches zu bieten, Bier allerdings war reichlich da. Ein Dutzend Priester saß mit Æthelred und Æthelflaed am obersten Tisch, und mir wurde ein Schemel ganz am Ende dieser langen Tafel gegeben. Æthelred starrte mich finster an, die Priester sahen über mich hinweg, und ich verabschiedete mich früh mit der

Entschuldigung, dass ich die Stadtmauer abgehen und sicherstellen musste, dass die Wächter nicht eingeschlafen waren. Ich erinnere mich, dass mein Cousin an diesem Abend bleich aussah, aber es war ja auch nicht lange nach seinem Brechanfall. Ich hatte ihn nach seiner Gesundheit gefragt und er hatte abgewinkt, als sei diese Frage ohne jegliche Bedeutung.

Gisela und Æthelflaed wurden in Lundene Freundinnen. Ich besserte die Stadtmauer aus, und Æthelred ging auf die Jagd, während seine Männer auf der Suche nach Einrichtungsgegenständen für seinen Palas die Stadt ausplünderten. Eines Tages fand ich beim Nachhausekommen sechs von seinen Leuten im Innenhof meines Hauses vor. Egbert, der Mann, der mir am Vorabend des Angriffs die Truppen gegeben hatte, war einer von diesen sechsen, und sein Gesicht war vollkommen ausdruckslos, als ich hereinkam. Er beobachtete mich einfach nur. «Was wollt ihr?», fragte ich die sechs Männer. Fünf trugen Kettenhemden und Schwerter, und der sechste war mit einer Weste angetan, auf der eine kunstvolle Stickerei Hunde bei der Hirschjagd zeigte. Dieser sechste Mann trug außerdem eine Silberkette, ein Zeichen für eine hohe Stellung. Es war Aldhelm, der Freund meines Cousins und der Befehlshaber über seine Haustruppen.

«Das da», antwortete Aldhelm. Er stand neben der Urne, die Gisela gereinigt hatte. Sie diente nun dazu, Regenwasser aufzufangen, das vom Dach fiel, und dieses Wasser schmeckte süß und sauber, eine Seltenheit in jeder Stadt.

«Zweihundert Silberschillinge», erklärte ich Aldhelm, «und sie gehört Euch.»

Er grinste höhnisch. Der Preis war schamlos. Die vier jüngeren Männer hatten in ihrer Dummheit die Urne umgekippt, sodass das Wasser herausgeflossen war, und versucht, sie wieder aufzurichten. Doch als ich erschienen war, hatten sie ihre Anstrengungen eingestellt.

Gisela kam vom Haupthaus und lächelte mich an. «Ich habe ihnen erklärt, dass sie die Urne nicht haben können», sagte sie.

«Der Herr Æthelred will sie», beharrte Aldhelm.

«Ihr heißt Aldhelm», sagte ich, «einfach nur Aldhelm, und ich bin Uhtred, Herr von Bebbanburg, und Ihr nennt mich ‹Herr›.»

«Diesen Mann solltest du dir merken», sagte Gisela mit süßer Stimme, «er hat mich eine keifende Hure genannt.»

Meine Männer, es waren vier, traten neben mich und legten die Hand an die Griffe ihrer Schwerter. Ich bedeutete ihnen mit einer Handbewegung, wieder zurückzutreten, und löste meinen eigenen Schwertgürtel. «Habt Ihr meine Frau eine Hure genannt?», fragte ich Aldhelm.

«Mein Herr fordert dieses Marmorbild für sich», sagte er, ohne meine Frage zu beantworten.

«Ihr werdet Euch bei meiner Frau entschuldigen», erklärte ich ihm, «und anschließend bei mir.» Ich legte den Gürtel mit den beiden Schwertern auf den Steinboden.

Herausfordernd wandte er sich von mir ab. «Lasst es auf der Seite liegen», sagte er zu seinen Männern, «und rollt es auf die Straße hinaus.»

«Ich will zwei Entschuldigungen», sagte ich.

Er hörte die Drohung in meinem Tonfall und drehte sich beunruhigt wieder zu mir um. «Dieses Haus», erklärte Aldhelm, «gehört dem Herrn Æthelred. Wenn Ihr hier lebt, dann allein aufgrund seiner gnädigen Erlaubnis.» Seine Unruhe steigerte sich, als ich einen Schritt auf ihn zu machte. «Egbert!», sagte er vernehmlich, doch Egbert ging nicht darauf ein. Er bedeutete nur seinen Männern mit einer beruhigenden Handbewegung, dass sie ihre Schwerter stecken lassen sollten. Wenn ein einziges Schwert aus der Scheide gezogen würde, das wusste Egbert, dann würde es zu einem Kampf zwischen seinen Männern und meinen kommen, und er hatte den Verstand, solch eine Auseinandersetzung vermeiden zu wollen, doch Aldhelm hatte diesen Verstand nicht. «Selbstherrlicher Bastard!», zischte er, zog ein Messer aus einer Scheide an seinem Gürtel und stieß es in Richtung meines Bauches.

Ich brach Aldhelms Kiefer, seine Nase, beide Handgelenke, und vielleicht brach ich ihm auch noch ein paar Rippen, bevor Egbert mich von ihm wegzerrte. Als sich Aldhelm bei Gisela entschuldigte, spuckte er durch Blutblasen in seinem Mund Zähne aus. Die Urne blieb in unserem Hof. Sein Messer gab ich den Küchenmädchen, für die es sich zum Zwiebelschneiden als sehr nützlich erwies.

Und am nächsten Tag kam Alfred.

Der König kam ohne Aufsehen. Sein Schiff legte an einem Landeplatz oberhalb der eingestürzten Brücke an. Die *Haligast* wartete, bis ein Handelsschiff abgelegt hatte, und schob sich dann, getrieben von kurzen, genau abgemessenen Ruderschlägen, heran. Alfred, in Begleitung von mehr als zwanzig Priestern und Mönchen und bewacht von sechs Männern in Kettenrüstung, kam unangekündigt und ohne Ausrufer an Land. Er wand sich zwischen den Waren hindurch, die am Anlegeplatz aufgestapelt waren, machte einen großen Schritt über einen Betrunkenen hinweg, der an einem schattigen Fleckchen seinen Rausch ausschlief, und duckte sich unter dem niedrigen Tor in der Stadtmauer hindurch, das in den Hof eines Kaufmanns führte.

Zuerst ging er in den Palas. Æthelred war nicht dort, er war wieder auf der Jagd, doch der König besuchte seine Tochter in ihrem Gemach und verbrachte lange Zeit bei ihr. Danach stieg er den Hügel wieder herab und kam, immer noch in Begleitung seiner Priester, zu uns ins Haus. Ich war mit einer der Gruppen unterwegs, die mit der Instandsetzung der Wehranlage beschäftigt waren, doch Gisela hatte von Alfreds Anwesenheit in Lundene erfahren und, weil sie ahnte, dass er möglicherweise zu uns kommen würde, ein Mahl aus Brot, Bier, Käse und gekochten Linsen vorbereitet. Sie bot kein Fleisch an, denn Alfred würde ohnehin kein Fleisch anrühren. Sein Magen war empfindlich und seine Gedärme quälten ihn unaufhörlich, und er war irgendwie zu der Überzeugung gekommen, dass Fleisch abscheulich war.

Gisela hatte mir eine Dienerin geschickt, um mir von der Ankunft des Königs zu berichten, aber dennoch kam ich lange nach Alfred bei meinem Haus an und fand meinen schönen Innenhof überflutet von lauter Priestern, unter denen sich auch Pater Pyrlig befand, und an seiner Seite Osferth, der wieder die Mönchskutte trug. Osferth warf mir nur einen missmutigen Blick zu, als sei ich an seiner Rückkehr in den Schoß der Kirche schuld, während Pyrlig mich umarmte. «Æthelred hat Euch in seinem Bericht an den König nicht erwähnt», murmelte er mir dabei ins Ohr. Sein Bieratem strich mir übers Gesicht.

«Wir waren also nicht hier, als die Stadt erobert wurde?», fragte ich.

«Eurem Cousin zufolge nicht», sagte Pyrlig. Dann lachte er in sich hinein. «Aber ich habe Alfred erzählt, wie es in Wirklichkeit war. Geht, er wartet auf Euch.»

Alfred saß auf der Terrasse. Seine Wächter standen hinter ihm und lehnten sich an die Hauswand, während der König auf einem hölzernen Stuhl Platz genommen hatte. Ich blieb im Durchgang stehen, so überrascht war ich. Alfreds Gesicht, üblicherweise so bleich und ernst, trug einen heiteren und angeregten Ausdruck. Gisela saß neben ihm, und der König beugte sich vor, redete, und Gisela, die mir den Rücken zuwandte, hörte ihm zu. Ich blieb, wo ich war, und betrachtete diesen außerordentlich seltenen Anblick: Alfred glücklich. Einmal legte er ihr seinen langen weißen Zeigefinger aufs Knie, um eine seiner Ansichten zu betonen. In dieser Berührung lag nichts Ungesittetes, sie schien nur so gar nicht zu ihm zu passen.

Andererseits passte sie vielleicht auch sehr gut zu ihm. Alfred war ein weitbekannter Verführer gewesen, bevor er dem Christentum in die Falle ging, und Osferth war das Ergebnis dieser frühen prinzlichen Gelüste. Alfred mochte schöne Frauen, und dass er Gisela mochte, war offensichtlich. Unvermittelt hörte ich sie auflachen, und Alfred, geschmeichelt von ihrer Erheiterung, brachte ein scheues Lächeln zustande. Es schien ihn nicht zu stören, dass sie keine Christin war und noch dazu ein heidnisches Amulett um den Hals trug, er freute sich einfach an ihrer Gesellschaft, und ich war versucht, die beiden sich selbst zu überlassen. Nie hatte ich ihn in der Gesellschaft Ælswith' glücklich gesehen, seines scharfzüngigen, mäusegesichtigen Weibes mit der schrillen Stimme. Dann fiel sein Blick über Giselas Schulter, und er bemerkte mich.

Sein Gesichtsausdruck verwandelte sich augenblicklich. Er erstarrte, setzte sich aufrecht hin und winkte mich nach kurzem Zögern zu sich.

Ich nahm einen Schemel auf, den unsere Tochter benutzt hatte, und hörte das Zischen, mit dem Alfreds Wachen ihre Schwerter zogen. Alfred bedeutete ihnen mit einer Handbewegung, die Klingen zu senken. Wenigstens er besaß genügend Verstand, um zu wissen, dass ich, wenn ich ihn hätte angreifen wollen, wohl kaum einen dreibeinigen Melkschemel dazu benutzt hätte. Er beobachtete mich, während ich als Zeichen des Respekts einer der Wachen meine Schwerter reichte und dann mit dem Schemel in der Hand über die Terrasse zu ihm kam. «Herr Uhtred», grüßte er mich kühl.

«Willkommen in meinem Haus, Herr König.» Ich verbeugte mich vor ihm und setzte mich dann mit dem Rücken zum Fluss auf meinen Schemel.

Einen Moment lang verharrte er schweigend. Er trug einen braunen Umhang, den er eng um seinen mageren Körper gezogen hatte. Ein silbernes Kreuz hing um seinen Hals, während auf seinem dünner werdenden Haar ein Bronzereif lag. Das überraschte mich, denn er schmückte sich selten mit den Zeichen seines Königtums, die er für sinnlosen Tand hielt, doch er musste beschlossen haben, dass er sich in Lundene als König zeigen musste. Er spürte meine Überraschung, denn er nahm den Reif vom Kopf. «Ich hatte gehofft», sagte er frostig, «dass die Sachsen aus der neuen Stadt ihre Häuser verlassen hätten. Hier, hinter den Stadtmauern, könnten sie geschützt werden! Warum wollen sie nicht in die alte Stadt ziehen?»

«Sie fürchten die Geister, Herr», sagte ich.

«Und du tust das nicht?»

Ich dachte eine ganze Weile über meine Antwort nach. «Doch», sagte ich dann.

«Und trotzdem lebst du hier?» Er machte eine Handbewegung in Richtung des Hauses.

«Wir sorgen dafür, dass die Geister milde gestimmt

sind, Herr», erklärte Gisela mit sanfter Stimme, und als der König eine Augenbraue hob, erzählte sie, dass wir zu essen und zu trinken in den Hof stellten, damit sich jedweder Geist willkommen fühlte, der in unser Haus kam.

Alfred rieb sich die Augen. «Es wäre vielleicht besser», sagte er, «wenn unsere Priester die Straßen exorzieren. Mit Gebeten und Weihwasser! Wir werden die Geister austreiben.»

«Oder Ihr gebt mir dreihundert Männer, um die neue Stadt niederzumachen», schlug ich vor. «Brennt ihre Häuser nieder, Herr, dann müssen sie in der alten Stadt leben.»

Ein Lächeln blitzte auf seinem Gesicht auf, war aber so schnell wieder verschwunden, wie es aufgetaucht war. «Es ist schwierig, Gehorsam zu erlangen», sagte er, «ohne Feindseligkeit hervorzurufen. Manchmal glaube ich, dass ich einzig und allein über meine Familie wirklich herrsche, und selbst daran zweifle ich gelegentlich! Wenn ich dich mit Schwert und Speer auf die neue Stadt loslasse, Herr Uhtred, dann werden sie dich hassen. Lundene muss sich unterordnen, aber es muss auch ein Bollwerk des sächsischen Christentums sein, und wenn sie uns hassen, dann werden sie sich die Rückkehr der Dänen wünschen, die ihnen ihre Ruhe und ihren Frieden gelassen haben.» Unvermittelt schüttelte er den Kopf. «Auch wir sollten ihnen ihren Frieden lassen, aber wir bauen ihnen keine Palisade. Sie sollen aus eigenem Entschluss in die alte Stadt kommen. Und jetzt entschuldigt», diese letzte Worte waren an Gisela gerichtet, «aber wir müssen von noch unheilvolleren Dingen sprechen.»

Alfred bedeutete einer der Wachen mit einer Handbewegung, die Tür zu öffnen, die zur Terrasse führte. Sogleich erschien Pater Beocca mit einem weiteren Priester, einer schwarzhaarigen Erscheinung mit einem Gesicht wie ein alter Lederbeutel namens Pater Erkenwald. Er hasste mich. Er hatte einst versucht, mich töten zu lassen, indem er mich der Seeräuberei beschuldigte, und ich hatte, obwohl seine Anschuldigungen in jeder Hinsicht gerechtfertigt waren, seinem bösartigen Klauengriff entschlüpfen können. Verdrießlich sah er mich an, während mir Beocca würdevoll zunickte. Dann richteten beide ihre Aufmerksamkeit auf Alfred.

«Sage mir», forderte mich Alfred auf, «was tun Sigefrid, Haesten und Erik jetzt?»

«Sie sind in Beamfleot, Herr», antwortete ich, «und sie verstärken ihre Kampfkräfte. Sie haben zweiunddreißig Schiffe und ausreichend Krieger, um sie zu bemannen.»

«Wart Ihr an diesem Ort?», wollte Pater Erkenwald wissen. Die beiden Priester, das wusste ich, waren als Zeugen auf die Terrasse geholt worden. Alfred, umsichtig wie immer, wollte einen Bericht von unserem Gespräch haben, entweder schriftlich oder aus dem Gedächtnis, das hielt er bei allen derartigen Besprechungen so.

«Ich war nicht dort», sagte ich abweisend.

«Also waren deine Kundschafter dort?», kam Alfred neuen Fragen zuvor.

«Ja, Herr.»

Er dachte einen Moment lang nach. «Können die Schiffe verbrannt werden?», fragte er.

Ich schüttelte den Kopf. «Sie liegen in einem Seitenarm des Flusses, Herr.»

«Sie müssen zerstört werden», sagte er rachgierig, und ich sah, wie er seine lange, magere Hand auf dem Schoß zur Faust ballte. «Sie haben Contwaraburg geplündert!», sagte er verzweifelt.

«Ich habe davon gehört, Herr.»

«Sie haben die Kirche niedergebrannt!», fuhr er empört fort. «Und sie haben alles gestohlen! Evangeliare, Kreuze, sogar die Reliquien!» Er schauderte. «Zum Kirchenschatz gehörte ein Blatt des Feigenbaums, den unser Herr Jesus hat verdorren lassen! Ich habe es einmal berührt und seine Kräfte gespürt.» Erneut lief ein Schauder über seinen Körper. «Und jetzt ist das alles in heidnischer Hand.» Er klang, als würde er gleich anfangen zu schluchzen.

Ich sagte nichts. Beocca hatte mit dem Schreiben begonnen, seine Feder kratzte über ein Pergament, das er ungeschickt in seiner gelähmten Hand hielt. Pater Erkenwald hielt den Tintenkrug für ihn und hatte einen verachtungsvollen Ausdruck im Gesicht, so als ob ihn solch eine Aufgabe herabwürdigte. «Zweiunddreißig Schiffe, sagst du?», fragte mich Beocca.

«Das war meine letzte Nachricht.»

«Flussarme kann man hinauffahren», sagte Alfred beißend, seine Verzweiflung schien mit einem Mal vergangen.

«Der Flussarm bei Beamfleot fällt bei Ebbe trocken, Herr», erklärte ich, «und um die Schiffe zu erreichen, müssen wir an ihrem Lager vorbei, das auf dem Hügel oberhalb des Ankerplatzes liegt. Und nach dem letzten Bericht, den ich erhalten habe, Herr, liegt immer ein Schiff quer auf dem Flussarm vertäut. Wir könnten dieses Schiff zerstören und uns weiter durchkämpfen, aber dafür brauchten wir tausend Männer, und wenigstens zweihundert davon würden wir verlieren.»

«Eintausend?», fragte er misstrauisch.

«Nach allem, was ich gehört habe, verfügt Sigefrid über nahezu zweitausend Männer.»

Er schloss kurz die Augen. «Sigefrid lebt?»

«Wenn man es so nennen will», sagte ich. Die meisten meiner Nachrichten stammten von Ulf, dem dänischen Händler, der das Silber so sehr liebte, mit dem ich ihn bezahlte. Ich hatte keinen Zweifel daran, dass Ulf von Haesten oder Erik ebenfalls Silber dafür erhielt, dass er ihnen berichtete, was ich in Lundene tat, aber das nahm ich in Kauf. «Bruder Osferth hat ihn schwer verwundet», sagte ich.

Der König ließ seine klugen Augen auf mir ruhen. «Osferth», sagte er ausdruckslos.

«Er hat den Sieg errungen, Herr», sagte ich ebenso ausdruckslos. Alfred sah mich einfach weiter an, ohne eine Miene zu verziehen. «Hat Euch Pater Pyrlig davon berichtet?», fragte ich und erntete ein knappes Nicken. «Was Osferth getan hat, Herr, war tapfer», sagte ich, «und ich bin nicht sicher, dass ich den Mut besessen hätte, es selbst zu tun. Er ist aus großer Höhe herabgesprungen und hat einen furchterregenden Krieger angegriffen und hat überlebt, um an diese Tat zu erinnern. Wenn Osferth nicht gewesen wäre, Herr, dann wäre Sigefrid noch heute in Lundene und ich läge in meinem Grab.»

«Willst du ihn zurück?», fragte Alfred.

Die Antwort lautete natürlich nein, doch Beocca nickte mir mit seinem Graukopf kaum merklich zu, und da verstand ich, dass Osferth in Witanceaster nicht erwünscht war. Ich mochte den Jungen nicht, und wenn man von Beoccas stiller Botschaft ausgehen konnte, mochte ihn auch in Witanceaster niemand. Dennoch war sein Mut vorbildlich gewesen. Osferth, so dachte ich, musste in seinem Innersten doch ein Krieger sein. «Ja, Herr», sagte ich und bemerkte, dass Gisela ein Lächeln unterdrückte.

«Dann gehört er dir», beschied Alfred knapp. Beocca verdrehte sein gutes Auge in Dankbarkeit zum Himmel hinauf. «Und ich will die Nordmänner aus dem Mündungsgebiet der Temes heraushaben», fuhr Alfred fort.

Ich zuckte mit den Schultern. «Ist das nicht Guthrums Aufgabe?», fragte ich. Beamfleot lag im Königreich Ostanglien, mit dem wir einen Friedensvertrag geschlossen hatten.

Alfred wirkte etwas verwirrt, vermutlich, weil ich Guthrums dänischen Namen benutzt hatte. «König Æthelstan ist von der schwierigen Lage unterrichtet worden», sagte er.

«Und er unternimmt nichts?»

«Er macht Versprechungen.»

«Und die Wikinger dürfen ungestraft von seinem Land aus auf Raubzug gehen», bemerkte ich.

Alfred fuhr auf. «Lautet dein Vorschlag, dass ich König Æthelstan den Krieg erklären soll?»

«Er lässt es zu, dass Plünderer nach Wessex einfallen, Herr», sagte ich, «warum also erweisen wir ihm nicht die gleiche Gefälligkeit? Warum schicken wir keine Schiffe nach Ostanglien, um uns an König Æthelstans Besitz zu vergreifen?»

Alfred erhob sich, ohne auf meine Frage einzugehen. «Das Wichtigste ist», sagte er, «dass wir Lundene nicht verlieren.» Er streckte eine Hand in Pater Erkenwalds Richtung aus, der einen Lederranzen öffnete und eine Pergamentrolle herauszog, die mit braunem Wachs versiegelt war. Alfred reichte mir das Pergament. «Ich habe dich zum Befehlshaber der Streitkräfte in dieser Stadt ernannt. Verhindere, dass der Feind sie zurückerobert.»

Ich nahm die Pergamentrolle. «Befehlshaber der Streitkräfte?», fragte ich betont.

«Alle Truppen und sämtliche Angehörige des Fyrd stehen unter deiner Führung.»

«Und die Stadt, Herr?», fragte ich.

«Wird ein Ort der Frömmigkeit werden», sagte Alfred.

«Wir werden sie von ihren Lastern und Sünden befreien», warf Pater Erkenwald ein, «und sie weißer waschen als Schnee.»

«Amen», sagte Beocca inbrünstig.

«Ich setze Pater Erkenwald als Bischof von Lundene ein», fuhr Alfred fort, «und auch die Führung der Zivilverwaltung wird ihm obliegen.»

Ich spürte einen Stich im Herzen. Erkenwald? Der mich verabscheute? «Und was ist mit dem Aldermann von Mercien?», fragte ich. «Vertritt nicht er die Zivilverwaltung hier?»

«Mein Schwiegersohn», sagte Alfred unnahbar, «wird die Ernennungen, die ich ausgesprochen habe, nicht widerrufen.»

«Und über wie viel Macht verfügt er hier?», fragte ich.

«Wir sind in Mercien!», sagte Alfred, «und er herrscht in Mercien.»

«Also kann er einen neuen Befehlshaber der Streitkräfte einsetzen?», fragte ich.

«Er wird tun, was ich ihm sage», erklärte Alfred, und aus seiner Stimme klang mit einem Mal Zorn. Doch schnell gewann er seine Gelassenheit wieder. «Und in vier Tagen werden wir uns alle versammeln», sagte er, «und darüber sprechen, was notwendig ist, um aus dieser Stadt einen sicheren und gesegneten Ort zu machen.» Er nickte mir kurz zu, neigte den Kopf in Giselas Richtung und wandte sich ab.

«Herr König.» Giselas sanfte Stimme ließ Alfred verharren. «Wie befindet sich Eure Tochter? Ich habe sie gestern gesehen, und sie litt an Blutergüssen.»

Alfreds Blick wanderte über den Fluss, auf dem sechs Schwäne unterhalb des schäumenden Wassers an der Lücke auf den Wellen schaukelten. «Es geht ihr gut», sagte er abweisend.

«Die Blutergüsse …», fing Gisela an.

«Sie war immer ein mutwilliges Kind», unterbrach Alfred sie.

«Mutwillig?», fragte Gisela vorsichtig.

«Ich liebe sie», sagte Alfred, und die unerwartete Leidenschaft in seiner Stimme konnte keinen Zweifel daran lassen, «doch während Mutwilligkeit bei einem Kind erheiternd ist, wird sie bei einem Erwachsenen zur Sünde. Meine liebe Æthelflaed muss Gehorsam lernen.»

«Damit sie zu hassen lernt?», fragte ich, und meine Worte klangen wie ein Widerhall dessen, was der König zuvor über die Sachsen in der neuen Stadt gesagt hatte.

«Sie ist jetzt verheiratet», sagte Alfred, «und es ist ihre Pflicht vor Gott, ihrem Ehemann zu gehorchen. Das wird sie noch lernen, ich bin sicher, und sie wird für diese Lektion dankbar sein. Es ist schwer, ein Kind zu bestrafen, das man liebt, aber es ist eine Sünde, solch eine Strafe nicht zu erteilen. Ich bete zu Gott, dass sie bald fügsamer ist.»

«Amen», sagte Pater Erkenwald.

«Gott sei gelobt», sagte Beocca.

Gisela sagte nichts, und der König ging hinaus.

Ich hätte wissen sollen, dass es bei dem Ruf in den Palast auf der Kuppe von Lundenes niedrigem Hügel nicht ohne Priester gehen würde. Ich hatte eine Beratung zu Kriegsfragen erwartet, eine besonnene Unterhaltung darüber, wie man am besten das weite Mündungsgebiet der Temes nach Plünderern durchkämmen sollte, die überall die Dörfer heimsuchten, doch stattdessen wurde ich, sobald mir meine Schwerter abgenommen worden waren, in einen Saal mit einem Säulenumgang gebracht, in dem ein Altar errichtet worden war. Ich hatte Finan und Sihtric bei mir. Finan, ein guter Christ, bekreuzigte sich, doch Sihtric, der genauso wie ich ein Heide war, sah mich so beunruhigt an, als befürchte er einen christlichen Religionszauber.

Ich ließ den Gottesdienst über mich ergehen. Mönche psalmodierten, Priester beteten, Glocken wurden geläutet und Männer lagen auf den Knien. Es waren etwa vierzig Männer in dem Saal, viele von ihnen Priester, und nur eine Frau. Æthelflaed hatte den Platz an der Seite ihres Ehemannes. Sie trug ein weißes Gewand, das in ihrer Mitte mit einer blauen Schärpe zusammengefasst war, und in ihren goldfarbenen Haarknoten waren die blauen Blüten des Ehrenpreises eingeflochten. Ich stand etwas entfernt hinter ihr, doch als sie sich einmal ihrem Vater zuwandte, sah ich die bläuliche Verfärbung rund um ihr rechtes Auge. Alfred sah sie nicht an, sondern kniete mit nach vorn gerichtetem Blick. Ich beobachtete ihn, betrachtete Æthelflaeds hängende Schultern, und ich dachte über Beamfleot nach, und wie dieses Wespennest ausgeräuchert werden konnte. Zuerst, dachte ich, müsste ich mit einem Schiff flussabwärts fahren und mir Beamfleot selbst ansehen.

Mit einem Mal erhob sich Alfred, und ich vermutete, die Messe sei endlich vorüber, doch stattdessen wandte sich der König an uns und hielt uns einen dankenswert kurzen Vortrag. Er ermutigte uns, die Worte des Propheten Ezechiel zu bedenken, wer immer das sein mochte. «‹Denn die Heiden, von denen wir umgeben sind›», las der König uns vor, «‹sollen wissen, dass der Herr wieder aufrichtet, was zerstört wurde, und Fruchtbarkeit auf die wüsten Felder bringt.› Lundene», der König legte das Pergament mit Ezechiels Worten nieder, «ist wieder eine sächsische Stadt, und auch wenn es in Trümmern liegt, werden wir es mit Gottes Hilfe wieder aufbauen. Wir werden es in einen Ort Gottes verwandeln, zur Erleuchtung der Heiden.» Er hielt inne, lächelte feierlich und gab Bischof Erkenwald ein Zeichen, der, angetan mit einem weißen Umhang, von dem rote, mit silbernen Kreuzen bestickte Stoffstreifen herabhingen, aufstand, um eine Predigt zu halten. Ich stöhnte. Wir waren gekommen, um zu entscheiden, wie wir unsere Feinde von der Temes vertreiben konnten, und stattdessen wurden wir mit geistloser Frömmlerei gefoltert.

Ich hatte schon vor langer Zeit gelernt, Predigten an mir vorübergehen zu lassen. Mein unseliges Los wollte es, dass ich viele davon hören musste, und die Worte der meisten müssen so spurlos über mich hinweggegangen sein wie Regen, der auf ein frisch gedecktes Strohdach rauscht. Doch einige Minuten, nachdem Erkenwald mit heiserer Stimme zu seinem Erguss angesetzt hatte, wurde ich aufmerksam.

Denn er predigte nicht darüber, verwüstete Städte wieder aufzubauen, und auch nicht über die Heiden, die Lundene bedrohten; seine Predigt galt Æthelflaed.

Er stand am Altar, und er geiferte. Er war immer ein grimmiger Mann gewesen, aber an diesem Tag in dem alten römischen Palas erfüllte ihn leidenschaftlicher Zorn. Durch ihn, so sagte er, sprach Gott. Gott hatte eine Botschaft, und Gottes Wort dürfe nicht missachtet werden, sonst würden die Feuer der Hölle die gesamte Menschheit vernichten. Kein einziges Mal erwähnte er Æthelflaeds Namen, doch er starrte sie unausgesetzt an, und niemand im Saal konnte im Zweifel darüber sein, welche Botschaft der Christengott dem armen Mädchen senden wollte. Gott, so schien es, hatte diese Botschaft sogar in einem Evangeliar niedergeschrieben, denn Erkenwald nahm ein Buch vom Altar auf und hielt es hoch, sodass das Licht von dem Abzugsloch in der Decke auf die Seite fiel, und dann las er laut vor.

«‹Verschwiegen sein›», er sah auf, um Æthelflaed einen glutvollen Blick zuzuwerfen, «‹keusch sein! Die Hüterinnen des Hauses! Tugendhaft sein! Ihren Ehemännern gehorsam sein!› Dies sind Gottes eigene Worte! Das ist es, was Gott von einer Frau fordert! Verschwiegen zu sein, keusch zu sein, das Haus zu hüten, gehorsam zu sein! Gott hat zu uns gesprochen!» Er krümmte sich fast vor lauter Verzückung bei diesen letzten drei Worten. «Gott richtet sein Wort an uns!» Er sah an die Decke hinauf, als würde sein Gott durch das Dach spähen. «Gott hat zu uns gesprochen!»

Er predigte über eine Stunde lang. Sein Geifer spritzte durch einen Sonnenstrahl, der in das Abzugsloch im Dach hereinschien. Er krümmte sich, er schrie, er erschauerte. Und von Zeit zu Zeit wandte er sich wieder den Worten in dem Evangeliar zu, die davon sprachen, dass Frauen ihren Ehemännern gehorchen sollten.

«Gehorsam!», kreischte Erkenwald erneut.

Æthelflaed saß hocherhobenen Hauptes da. Von meinem Standpunkt aus wirkte es, als ließe sie diesen irrsinnigen, bösartigen Priester, der nun zum Bischof und Herrscher über Lundene geworden war, nicht einen Moment aus den Augen. Æthelred neben ihr rutschte dagegen unruhig herum, doch die wenigen Blicke, die ich auf sein Gesicht werfen konnte, zeigten mir seinen überheblichen, selbstzufriedenen Ausdruck. Die meisten anderen Männer dagegen wirkten gelangweilt, und nur einer, Pater Beocca, schien die Predigt des Bischofs zu missbilligen. Einmal fing er meinen Blick auf und brachte mich zum Lächeln, indem er ungehalten eine Augenbraue hochzog. Ich bin sicher, dass Beocca den Inhalt der Predigt nicht für falsch hielt, doch zweifellos war er der Ansicht, dass sie nicht in solcher Öffentlichkeit hätte abgehalten werden sollen. Und was Alfred anbetraf, so blickte er nur gleichmütig nach vorne auf den Altar, während der Bischof wütete. Doch seine Gleichmütigkeit verhüllte nur seine Beteiligung, denn diese beißende Predigt hätte ohne das Wissen und die Zustimmung des Königs niemals abgehalten werden können.

«Gehorsam!», schrie Erkenwald erneut, und dann starrte er zur Decke hinauf, als wäre dieses eine Wort die Lösung für alle Sorgen der Menschheit. Der König nickte beifällig, und mir wurde klar, dass Alfred Erkenwalds Sermon nicht nur billigte, sondern ihn sogar dazu aufgefordert haben musste. Glaubte er vielleicht, dass ein öffentlicher Tadel Æthelflaed davor schützen würde, hinter verschlossenen Türen geschlagen zu werden? Die Botschaft passte jedenfalls gut zu Alfreds Denkungsart, denn er war davon überzeugt, dass sich ein Königreich nur entfalten konnte, wenn Gesetze galten, wenn eine Regierung eingesetzt war und wenn dem Willen Gottes und des Königs gehorcht wurde. Dennoch konnte er seine Tochter ansehen, die Blutergüsse in ihrem Gesicht, und damit einverstanden sein? Er hatte seine Kinder immer geliebt. Ich hatte miterlebt, wie sie aufgewachsen waren, und ich hatte Alfred mit ihnen spielen sehen, und dennoch gestattete es ihm seine Religion, die Tochter zu demütigen, die er liebte? Manchmal, wenn ich zu meinen Göttern bete, danke ich ihnen innig dafür, dass sie mich vor Alfreds Gott gerettet haben.

Schließlich gingen Erkenwald die Worte aus. Es wurde

still, und Alfred stand auf und wandte sich zu uns um. «Das Wort Gottes», sagte er lächelnd. Die Priester leierten noch einige kurze Gebete herunter, und danach schüttelte Alfred den Kopf, als wolle er ihn von frommen Angelegenheiten reinigen. «Die Stadt Lundene ist nun im Besitz von Mercien», sagte er, und anerkennendes Gemurmel lief durch den Raum. «Ich habe ihre Zivilverwaltung an Bischof Erkenwald übertragen.» Er drehte sich um und lächelte den Bischof an, der ein geziertes Lächeln zurückgab und sich verbeugte. «Der Herr Uhtred dagegen ist für die Verteidigung der Stadt verantwortlich», fuhr Alfred fort und sah mich dabei an. Ich verbeugte mich nicht.

Da drehte sich Æthelflaed um. Vermutlich hatte sie nicht gewusst, dass ich im Raum war, doch sie drehte sich um, als mein Name genannt wurde, und starrte mich an. Ich zwinkerte ihr zu, und da erhellte ein kleines Lächeln ihr blutunterlaufenes Gesicht. Æthelred bemerkte das Zwinkern nicht. Er achtete sorgfältig darauf, mich zu übersehen, wo es ging.

«Die Stadt fällt natürlich», sprach Alfred nun mit scharfer Stimme weiter, denn er hatte mein Zwinkern gesehen, «unter die Obrigkeit und das Gesetz meines geliebten Schwiegersohnes. Mit der Zeit wird sie einen wertvollen Teil seines Besitzes ausmachen, doch für den Augenblick hat er sich gnädig damit einverstanden erklärt, dass Lundene von Männern geführt werden muss, die Erfahrung in diesen Dingen haben.» In anderen Worten: Lundene mochte zu Mercien gehören, doch Alfred hatte nicht die Absicht, die Stadt aus dem Zugriff von Wessex zu entlassen. «Bischof Erkenwald ist befugt, Abgaben und Steuern festzusetzen», erklärte Alfred, «und ein Drittel des Geldes wird für die Zivilverwaltung, ein Drittel für die Kirche und ein Drittel zur Verteidigung der Stadt aufgewendet werden. Und ich weiß, dass wir unter der Führung des Bischofs und mit der Hilfe des Allmächtigen eine Stadt erstehen lassen können, die Gott und seine Kirche verherrlicht.»

Die meisten Männer im Saal kannte ich nicht, denn fast alle waren mercische Thegn, die zu dem Treffen mit Alfred nach Lundene bestellt worden waren. Unter ihnen befand sich auch Aldhelm, das Gesicht nach meinen Schlägen immer noch blutunterlaufen und verschwollen. Er hatte einmal zu mir hingesehen und sich hastig wieder abgewandt, als ich seinen Blick erwiderte. Der Ruf nach Lundene war unerwartet gekommen, und nur einige Thegn waren ihm gefolgt. Diese Männer hörten sich nun zwar höflich an, was Alfred zu sagen hatte, doch sie waren fast alle Diener zweier Herren. Das nördliche Mercien stand unter dänischer Regierung, und nur der südliche Teil, der an Wessex grenzte, konnte als freies sächsisches Land bezeichnet werden, und sogar auf dieses Land griffen die Dänen ständig über. Ein mercischer Thegn, der noch eine Zeitlang am Leben bleiben, seine Tochter vor der Sklaverei bewahren und seine Herden vor Viehdieben schützen wollte, tat gut daran, sowohl den Dänen Abgaben zu zahlen als auch Steuern an Æthelred zu entrichten, denn er war durch seinen ererbten Grundbesitz, seine Heirat und seine Abstammung als vornehmster Thegn Merciens anerkannt. Er mochte sich König nennen, wenn er es wollte, und ich hatte keinen Zweifel daran, dass er es wollte, doch Alfred wollte es nicht, und ohne Alfred war Æthelred ein Nichts.

«Es ist unser Vorsatz», sagte Alfred, «Mercien von den heidnischen Eindringlingen zu befreien. Um das zu tun, müssen wir Lundene sichern, damit wir die Schiffe der Nordmänner daran hindern können, zu Plünderungen die

Temes hinaufzufahren. Wir müssen Lundene halten. Und wie soll das geschehen?»

Die Antwort lag klar auf der Hand, und dennoch verhinderte sie nicht, dass sich eine langwierige Auseinandersetzung darüber entwickelte, wie viele Truppen gebraucht würden, um die Stadtmauer zu verteidigen. Ich beteiligte mich nicht an dem Gespräch. Ich lehnte mich an die Rückwand des Saales und achtete darauf, welche der Thegn sich mit Leidenschaft äußerten und welche sich zurückhielten. Von Zeit zu Zeit sah Bischof Erkenwald zu mir herüber. Offenkundig fragte er sich, weshalb ich mein bescheidenes Körnchen Weisheit nicht beitrug, doch ich schwieg weiterhin. Æthelred hörte aufmerksam zu und fasste schließlich die Auseinandersetzung zusammen. «Die Stadt, Herr König, sagte er heiter, «braucht eine Streitmacht von zweitausend Männern.»

«Mercischen Männern», sagte Alfred. «Diese Männer müssen aus Mercien kommen.»

«Natürlich», erklärte sich Æthelred hastig einverstanden. Ich stellte fest, dass vielen der Thegn ein recht bedenklicher Ausdruck im Gesicht stand.

Auch Alfred entging das nicht, und er sah mich an. «Das ist deine Verantwortung, Herr Uhtred. Hast du keine Meinung?»

Ich unterdrückte ein Gähnen. «Ich habe etwas Besseres als eine Meinung, Herr König», sagte ich, «ich kann Euch die Tatsachen nennen.»

Alfred hob eine Augenbraue und es gelang ihm, zugleich fragend und missbilligend auszusehen. «Nun?», fragte er gereizt, als ich zu lange mit dem Weitersprechen wartete.

«Vier Männer für jede Rute», sagte ich. Eine Rute waren etwa sechs Schritte, und die Berechnung von vier Männern für eine Rute stammte nicht von mir, sondern von Alfred. Als er die Errichtung der Wehrburgen anordnete, hatte er auf seine kleinkrämerische Art berechnet, wie viele Männer er jeweils zur Verteidigung brauchte, und die Strecke um die Wälle herum bestimmte die Zahl. Cocchams Wälle waren eintausend und vierhundert Schritte lang, und daher mussten meine Haustruppen und der Fyrd eintausend Männer zu seiner Verteidigung bereitstellen. Doch Coccham war nur eine kleine Wehrburg, Lundene dagegen war eine Stadt.

«Und wie lange ist die Stadtmauer von Lundene?», fragte Alfred.

Ich sah zu Æthelred hinüber, als erwartete ich, dass er antwortete, und Alfred, der meinen Blick bemerkt hatte, wandte sich ebenfalls seinem Schwiegersohn zu. Æthelred dachte einen kurzen Moment nach, und statt die Wahrheit zu sagen, die nämlich lautete, dass er es nicht wusste, gab er eine Mutmaßung zum Besten. «Achthundert Ruten, Herr König?»

«Die landeinwärts gewandte Seite», warf ich schroff ein, «ist sechshundertundzweiundneunzig Ruten lang. Auf der Flussseite sind es weitere dreihundertundachtundfünfzig. Die Wehranlagen, Herr König, erstrecken sich über eintausendundfünfzig Ruten.»

«Viertausendundzweihundert Männer», sagte Bischof Erkenwald sofort, und ich bekenne, dass ich beeindruckt war. Es hatte mich viel Zeit gekostet, diese Zahl zu ermitteln, und ich war nicht sicher gewesen, dass meine Berechnung richtig gewesen war, bis Gisela zum gleichen Ergebnis gekommen war.

«Kein Feind, Herr König», sagte ich, «kann überall zugleich angreifen, daher schätze ich, dass die Stadt mit einer

Besatzung von dreitausendundvierhundert Männern verteidigt werden kann.»

Einer der mercischen Thegn schnaubte vernehmlich, als ob eine solche Anzahl ein Ding der Unmöglichkeit sei. «Nur tausend Männer mehr als Eure Besatzung in Wintanceaster, Herr König», betonte ich. Der Unterschied allerdings bestand darin, dass Wintanceaster in einer Grafschaft lag, die den Westsachsen treu ergeben war. Die Männer dort waren daran gewöhnt, ihren Dienst im Fyrd zu leisten.

«Und woher nehmt Ihr diese Männer?», fragte ein Mercier.

«Von euch», sagte ich schroff.

«Aber …», begann der Mann und verstummte dann. Er wollte darauf hinweisen, dass der mercische Fyrd zu nichts taugte, dass er geschwächt war, weil er niemals eingesetzt wurde, und dass jeder Versuch, den Fyrd aufzustellen, die gefährliche Aufmerksamkeit der dänischen Grafen erregen konnte, die im nördlichen Mercien herrschten. Daher hatten sich diese Männer angewöhnt, sich zu ducken und zu schweigen. Sie waren wie Hirschhunde, die sich zitternd ins Unterholz drücken, um keine Wölfe anzulocken.

«… aber nichts», sagte ich, lauter und noch abweisender. «Denn wenn ein Mann nichts zur Verteidigung seines Landes beiträgt, dann ist dieser Mann ein Verräter. Sein Besitz soll ihm aberkannt werden, er soll hingerichtet werden, und seine Familie soll in die Sklaverei gestoßen werden.»

Ich glaubte, dass Alfred solchen Worten Einhalt gebieten würde, doch er schwieg. Nicht nur das, er nickte zustimmend. Ich war die Klinge in seiner Scheide, und er war offenkundig erfreut darüber, dass ich den Stahl für einen

Augenblick hatte aufblitzen lassen. Die Mercier sagten nichts.

«Wir brauchen auch Männer für die Schiffe, Herr König», fuhr ich fort.

«Schiffe?», fragte Alfred.

«Schiffe?», kam es wie ein Echo von Erkenwald.

«Wir brauchen Schiffsmannschaften», erklärte ich. Wir hatten bei der Eroberung von Lundene einundzwanzig Schiffe erbeutet, von denen siebzehn Kampfschiffe waren. Die anderen waren Handelsschiffe mit breiterem Rumpf, doch auch sie konnten uns nützlich sein. «Ich habe die Schiffe», sprach ich weiter, «aber sie müssen bemannt werden, und diese Männer müssen gute Kämpfer sein.»

«Ihr wollt die Stadt mit Schiffen verteidigen?», fragte Erkenwald herausfordernd.

«Und woher soll Euer Geld kommen?», fragte ich. «Von den Zollabgaben der Händler. Doch jetzt wagt es kein Kaufmann, hierher zu segeln, also muss ich die feindlichen Schiffe aus dem Mündungsgebiet der Temes vertreiben. Das heißt, die Piraten töten, und dazu brauche ich Schiffsmannschaften mit erfahrenen Kämpfern. Ich kann meine Haustruppen einsetzen, aber dann müssen sie in den Streitkräften der Stadt durch andere Männer ersetzt werden.»

«Ich brauche Schiffe», warf Æthelred unvermittelt ein.

Æthelred brauchte Schiffe? Ich war so erstaunt, dass mir nichts zu sagen einfiel. Die Aufgabe meines Cousins war es, das südliche Mercien zu verteidigen und die Dänen Richtung Norden aus dem übrigen Teil seines Landes zu drängen. Und jetzt brauchte er auf einmal Schiffe? Was hatte er vor? Über das Weideland rudern?

«Ich möchte vorschlagen, Herr König», Æthelred lächelte beim Reden, und seine Stimme klang honigsüß und ehrerbietig, «dass alle Schiffe westlich der Brücke mir übergeben werden, um sie in Euren Diensten einzusetzen», bei diesen Worten verneigte er sich in Alfreds Richtung, «und mein Cousin mag die Schiffe östlich der Brücke haben.»

«Das …», fing ich an, doch Alfred schnitt mir das Wort ab.

«Das ist gerecht», sagte der König nachdrücklich. Doch es war nicht gerecht, es war lachhaft. Östlich der Brücke lagen nur zwei Kampfschiffe, und fünfzehn lagen westlich davon. Diese fünfzehn Schiffe stromauf hinter dem gefährlichen Hindernis ließen vermuten, dass Sigefrid einen großen Plünderungszug auf Alfreds Gebiet geplant hatte, bevor er von uns besiegt worden war, und ich brauchte diese Schiffe, um das Mündungsgebiet von den Feinden zu säubern. Doch Alfred, darauf bedacht, alle sehen zu lassen, dass er seinen Schwiegersohn unterstützte, fegte meine Einwände beiseite. «Du benutzt, was du an Schiffen hast, Herr Uhtred», beharrte er, «und ich werde zur Bemannung eines Schiffes siebzig Kämpfer aus meiner Haustruppe unter deinen Befehl stellen.»

Also sollte ich die Vertreibung der Dänen aus der Temes-Mündung mit zwei Schiffen bewerkstelligen? Ich gab auf und lehnte mich mit dem Rücken an die Wand, während die Auseinandersetzung dröhnend weitergeführt wurde. Es ging vor allem um die Höhe der Zollabgaben und darum, welche Steuern in den benachbarten Grafschaften erhoben werden sollten, und ich fragte mich erneut, warum ich nicht im Norden war, wo ein Mann mit seinem Schwert frei war und es wenig Gesetze gab, aber viel Fröhlichkeit.

Bischof Erkenwald kam zu mir, als die Unterredung beendet war. Ich schnallte gerade meinen Schwertgürtel fest, als er sich vor mich stellte und mich mit funkelnden Augen anstarrte. «Ihr solltet wissen», sagte er ohne jeden Gruß, «dass ich gegen Eure Ernennung war.»

«Wie ich auch gegen Eure gewesen wäre», sagte ich erbittert. Dass mir Æthelred die fünfzehn Kriegsschiffe gestohlen hatte, erzürnte mich immer noch.

«Gott mag vielleicht nicht mit Wohlgefallen auf einen heidnischen Krieger herabblicken», erklärte der neu ernannte Bischof, «aber der König berücksichtigt in seiner Weisheit, dass Ihr ein fähiger Soldat seid.»

«Und Alfreds Weisheit ist weithin berühmt», sagte ich mit ausdrucksloser Stimme.

«Ich habe mit dem Herrn Æthelred gesprochen», fuhr er fort, ohne auf meine Worte einzugehen, «und er ist damit einverstanden, dass ich Versammlungserlasse für die angrenzenden Regionen Lundenes ausstellen kann. Habt Ihr dagegen Einwendungen?»

Erkenwald meinte, dass er nun die Befugnis besaß, den Fyrd aufzustellen. Diese Befugnis wäre besser mir erteilt worden, doch ich bezweifelte, dass Æthelred damit einverstanden gewesen wäre. Und ich glaubte zudem, dass Erkenwald, so unausstehlich er auch sein mochte, Alfred stets treu ergeben bliebe.

«Ich habe keine Einwendungen», sagte ich.

«Dann werde ich Herrn Æthelred von Eurem Einverständnis in Kenntnis setzen», sagte er förmlich.

«Und wenn Ihr mit ihm sprecht», fügte ich hinzu, «dann sagt ihm, er soll aufhören, seine Frau zu schlagen.»

Erkenwald zuckte zusammen, als hätte ich ihm gerade einen Hieb ins Gesicht versetzt. «Es ist seine Christenpflicht», sagte er streng, «sein Weib zur rechten Ordnung zu bringen, und es ist ihre Pflicht, sich ihm zu unterwerfen. Habt Ihr nicht gehört, was ich gepredigt habe?»

«Ich habe jedes Wort gehört.»

«Sie hat es sich selbst zuzuschreiben», knurrte Erkenwald. «Sie hat ein hitziges Gemüt, sie widerspricht ihm!»

«Sie ist kaum mehr als ein Kind», sagte ich, «und noch dazu ein schwangeres Kind.»

«Und Torheit wohnt in den Herzen der Kinder», gab Erkenwald zurück, «und das sind Gottes Worte! Und was sagt Gott, soll mit der Torheit eines Kindes geschehen? Sie soll mit der Rute der Züchtigung aus ihm herausgetrieben werden!» Ein Schauder überlief ihn. «Das ist zu tun, Herr Uhtred! Man muss einem Kind den Gehorsam einbläuen! Ein Kind lernt, indem es Schmerzen erleidet, indem es geschlagen wird, und dieses schwangere Kind muss seine Pflichten kennenlernen. Das ist Gottes Wille! Der Herr sei gepriesen!»

Erst letzte Woche habe ich erfahren, dass sie Erkenwald zum Heiligen machen wollen. Priester kommen in mein Haus an der nördlichen See, wo sie einen alten Mann antreffen, und sie erzählen mir, ich sei nur noch ein paar Schritte von den Feuern der Hölle entfernt. Ich muss nur Umkehr tun, sagen sie, und ich werde in den Himmel eingehen und immerfort in der gesegneten Schar der Heiligen leben.

Doch da brenne ich lieber, bis die Flamme der Zeit erloschen ist.

SIEBEN

Wasser tropfte von den Ruderblättern, und die Tropfen malten Kreise auf einer See, auf der sich das Licht brach, mit den Wellen wanderte und auseinanderfloss, sich vereinte und wieder davonglitt.

Unser Schiff lag ruhig auf diesem wandernden Licht.

Der Himmel im Osten war wie geschmolzenes Gold, das sich über eine sonnengebadete Wolkenbank ergoss. Der übrige Himmel war blau. Blassblau im Osten und dunkelblau im Westen, wo sich die Nacht in die unbekannten Gebiete hinter dem Meer jenseits des Landes zurückzog.

Im Süden lag die sanfte Küste von Wessex. Sie war grün und braun und baumlos und nicht sehr weit entfernt, doch ich würde nicht näher heranfahren, denn die lichtüberglänzte See verbarg Sandbänke und trügerische Untiefen. Wir nutzten unsere Ruder nicht und es herrschte Windstille, dennoch bewegten wir uns unaufhörlich nach Westen, getragen von den Gezeiten und der starken Strömung des Flusses. Wir waren im Mündungsgebiet der Temes, einer riesigen Fläche aus Wasser, Schlamm, Sand und Schrecken.

Unser Schiff hatte keinen Namen, und es trug keine schreckenerregenden Tierköpfe an Bug und Heck. Es war ein Handelsschiff, eines von den beiden, die ich in Lundene erbeutet hatte, und es war breit, schwerfällig, dickbäuchig und plump. Es hatte ein Segel, doch das Segel war an die Rah gefaltet, und die Rah lag in ihrer Halterung. Mit dem Sog der Ebbe glitten wir in die goldene Morgendämmerung.

Meine rechte Hand lag auf dem Steuerruder. Ich trug ein Kettenhemd, jedoch keinen Helm. Ich hatte mich mit meinen beiden Schwertern gegürtet, doch sie waren, ebenso wie mein Kettenhemd, unter einem schmutzigen braunen Wollumhang verborgen. Zwölf Ruderer saßen auf den Bänken. Sihtric stand neben mir, ein Mann war auf der Plattform am Bug und an all diesen Männern waren ebenso wenig wie an mir Rüstung oder Waffen zu erkennen.

Wir sahen aus wie ein Händlerschiff, das die Küste von Wessex entlangfährt, während seine Besatzung hofft, von niemandem auf der nördlichen Seite des Mündungsgebietes bemerkt zu werden.

Aber sie hatten uns bemerkt.

Und ein Seewolf verfolgte uns.

Sie ruderten nördlich von uns, leicht nach Südosten ausgerichtet, und warteten, dass wir umdrehten und versuchten, flussaufwärts gegen den Gezeitenstrom zu entkommen. Sie waren etwa eine Meile entfernt, und ich erkannte die kurze, schwarz aufragende Linie des Vorderstevens, die in dem Kopf eines Untiers endete. Sie beeilten sich nicht. Ihr Schiffsführer konnte erkennen, dass wir nicht ruderten, und er würde diese Untätigkeit für ein Zeichen von blinder Angst halten. Er würde denken, dass wir besprachen, was wir tun sollten. Er ließ seine Ruderer gemächlich arbeiten, doch jeder ihrer Schläge schob das Schiff ein Stück weiter, um uns den Fluchtweg ins offene Meer abzuschneiden.

Finan, der auf einer Ruderbank im hinteren Teil unseres Schiffes saß, sah mich über die Schulter an. «Fünfzig Mann Besatzung?», meinte er.

«Vielleicht auch mehr», sagte ich.

Er grinste. «Wie viele mehr?»

«Könnten siebzig sein», schätzte ich.

Wir waren dreiundvierzig, und alle bis auf fünfzehn von uns waren dort versteckt, wo auf dem Schiff sonst die Waren lagerten. Diese Männer verbargen sich unter einem alten Segel, sodass es aussah, als hätten wir Salz oder Korn geladen, eine Fracht, die vor Regen und Gischt geschützt werden musste. «Wird ein denkwürdiger Kampf, wenn es siebzig sind», sagte Finan schwelgerisch.

«Es wird überhaupt kein besonderer Kampf werden», sagte ich, «weil sie nicht auf uns vorbereitet sind.» Und so war es. Wir schienen eine leichte Beute zu sein, ein paar Männer auf einem fassförmigen Schiff, und der Seewolf würde längsseits gehen, und ein Dutzend Männer würde zu uns an Bord springen, während ihre übrige Besatzung zusehen würde, wie sie uns abschlachteten. Das jedenfalls planten sie. Die Männer, die zusahen, wären natürlich bewaffnet, aber sie würden keinen Kampf erwarten, meine Männer dagegen waren mehr als bereit.

«Denkt dran», rief ich laut, sodass die Männer unter dem Segel mich hören konnten, «wir töten alle!»

«Auch Frauen?», fragte Finan.

«Frauen nicht», sagte ich. Aber ich bezweifelte, dass an Bord des anderen Schiffes Frauen waren.

Sihtric hockte neben mir und sah nun blinzelnd zu mir auf. «Warum alle töten, Herr?»

«Damit sie lernen, uns zu fürchten», sagte ich.

Das Gold des Himmels wurde immer heller und verblasste schließlich vollkommen. Die Sonne war über die Wolkenbank gestiegen und die See gleißte von ihren Strahlen. Das gespiegelte Bild des feindlichen Schiffes zog sich lang über das lichtflackernde, ruhig fließende Wasser.

«Steuerbordruder!», rief ich, «Zurück! Aber möglichst unbeholfen!»

Die Männer an den Rudern grinsten, während sie mit absichtsvoll ungeschickten Ruderschlägen das Wasser aufspritzen ließen, bis wir uns langsam stromauf gedreht hatten, sodass es so erschien, als würden wir zu entkommen versuchen. Wenn wir so unschuldig und verwundbar gewesen wären, wie wir aussahen, wäre es am vernünftigsten gewesen, an das Ufer im Süden zu rudern, das Schiff auf Grund laufen zu lassen und um unser Leben zu laufen, doch stattdessen drehten wir um und begannen, gegen den Sog der Ebbe und die Strömung zu rudern. Unsere Ruder schlugen dabei gegeneinander, sodass wir vollends wie unfähige, verängstigte Narren wirkten.

«Sie haben den Köder geschluckt», sagte ich zu unseren Ruderern, obwohl sie, da unser Bug nun nach Westen gerichtet war, selbst sehen konnten, dass der Feind angefangen hatte, sich schwer in die Ruder zu legen. Das Wikingerschiff kam geradewegs auf uns zu, seine Ruder hoben und senkten sich wie die Flügel eines Vogels, und mit jedem Ruderschlag stieg und fiel das weißschäumende Wasser an seinem Steven.

Wir täuschten immer noch kopflose Angst vor. Unsere Ruder stießen aneinander, sodass wir kaum etwas anderes taten, als das Wasser rund um unser schwerfälliges Schiff aufzurühren. Zwei Möwen kreisten um den kurzen, dicken Mast, ihre Rufe stiegen traurig in den klaren Morgen. Weit im Westen, wo der Rauch aus den Herdfeuern von Lundene den Himmel verdunkelte, entdeckte ich einen kleinen schwarzen Streifen. Ich wusste, dass dies der Mast eines weiteren Schiffes sein musste. Es kam auf uns zu, und auch unsere Gegner mussten es gesehen haben und sich fragen, ob dort Freunde oder Feinde heranfuhren.

Nicht, dass es darauf ankam, denn es würde die Nordmänner kaum fünf Minuten kosten, unser kleines, unterbesetztes Handelsschiff zu kapern, wogegen es nahezu eine Stunde dauern würde, bis die Ebbe und stetiges Rudern das Schiff vom Westen bis zu dem Ort gebracht hatten, an dem wir kämpften. Das Wikingerschiff kam nun schnell näher, die Männer auf seinen Ruderbänken arbeiteten in bewunderungswürdigem Gleichmaß, doch die Geschwindigkeit des Schiffes bedeutete auch, dass die Männer an den Rudern müde sein würden, wenn sie uns erreichten und sich einem überraschenden Angriff ausgesetzt sähen. Der Kopf des Untiers auf seinem hohen Vordersteven war der eines Adlers. Sein weit aufgerissener Schnabel war rot bemalt, so als hätte der Vogel gerade blutiges Fleisch aus einem Opfer gerissen. Unter dem geschnitzten Adlerkopf drängte sich ein Dutzend bewaffneter Männer auf der Plattform des Bugs. Dies waren die Männer, die auf unser Schiff springen und uns töten sollten.

Zwanzig Ruder auf jeder Seite hieß vierzig Männer. Auf der Plattform waren es noch ein weiteres Dutzend, wenn es auch schwer war, die dicht gedrängten Männer zu zählen, und zwei Männer standen am Steuerruder. «Zwischen fünfzig und sechzig», rief ich laut. Die feindlichen Ruderer trugen keine Kettenhemden. Sie rechneten nicht mit einem Kampf, und die meisten hatten wohl ihr Schwert zu ihren Füßen liegen und ihre Schilde im Kielraum aufgestapelt.

«Rudern einstellen!», rief ich. «Ruderer, aufstehen!»

Das adlerköpfige Schiff war dicht herangekommen. Ich konnte das Knarren hören, mit dem sich die Ruderschäfte in ihren Löchern drehten, das Klatschen, mit dem die Ruderblätter ins Wasser tauchten, und das Zischen, mit dem der Steven durchs Wasser schnitt. Ich sah Axtklingen aufblitzen und die behelmten Köpfe der Männer, die dachten, sie würden uns töten, und die Anstrengung im Gesicht des Steuermannes, als er sich bemühte, den Bug seines Schiffes ganz nahe an uns heranzubringen. Meine Ruderer liefen durcheinander und täuschten Verwirrung und Angst vor. Die Ruderleute des Wikingers gaben ihrem Schiff einen letzten Schub, dann hörte ich, wie ihr Schiffsführer ihnen befahl, das Rudern einzustellen und die Ruder einzuziehen. Das Schiff lief auf uns zu, Wasser schäumte über seinen Steven, sie waren jetzt ganz nahe, nahe genug, um sie zu riechen, und die Männer auf der Plattform im Bug packten ihre Schilde, während ihr Steuermann sein Schiff auf unsere Seite zu lenkte.

Ich wartete noch einige Augenblicke ab, wartete, bis der Feind uns nicht mehr ausweichen konnte, und dann ließ ich meine Männer aus dem Hinterhalt kommen. «Jetzt!», rief ich.

Das Segel wurde weggezogen, und mit einem Mal wimmelte es auf unserem kleinen Schiff von bewaffneten Männern. Ich warf meinen Umhang weg, und Sihtric gab mir Helm und Schild. Auf dem feindlichen Schiff wurde eine Warnung gerufen, und der Steuermann warf sein Gewicht gegen das lange Steuerruder, sodass sich das Schiff leicht drehte, aber es war zu spät, und mit einem berstenden Geräusch fuhr der Bug des Wikingerschiffs durch unsere Ruder. «Jetzt!», rief ich erneut.

Clapa stand in unserem Bug, und nun schleuderte er einen angeleinten Haken hinüber auf das andere Schiff, um den Feind in unsere Umarmung zu ziehen. Der Haken bohrte sich über den Seitenplanken ins Holz, Clapa zog, und durch seinen Schwung drehte sich das feindliche Schiff um die Leine und lief krachend gegen unsere Seite. Sofort schwärmten meine Männer hinüber. Es war meine Haustruppe, alle waren erfahrene Kämpfer, trugen Kettenrüstungen und waren aufs Töten aus. Sie stürzten sich auf die unbewaffneten, vollkommen unvorbereiteten Ruderleute. Die Männer des feindlichen Stoßtrupps, die einzigen, die bewaffnet und auf einen Kampf eingestellt waren, zögerten, als die beiden Schiffe zusammenprallten. Sie hätten meine Männer angreifen können, die schon dabei waren, zu töten, doch stattdessen rief ihnen ihr Befehlshaber zu, auf unser Schiff zu springen. Er hoffte, meinen Männern in den Rücken fallen zu können, und das war kein schlechter Einfall, doch wir hatten immer noch genügend Männer an Bord, um sein Vorhaben zu vereiteln. «Tötet sie alle!», rief ich.

Ein Däne, jedenfalls nahm ich an, dass er Däne war, versuchte auf meine Plattform zu springen, doch ich stieß ihm nur meinen Schild entgegen, und er verschwand zwischen den Schiffen im Wasser, wo ihn seine Kettenrüstung augenblicklich auf den Grund hinabzog. Die anderen Angreifer waren im Heck unseres Schiffes und hackten fluchend auf meine Männer ein. Ich war hinter und über ihnen und hatte nur Sihtric an meiner Seite, und wir beide hätten sicher auf der Steuerplattform bleiben können, doch ein Anführer kann sich nicht aus dem Kampf heraushalten. «Bleib, wo du bist», befahl ich Sihtric und sprang.

Beim Springen brüllte ich eine Herausforderung, und ein großgewachsener Mann drehte sich zu mir um. Er hatte eine Adlerschwinge an seinem Helm, und er trug ein gutes Kettenhemd, und an seinen Armen blitzten viele Reifen, und sein Schild war mit einem Adler bemalt, und ich wusste, dass er der Besitzer des feindlichen Schiffes sein musste. Dieser Wikinger war ein Herr. Er hatte einen hellen Bart und braune Augen, und er trug eine Axt mit langem Schaft, an deren Klinge schon Blut klebte, und er schwang sie gegen mich, und ich wollte sie mit dem Schild abfangen, doch im letzten Augenblick ließ er sie niederfahren, um meinen Knöchel zu treffen, und in diesem Moment, ein Geschenk Thors, schlingerte das Schiff und die Axt fuhr in eine Planke des Handelsschiffes. Er wehrte meinen Schwerthieb mit dem Schild ab, während er die Axt wieder hob, und ich warf mich mit meinem Schild gegen ihn, sodass er zurücktaumelte.

Er hätte fallen sollen, doch er wankte nur rückwärts gegen einen seiner Männer und blieb auf den Füßen. Ich holte gegen seinen Knöchel aus, und Schlangenhauch knirschte über Metall. Seine Stiefel waren ebenso wie meine durch metallene Platten geschützt. Die Axt fuhr herum und krachte in meinen Schild, und sein Schild rammte mein Schwert, und der zweifache Schlag warf mich zurück. Ich fiel mit der Schulter gegen die Kante der Steuerplattform, und er griff mich erneut an, versuchte mich zu Boden zu werfen, und mir war halb bewusst, dass Sihtric immer noch auf der kleinen Steuerplattform stand und mit seinem Schwert auf meinen Feind losschlug, doch die Klinge rutschte an dem Helm des Dänen ab und blieb auch auf der Schulter seines Kettenhemdes wirkungslos. Weil er wusste, dass ich aus dem Gleichgewicht gekommen war, trat der Däne gegen meine Füße. Ich fiel.

«Du Scheißhaufen», knurrte er und trat einen Schritt zurück. Hinter ihm starben seine Männer, aber er hatte noch Zeit genug, um mich zu töten, bevor er selber umkam. «Ich bin Olaf Eagleclaw», erklärte er stolz, «und wir werden uns in der Totenhalle wiedersehen.»

«Uhtred von Bebbanburg», sagte ich und lag immer noch auf den Planken, als er seine Axt erhob.

Und dann schrie Olaf Eagleclaw.

Ich war vorsätzlich gefallen. Er war schwerer als ich, und er hatte mich in die Enge getrieben, und ich wusste, dass er auf mich losschlagen würde und ich ihn nicht würde wegdrücken können, also hatte ich mich fallen lassen. Schwertklingen konnten gegen sein gutes Kettenhemd und seinen schimmernden Helm nichts ausrichten, doch jetzt stieß ich Schlangenhauch aufwärts, unter den Rand seines Kettenhemdes, in seinen ungeschützten Schritt, und zugleich richtete ich mich auf, trieb die Klinge in ihn und durch ihn, und sein Blut floss auf die Decksplanken zwischen uns. Er starrte mich an, Augen und Mund weit aufgerissen, seine Axt fiel ihm aus der Hand. Ich stand jetzt vor ihm, drehte Schlangenhauch in seinem Körper, und er brach rücklings zusammen, lag zuckend da, und ich zog Schlangenhauch zurück und sah, dass seine rechte Hand nach seiner Axt fingerte, und ich schob ihm die Waffe mit dem Fuß hin und sah, wie sich seine Hand um den Griff schloss, bevor ich ihn mit einem schnellen Stoß in die Kehle tötete. Noch mehr Blut spritzte auf die Planken.

Ich lasse es klingen, als sei dieser kleine Kampf leicht gewesen. Er war es nicht. Es ist wahr, dass ich mich vorsätzlich fallen ließ, aber Olaf hatte mich aus dem Gleichgewicht gebracht, und statt ihm Widerstand zu leisten, ließ ich mich eben fallen. Jetzt, in meinem hohen Alter, wache ich in mancher Nacht zitternd auf, wenn ich mich an die Augenblicke erinnere, in denen ich hätte sterben sollen und doch nicht gestorben bin. Dies war einer dieser Augenblicke. Trügt mich vielleicht die Erinnerung? Das Alter verschleiert lange Vergangenes. Da müssen auch die Geräusche scharrender Füße auf dem Deck gewesen sein, das Knurren von Männern, die zu einem Schlag ausholen, das

Keuchen der Verletzten. Ich erinnere mich an die Furcht, die ich beim Fallen empfand, den Schrecken des bevorstehenden Todes, der die Gedärme sauer werden und den Geist aufschreien lässt. Es war nur ein kurzer Moment in meinem Leben und schnell vorüber, ein Durcheinander von Hieben und Entsetzen, ein Kampf, kaum der Erinnerung wert, doch bis heute kann mich Olaf Eagleclaw in der Dunkelheit aufwecken, und dann liege ich da, höre die Wellen ans Ufer schlagen und weiß, dass er in der Totenhalle auf mich warten und mich fragen wird, ob ich ihn nur durch Glück getötet oder diesen schrecklichen Stoß mit Vorbedacht ausgeführt habe. Er wird sich auch daran erinnern, dass ich ihm die Axt zugeschoben habe, sodass er mit einer Waffe in der Hand sterben konnte, und dafür wird er mir danken.

Ich freue mich darauf, ihn wiederzusehen.

Bis ich Olaf getötet hatte, war sein Schiff erobert und seine Mannschaft niedergemacht. Finan hatte den Angriff auf dem *Seeadler* geführt. Ich kannte den Namen des Schiffes, weil er in Runenschrift in seinen Vordersteven eingeschnitzt war. «Das war kein Kampf», erklärte Finan voller Abscheu.

«Ich habe es dir ja gesagt.»

«Ein paar Ruderleute sind noch an Waffen gekommen», sagte er und tat diesen Versuch zu kämpfen mit einem Achselzucken ab. Dann deutete er in den Kielraum des *Seeadlers*, in dem blutigrot das Wasser schwappte. Fünf Männer kauerten dort zitternd beieinander, und ich sah Finan fragend an. «Das sind Sachsen, Herr», erklärte er, warum die Männer noch lebten.

Die fünf Männer waren Fischer, die erklärten, dass sie aus einem Ort namens Fughelness stammten. Ich konnte sie kaum verstehen. Sie sprachen Englisch, doch auf so merkwürdige Art, dass es wie eine fremde Sprache klang, dennoch verstand ich so viel, dass Fughelness eine unfruchtbare Insel inmitten einer Ödnis aus Marschland und Wasserläufen war. Außer Vögeln und trostloser Weite gab es dort ein paar arme Leute, die auf dem schlammigen Grund überlebten, indem sie Vögel, Aale und Fische fingen. Sie sagten, dass Olaf sie eine Woche zuvor gefangen genommen und zum Ruderdienst auf seinem Schiff gezwungen hatte. Sie waren elf gewesen, aber sechs waren bei Finans wütendem Angriff umgekommen, bevor diese Überlebenden meine Männer davon überzeugen konnten, dass sie Gefangene und keine Gegner waren.

Wir nahmen den Feinden all ihre Habe ab, dann stapelten wir ihre Kettenhemden, Waffen, ihre Armringe und ihre Bekleidung am Mast des *Seeadlers* auf. Später würden wir diese Beute aufteilen. Jeder Mann würde einen Anteil erhalten, Finan würde drei Anteile bekommen und ich fünf. Ich sollte zwar ein Drittel an Alfred abgeben und ein Drittel an Bischof Erkenwald, aber ich gab ihnen selten etwas von dem, was ich beim Kampf erbeutete.

Wir warfen die nackten Toten in das Händlerschiff, wo sie als grausige Fracht blutbesudelter Leichen übereinanderlagen. Ich erinnere mich, gedacht zu haben, wie weiß ihre Körper aussahen und wie dunkel dagegen ihre Gesichter. Ein Schwarm Seemöwen kreiste schreiend über uns, die Vögel wollten herabstoßen und an den Leichen picken, doch sie wagten es nicht, solange wir in der Nähe waren. Inzwischen war das andere Schiff mit der Ebbe stromab gefahren und bei uns angekommen. Es war ein stolzes Kampfschiff, seinen Bug krönte ein Drachenkopf, sein Heck ein Wolfsschädel, und an seiner Mastspitze hing eine

Windfahne, die mit einem Raben verziert war. Es war eines der beiden Kriegsschiffe, die wir in Lundene erbeutet hatten, und Ralla hatte es *Schwert des Herrn* getauft. Das hätte Alfred gefallen. Ralla, der das Schiff führte, drehte neben uns bei und legte die Hände wie einen Trichter an den Mund. «Gut gemacht!»

«Wir haben drei Männer verloren», rief ich zurück. Alle drei waren im Kampf gegen Olafs Angreifer auf unserem Schiff gestorben, und diese Toten fuhren mit uns auf dem *Seeadler*. Ich hätte sie in die See geworfen, aber sie waren Christen, und ihre Freunde wollten sie mit zurücknehmen, um sie in Lundene auf einem christlichen Friedhof zu beerdigen.

«Soll ich es in Schlepp nehmen?», rief Ralla und deutete auf das Handelsschiff.

Ich sagte ja, und wir warteten, bis er ein Tau am Vordersteven des Handelsschiffes befestigt hatte. Dann ruderten wir gemeinsam Richtung Norden über das Mündungsgebiet der Temes. Die Möwen waren jetzt mutiger geworden und pickten den toten Männern die Augen aus.

Es war inzwischen Mittag, und der Gezeitenwechsel ließ die Strömung stillstehen. Das Wasser wirkte ölig, hob und senkte sich träge unter der Sonne, die ihren Höchststand erreicht hatte, und wir schonten unsere Kräfte und ruderten langsam über die silbrig glitzernde See. Und ebenso langsam kam das Nordufer des Mündungsgebietes in Sicht.

Niedrige Hügel zitterten in der Mittagshitze. Ich war schon früher an dieser Küste entlanggefahren und wusste, dass sich jenseits einer flachen, von Wasserläufen durchzogenen Landzunge waldige Hügel erhoben. Ralla, der diese Küste viel besser kannte als ich, führte uns an, und ich prägte mir die Besonderheiten der Landschaft ein, während wir immer näher ans Ufer kamen. Mir fielen ein etwas höherer Hügel, ein Steilufer und eine Baumgruppe auf, und ich wusste, dass ich diese Dinge wiedersehen würde, denn wir ruderten unsere Schiffe auf Beamfleot zu. Hier lag der Bau der Seewölfe, das Nest der Seeschlangen, hier lag Sigefrids Rückzugsort.

Und hier lag auch das alte Königreich der Ostsachsen, ein Königreich, das schon vor langer Zeit untergegangen war, obwohl in alten Geschichten erzählt wird, die Ostsachsen seien einst ein gefürchtetes Volk gewesen. Sie waren Seefahrer und Plünderer, doch dann hatten die Angeln, die nördlich von ihnen lebten, ihr Land erobert, und nun gehörte diese Küste zu Guthrums Reich, zu Ostanglien.

Es war eine gesetzlose Küste, sie lag weit entfernt von Guthrums Regierungszentrum. Hier, in den Wasserläufen, die bei Ebbe trockenfielen, konnten Schiffe verborgen werden und beim Einsetzen der Flut aus ihren Verstecken gleiten und die Händler ausrauben, die ihre Waren mit dem Schiff die Temes hinaufbrachten. Das hier war ein Piratennest, und hier hatten Sigefrid, Erik und Haesten ihr Lager.

Sie mussten uns beim Näherkommen gesehen haben, aber was sahen sie? Sie sahen den *Seeadler*, also eines ihrer eigenen Schiffe, und an seiner Seite ein weiteres dänisches Schiff, beide stolz mit Tierköpfen geziert. Und sie sahen ein drittes Schiff, ein rundliches Händlerschiff, und sie mussten annehmen, dass Olaf von einem erfolgreichen Beutezug zurückkehrte. Das *Schwert des Herrn* würden sie für das Schiff eines Nordmannes halten, der gerade neu in England eingetroffen war. Kurzum, sie sahen uns, aber sie schöpften keinen Verdacht.

Als wir uns dem Ufer näherten, befahl ich, dass die geschnitzten Tierköpfe von den Steven an Bug und Heck abgenommen wurden. Sie wurden in heimatlichen Gewässern nicmals gczeigt, denn sie waren dazu da, feindliche Geister zu schrecken, und Olaf musste davon ausgegangen sein, dass ihm die Geister, die an den Wasserläufen um Beamfleot wohnten, freundlich gesinnt waren, und er hätte sie bestimmt nicht erschrecken wollen. Und so sah man von Sigefrids Lager aus, wie die geschnitzten Köpfe abgenommen wurden, und das musste für seine Leute bedeuten, dass hier Freunde nach Hause ruderten.

Ich starrte auf dieses Ufer, und ich wusste, das Schicksal würde mich hierher zurückbringen, und ich berührte Schlangenhauchs Griff, denn auch meine Klinge hatte ihr Schicksal, und ich wusste, dass sie an diesen Ort zurückkehren würde. Denn dies war ein Ort, an dem mein Schwert singen würde.

Beamfleot lag am Fuße eines Hügels, der steil zu einem Flussarm der Temes hin abfiel. Einer der Fischer, ein jüngerer Mann, der mit mehr Verstand als seine Gefährten gesegnet schien, stand neben mir und nannte mir die Namen der Orte, auf die ich zeigte. Die Siedlung unterhalb des Hügels, bestätigte er, war Beamfleot, und der Flussarm war, wie er beharrlich wiederholte, kein Flussarm, sondern ein eigener Fluss, der Hothlege. Beamfleot lag am nördlichen Ufer des Hothlege, während sein südliches Ufer zu einer niedrigen, düsteren, weitläufigen und trostlosen Insel gehörte. «Caninga», erklärte mir der Fischer.

Auf Caninga war es überall feucht, die Insel bestand nur aus Marschland und Schilf, Wildvögeln und Schlamm. Der Hothlege, der für mich mehr wie ein Flussarm der Temes als wie ein eigener Fluss aussah, wies ein Wirrwarr von Sandbänken auf, durch die sich ein Wasserlauf in Richtung des Hügels oberhalb von Beamfleot wand, und nun, während wir die Ostspitze von Caninga umrundeten, konnte ich auch Sigefrids Lager erkennen, das auf dem Gipfel dieses Hügels lag. Es war ein grüner Hügel, und seine Wehranlage, die aus Erdwällen bestand, die von einer Holzpalisade gekrönt waren, zog sich wie eine braune Narbe um die gewölbte Kuppe. Der Hang unter dem südwärts gelegenen Abschnitt des Walls fiel steil bis zu einer Gruppe von Schiffen ab, die schräg auf dem Schlamm ruhten, den die Ebbe freigelegt hatte. Die Mündung des Hothlege wurde von einem Schiff bewacht, das den Wasserlauf versperrte. Es lag breitseits auf dem Fluss, gegen die Gezeitenströme mit Ketten an Bug und Heck gesichert. Eine Kette führte zu einem gewaltigen Pfahl, der am Ufer von Caninga eingelassen worden war, während sie die andere an einem Baum festgemacht hatten, der einsam auf der kleinen Insel wuchs, die das Nordufer der Mündung bildete. «Zwei-Bäume-Insel», sagte der Fischer, der gesehen hatte, wohin ich blickte.

«Aber da ist nur ein Baum», stellte ich fest.

«Als mein Vater jung war, standen noch zwei dort, Herr.»

Der Gezeitenwechsel war gekommen. Die Flut begann, und Massen von Wasser drückten in das Mündungsgebiet der Temes, sodass unsere drei Schiffe in Richtung des feindlichen Lagers getragen wurden. «Wenden!», rief ich Ralla zu und sah die Erleichterung auf seinem Gesicht, «aber zuerst setzt du den Drachenkopf wieder auf!»

Und so sahen Sigefrids Männer, wie der Drachenkopf wieder auf den Steven gehievt wurde, und der Schnabelkopf des Adlers erschien auf dem Vordersteven des *Seeadlers*, und da mussten sie gewusst haben, dass etwas nicht stimmte, nicht nur, weil wir die Schreckensmasken wieder zeigten, sondern auch, weil wir unsere Schiffe wendeten und Ralla das Händlerschiff losmachte. Und als sie uns so von ihrer hochgelegenen Festung beobachteten, mussten sie mein Banner am Mast des *Seeadlers* gesehen haben. Gisela und ihre Dienerinnen hatten das Banner mit dem Wolfskopf gemacht, und ich ließ es aufziehen, damit die Beobachter erfuhren, wer die Besatzung des *Seeadlers* getötet hatte.

Dann ruderten wir davon und mussten uns gegen die hereinkommende Flut schwer in die Riemen legen. Wir wandten uns um Caninga herum nach Südwesten, und dann ließen wir uns von der starken Flut flussaufwärts nach Lundene tragen.

Und das Händlerschiff, den Laderaum voller blutbesudelter, von den Möwen angefressener Leichen, trieb mit derselben Flut den Flussarm hinauf, bis es an das Langschiff stieß, das breitseits über dem Wasserlauf festgemacht war.

Ich hatte jetzt drei Kampfschiffe, während mein Cousin fünfzehn besaß. Er hatte die erbeuteten Schiffe weiter flussaufwärts gebracht, wo sie, nach allem, was ich gehört hatte, ungenutzt verrotteten. Wenn ich zehn Schiffe mehr gehabt hätte und die Mannschaften, um sie zu besetzen, dann hätte ich Beamfleot erobern können, aber alles, was ich hatte, waren drei Schiffe, und der Flussarm unterhalb der hochgelegenen Festung war voller Schiffsmasten.

Dennoch hatte ich eine Botschaft geschickt.

Der Tod war auf dem Weg nach Beamfleot.

Zuerst aber kam der Tod nach Hrofeceastre. Hrofeceastre war eine Stadt nicht weit von Lundene. Sie lag auf der südlichen Seite des riesigen Mündungsgebietes der Temes im alten Königreich von Cent. Die Römer hatten hier eine Festung errichtet, und nun war eine ansehnliche Stadt in und um die Wehranlage herum entstanden. Cent war natürlich seit langem ein Teil von Wessex, und Alfred hatte angeordnet, die Verteidigungsanlagen Hrofeceastres zu verstärken. Das war leicht zu bewerkstelligen gewesen, denn die alten Erdwälle der Römerfestung bestanden noch, und alles, was getan werden musste, war, den Graben zu vertiefen, eine Palisade aus Eichenbalken zu errichten und einige Gebäude niederzureißen, die außerhalb und zu nahe an den Wehranlagen standen. Und es war gut, dass diese Aufgabe erledigt worden war, denn im Frühsommer war ein großer dänischer Schiffsverband aus dem Frankenreich hierhergekommen. Sie hatten in Ostanglien Zuflucht gefunden, und von dort aus segelten sie südwärts, fuhren mit der Flut ein Stück die Temes hinauf und landeten an den Ufern des Medwæg, dem Nebenfluss der Temes, an dem Hrofeceastre lag. Sie hatten die Stadt überrennen, Feuer und Schrecken verbreiten wollen, doch die neuen Wehranlagen und die starke Verteidigungstruppe hatten dem Angriff standgehalten.

Ich hatte vor Alfred von ihrer Ankunft erfahren. Ich schickte ihm einen Boten, der ihn von dem Angriff unterrichtete, und noch am gleichen Tag fuhr ich mit dem *Seeadler* die Temes hinunter und den Medwæg hinauf, nur um festzustellen, dass ich nichts ausrichten konnte. Wenigstens sechzig Kriegsschiffe lagen auf dem schlammigen Ufer des Flusses, und zwei andere waren so aneinandergekettet worden, dass sie die ganze Breite des Medwæg versperrten, um westsächsische Schiffe von einem Angriff abzuschrecken. Am Ufer sah ich die Eindringlinge einen Damm aus Erde aufschütten, sodass ich annahm, sie wollten Hrofeceastre mit ihrem eigenen Wall einkreisen.

Der Anführer der Eindringlinge war ein Mann namens

Gunnkel Rodeson. Ich erfuhr später, dass er von einem mageren Raubzug im Frankenreich zurückgekehrt war, weil er hoffte, das Silber erbeuten zu können, das angeblich in der großen Kirche und dem Kloster von Hrofeceastre gehortet wurde. Ich ruderte von seinen Schiffen weg, setzte unter einem lebhaften Wind aus Südosten das Segel des *Seeadlers* und fuhr auf die nördliche Seite der Temes-Mündung. Ich hoffte, Beamfleot verlassen zu finden, doch auch wenn es offenkundig war, dass viele von Sigefrids Schiffen und Männern bei Gunnkel waren, so waren doch noch sechzehn Schiffe da, und die hochgelegene Wehranlage starrte vor Männern und Speerspitzen.

Und deshalb fuhren wir zurück nach Lundene.

«Kennst du Gunnkel?», fragte mich Gisela. Wir sprachen Dänisch, wie wir es immer taten.

«Nie von ihm gehört.»

«Ein neuer Feind?», fragte sie lächelnd.

«Sie kommen in endloser Folge aus dem Norden hierher», sagte ich. «Töte einen, und zwei neue segeln nach Süden.»

«Ein sehr guter Grund, um damit aufzuhören, sie zu töten», sagte sie. Näher an einen Tadel, weil ich Angehörige ihres eigenen Volkes tötete, kam Gisela nie heran.

«Ich habe Alfred Gefolgschaft geschworen», lautete meine trostlose Erklärung.

Am nächsten Tag weckte mich ein Schiff auf, das durch die Lücke in der Brücke von Lundene fuhr. Der Klang eines Horns schreckte mich auf. Das Horn war von einem Späher geblasen worden, der auf den Wällen einer kleinen Burg wachte, die ich gerade am südlichen Ende der Brücke errichtete. Wir nannten diese Burg Suthriganaweorc, was einfach nur südliche Verteidigung bedeutete, und sie wurde von Männern aufgebaut und bewacht, die aus dem Fyrd von Suthrige stammten. Fünfzehn Kriegsschiffe fuhren flussab, und sie ruderten beim höchsten Stand der Flut durch die Lücke, also in dem Moment, in dem das strudelnde Wasser in der Lücke etwas ruhiger war. Alle fünfzehn Schiffe kamen sicher durch, und am Mast des dritten sah ich das Banner mit dem aufsteigenden weißen Pferd flattern, das meinem Cousin Æthelred gehörte. Einmal unterhalb der Brücke, wurden die Schiffe an die Landeplätze gerudert und immer zu dritt nebeneinander angeleint. Æthelred, so schien es, kehrte nach Lundene zurück. Im Frühsommer hatte er Æthelflaed mit zurück auf seine Besitzungen im westlichen Mercien genommen, wo er gegen die walisischen Viehdiebe vorgehen wollte, die allzu gern in Merciens fette Weidegründe einbrachen. Und jetzt war er zurück.

Er begab sich in seinen Palas. Æthelflaed war natürlich bei ihm, denn Æthelred weigerte sich, sie aus den Augen zu lassen. Doch für Liebe hielt ich das nicht. Es war Eifersucht. Ich erwartete halb, zu ihm bestellt zu werden, doch ich wurde nicht gerufen, und als Gisela am nächsten Morgen zum Palas ging, wurde sie abgewiesen. Die Herrin Æthelflaed, so beschied man ihr, fühle sich unwohl. «Sie waren nicht unhöflich zu mir», sagte sie, «nur unerbittlich.»

«Vielleicht fühlt sie sich wirklich unwohl», bemerkte ich.

«Noch ein Grund mehr, eine Freundin bei sich zu haben», sagte Gisela und sah durch die offenen Läden hinaus, wo die Sommersonne die Temes in ein glitzerndes Silberband verwandelte. «Er hat sie in einen Käfig gesperrt, oder wie würdest du das nennen?»

Wir wurden von Bischof Erkenwald unterbrochen, oder besser gesagt, von einem seiner Priester, der die unmittelbar bevorstehende Ankunft des Bischofs ankündigte. Gisela, die wusste, dass Erkenwald vor ihr niemals offen reden würde, zog sich in die Küche zurück, als ich zu seiner Begrüßung an die Tür ging.

Ich hatte diesen Mann nie gemocht. Es sollte auch noch der Tag kommen, an dem wir uns hassten, aber er war Alfred treu ergeben, und er war tüchtig und er war gewissenhaft. Er vergeudete keine Zeit mit unnützen Worten, sondern erklärte mir, er habe mit einem Erlass angeordnet, den örtlichen Fyrd aufzustellen. «Der König», sagte er, «hat befohlen, dass die Männer seiner Leibwache als Bemannung auf die Schiffe Eures Cousins gehen.»

«Und ich?»

«Ihr werdet hierbleiben», sagte er schroff, «ebenso wie ich selbst.»

«Und der Fyrd?»

«Mit ihm soll die Stadt verteidigt werden. Er ersetzt die königlichen Truppen.»

«Wegen Hrofeceastre?»

«Der König ist entschlossen, die Heiden zu bestrafen», sagte Erkenwald, «doch während er in Hrofeceastre Gottes Werk verrichtet, besteht eine geringe Möglichkeit, dass andere Heiden Lundene angreifen. Und wir werden dafür sorgen, dass ein solcher Angriff keinen Erfolg hat.»

Keinerlei Heiden griffen Lundene an, und so saß ich in der alten Stadt, während sich die Ereignisse in Hrofeceastre abspielten, und seltsamerweise sind diese Ereignisse später weithin berühmt geworden. Dieser Tage kommen oft Männer zu mir und fragen mich nach Alfred, denn ich bin einer der wenigen, die noch am Leben sind und sich an ihn erinnern. Es sind immer Kirchenleute, was auch sonst, und sie wollen von seiner Frömmigkeit hören, von der ich nichts zu wissen vorgebe, und einige wenige fragen auch nach seinen Kriegen. Sie wissen von seinem Rückzug ins Marschland und von dem Sieg bei Ethandun, aber sie wollen auch etwas über Hrofeceastre hören. Das ist merkwürdig. Alfred sollte viele Siege über seine Feinde erringen, und Hrofeceastre war zweifellos einer davon, aber es war nicht die große Schlacht, an die man heute glaubt.

Es war, das versteht sich, sehr wohl ein Sieg, aber es hätte ein überwältigender Sieg sein können. Es bestand die Gelegenheit, eine ganze Flotte Wikingerschiffe zu zerstören und den Medwæg mit dem Blut der Nordmänner rot zu färben, aber diese Gelegenheit wurde vertan. Alfred vertraute auf die Wehranlagen von Hrofeceastre, um die Eindringlinge draußen zu halten, und in der Tat hielten die Wälle, und Alfreds Verteidigungstruppe schlug sich gut, während er inzwischen ein ganzes Reiterheer aufstellte. Er hatte die Truppe seiner eigenen königlichen Hausmacht, und diese verstärkte er mit den Haustruppen jedes Aldermannes zwischen Wintanceaster und Hrofeceastre, und sie alle ritten nach Osten, und ihre Streitmacht wuchs immer mehr, je weiter sie kamen, und dann versammelten sich alle beim Mæides Stana, nur wenig südlich von der alten römischen Festung, die heute zu Hrofeceastre geworden ist.

Alfred hatte schnell und gut gehandelt. Die Stadt hatte zwei dänische Angriffe abgewehrt, und jetzt sahen sich Gunnkels Männer nicht nur der Verteidigungstruppe von Hrofeceastre gegenüber, sondern auch noch über tausend der besten Krieger von Wessex. Gunnkel, der erkannte, dass er verloren hatte, schickte einen Boten zu Alfred, der Gunnkels Verhandlungsbereitschaft erklärte. Worauf Alfred wartete, war die Ankunft von Æthelreds Schiffen in der Mündung des Medwæg, denn so säße Gunnkel in der Falle. Also redete Alfred und redete, und immer noch kamen die Schiffe nicht. Und als Gunnkel verstand, dass ihm Alfred nichts für seinen Abzug bezahlen würde und dass er mit den Verhandlungen nur hingehalten werden sollte und dass der westsächsische König kämpfen wollte, da machte er sich davon. Um Mitternacht, nach zwei Tagen ausweichender Gespräche, ließen die Eindringlinge ihre Lagerfeuer brennen, um vorzugeben, sie seien noch an Land, gingen an Bord ihrer Schiffe und ruderten mit der Ebbe die Temes hinab. Und so endete die Belagerung von Hrofeceastre, und es war ein großer Sieg, dass ein Wikingerheer schmachvoll aus Wessex vertrieben worden war, aber die Fluten des Medwæg waren nicht rot von Blut. Gunnkel lebte, und die Schiffe, die von Beamfleot gekommen waren, kehrten dorthin zurück, und einige andere Schiffe begleiteten sie, sodass Sigefrids Lager um weitere Besatzungen kampfeshungriger Krieger verstärkt wurde. Die anderen Schiffe von Gunnkels Flotte suchten entweder im Frankenreich nach leichterer Beute oder zogen sich an die Küste Ostangliens zurück.

Und während all dies stattfand, war Æthelred in Lundene.

Er führte Beschwerde, das Bier auf seinen Schiffen sei sauer. Er erklärte Bischof Erkenwald, seine Männer könnten nicht kämpfen, wenn sich ihnen der Magen umdrehe und sie sich die Gedärme aus dem Leib spien, also bestand er darauf, dass die Fässer ausgeleert und mit frisch gebrautem Bier wieder gefüllt wurden. Das dauerte zwei Tage, und am nächsten Tag bestand er darauf, bei Hofe Recht zu sprechen, eine Aufgabe, die der Ordnung nach zu Bischof

Erkenwalds Befugnissen gehörte, doch die Æthelred, als Aldermann von Mercien, jederzeit selbst übernehmen konnte. Er mochte mich vielleicht nicht sehen wollen, und Gisela mochte am Palas abgewiesen worden sein, als sie Æthelflaed besuchen wollte, aber kein freier Bürger konnte daran gehindert werden, den Gerichtssitzungen beizuwohnen, und so schlossen wir uns der Menge in dem großen säulengetragenen Saal an.

Æthelred hatte sich in einem Stuhl ausgestreckt, der ebenso gut ein Thron hätte sein können. Er hatte eine hohe Rückenlehne, beschnitzte Armlehnen, und seine Sitzfläche war mit Fellen ausgelegt. Ich weiß nicht, ob er uns bemerkte, und wenn er es tat, ließ er es nicht erkennen, doch Æthelflaed, die auf einem niedrigeren Stuhl neben ihm saß, sah uns bestimmt. Offenbar ohne uns zu erkennen, starrte sie uns an, dann wandte sie ihr Gesicht ab, als sei sie gelangweilt. Die Fälle, mit denen sich Æthelred beschäftigte, waren belanglos, dennoch bestand er darauf, jeden anzuhören, der als Schwurnehmer unter Eid etwas zu erklären hatte. Bei der ersten Beschwerde ging es um einen Müller, der beschuldigt wurde, falsche Gewichte zum Auswiegen zu benutzen, und Æthelred befragte den Schwurnehmer unerbittlich. Sein Vertrauter Aldhelm saß nahe hinter ihm und flüsterte Æthelred Ratschläge ins Ohr. Aldhelms früher gut aussehendes Gesicht war von den Narben gezeichnet, die meine Schläge hinterlassen hatten, seine Nase war gebrochen und einer seiner Wangenknochen eingedrückt. Mir, der ich über solche Fragen oftmals geurteilt hatte, schien der Müller zweifellos schuldig, doch Æthelred und Aldhelm brauchten lange, um zu dem gleichen Schluss zu kommen. Der Mann wurde zum Verlust eines Ohrs und einem Brandzeichen auf der Wange verurteilt. Darauf las ein junger Priester laut die Anklageschrift gegen eine Hure vor, die beschuldigt wurde, Geld aus dem Almosenkasten in der Kirche Sankt Alban gestohlen zu haben. Und während der Priester noch sprach, krümmte sich Æthelflaed unvermittelt zusammen. Mit einer Hand am Bauch beugte sie sich vor. Ich dachte, sie würde sich erbrechen, doch aus ihrem Mund kam nichts außer einem leisen Stöhnen. So verharrte sie, vorgebeugt, mit offenem Mund und einer Hand an ihrem Bauch, an dem sich noch kein Zeichen ihrer Schwangerschaft zeigte.

Im Saal war es still geworden. Æthelred starrte seine junge Frau an, offenbar war er angesichts ihres Leidens vollkommen hilflos, dann kamen zwei Frauen aus einem offenen Bogengang, und nachdem sie ein Knie vor Æthelred gebeugt und augenscheinlich seine Erlaubnis erhalten hatten, führten sie Æthelflaed weg. Mein Cousin machte mit bleichem Gesicht eine Handbewegung in Richtung des Priesters. «Fangt noch einmal von vorne an, Pater», sagte Æthelred, «meine Aufmerksamkeit war nicht bei der Sache.»

«Ich war schon fast am Ende, Herr», sagte der Priester hilfsbereit, «und ich habe Schwurnehmer, die das Vergehen beschreiben können.»

«Nein, nein, nein!» Æthelred hob eine Hand. «Ich wünsche die Anschuldigung zu hören. Wir müssen uns sorgfältig zeigen, wenn wir Recht sprechen.»

Also begann der Priester erneut. Die Leute scharrten vor Langeweile mit den Füßen, während er dröhnend die Beschuldigungen vorlas, und in diesem Moment berührte mich Gisela am Ellbogen.

Eine Frau hatte gerade etwas zu Gisela gesagt, und sie zupfte mich darauf am Gewand und schickte sich an, der Frau durch die Tür am Ende des Saales zu folgen. Ich folgte ihr nach und hoffte, dass Æthelred zu sehr damit beschäftigt war, den guten Richter zu spielen, um unseren Aufbruch zu bemerken.

Wir folgten der Frau durch einen Gang, der einst zum Kreuzgang eines Klosters um einen Innenhof gehört hatte. Später war der offene Bogengang mit Flechtwerk und Lehm verschlossen worden. Am Ende des Ganges war eine rohe Holztür in einen steinernen Türrahmen gehängt worden. Rankender Wein war in das Mauerwerk eingeschnitten. Auf der anderen Seite befand sich ein Raum, dessen Fußboden mit kleinen Fliesen ausgelegt war, die irgendeinen römischen Gott zeigten, der Blitze schleuderte, und dahinter lag ein sonnenüberglänzter Garten, in dem drei Birnbäume ihre Schatten auf eine Wiese voller Gänseblümchen und Butterblumen warfen. Unter diesen Bäumen erwartete uns Æthelflaed.

Von dem Leiden, unter dem sie verkrümmt und würgend den Saal verlassen hatte, war nichts mehr zu bemerken. Stattdessen stand sie aufrecht, mit geradem Rücken und ernster Miene vor uns, wenn dieser Ernst auch durch ein Lächeln aufgehellt wurde, als sie Gisela erblickte. Sie umarmten sich, und ich sah Æthelflaed die Augen schließen, als müsse sie Tränen zurückhalten.

«Ihr seid nicht krank, Herrin?», fragte ich.

«Nur schwanger», sagte sie, die Augen immer noch geschlossen, «nicht krank.»

«Gerade habt Ihr noch krank ausgesehen», sagte ich.

«Ich wollte mit euch reden», sagte sie und löste sich von Gisela, «und Unwohlsein vorzutäuschen, war die einzige Möglichkeit, allein zu sein. Er kann es nicht ertragen, wenn mir übel ist. Er lässt mich allein, wenn ich mich übergeben muss.»

«Ist Euch oft übel?», fragte Gisela.

«Jeden Morgen», sagte Æthelflaed, «fühle ich mich sterbenselend, aber geht es nicht jeder Frau so?»

«Dieses Mal nicht», sagte Gisela und berührte ihr Amulett. Sie trug ein kleines Abbild von Frigg, dem Weib Odins und der Königin von Asgard, wo die Götter wohnen. Frigg ist die Göttin der Schwangerschaft und der Geburt, und das Amulett sollte Gisela schützen, wenn sie das Kind zur Welt brachte. Das kleine Abbild hatte uns bei unseren beiden ersten Kindern gute Dienste geleistet, und ich betete jeden Tag, dass es auch bei dem dritten so sein würde.

«Ich übergebe mich jeden Morgen», sagte Æthelflaed, «danach fühle ich mich den Tag über gut.» Sie berührte ihren Bauch und strich dann über den von Gisela, der schon weit vorgewölbt war. «Ihr müsst mir von den Geburten berichten», sagte sie ängstlich. «Es ist schmerzhaft, nicht wahr?»

«Ihr vergesst die Schmerzen», sagte Gisela, «denn sie werden von der Freude weggeschwemmt.»

«Ich hasse Schmerzen.»

«Es gibt Kräuter», sagte Gisela und bemühte sich, überzeugend zu klingen, «und die Freude, wenn das Kind kommt, ist überwältigend.»

Sie redeten über Geburten, und ich lehnte mich an die Ziegelmauer und sah zwischen den Blättern der Birnbäume zum blauen Himmel hinauf. Die Frau, die uns hierhergebracht hatte, war wieder gegangen, und wir waren allein. Irgendwo jenseits der Ziegelmauer rief ein Mann seinen Soldaten zu, sie sollten ihre Schilde heben, und ich hörte den Klang von Knütteln auf Holz, als sie sich im Kampf übten. Ich dachte an die neue Stadt, das Lundene außerhalb der Mauern, wo die Sachsen ihre Siedlung gebaut hatten.

Sie wollten, dass ich ihnen dort eine neue Palisade baute und sie mit meiner Truppe verteidigte, doch ich hatte abgelehnt, weil mir Alfred befohlen hatte, abzulehnen, und weil zu viele Wehranlagen zu verteidigen wären, wenn auch noch die neue Stadt einen Wall bekam. Ich wollte, dass diese Sachsen in die alte Stadt zogen. Einige wenige waren gekommen, sie suchten den Schutz der alten römischen Stadtmauer und meiner Verteidigungstruppe, doch die meisten blieben eigensinnig in der neuen Stadt. «An was denkst du?», unterbrach Æthelflaed unvermittelt meine Überlegungen.

«Er dankt Thor dafür, ein Mann zu sein», sagte Gisela, «und keine Kinder auf die Welt bringen zu müssen.»

«Das stimmt», sagte ich, «und ich habe gedacht, wenn es Leute gibt, die lieber in der neuen Stadt sterben, als in der alten zu leben, dann sollten wir sie sterben lassen.»

Æthelflaed lächelte über diese hartherzige Äußerung. Sie kam zu mir herüber. Sie war barfüßig und wirkte sehr klein. «Du schlägst Gisela nicht, oder doch?», fragte sie und sah zu mir empor.

Ich warf Gisela einen Blick zu und lächelte. «Nein, Herrin», sagte ich leise.

Æthelflaed sah mich unverwandt an. Sie hatte blaue Augen mit braunen Flecken, eine leichte Stupsnase, und ihre Unterlippe war voller als ihre Oberlippe. Die Prellungen waren verschwunden, wenn auch noch ein zarter dunkler Hauch auf einer Wange zeigte, wo sie zuletzt geschlagen worden war. Sie war sehr ernst. Einige Strähnen ihres goldenen Haares hatten sich aus ihrer Haube gelöst. «Warum hast du mich nicht gewarnt, Uhtred?», fragte sie.

«Weil Ihr keine Warnung hören wolltet», sagte ich.

Sie dachte darüber nach und nickte dann jäh. «Nein, das

wollte ich nicht, du hast recht. Ich bin selbst in den Käfig gegangen, nicht wahr? Und dann habe ich ihn abgeschlossen.»

«Dann schließt ihn wieder auf», sagte ich schroff.

«Das kann ich nicht», erwiderte sie knapp.

«Nein?», fragte Gisela.

«Gott hat den Schlüssel.»

Ich lächelte über diese Bemerkung. «Euren Gott habe ich ohnehin noch nie gemocht», sagte ich.

«Kein Wunder, dass mein Ehemann sagt, du wärst ein schlechter Mann», gab Æthelflaed mit einem Lächeln zurück.

«Das sagt er?»

«Er sagt, du bist frevelhaft, unzuverlässig und heimtückisch.»

Ich lächelte nur.

«Starrsinnig», setzte Gisela die Litanei fort, «einfältig und erbarmungslos.»

«So bin ich», sagte ich.

«Und sehr gutherzig», schloss Gisela.

Immer noch blickte Æthelflaed zu mir empor. «Er fürchtet dich», sagte sie, «und Aldhelm hasst dich», fuhr sie fort. «Er tötet dich, wenn er die Gelegenheit dazu findet.»

«Er soll es versuchen», sagte ich.

«Aldhelm will, dass mein Ehemann König wird.»

«Und was denkt Euer Ehemann?», fragte ich.

«Es würde ihm gefallen», sagte Æthelflaed, und das überraschte mich nicht. Mercien fehlte ein König, und Æthelred hatte einen Anspruch auf den Thron, aber mein Cousin war nichts ohne Alfreds Unterstützung, und Alfred wollte nicht, dass irgendwer in Mercien König genannt wurde.

«Warum erklärt sich Euer Vater nicht einfach selbst zum König von Mercien?», fragte ich Æthelflaed.

«Ich glaube, das wird er tun», sagte sie, «eines Tages.»

«Aber jetzt noch nicht?»

«Mercien ist ein stolzes Land», sagte sie, «und nicht jeder Mercier liebt Wessex.»

«Und Ihr seid hier, um sie die Liebe zu Wessex zu lehren?»

Sie berührte ihren Bauch. «Vielleicht will mein Vater, dass sein erster Enkel zum König von Mercien wird», meinte sie. «Ein mercischer König mit westsächsischem Blut.»

«Und Æthelreds Blut», sagte ich säuerlich.

Sie seufzte. «Er ist kein schlechter Mann», sagte sie sehnsüchtig, als versuche sie, sich selbst zu überzeugen.

«Er schlägt Euch», bemerkte Gisela trocken.

«Er will ein guter Mann sein», sagte Æthelflaed. Sie legte mir die Hand auf den Arm. «Er will so sein wie du, Uhtred.»

«Wie ich!», sagte ich und musste fast lachen.

«Gefürchtet», erklärte Æthelflaed.

«Warum», fragte ich, «verschwendet er dann hier seine Zeit? Warum nimmt er nicht seine Schiffe und kämpft gegen die Dänen?»

Erneut seufzte Æthelflaed. «Weil Aldhelm ihm sagt, er soll es nicht tun. Aldhelm sagt, wenn Gunnkel in Cent oder Ostanglien bleibt, ist mein Vater gezwungen, mehr Truppen hier zu halten. Denn dann muss er immer mit Gefahr aus dem Osten rechnen.»

«Das muss er ohnehin.»

«Aber Aldhelm sagt, dass mein Vater, wenn er ständig eine Gruppe Heiden im Mündungsgebiet der Temes im

Auge behalten muss, vermutlich weniger darauf achtet, was in Mercien vor sich geht.»

«Wo sich mein Cousin zum König erklären wird?», riet ich.

«Das wird der Preis sein, den er dafür verlangt, die nördliche Grenze von Wessex zu verteidigen.»

«Und Ihr werdet Königin», sagte ich.

Sie verzog ihr Gesicht. «Glaubst du, das will ich?»

«Nein», gab ich zu.

«Nein», bekräftigte sie. «Was ich will, ist, dass die Dänen aus Mercien verschwinden. Ich will, dass die Dänen aus Ostanglien verschwinden. Ich will, dass die Dänen aus Northumbrien verschwinden.» Sie war kaum mehr als ein Kind, ein mageres Kind mit einer Stupsnase und hellen Augen, aber in sich trug sie eine Entschlossenheit wie aus Stahl. Sie sprach zu mir, der die Dänen liebte, weil ich von ihnen aufgezogen worden war, und zu Gisela, die eine Dänin war, aber Æthelflaed versuchte dennoch nicht, ihre Worte abzumildern. Sie war von Hass gegen die Dänen erfüllt, einem Hass, den sie von ihrem Vater geerbt hatte. Dann erschauerte sie mit einem Mal, und die ganze stählerne Härte verschwand. «Und ich will überleben», sagte sie.

Ich wusste nicht, was ich darauf erwidern sollte. Frauen starben bei der Kindsgeburt. So viele starben. Ich hatte Odin und Thor Opfer gebracht, als Gisela unsere beiden Kinder auf die Welt brachte, und war dennoch voller Angst gewesen, und auch jetzt fürchtete ich mich, weil sie wieder schwanger war.

«Ihr nehmt die weisesten Frauen in Eure Dienste», sagte Gisela, «und Ihr vertraut den Kräutern und Talismanen, die sie anwenden.»

«Nein», sagte Æthelflaed fest, «das meine ich nicht.»

«Was dann?»

«Heute Nacht», sagte Æthelflaed, «um Mitternacht. In der Kirche von Sankt Alban.»

«Heute Nacht?», wiederholte ich vollkommen verständnislos. «In der Kirche?»

Sie sah mich mit ihren riesigen blauen Augen an. «Sie töten mich vielleicht», sagte sie.

«Nein!», widersprach Gisela, die nicht glauben konnte, was sie da hörte.

«Er will sicher sein, dass es sein Kind ist!», unterbrach sie Æthelflaed, «und das ist es natürlich! Aber sie wollen sicher sein, und ich fürchte mich.»

Gisela schloss Æthelflaed in ihre Arme und strich ihr übers Haar. «Niemand wird Euch töten», sagte sie mit sanfter Stimme und sah mich dabei an.

«Kommt in die Kirche, bitte», erklang Æthelflaeds Stimme gedämpft, da sie ihren Kopf an Giselas Brust geschmiegt hielt.

«Wir werden bei Euch sein», sagte Gisela.

«Geht in die große Kirche, die dem heiligen Alban geweiht ist», sagte Æthelflaed. Sie weinte leise. «Also, wie schlimm ist der Schmerz?», fragte sie. «Ist es, wie entzweigerissen zu werden? Das sagt jedenfalls meine Mutter!»

«Er ist schlimm», gab Gisela zu, «aber er führt zu einer Freude, die mit keiner anderen zu vergleichen ist.» Sie streichelte Æthelflaed und starrte mich dabei an, als könnte ich ihr erklären, was um Mitternacht geschehen würde, aber ich hatte nicht die geringste Vorstellung davon, was mein Cousin in seinem argwöhnischen Hirn ausgebrütet hatte.

Dann erschien die Frau, die uns in den Birnbaumgarten

geführt hatte, wieder an der Tür. «Euer Ehemann, Gebieterin», sagte sie dringlich, «er möchte Euch wieder im Saal haben.»

«Ich muss gehen», sagte Æthelflaed. Sie wischte sich die Augen an ihrem Ärmel ab, lächelte uns freudlos an und eilte davon.

«Was werden sie mit ihr machen?», fragte Gisela zornig.

«Ich weiß nicht.»

«Zauberei?», wollte sie wissen. «Irgendein Christenzauber?»

«Ich weiß nicht», wiederholte ich, und ich wusste es auch nicht. Ich wusste nur, dass es um Mitternacht stattfinden sollte, der schwärzesten Stunde, wenn das Böse sich zeigt und Wechselgestalten übers nächtliche Land ziehen und die Schattenwandler kommen. Um Mitternacht.

ACHT

Die Kirche von Sankt Alban war alt. Unten waren die Mauern aus Stein, was bedeutete, dass sie von den Römern erbaut worden waren, doch irgendwann war das Dach eingestürzt und das obere Mauerwerk war nachgerutscht, sodass nun die meisten Wände ab Kopfhöhe aus Balken und Flechtwerk bestanden und das Dach mit Stroh gedeckt war. Die Kirche lag an der größten Straße von Lundene, die von dem Stadttor im Norden, das jetzt Bishop's Gate genannt wurde, nach Süden bis zu der eingestürzten Brücke verlief. Beocca hat mir einmal erzählt, dass die Kirche eine Kapelle der mercischen Könige gewesen ist, und vielleicht hatte er recht. «Und Alban war ein Soldat!», hatte er hinzugefügt. Er steigerte sich jedes Mal in Entzücken hinein, wenn er von den Heiligen sprach, deren Geschichten er kannte und liebte. «Also solltest du ihn mögen!»

«Ich sollte ihn mögen, nur weil er Soldat gewesen ist?», fragte ich zweifelnd.

«Weil er ein tapferer Soldat gewesen ist!», erklärte mir Beocca, «und», er hielt inne und holte tief und begeistert Luft, denn er hatte mir wahrhaft Bedeutendes mitzuteilen, «und als er gemartert wurde, fielen seinem Henker die Augen aus!» Er strahlte mich mit seinem einen guten Auge an. «Sie fielen aus, Uhtred! Sind ihm einfach aus dem Kopf gefallen! Das war die Strafe Gottes, verstehst du? Du tötest einen heiligen Mann, und Gott lässt dir die Augen ausfallen!»

«Also war Bruder Jænberth kein heiliger Mann?», hatte

324

ich gefragt. Jænberth war ein Mönch gewesen, den ich in einer Kirche getötet hatte, und zwar sehr zum Entsetzen Pater Beoccas und einer Schar weiterer Kirchenmänner, die mir dabei zusahen. «Ich habe meine Augen noch, Pater», betonte ich.

«Du verdientest es, blind zu sein!», hatte Pater Beocca erwidert, «aber Gott ist gnädig. Manchmal sogar ganz eigenartig gnädig, muss ich sagen.»

Nachdem ich einige Momente über Alban nachgedacht hatte, fragte ich: «Wenn Euer Gott einem Mann die Augen ausfallen lassen kann, warum hat er dann Alban nicht einfach das Leben gerettet?»

«Weil es Gott gefiel, das nicht zu tun, natürlich!», hatte Beocca hochmütig erklärt und damit genau die Art von Antwort gegeben, die man immer erhält, wenn man einen Christenpriester bittet, eine weitere unerklärliche Tat ihres Gottes zu begründen.

«Alban war römischer Soldat?», fragte ich, weil es nun mir gefiel, das launische, grausame Wesen seines Gottes nicht weiter zu besprechen.

«Er war Britone», sagte Beocca, «ein sehr tapferer und sehr heiliger Britone.»

«Bedeutet das, er war Waliser?»

«Natürlich bedeutet es das!»

«Vielleicht hat ihn Euer Gott deshalb sterben lassen», sagte ich, und Beocca bekreuzigte sich und verdrehte sein gutes Auge zum Himmel.

Und so, obwohl Alban ein Waliser war und wir Sachsen die Waliser nicht mögen, wurde in Lundene eine Kirche nach ihm benannt, und diese Kirche wirkte so tot wie der Leichnam des toten Heiligen selbst, als Gisela, Finan und ich hinkamen. Auf der Straße herrschte schwärzeste Nacht.

Ein paar Lichtstrahlen von den Herdfeuern stahlen sich durch die Ritzen einiger Fensterläden, und aus einem Gasthaus in der Nähe drangen grölende Gesänge, aber die Kirche lag dunkel und still vor uns. «Das gefällt mir nicht», flüsterte Gisela, und ich wusste, dass sie das Amulett berührte, das sie um den Hals trug. Bevor wir aus dem Haus gegangen waren, hatte sie ihre Runenstäbe geworfen, weil sie hoffte, das Muster dieser Nacht erkennen zu können, aber die Lage der Stäbe hatte sie vor ein Rätsel gestellt.

Da rührte sich etwas in einer nahegelegenen Gasse. Vielleicht war es nichts weiter als eine Ratte, aber sowohl Finan als auch ich wandten uns um und ließen unsere Schwerter zischend aus den Scheiden fahren, doch da verstummte das Geräusch in der Gasse wieder.

Wir trugen alle dunkle Umhänge mit Kapuzen, sodass jeder, der uns sah, glauben musste, dass dort Priester oder Mönche vor der dunklen, abweisenden Tür von Sankt Alban standen. Kein Licht schimmerte an den Rändern der Tür hindurch. Ich versuchte sie zu öffnen, zog an dem kurzen Seil, das den Bolzen auf der anderen Seite hochzog, doch offenbar war die Tür zusätzlich mit einem Balken versperrt. Ich drückte gegen die Tür, rüttelte daran und schlug am Ende mit den Fäusten gegen das Holz, doch es rührte sich nichts. Dann berührte Finan meinen Arm, und ich vernahm Schritte. «Über die Straße», flüsterte ich, und wir gingen zur Einmündung der Gasse, aus der wir das Geräusch gehört hatten. Der kleine, enge Durchgang stank nach Abwässern.

«Priester», flüsterte Finan.

Zwei Männer kamen die Straße herunter. Einen Augenblick lang wurden sie in einem Lichtstrahl sichtbar, der durch einen schlecht geschlossenen Fensterladen fiel, und ich erkannte ihre schwarzen Kutten und sah silberne Kreuze auf ihrer Brust aufblitzen. Vor der Kirche blieben sie stehen, und einer von ihnen klopfte vernehmlich an die versperrte Tür. Er klopfte zuerst drei Mal, hielt inne, ließ einen einzelnen Schlag folgen, und dann klopfte er wieder drei Mal.

Wir hörten, wie der Balken gehoben wurde und die Scharniere kreischten, als die Tür aufschwang. Dann wurde ein Vorhang hinter der Tür zur Seite gezogen, und Licht flutete auf die Straße. Ein Priester oder Mönch ließ die beiden Männer in die von Kerzenlicht erhellte Kirche treten und warf dann einen prüfenden Blick die Straße hinauf und hinunter. Ich wusste, dass er nach demjenigen suchte, der kurz zuvor an der Tür gerüttelt hatte. Man musste ihm eine Frage zugerufen haben, denn er wandte sich zu einer Antwort um. «Niemand hier, Herr», sagte er und zog die Tür wieder zu. Ich hörte den Balken in seine Halterung fallen, und für einen kurzen Moment fiel Licht durch die Ritze zwischen Tür und Mauerwerk. Dann wurde der Vorhang im Inneren der Kirche zugezogen, und alles war wieder dunkel und still.

«Wartet», sagte ich.

Wir warteten, hörten dem Wind zu, der durch die Strohdächer fuhr und in den eingestürzten Häusern heulte. Ich wartete lange, ließ die Erinnerung an das Gerüttel an der Tür versiegen.

«Es muss jetzt bald Mitternacht sein», flüsterte Gisela.

«Wer auch immer die Tür dort öffnet», sagte ich leise, «muss zum Schweigen gebracht werden.» Ich wusste nicht, was in der Kirche vor sich ging, aber ich wusste, dass es so geheim war, dass die Kirche versperrt worden und ein Klopfzeichen notwendig war, um hereinzukommen, und ich wusste auch, dass wir nicht eingeladen waren, und dass wir, wenn der Mann an der Tür bei unserer Ankunft Schwierigkeiten machte, wohl niemals herausfinden würden, welche Gefahren Æthelflaed drohten.

«Überlass ihn mir», sagte Finan unbekümmert.

«Er ist ein Mann der Kirche», flüsterte ich, «macht dir das keine Sorgen?»

«Nachts, Herr, sind alle Katzen grau.»

«Soll heißen?»

«Überlass ihn mir», wiederholte der Ire.

«Dann gehen wir jetzt in die Kirche», sagte ich, und wir eilten über die Straße und ich klopfte vernehmlich an die Tür. Ich klopfte drei Mal, ließ einen einzelnen Schlag folgen und klopfte noch drei Mal.

Es dauerte lange, doch schließlich wurde der Balken gehoben und die Tür aufgeschoben. «Sie haben angefangen», flüsterte eine Gestalt in einer Kutte, und dann folgte ein Keuchen, als ich den Mann auf die Straße zerrte, wo Finan seine Faust in seinen Wanst fahren ließ. Der Ire war klein, aber er hatte außergewöhnlich starke Arme, und die Gestalt in der Kutte krümmte sich mit einem würgenden Laut zusammen. Der Vorhang hinter der Tür war zugezogen, und aus dem Inneren der Kirche konnte niemand sehen, was hier draußen vor sich ging. Finan schlug den Mann erneut, er brach zusammen, und Finan drückte ihm das Knie auf die Brust. «Du verschwindest», flüsterte Finan, «wenn du am Leben bleiben willst. Du verschwindest ganz weit fort von der Kirche, und du vergisst, dass du uns je gesehen hast. Verstanden?»

«Ja», sagte der Mann.

Finan versetzte dem Mann noch einen Schlag auf den Kopf, um seiner Anweisung größeren Nachdruck zu verleihen, und stand auf. Wir sahen zu, wie die dunkle Gestalt auf die Füße stolperte und den Hügel hinunter davoneilte. Ich wartete kurz ab, um sicher zu sein, dass er wirklich fort war, und dann traten wir zu dritt in die Kirche, und Finan zog die Tür zu und ließ den Balken in die Halterungen fallen.

Und ich schob den Vorhang zur Seite.

Wir standen im dunkelsten Teil der Kirche, aber ich fühlte mich dennoch ungeschützt, denn das andere Ende, der Altarraum, wurde von Binsenlichtern und Wachskerzen hell erleuchtet. Eine Reihe kuttentragender Männer stand mit dem Gesicht zum Altar, und ihre Schatten fielen über uns. Einer der Priester drehte sich nach uns um, aber er sah nur drei Gestalten mit Kapuzen und musste uns für weitere Priester gehalten haben, denn er wandte sich wieder dem Altar zu.

Es dauerte einen Moment, bis ich sah, wer auf dem niedrigen, breiten Altarpodest stand, denn mir wurde die Sicht durch die Priester und Mönche genommen. Dann aber verneigten sich alle Kirchenmänner vor dem silbernen Kruzifix, und ich sah Æthelred und Aldhelm auf der linken Seite des Altars und Bischof Erkenwald auf der rechten Seite stehen. Und zwischen ihnen stand Æthelflaed. Sie trug ein weißes Leinenhemd, das unter ihren zarten Brüsten von einem Band zusammengehalten wurde, und ihr blondes Haar hing ihr lose ums Gesicht, als sei sie wieder ein unverheiratetes Mädchen. Sie wirkte verängstigt. Hinter Æthelred stand eine ältere Frau. Ihre Augen blickten hart, und ihr graues Haar war zu einer engen Rolle auf ihrem Kopf zusammengedreht.

Bischof Erkenwald predigte auf Lateinisch und alle paar Minuten wiederholten die Priester und Mönche, es waren insgesamt neun, einen seiner Sätze. Erkenwald trug ein Gewand in Rot und Weiß, auf das edelsteinbesetzte Kreuze aufgenäht worden waren. Seine Stimme, scharf wie immer, hallte von den Steinwänden wider, während die Antwortformeln der Kirchenmänner als dumpfes Murmeln durch die Kirche tönten. Während Æthelred gelangweilt wirkte, schien Aldhelm geradezu berauscht von den Mysterien zu sein, die sich in diesem kerzenbeschienenen Chorraum entfalteten.

Der Bischof beendete seine Gebete, die Männer vor ihm sagten Amen, und dann dauerte es einen Moment, bis Erkenwald ein Buch vom Altar aufgenommen hatte. Er schlug den Ledereinband auf und blätterte durch die steifen Seiten, bis er an eine Stelle kam, die er mit einer Möwenfeder gekennzeichnet hatte. «Dies», er sprach nun Englisch, «ist das Wort des Herrn.»

«Höret das Wort des Herrn», murmelten die Priester und Mönche.

«Fürchtet ein Mann, sein Weib sei ehebrecherisch gewesen», der Bischof sprach nun lauter, und seine raue Stimme wurde durch den Hall verdoppelt, «so bringe er sie vor den Priester! Und er bringe ein Opfer!» Erkenwald starrte zu Æthelred hinüber, der einen blassgrünen Umhang über einer vollständigen Kettenrüstung trug. Er hatte sich sogar mit seinen Schwertern gegürtet, etwas, das die meisten Priester in einer Kirche niemals erlauben würden. «Ein Opfer!», wiederholte der Bischof.

Æthelred fuhr zusammen, als sei er aus dem Schlaf gerissen worden. Er tastete in einem Beutel herum, der an seinem Schwertgürtel hing, und brachte ein kleines Säckchen zutage, das er dem Bischof entgegenhielt. «Gerste», sagte er.

«Wie es der Herr und Gott verlangt», gab Erkenwald zurück, doch er nahm das Säckchen Gerste nicht.

«Und Silber», fügte Æthelred hinzu und zog eilig ein weiteres Säckchen aus seinem Beutel.

Nun nahm Erkenwald die beiden Opfer entgegen und legte sie vor das Kruzifix auf den Altar. Er verbeugte sich vor dem im Licht schimmernden Abbild seines angenagelten Gottes und nahm dann erneut das Buch auf. «Das ist das Wort des Herrn», sagte er durchdringend, «dass wir geheiligtes Wasser in ein irdenes Gefäß füllen, und von dem Staub, der auf dem Boden vor dem Tabernakel liegt, soll der Priester nehmen und diesen Staub in das Wasser streuen.»

Das Buch wurde zurück auf den Altar gelegt, als ein Priester dem Bischof eine grob getöpferte Schale hinhielt, die offenkundig Weihwasser enthielt, denn Erkenwald neigte den Kopf vor ihr, beugte sich dann zum Boden hinab und kratzte eine Handvoll Staub und Dreck zusammen. Diesen Schmutz ließ er in die Schale fallen, dann stellte er sie auf den Altar und nahm das Buch wieder auf.

«Und ich sage dir, Weib», dröhnte er wild, während er seinen Blick von dem Buch hob und Æthelflaed anstarrte, «hat kein Mann bei dir gelegen und hast du nicht neben deinem Ehemann mit einem anderen Mann Unreines getan, dann wirst du von der Verdammung durch dieses bittere Wasser verschont bleiben!»

«Amen», sagte einer der Priester.

«Das Wort des Herrn!», kam es von einem anderen.

«Doch wenn du bei einem anderen Mann gelegen hast», Erkenwald geiferte, während er die Worte las, «dich besudelt und entehrt hast, dann wird der Herr deine Schenkel verfaulen und deinen Bauch anschwellen lassen.» Er legte das Buch zurück auf den Altar. «Sprecht, Weib.»

Æthelflaed starrte den Bischof nur an. Sie sagte nichts. Ihre Augen waren aufgerissen vor Entsetzen.

«Sprecht, Weib!», knurrte der Bischof. «Ihr wisst, welche Worte Ihr zu sagen habt! Also sagt sie!»

Æthelflaed schien zu verängstigt, um einen Ton herauszubringen. Aldhelm flüsterte Æthelred etwas zu, und er nickte, tat aber nichts. Erneut flüsterte Aldhelm und erneut nickte Æthelred, und dieses Mal trat Aldhelm vor, und dann schlug er Æthelflaed. Es war kein harter Schlag, aber er genügte, um mich unwillkürlich einen Schritt vorwärts tun zu lassen. Gisela packte mich am Arm und hielt mich auf. «Sprecht, Weib», befahl Aldhelm der zitternden Æthelflaed.

«Amen», brachte Æthelflaed leise flüsternd heraus, «Amen.»

Giselas Hand lag immer noch auf meinem Arm. Ich strich ihr über die Finger, um ihr zu zeigen, dass ich ruhig war. Ich war zornig, ich war entgeistert, aber ich war ruhig. Ich streichelte Giselas Hand, und dann ließ ich meine Finger auf Schlangenhauchs Griff fallen.

Offenkundig hatte Æthelflaed die rechten Worte gesprochen, denn Bischof Erkenwald nahm die irdene Schale vom Altar. Er streckte sie hoch über das Kruzifix empor, als ob er sie seinem Gott zeigen wollte, dann goss er vorsichtig ein wenig von dem verschmutzten Wasser in einen Silberbecher. Erneut hielt er die Tonschale hoch, und dann streckte er sie Æthelflaed feierlich entgegen. «Trinkt das bittere Wasser», befahl er.

Æthelflaed zögerte, dann sah sie Aldhelms Arm im Kettenhemd zucken. Er wartete nur darauf, sie erneut zu schlagen. Also nahm sie gehorsam die Schale entgegen. Sie hob sie an ihren Mund, hielt einen Moment inne, und dann schloss sie die Augen, verzog das Gesicht und trank den Inhalt. Die Männer beobachteten sie genau, um sicher zu sein, dass sie die Schale leerte. Das Kerzenlicht flackerte in einem Luftzug, der aus dem Rauchloch im Dach kam, und irgendwo in der Stadt heulte ein Hund auf. Gisela klammerte sich an meinen Arm, ihre Finger gruben sich wie Klauen in meine Muskeln.

Erkenwald nahm die Schale zurück, und als er festgestellt hatte, dass sie leer war, nickte er Æthelred zu. «Sie hat es getrunken», bestätigte der Bischof. Über Æthelflaeds Gesicht liefen Tränen, schimmernd brach sich in ihnen das Kerzenflackern vom Altar, auf dem, wie ich nun sah, ein Federkiel, ein Tintenfässchen und ein Stück Pergament lagen. «Was ich nun tue», sagte Erkenwald feierlich, «tue ich im Einklang mit dem Wort Gottes.»

«Amen», sagten die Priester. Æthelred beobachtete seine Frau, als erwarte er, ihr Fleisch vor seinen Augen verfaulen zu sehen, während Æthelflaed so sehr zitterte, dass ich dachte, sie würde zusammenbrechen.

«Gott hat mir befohlen, die Verdammungen niederzuschreiben», verkündete der Bischof und beugte sich über den Altar.

Die Feder kratzte lange über das Pergament. Æthelred starrte Æthelflaed an. Die Priester ließen sie ebenfalls nicht aus den Augen, während der Bischof kratzend weiterschrieb. «Und nachdem diese Verdammungen niedergeschrieben sind», sagte Erkenwald und verschloss das Tintenfässchen, «werde ich sie getreu dem Auftrag des allmächtigen Gottes, unseres Vaters im Himmel, wieder auswischen.»

«Höret das Wort des Herrn», sagte ein Priester.

«Sein Name sei gepriesen», kam es von einem anderen.

Erkenwald nahm den Silberbecher, in den er etwas von dem Schmutzwasser gefüllt hatte, und träufelte seinen Inhalt über die Worte, die er eben geschrieben hatte. Er rieb mit einem Finger auf der Tinte herum und hielt dann das Pergament hoch, um zu zeigen, dass die Schrift zur Unkenntlichkeit verwischt worden war. «Es ist vollbracht», sagte er schwülstig und nickte dann der grauhaarigen Frau zu. «Tut Eure Pflicht!», befahl er ihr.

Die alte Frau mit der verbitterten Miene trat an Æthelflaeds Seite. Das Mädchen schreckte vor ihr zurück, doch Aldhelm hielt Æthelflaed an den Schultern fest. Sie schrie vor Schrecken auf, und Aldhelm versetzte ihr dafür einen harten Schlag ins Gesicht. Ich glaubte, Æthelred würde gegen diesen Angriff auf seine Frau durch einen anderen Mann einschreiten, doch offenbar hieß er ihn gut, denn er tat nichts, als Aldhelm Æthelflaed erneut an den Schultern packte. Er hielt sie fest, während sich die alte Frau niederbeugte, um den Saum von Æthelflaeds leinenem Hemd in die Hand zu nehmen. «Nein!», widersprach Æthelflaed mit klagender, verzweifelter Stimme.

«Zeigt sie uns!», bellte Erkenwald. «Zeigt uns ihre Schenkel und ihren Bauch!»

Gehorsam hob die Frau das Hemd, um Æthelflaeds Schenkel zu enthüllen.

«Genug!» Ich brüllte dieses eine Wort geradezu.

Die Frau erstarrte. Die Priester hatten sich vorgebeugt, um Æthelflaeds nackte Beine anzusehen, und warteten darauf, dass das Hemd bis zu ihrem Bauch gelüftet wurde. Aldhelm hielt sie immer noch an den Schultern gepackt, während der Bischof in den Schatten bei der Tür, von der aus ich gesprochen hatte, etwas zu erkennen versuchte. «Wer ist da?», forderte Erkenwald zu wissen.

«Ihr heimtückischen Bastarde», sagte ich, während ich nach vorne ging und meine Schritte von den Steinwänden widerhallten, «ihr schmutzigen Earslinge.» Ich erinnere mich an meine Wut in dieser Nacht, einen kalten, wilden Zorn, der mich dazu gebracht hatte, einzugreifen, ohne an die Folgen zu denken. Die Priester meiner Frau predigen alle, dass der Zorn eine Sünde ist, aber ein Krieger, der keinen Zorn kennt, ist kein wahrer Krieger. Zorn ist ein Ansporn, ein Stachel, und er überwältigt die Angst, sodass ein Mann kämpfen kann, und in dieser Nacht wollte ich für Æthelflaed kämpfen. «Sie ist die Tochter eines Königs», stieß ich wütend hervor, «also lasst dieses Hemd herunter!»

«Ihr werdet tun, was Gott Euch zu tun befiehlt», knurrte Erkenwald die Frau an, aber sie wagte weder, das Hemd fallenzulassen, noch es weiter hochzuziehen.

Ich drängte mich zwischen den vorgebeugten Priestern hindurch und trat dabei einen von ihnen so fest in den Hintern, dass er nach vorne auf das Podest stolperte und zu Füßen des Bischofs hinfiel. Erkenwald hatte seinen langen Stock gepackt, dessen silbernes Ende gebogen war wie ein Hirtenstab, und er schwang ihn gegen mich, doch als er meine Augen sah, hielt er inne. Ich zog Schlangenhauch, die lange Klinge fuhr zischend aus der Schwertscheide. «Wollt Ihr sterben?», fragte ich Erkenwald, und als er die Drohung in meiner Stimme vernahm, ließ er seinen Hirtenstab langsam sinken. «Lasst das Hemd herunter», sagte ich zu der Frau. Sie zögerte. «Lass es herunter, du verdorbene alte Vettel», knurrte ich. Dann spürte ich, dass sich der Bischof bewegt hatte, und ließ Schlangenhauch herumfahren, sodass die Klinge blitzend an seiner Kehle lag. «Ein Wort, Bischof», sagte ich, «nur ein Wort, und Ihr könnt hier und jetzt Eurem Gott gegenübertreten. Gisela!», rief ich, und Gisela kam zum Altar. «Nimm die Vettel», erklärte ich ihr, «und nimm Æthelflaed, und sieh

nach, ob ihr Bauch geschwollen ist oder ihre Schenkel verfaulen. Tu es in einer abgeschiedenen Ecke. Und Ihr!», ich
bewegte die Klinge bis kurz vor Aldhelms vernarbtes Gesicht, «Ihr nehmt Eure Hände von König Alfreds Tochter,
oder ich werde Euch an der Brücke von Lundene aufhängen, damit die Vögel Euch die Augen aushacken und die
Zunge herausreißen und sie auffressen können.» Er ließ
Æthelflaed los.

«Du hast kein Recht …», begann Æthelred, der offenbar seine Sprache wiedergefunden hatte.

«Ich bin», unterbrach ich ihn, «mit einer Botschaft Alfreds hierhergekommen. Er wünscht zu erfahren, wo deine
Schiffe sind. Er wünscht, dass du die Segel setzt. Er will
wissen, weshalb du hier herumschleichst, wenn es Dänen zu
töten gilt.» Ich legte die Spitze Schlangenhauchs in die
Scheide und ließ die Klinge hineinfahren. «Und», fuhr ich
fort, als das zischende Geräusch des Schwertes im Kirchen-
raum verklungen war, «er wünscht dich wissen zu lassen,
dass ihm seine Tochter teuer ist, und es missfällt ihm, wenn
etwas, das ihm teuer ist, misshandelt wird.» Diese Botschaft
hatte ich natürlich erfunden.

Æthelred starrte mich bloß an. Er sagte nichts, obwohl
auf seinem Gesicht mit dem vorspringenden Kinn ein
grimmiger Ausdruck lag. Glaubte er, dass ich mit einer Botschaft von Alfred kam? Ich konnte es nicht sagen, aber er
musste eine solche Botschaft gefürchtet haben, denn er
wusste, dass er sich seinen Pflichten entzogen hatte.

Bischof Erkenwald war ebenso ergrimmt. «Ihr wagt es,
mit einem Schwert ins Haus Gottes zu kommen?», fragte
er wütend.

«Ich wage noch viel mehr als das, Bischof», sagte ich.
«Habt Ihr von Bruder Jænberth gehört? Einem von Euren

geliebten Märtyrern? Ich habe ihn in einer Kirche getötet, und Euer Gott hat ihn weder gerettet, noch hat er meine Klinge aufgehalten.» Ich lächelte, als ich mich an mein eigenes Erstaunen erinnerte, mit dem ich Jænberth die Kehle durchgeschnitten hatte. Ich hatte diesen Mönch gehasst. «Euer König», sagte ich zu Erkenwald, «will, dass das Werk seines Gottes getan wird, und dieses Werk heißt, Dänen zu töten, nicht, sich an der Nacktheit eines jungen Mädchens zu ergötzen.»

«Dies ist Gottes Werk!», schrie mich Æthelred an.

Da wollte ich ihn töten. Ich fühlte meine Hand zucken, als sie nach Schlangenhauch griff, doch in demselben Moment kam die Vettel zurück. «Sie …», begann die Frau und hielt inne, als sie sah, mit welchem Hass ich Æthelred ansah.

«Sprecht, Weib!», befahl Erkenwald.

«Sie zeigt keine Anzeichen, Herr», sagte die Frau widerwillig. «Ihre Haut ist makellos.»

«Bauch und Schenkel?», drängte Erkenwald.

«Sie ist rein.» Gisela sprach von einer Nische an der Seite der Kirche. Sie hatte einen Arm um Æthelflaed gelegt, und aus ihrer Stimme klang Bitterkeit.

Erkenwald schien diese Nachricht Unbehagen zu bereiten, doch dann richtete er sich auf und erkannte widerwillig an, dass Æthelflaed in der Tat keinen Makel auf sich geladen hatte. «Sie hat ihre Ehre offenkundig nicht verloren, Herr», sagte er zu Æthelred und überging mich absichtsvoll. Finan stand hinter den zuschauenden Priestern, seine bloße Anwesenheit war schon eine Drohung. Der Ire lächelte und beobachtete Aldhelm, der, ebenso wie Æthelred, ein Schwert trug. Beide hätten versuchen können, mich niederzustechen, doch keiner von ihnen rührte an seine Waffe.

«Deine Frau», sagte ich zu Æthelred, «hat ihre Ehre doch verloren. Denn du hast sie entehrt.»

Sein Gesicht zuckte hoch, als hätte ich ihn geschlagen. «Du bist ...», begann er.

Da ließ ich meiner Wut freien Lauf. Ich war viel größer und breiter als mein Cousin, und ich drängte ihn vom Altar an eine Seitenwand der Kirche, und dort redete ich rasend vor Zorn auf ihn ein. Nur er allein konnte meine Worte hören. Vielleicht war Aldhelm versucht, Æthelred zu Hilfe zu kommen, aber Finan ließ ihn nicht aus den Augen, und der Ruf des Iren genügte Aldhelm, um zu bleiben, wo er war. «Ich habe Æthelflaed gekannt, seit sie ein kleines Kind war», erklärte ich Æthelred, «und ich liebe sie, als wäre sie mein eigenes Kind. Verstehst du das, Earsling? Sie ist wie eine Tochter für mich, und dir ist sie eine gute Frau. Und wenn du sie noch ein Mal anrührst, Cousin, wenn ich noch einen einzigen blauen Fleck auf ihrem Gesicht sehe, dann werde ich dich finden, und ich werde dich töten.» Ich hielt inne, und er schwieg.

Ich wandte mich zu Erkenwald um. «Und was hättet Ihr getan, Bischof», höhnte ich, «wenn die Schenkel der Herrin Æthelflaed verfault wären? Hättet Ihr es gewagt, Alfreds Tochter zu töten?»

Erkenwald murmelte etwas von einer Verbannung ins Kloster, nicht, dass es mich gekümmert hätte. Ich war nahe an Aldhelm herangetreten und sah ihn an. «Und Ihr», sagte ich, «habt die Tochter eines Königs geschlagen.» Ich versetzte ihm einen so schweren Hieb, dass er herumfuhr und taumelnd gegen den Altar fiel. Ich wartete, gab ihm Gelegenheit sich zu verteidigen, doch aller Mut hatte ihn verlassen. Also schlug ich ihn erneut, und dann trat ich einige Schritte zurück und erhob meine Stimme, sodass sie von allen in der Kirche gehört werden konnte. «Und der König von Wessex befiehlt dem Herrn Æthelred die Segel zu setzen.»

Alfred hatte keinerlei derartigen Befehl gesandt, doch Æthelred würde es kaum wagen, seinen Schwiegervater zu fragen, ob er es getan hatte oder nicht. Was Erkenwald betraf, so war ich sicher, dass er Alfred erzählen würde, dass ich ein Schwert getragen und in einer Kirche Drohungen ausgestoßen hatte, und darüber würde Alfred zornig sein. Er würde mir mehr zürnen, weil ich eine Kirche entweiht hatte, als er den Priestern zürnen würde, weil sie seine Tochter gedemütigt hatten, aber ich wollte Alfreds Zorn. Ich wollte, dass er mich zur Strafe von meinem Eid entband und mich damit aus seinen Diensten entließ. Ich wollte, dass mich Alfred wieder zu einem freien Mann machte, einem Mann mit einem Schwert, einem Schild und Feinden. Ich wollte Alfred los sein, doch Alfred war viel zu klug, um das zuzulassen. Er wusste genau, wie er mich bestrafen konnte.

Er würde mich meinen Schwur halten lassen.

Zwei Tage später, lange nachdem sich Gunnkel aus Hrofeceastre davongemacht hatte, segelte Æthelred endlich los. Seine Flotte aus fünfzehn Kriegsschiffen, die größte Flotte, die Wessex jemals vereint hatte, glitt mit der Ebbe flussabwärts und wurde noch angetrieben von einer Botschaft, die Æthelred durch Steapa überbracht worden war. Der große Mann kam aus Hrofeceastre, und in Alfreds Botschaft, die er mitbrachte, forderte der König Auskunft darüber, weshalb sich die Flotte aufhielt, während die unterlegenen Wikinger flohen. Steapa übernachtete bei uns. «Der König ist unzufrieden», erklärte er mir beim Abendessen. «Ich habe ihn noch nie so zornig gesehen!» Gisela betrachtete gebannt, wie Steapa aß. In einer Hand hielt er die Schweinerippchen, die er mit den Zähnen abnagte, während er mit der anderen Brotstücke in eine freie Ecke seines Mundes schob. «Unglaublich zornig», sagte er und hielt inne, um einen Schluck Bier zu trinken. «Der Sture», fügte er rätselhaft hinzu und nahm sich das nächste Stück Rippchen.

«Der Sture?»

«Gunnkel hat dort ein Lager, und Alfred meint, er ist wahrscheinlich dorthin zurück.»

Der Sture war ein Fluss in Ostanglien, nördlich der Temes. Ich war ein Mal dort gewesen und erinnerte mich an eine breite Mündung, die vor Stürmen aus Richtung Osten durch eine weitgestreckte, sandige Landzunge geschützt wurde. «Dort ist er sicher», sagte ich.

«Sicher?», fragte Steapa.

«Es ist Guthrums Land.»

Steapa nahm sich Zeit, um ein Stück Fleisch zwischen seinen Zähnen herauszukratzen. «Guthrum lässt ihn dort unterkriechen. Das gefällt Alfred nicht. Glaubt, dass Guthrum einen Denkzettel verdient.»

«Alfred will einen Krieg mit Ostanglien anfangen?», fragte Gisela überrascht.

«Nein, Herrin. Er soll nur einen Denkzettel bekommen», sagte Steapa und kaute auf etwas Knirschendem herum. Ich schätzte, dass er bisher etwa ein halbes Schwein gegessen hatte, und er zeigte keinerlei Anzeichen von Sättigung. «Guthrum will keinen Krieg, Herrin. Aber er muss lernen, Heiden keinen Unterschlupf zu bieten. Also schickt er den Herrn Æthelred, um Gunnkels Lager am Sture anzugreifen, und wenn er schon dabei ist, auch noch ein bisschen von Guthrums Vieh zu stehlen. Eben einfach einen

340

Denkzettel.» Steapa sah mich ernst an. «Schade, dass du nicht mitkommen kannst.»

«Allerdings», pflichtete ich ihm bei.

Und warum, so überlegte ich, hatte Alfred entschieden, dass Æthelred den Bestrafungsangriff führen sollte? Æthelred war ja noch nicht einmal Westsachse, wenn er auch Alfred von Wessex seinen Eid geleistet hatte. Mein Cousin war Mercier, und die Mercier waren noch nie für ihre Schiffe berühmt. Warum also hatte er Æthelred ausgewählt? Die einzige Erklärung, die ich finden konnte, war, dass Alfreds ältester Sohn, Edward, noch nicht einmal den Stimmbruch erreicht hatte, und Alfred selbst war ein kranker Mann. Er fürchtete, sein Tod sei nahe, und er fürchtete die Gesetzlosigkeit, die über Wessex hereinbrechen könnte, wenn Edward den Thron als Kind bestieg. Also bot Alfred seinem Schwiegersohn Æthelred die Gelegenheit, sein Versagen in der Auseinandersetzung mit Gunnkel bei Hrofeceastre wiedergutzumachen, und eine Gelegenheit, sich so großes Ansehen zu verdienen, dass die Thegn und Aldermänner von Wessex davon überzeugt werden konnten, Æthelred, der Herr von Mercien, könne über sie regieren, falls Alfred starb, bevor Edward alt genug war, um seine Nachfolge anzutreten.

Æthelreds Flotte trug eine Botschaft zu den Dänen von Ostanglien. Wenn ihr in Wessex einfallt, sagte Alfred, dann fallen wir bei euch ein. Wir plündern eure Küste, brennen eure Häuser nieder, versenken eure Schiffe, und über euren Stränden liegt der Gestank des Todes, wenn wir sie wieder verlassen. Alfred hatte Æthelred zu einem Wikinger gemacht, und ich war von Neid erfüllt. Ich wollte ebenfalls mit meinen Schiffen losfahren, doch ich hatte den Befehl erhalten, in Lundene zu bleiben, und ich gehorchte. Ich sah mir an, wie die große Flotte abfuhr. Es war beeindruckend. Die längsten der erbeuteten Kriegsschiffe hatten dreißig Ruder auf jeder Seite, und davon gab es sechs. Die kleinsten hatten Bänke für zwanzig Ruder. Æthelred führte fast tausend Männer auf seinem Zug, und es waren alles gute Männer; Krieger von Alfreds Haustruppen und von seinen eigenen gut geübten Truppen. Æthelred segelte in einem der langen Schiffe. Es hatte einst einen großen, geschnitzten Rabenkopf auf dem Vordersteven getragen, dessen Holz mit Feuer schwarz gesengt worden war. Aber dieses geschnäbelte Abbild war nun verschwunden, und das Schiff hieß *Rodbora*, und das bedeutet ‹Träger des Kreuzes›. Seinen Steven zierte jetzt ein massiges Kreuz, und es segelte mit Kriegern an Bord und mit Priestern, und natürlich mit Æthelflaed, denn ohne sie ging Æthelred nirgendwo hin.

Es war Sommer. Wer nie im Sommer in einer Stadt gewohnt hat, kann sich den Gestank nicht vorstellen und die Fliegen auch nicht. Rote Milane saßen scharenweise in den Straßen und lebten von Aas. Bei Nordwind mischten sich die stechenden Gerüche von Harn und Tierkot in den Gerbergruben mit dem Gestank menschlicher Abwässer. Giselas Bauch wuchs, und meine Angst um sie wuchs mit ihm.

Ich fuhr so oft wie möglich hinaus. Wir nahmen den *Seeadler* und das *Schwert des Herrn*, glitten mit der Ebbe flussab und kamen mit der Flut zurück. Wir machten Jagd auf Schiffe von Beamfleot, aber Sigefrids Männer hatten ihre Lektion gelernt und kamen nie mit weniger als drei Schiffen aus dem Flussarm heraus. Und doch, obwohl auch diese Schiffsverbände auf Beute aus waren, kam endlich der Handel nach Lundene zurück, denn die Kaufleute hatten gelernt, in großen Geleitzügen zu segeln. Ein Dutzend Schiffe fuhr gemeinsam, auf jedem waren bewaffnete Männer, und so waren Sigefrids Erfolge mager, meine jedoch ebenfalls.

Ich wartete zwei Wochen auf Neuigkeiten von der Unternehmung meines Cousins und erfuhr von ihrem Schicksal an einem Tag, an dem ich meine übliche Fahrt die Temes herunter machte. Es war immer ein beglückender Moment, den Rauch und die Gerüche Lundenes hinter sich gelassen zu haben und die frischen Winde der See einzuatmen. Der Fluss wand sich durch das weite Marschland, auf dem Fischreiher stolzierten. Ich erinnere mich daran, an diesem Tag glücklich gewesen zu sein, denn überall waren Schmetterlinge. Sie ließen sich auf dem *Seeadler* und dem *Schwert des Herrn* nieder, das in unserem Kielwasser fuhr. Eines der Insekten setzte sich auf meine ausgestreckte Hand und öffnete und schloss seine Flügel.

«Das bedeutet Glück, Herr», sagte Sihtric.

«Tut es das?»

«Je länger er dort sitzen bleibt, desto länger währt Euer Glück», sagte Sihtric und streckte ebenfalls die Hand aus, aber kein Schmetterling ließ sich darauf nieder.

«Sieht so aus, als hättest du kein Glück», sagte ich leichthin. Ich betrachtete den Schmetterling auf meinem Finger und dachte an Gisela und die Kindsgeburt. Bleib da, befahl ich dem Tierchen im Stillen, und es blieb da.

«Ich bin schon glücklich, Herr», sagte Sihtric grinsend.

«Bist du das?»

«Ealswith ist in Lundene», sagte er. Ealswith war die Hure, der Sihtrics Liebe gehörte.

«In Lundene hat sie auch mehr zu arbeiten als in Coccham», sagte ich.

«Sie hat damit aufgehört», fuhr Sihtric auf.

Ich sah ihn überrascht an. «Hat sie das?»

«Ja, Herr. Sie will mich heiraten, Herr.»

Er war ein gutaussehender junger Mann mit scharf geschnittenen Gesichtszügen, schwarzem Haar und sehnigem Körper. Ich kannte ihn, seit er fast noch ein Kind gewesen war, und ich denke, das veränderte meinen Eindruck von ihm, denn ich sah immer noch den verängstigten Jungen vor mir, dessen Leben ich in Cair Ligualid geschont hatte. Ealswith jedoch sah vielleicht den jungen Mann, der aus ihm geworden war. Ich wandte den Blick ab, betrachtete einen dünnen Rauchfaden, der vom Marschland im Süden aufstieg, und fragte mich, wessen Feuer dort brannte, und wie man in diesem Stechmückenloch wohnen konnte. «Du bist jetzt schon lange mit ihr zusammen», sagte ich.

«Ja, Herr.»

«Schick sie zu mir», sagte ich. Sihtric hatte mir seinen Schwur geleistet, und er brauchte meine Erlaubnis zum Heiraten, denn seine Frau würde ein Teil meines Haushaltes werden, und damit war ich für sie verantwortlich. «Ich werde mit ihr reden», fügte ich hinzu.

«Ihr werdet sie mögen, Herr.»

Darüber musste ich lächeln. «Das hoffe ich», sagte ich.

Ein Zug Schwäne kreuzte zwischen unseren Schiffen den Fluss, ihre Flügelschläge rauschten laut in der Sommerluft. Ich war zufrieden, nur um Gisela ängstigte ich mich, doch der Schmetterling linderte diese Sorge. Nach einer Weile flog er von meinem Finger weg und flatterte taumelnd hinter den Schwänen her. Ich berührte Schlangenhauchs Griff, dann mein Amulett, und ich betete zu Frigg darum, dass Gisela nichts geschehen würde.

Es war Mittag, als wir Caninga erreichten. Es herrschte Ebbe, und die Schlickbänke erstreckten sich weit in das

Mündungsgebiet der Temes, in dem außer unseren keine Schiffe zu sehen waren. Ich fuhr den *Seeadler* nahe ans südliche Ufer von Caninga heran und starrte über die Insel hinweg zu dem Flussarm, an dem Beamfleot lag, doch ich konnte durch die Hitze, die über Caninga flimmerte, nichts Rechtes erkennen. «Sieht aus, als wären sie weg», meinte Finan. Wie ich sah auch er angestrengt nach Norden.

«Nein», sagte ich, «dort liegen Schiffe.» Ich dachte, ich könnte durch die zitternde Luft die Masten von Sigefrids Schiffen sehen.

«Aber nicht so viele, wie es sein sollten», sagte Finan.

«Das sehen wir uns an», sagte ich. Also ruderten wir zur Ostspitze der Insel, und ich stellte fest, dass Finan recht hatte. Über die Hälfte von Sigefrids Schiffen hatte den kleinen Fluss Hothlege verlassen.

Nur drei Tage zuvor waren es in dem Flussarm sechsunddreißig Masten gewesen, und nun lagen gerade noch vierzehn Schiffe dort. Ich wusste, dass die fehlenden Schiffe nicht die Temes hinauf Richtung Lundene gefahren waren, denn dort hätten wir sie sehen müssen. Also blieben nur noch zwei Möglichkeiten. Entweder waren sie nordöstlich an die Küste von Ostanglien gefahren, oder sie waren nach Süden gefahren, um in Cent Beute zu machen. Die Sonne stand heiß und hoch und hell am Himmel und brach sich blendend und schillernd in den Speerspitzen der Wachen in dem Lager auf dem Hügel. Männer beobachteten uns von den Wällen aus, und sie sahen uns umdrehen und die Segel setzen und mit einem leichten Nordostwind, der seit dem Morgen aufgekommen war, auf die südliche Seite des Mündungsgebietes fahren. Ich hielt nach einer dunklen Rauchwolke Ausschau, die mir verraten würde, dass die Plünderer zum Angriff an Land gegangen waren, Beute gemacht und

Siedlungen niedergebrannt hatten. Doch der Himmel über Cent war klar. Wir ließen das Segel herunter und ruderten östlich auf die Mündung des Medwæg zu, und immer noch sahen wir keinen Rauch, und dann sah der scharfäugige Finan, der vorne im Bug stand, die Schiffe.

Sechs Schiffe.

Ich hielt nach einer Flotte von wenigstens zwanzig Schiffen Ausschau, nicht nach einem kleinen Verband, und zuerst beachtete ich sie nicht weiter, weil ich dachte, es wären Händlerschiffe, die gemeinsam nach Lundene ruderten. Doch dann eilte Finan zwischen den Ruderbänken hindurch zu mir. «Das sind Kampfschiffe», sagte er.

Ich spähte Richtung Osten. Ich sah die dunklen Umrisse der Schiffsrümpfe, aber meine Augen waren nicht so scharf wie Finans, und deshalb konnte ich ihre Formen nicht genau ausmachen. Die sechs Schiffskörper flimmerten in der Hitze. «Bewegen sie sich?», fragte ich.

«Nein, Herr.»

«Warum sollte man dort vor Anker gehen?», fragte ich. Die Schiffe waren am jenseitigen Mündungsufer des Medwæg, an einer Stelle, die Scernesse heißt, das bedeutet ‹helle Landspitze›, und es war ein seltsamer Platz zum Ankern, denn die Strömungen wirbelten heftig um die niedrige Landzunge.

«Ich glaube, sie liegen auf Grund», sagte Finan. Wenn die Schiffe vor Anker gelegen hätten, wäre ich davon ausgegangen, dass sie die Flut abwarteten, um sich flussaufwärts tragen zu lassen, doch Schiffe, die auf Grund lagen, wiesen normalerweise darauf hin, dass Männer an Land gegangen waren, und der einzige Antrieb, hier an Land zu gehen, war, nach Beute zu suchen.

«Aber auf Scaepege gibt es nichts mehr zu holen», sagte

ich erstaunt. Scerhnesse lag am westlichen Ende von Scaepege, einer Insel auf der südlichen Seite der Temes-Mündung, und Scaepege war verwüstet, wiederaufgebaut und wieder von Wikingerzügen verwüstet worden. Nur wenige Menschen lebten hier, und die meisten von ihnen versteckten sich in den unübersichtlichen Gebieten aus Marschland und Wasserläufen. Der Wasserlauf zwischen Scaepege und dem Festland hieß Swealwe, und dort hatten bei rauem Wetter schon ganze Wikingerflotten Unterschlupf gesucht. Scaepege und der Swealwe waren gefährliche Orte, aber keine, an denen Silber oder Sklaven zu finden waren.

«Wir fahren näher hin», sagte ich. Finan ging zurück zum Bug, während Ralla mit dem *Schwert des Herrn* längsseits kam. Ich deutete auf die Schiffe in der Ferne. «Wir sehen uns diese sechs Schiffe dort an!», rief ich zu ihm hinüber. Ralla nickte, gab einen Befehl, und die Ruder seines Schiffes tauchten ins Wasser.

Als wir über die breite Mündung des Medwæg fuhren, sah ich, dass Finan recht gehabt hatte. Es waren sechs Kriegsschiffe, alle waren länger und schlanker, als es ein Handelsschiff gewesen wäre, und alle sechs lagen auf dem Strand. Etwas Rauch zog nach Südwesten ab. Wahrscheinlich hatten die Schiffsbesatzungen am Strand ein Feuer entzündet. Ich sah keine Tierköpfe auf den Steven, doch das hatte nichts zu bedeuten. Die Nordmänner konnten sehr wohl ganz Scaepege als dänisches Gebiet ansehen und ihre Drachen, Adler, Raben und Schlangen abgenommen haben, um die Geister der Insel nicht zu schrecken.

Ich rief Clapa ans Steuerruder. «Halte geradewegs auf die Schiffe zu», befahl ich ihm und ging nach vorne zu Finan in den Bug. Osferth saß schwitzend und mit finsterer Miene an einem der Ruder. «Gibt nichts Besseres als Rudern, um die Muskeln zu stärken», erklärte ich ihm gut gelaunt und erntete dafür einen bösen Blick.

Ich stieg zu dem Iren auf das Podest. «Sie sehen aus wie Dänen», sagte er.

«Wir können nicht gegen sechs Mannschaften kämpfen», sagte ich.

Finan kratzte sich im Schritt. «Glaubst du, sie wollen hier ihr Lager aufschlagen?» Das war eine unangenehme Vorstellung. Es war schlimm genug, dass Sigefrids Schiffe von der Nordseite der Temes-Mündung aus ihre Raubzüge unternahmen, auch ohne dass nun auf der südlichen Seite ein weiteres Vipernnest entstand.

«Nein», sagte ich, denn dieses eine Mal waren meine Augen offenkundig schärfer als die des Iren. «Nein», wiederholte ich, «sie schlagen kein Lager auf.» Ich berührte mein Amulett.

Finan sah meine Handbewegung und hörte den Ärger in meiner Stimme. «Was?», fragte er.

«Das Schiff auf der linken Seite», sagte ich und deutete hin, «das ist der *Rodbora*.» Ich hatte das Kreuz am Vordersteven erkannt.

Finan öffnete den Mund, doch dann sagte er doch nichts. Er starrte einfach nur hin. Sechs Schiffe, nur sechs Schiffe, und fünfzehn waren aus Lundene ausgefahren. «Gütiger Jesus», sagte Finan schließlich. Er bekreuzigte sich. «Sind die anderen vielleicht schon flussauf gefahren?»

«Wir hätten sie sehen müssen.»

«Dann kommen sie vielleicht nach?»

«Ich hoffe, du hast recht», sagte ich erbittert, «sonst sind nämlich neun Schiffe verloren.»

«Gott, nein.»

Wir waren jetzt nahe herangekommen. Die Männer am

Ufer sahen den Adlerkopf auf meinem Schiff und hielten uns für Nordmänner, und einige rannten in das seichte Wasser zwischen zweien der Schiffe, stellten sich zu einem Schildwall auf und forderten meinen Angriff heraus. «Das ist Steapa», sagte ich, als ich die riesenhafte Gestalt in der Mitte des Schildwalls sah. Ich befahl, dass der Adlerkopf abgenommen wurde, und stellte mich dann mit ausgestreckten Armen und leeren Händen in den Bug, um zu zeigen, dass ich in Frieden kam. Steapa erkannte mich, und die Schilde und Waffen wurden gesenkt. Einen Moment später lief der Bug des *Seeadlers* sanft auf den Schlick auf. Die Flut kam, also war mein Schiff sicher.

Ich sprang über die Seitenwand ins Wasser, das mir bis zur Mitte reichte, und watete an Land. Ich schätzte, dass mindestens vierhundert Männer am Strand waren, viel zu viele für sechs Schiffe, und als ich näher kam, sah ich, dass viele von ihnen verletzt waren. Mit blutdurchtränkten Binden und bleichen Gesichtern lagen sie da. Priester knieten zwischen ihnen, und oben am Strand, wo struppiges Gras auf niedrigen Dünen wuchs, erkannte ich grobe Treibholzkreuze, die auf frische Gräber gesteckt worden waren.

Steapa wartete auf mich, seine Miene grimmiger denn je. «Was ist geschehen?», fragte ich ihn.

«Frag ihn», sagte Steapa, und aus seiner Stimme klang Verbitterung. Er machte mit dem Kinn eine Bewegung den Strand hinunter, und dort sah ich Æthelred nahe bei dem Feuer sitzen, über dem es in einem Kochtopf brodelte. Seine üblichen Getreuen war bei ihm, einschließlich Aldhelm, der mir verdrießlich entgegensah. Keiner von ihnen sagte ein Wort, während ich auf sie zukam. Das Feuer knisterte. Æthelred spielte mit einem Stück Blasentang und sah nicht auf, obwohl er wusste, dass ich kam.

Bei dem Feuer angekommen, blieb ich stehen. «Wo sind die anderen neun Schiffe?», fragte ich.

Æthelreds Gesicht zuckte hoch, als wäre er überrascht, mich zu sehen. «Gute Neuigkeiten», sagte er. Er erwartete, dass ich ihn fragte, welche Neuigkeiten das waren, aber ich sah ihn nur schweigend an. «Wir haben», sagte er mit weit ausholender Geste, «einen großen Sieg errungen!»

«Einen wundervollen Sieg», warf Aldhelm ein.

Æthelreds Lächeln wirkte gezwungen. Seine nächsten Worte kamen stockend, so als koste es ihn große Anstrengung, sie zusammenzusuchen. «Gunnkel», sagte er, «hat die Stärke unserer Schwerter kennengelernt.»

«Wir haben ihre Schiffe verbrannt!», prahlte Aldhelm.

«Und eine große Schlacht geschlagen», sagte Æthelred. In seinen Augen glitzerte es.

Ich sah mich auf dem Strand um, auf dem die Verwundeten lagen und auf dem die Unverwundeten mit gesenkten Köpfen herumsaßen. «Du bist mit fünfzehn Schiffen losgefahren», sagte ich.

«Wir haben ihre Schiffe verbrannt», sagte Æthelred, und fast kam es mir so vor, als würde er anfangen zu weinen.

«Wo sind die anderen neun Schiffe?», wollte ich wissen.

«Wir haben hier angehalten», sagte Aldhelm, der denken musste, dass ich es für eine schlechte Entscheidung hielt, die Schiffe hier auf Grund zu legen, «weil wir nicht gegen die Ebbe rudern konnten.»

«Die anderen neun Schiffe?», fragte ich wieder, doch erneut erhielt ich keine Antwort. Ich blickte immer noch über den Strand, doch was ich suchte, fand ich nicht. Da sah ich wieder Æthelred an, der den Kopf senkte, und ich fürchtete mich, die nächste Frage zu stellen, doch sie musste gestellt werden. «Wo ist deine Frau?»

Schweigen.

«Wo», ich hatte die Stimme erhoben, «ist Æthel-flaed?»

Eine Möwe stieß ihren rauen, einsamen Schrei aus. «Sie wird festgehalten», Æthelred sprach das letzte Wort so leise aus, dass ich es kaum verstehen konnte.

«Festgehalten?»

«Als Gefangene», sagte Æthelred immer noch fast im Flüsterton.

«Gütiger Jesus», sagte ich und benutzte damit einen von Finans bevorzugten Ausrufen. Der Wind trieb mir beißenden Rauch ins Gesicht. Einen Moment lang konnte ich nicht glauben, was ich gerade gehört hatte, doch alles um mich herum bewies, dass Æthelreds großartiger Sieg in Wahrheit eine grauenvolle Niederlage gewesen war. Neun Schiffe waren verloren, doch Schiffe konnten ersetzt werden, und die Hälfte von Æthelreds Truppe fehlte, doch auch neue Männer können gefunden werden, um die Toten zu ersetzen, aber was sollte die Tochter eines Königs ersetzen? «Wer hat sie?», fragte ich.

«Sigefrid», murmelte Aldhelm.

Und damit war erklärt, wohin die fehlenden Schiffe aus Beamfleot gefahren waren.

Und Æthelflaed, die süße Æthelflaed, der ich meinen Eid geschworen hatte, war eine Gefangene.

Unsere acht Schiffe fuhren mit der Flut zurück nach Lundene. Es war ein klarer, ruhiger Sommerabend, und die Sonne schien wie eine riesige, rote Kugel in dem Rauchschleier zu hängen, der sich über die Stadt zog. Æthelred fuhr auf dem *Rodbora*, und als ich den *Seeadler* auf gleiche Höhe mit ihm zurückfallen ließ, sah ich die schwarzen

Streifen, zu denen das Blut auf den Planken seines Schiffes getrocknet war. Ich ließ schneller rudern und setzte mich wieder an die Spitze.

Steapa fuhr mit mir auf dem *Seeadler*, und der große Mann erzählte mir, was auf dem Sture vor sich gegangen war.

Es war wirklich ein wundervoller Sieg gewesen. Æthelreds Flotte hatte die Nordmänner überrascht, als sie ihr Lager am südlichen Ufer errichteten. «Wir kamen in der Morgendämmerung», sagte Steapa.

«Ihr wart die Nacht über draußen auf dem Meer?»

«Der Herr Æthelred hat es befohlen», sagte Steapa.

«Mutig», bemerkte ich.

«Es war eine ruhige Nacht», sagte Steapa abschätzig, «und beim ersten Tageslicht haben wir ihre Schiffe gefunden. Sechzehn Schiffe.» Er unterbrach sich mit einem Mal. Er war ein schweigsamer Mann, und es fiel ihm schwer, mehr als ein paar zusammenhängende Worte zu sprechen.

«Haben sie auf dem Strand gelegen?», fragte ich.

«Lagen vor Anker», sagte er.

Das bedeutete, dass die Dänen ihre Schiffe auch bei Ebbe stets bereit haben wollten, aber es bedeutete auch, dass die Schiffe nicht verteidigt werden konnten, weil der größte Teil ihrer Besatzungen an Land war, wo sie Erdwälle für ihr Lager aufwarfen. Æthelreds Flotte hatte es mit den paar Männern leicht gehabt, die noch an Bord der feindlichen Schiffe waren, und dann wurden die großen, tauumwickelten Steine hochgezogen, die als Anker dienten, und die sechzehn Schiffe wurden ans nördliche Ufer geschleppt und dort auf Grund gesetzt. «Er wollte sie dort lassen», erklärte Steapa, «bis er fertig war, und dann wollte er sie mit nach Lundene bringen.»

«Fertig?», fragte ich.

«Er wollte alle Heiden töten, bevor wir losfuhren», sagte Steapa und erzählte, wie Æthelreds Flotte plündernd den Sture und seinen Nachbarfluss, den Arwan, hochgefahren war, wie die Schiffe an den Ufern entlang Männer verteilt hatten, um dänische Häuser niederzubrennen, dänisches Vieh abzuschlachten und, wenn es ihnen gelang, Dänen zu töten. Die sächsischen Plünderer hatten Furcht und Entsetzen ausgelöst. Das Volk war ins Landesinnere geflohen, doch Gunnkel, der ohne Schiffe in seinem Lager an der Mündung des Sture zurückgeblieben war, hatte die Ruhe bewahrt.

«Ihr habt nicht das Lager angegriffen?», fragte ich Steapa.

«Der Herr Æthelred meinte, es sei zu gut geschützt.»

«Hast du nicht gesagt, es war noch nicht fertig gebaut?»

Steapa zuckte mit den Schultern. «Sie hatten die Palisade noch nicht fertig», sagte er, «jedenfalls mindestens auf einer Seite, also hätten wir dort eindringen und sie töten können, aber wir hätten auch selbst viele Männer verloren.»

«Stimmt», räumte ich ein.

«Also haben wir stattdessen Bauernhöfe überfallen», fuhr Steapa fort. Und während Æthelreds Männer die dänischen Siedlungen plünderten, hatte Gunnkel Botschafter Richtung Süden zu den anderen Flüssen der Küste Ostangliens geschickt. An deren Ufern befanden sich weitere Lager der Nordmänner. Gunnkel hatte sich Verstärkung geholt.

«Ich habe dem Herrn Æthelred gesagt, dass wir verschwinden sollen», bemerkte Steapa finster. «Ich habe es ihm am zweiten Tag gesagt. Ich habe gesagt, wir wären lange genug dageblieben.»

«Wollte er nicht auf dich hören?»

«Er hat mich einen Narren genannt», sagte Steapa achselzuckend. Æthelred hatte Beute machen wollen, und so war er auf dem Sture geblieben, und seine Männer brachten ihm alles, was sie an Wertvollem finden konnten, von Kochtöpfen bis zur Sichel. «Er hat auch Silber gefunden», sagte Steapa, «aber nicht viel.»

Und während Æthelred blieb, um sich zu bereichern, sammelten sich die Seewölfe.

Dänische Schiffe kamen aus dem Süden. Sigefrids Schiffe waren von Beamfleot losgesegelt und hatten sich mit anderen vereint, die aus den Mündungen des Colaun, der Hwealf und der Pant gerudert wurden. Ich war oft genug an diesen Flüssen vorbeigefahren und hatte mir die schlanken, schnellen Schiffe vorgestellt, die mit der Ebbe zwischen den Schlickufern hinausglitten, den hohen Bug kampflustig mit den Köpfen von Untieren geschmückt und an Bord alles voller Schilde, Waffen und rachsüchtiger Männer.

Die dänischen Schiffe sammelten sich südlich des Sture in der weiten Bucht der Insel Horseg, wo Schwärme von Wildvögeln nisten. Dann, an einem trüben Morgen, bei einem Sommergewitter, das von der See hereingetrieben wurde, und bei einer Flut, die durch den Vollmond höher stieg als normalerweise, fuhren achtunddreißig Schiffe vom Meer aus den Sture hinauf.

«Es war ein Sonntag», sagte Steapa, «und der Herr Æthelred hat darauf bestanden, eine Predigt lesen zu lassen.»

«Alfred wird sehr erfreut sein, das zu hören», sagte ich beißend.

«Es war am Strand», sagte Steapa, «wo die Dänenschiffe lagen.»

«Warum dort?»

«Weil die Priester die bösen Geister aus den Schiffen vertreiben wollten», sagte er und erzählte dann, wie die Tierköpfe von den erbeuteten Schiffen auf dem Sand aufgetürmt worden waren. Dazwischen wurde Treibholz und Stroh von einem Hausdach in der Nähe gesteckt, und dann, zu lauten Gebeten der Priester, wurde der Haufen in Brand gesetzt. Drachen und Adler, Raben und Wölfe verbrannten mit hoch auflodernden Flammen, und der Rauch des großen Feuers wurde ins Landesinnere getrieben, während der Regen zischend und fauchend auf das brennende Holz fiel. Die Priester hatten gebetet und psalmodiert, ob ihres Sieges über die Heiden frohlockt, und niemand hatte die dunklen Schiffe durch den Regen über dem Wasser herankommen sehen.

Ich kann mir die Angst, die verzweifelte Flucht und die Metzelei nur vorstellen. Dänen sprangen ans Ufer. Axt-Dänen, Speer-Dänen, Schwert-Dänen. Der einzige Grund, aus dem so viele Männer entkommen waren, bestand darin, dass so viele andere starben. Die Dänen hatten mit dem Töten begonnen, und es waren so viele Männer zum Töten da, dass sie diejenigen, die auf die Schiffe flüchteten, nicht verfolgen konnten. Andere dänische Schiffe griffen die sächsische Flotte an, aber *Rodbora* hatte sie abgewehrt. «Ich hatte ein paar Männer an Bord gelassen», sagte Steapa.

«Warum?»

«Weiß nicht», sagte er niedergeschlagen. «Ich hatte eben so ein Gefühl.»

«Dieses Gefühl kenne ich», sagte ich. Es war das Prickeln im Nacken, die schwache, unbestimmte Vermutung, dass Gefahr droht, und es war ein Gefühl, das niemals übergangen werden sollte. Oft habe ich meine schlafenden Hunde ganz unvermittelt den Kopf heben sehen. Manchmal knurren sie dann auch leise oder fangen mit klagend auf mich gerichteten Augen an, erbärmlich zu winseln. Wenn das geschieht, weiß ich, dass ein Sturm kommt, und es kommt immer einer, aber wie die Hunde das spüren, kann ich nicht sagen. Doch es muss dasselbe Gefühl sein, dieses Wissen um eine drohende Gefahr.

«Es war ein blutiger Kampf», sagte Steapa trübsinnig.

Wir fuhren durch die letzte Schleife der Temes vor Lundene. Ich sah die instand gesetzte Wehrmauer vor mir, die frischen, rohen Balken hoben sich gegen den alten römischen Stein ab. Banner hingen von dem Bollwerk, zumeist zeigten sie Heilige oder Kreuze; leuchtende Zeichen, um dem Feind zu trotzen, der jeden Tag von Osten heranfuhr, um die Stadt zu beobachten. Ein Feind, dachte ich, der gerade einen Sieg errungen hatte, der Alfred geradezu betäuben musste.

Steapa blieb recht wortkarg, was den Verlauf des Kampfes anging, und ich musste ihm jede Kleinigkeit mühsam entlocken. Die meisten feindlichen Schiffe, sagte er, waren von dem großen Feuer angezogen worden und hatten am östlichen Ende des Strandes festgemacht, während der *Rodbora* und sieben weitere sächsische Schiffe weiter westlich gelegen hatten. Der Strand verwandelte sich in einen Ort des Grauens, als die Heiden brüllend und tötend wüteten. Die Sachsen versuchten, ihre weiter westlich liegenden Schiffe zu erreichen, und Steapa ließ einen Schildwall aufstellen, um die Schiffe zu schützen, sodass die Flüchtenden an Bord klettern konnten.

«Æthelred hat es bis zu dir geschafft», bemerkte ich säuerlich.

«Er kann recht schnell rennen», sagte Steapa.

«Und Æthelflaed?»

«Wir konnten nicht zurück zu ihr», sagte er.

«Nein, das glaube ich.» Ich wusste, dass er die Wahrheit sagte. Er erzählte mir, wie Æthelflaed vom Feind eingekreist und festgehalten worden war. Sie hatte mit ihren Dienerinnen nahe beim Feuer gestanden, während Æthelred neben den Priestern hergegangen war, die Weihwasser auf die Vordersteven der erbeuteten dänischen Schiffe gespritzt hatten.

«Er wollte umkehren zu ihr», räumte Steapa ein.

«Das hätte er auch tun sollen», sagte ich.

«Aber es war nicht zu machen», sagte er, «also sind wir weggerudert.»

«Haben sie nicht versucht, euch aufzuhalten?»

«Sie haben es versucht.»

«Und?», trieb ich ihn an.

«Einige haben es zu uns an Bord geschafft», sagte er achselzuckend. Ich stellte mir Steapa vor, wie er axtschwingend die Dänen niedermachte, die auf sein Schiff gesprungen waren. «Es ist uns gelungen, an ihnen vorbeizurudern», sagte er dann, als sei das nicht schwierig gewesen. Die Dänen, dachte ich, hätten jedes flüchtende Schiff aufhalten müssen, doch sechs Schiffen war es gelungen, bis auf die See hinaus zu gelangen. «Aber acht Schiffe sind vom Strand weggekommen», fügte Steapa hinzu.

Also hatten die Dänen zwei flüchtende sächsische Schiffe erobern können, und ich verzog das Gesicht bei dem Gedanken an die Axthiebe und Schwertstreiche und an das verschmierte Blut überall auf den Planken. «Hast du Sigefrid gesehen?», fragte ich.

Steapa nickte. «Er saß auf einem Stuhl. Festgebunden.»

«Und weißt du, ob Æthelflaed noch lebt?»

«Sie lebt», sagte Steapa. «Wir haben sie beim Wegfahren gesehen. Sie war auf diesem Schiff, das in Lundene war. Das Schiff, das du hast wegfahren lassen.»

«Der *Wellenbändiger*», sagte ich.

«Sigefrids Schiff», sagte Steapa, «und er hat sie uns vorgeführt. Sie musste sich auf die Steuerplattform stellen.»

«Bekleidet?»

«Bekleidet?», fragte er, als sei meine Frage anstößig. «Ja», sagte er dann, «sie war bekleidet.»

«Mit etwas Glück», sagte ich und hoffte, dass meine Worte auch zutrafen, «wird sie nicht geschändet. Sie ist mehr wert, wenn sie ihr nichts zufügen.»

«Mehr wert?»

«Wir müssen uns auf ein stattliches Lösegeld einstellen», sagte ich, während uns Lundenes Gestank in die Nase zog.

Der *Seeadler* glitt an seinen Liegeplatz. Gisela wartete auf mich, und als ich ihr die Nachricht brachte, schrie sie auf, als habe sie ein körperlicher Schmerz durchzuckt. Sie blieb, um zu warten, bis Æthelred von Bord gegangen war, doch er beachtete sie ebenso wenig wie mich. Mit bleicher Miene ging er den Hügel hinauf zu seinem Palas. Seine Männer, die Überlebenden, scharten sich beschützend um ihn.

Und ich suchte nach der abgestandenen Tinte, schnitt eine Feder zurecht und schrieb den nächsten Brief an Alfred.

DRITTER TEIL

Das Wachschiff

NEUN

Es wurde uns verboten, die Temes hinunterzufahren.

Bischof Erkenwald erteilte mir diese Anweisung, und unwillkürlich fuhr ich ihn wütend an. Jedes sächsische Schiff, sagte ich ihm, sollte im Mündungsgebiet der Temes unbarmherzige Jagd auf die Dänen machen. Er hörte mich schweigend an, und als ich fertig war, schien er nichts von dem wahrgenommen zu haben, was ich gesagt hatte. Er hatte eine Feder in der Hand und schrieb ein Buch ab, das mit einer Stütze schräg auf seinem Stehpult stand. «Und wozu würde Eure Gewalttätigkeit führen?», fragte er schließlich mit ätzender Stimme.

«So würden sie lernen, uns zu fürchten», sagte ich.

«Uns zu fürchten», ahmte er mich spöttisch nach und betonte dabei jedes Wort einzeln. Seine Feder kratzte über das Pergament. Er hatte mich in sein Haus rufen lassen, das neben Æthelreds Palas stand und überraschend wenige Bequemlichkeiten bot. In dem großen Hauptraum gab es nichts außer einer kalten Feuerstelle, einer Bank und dem Stehpult, an dem der Bischof schrieb. Ein junger Priester saß auf der Bank. Er sagte nichts und starrte uns nur verängstigt an. Der Priester, da war ich sicher, war nur als Zeuge hier, sodass der Bischof, wenn es Streit gäbe über das, was bei diesem Treffen gesagt worden war, jemanden hatte, der seine Darstellung unterstützte. Nicht dass viel gesagt worden wäre, denn erneut ließ mich Erkenwald lange unbeachtet stehen, während er sich tief über sein Pult neigte und seine Augen nicht von den Worten löste, die er umständlich auf das Pergament kratzte. «Wenn ich mich nicht täusche», sagte er unvermittelt, aber ohne von seiner Arbeit aufzublicken, «haben die Dänen gerade die größte Flotte zerstört, mit der Wessex jemals ausgefahren ist. Ich glaube kaum, dass sie in Furcht und Schrecken geraten, wenn Ihr das Wasser mit Euren paar Rudern aufrührt.»

«Also bleiben wir gleich ganz vom Wasser weg?», fragte ich wütend.

«Ich wage zu behaupten», sagte er und hielt inne, um den nächsten Buchstaben zu schreiben, «dass der König wünscht, dass nichts getan wird, was», erneut hielt er inne, um einen Buchstaben zu formen, «einen unglücklichen Umstand noch verschlimmern könnte.»

«Den unglücklichen Umstand», sagte ich, «dass seine Tochter jeden Tag von den Dänen geschändet wird? Und Ihr erwartet von uns, untätig zu bleiben?»

«Ganz recht. Damit habt Ihr das Wesentliche meiner Anordnung begriffen. Ihr habt nichts zu tun, was eine schwierige Lage noch schwieriger macht.» Er sah mich immer noch nicht an. Er tauchte die Feder in den Topf und ließ sorgfältig die überschüssige Tinte ablaufen. «Wie hindert Ihr eine Wespe daran, Euch zu stechen?», fragte er dann.

«Indem ich sie vorher erschlage», sagte ich.

«Indem Ihr bewegungslos verharrt», sagte der Bischof, «und das werden wir jetzt auch tun, indem wir nichts tun, was die Lage verschlimmert. Habt Ihr irgendeinen Hinweis darauf, dass die Herrin geschändet wird?»

«Nein.»

«Sie ist von großem Wert für die Dänen», sagte der Bischof und wiederholte damit, was ich selbst zu Steapa gesagt hatte, «und ich vermute, dass sie nichts tun werden,

362

was ihren Wert mindert. Zweifellos versteht Ihr Euch besser auf die Handlungsweisen und Gebräuche der Heiden als ich, aber wenn unsere Feinde auch nur einen Funken Verstand besitzen, dann werden sie die Herrin Æthelflaed mit der Ehrerbietung behandeln, die ihrem Rang gebührt.» Nun sah er mich schließlich doch noch an, es war ein kurzer Blick voller Abscheu. «Ich brauche Soldaten», sagte er, «wenn der Zeitpunkt kommt, zu dem das Lösegeld gesammelt werden muss.»

Was bedeutete, dass meine Männer jedem anderen Mann drohen mussten, der auch nur eine schäbige Münze besaß. «Und wie hoch wird es sein?», fragte ich mürrisch und überlegte, welcher Beitrag wohl von mir erwartet würde.

«Vor dreißig Jahren, im Frankenreich», der Bischof schrieb wieder, «wurde der Abt des Klosters von Saint Denis gefangen. Ein frommer und guter Mann. Das Lösegeld für den Abt und seinen Bruder betrug sechshundertundachtzig Pfund Gold und dreitausendzweihundertundfünfzig Pfund Silber. Die Herrin Æthelflaed mag nur eine Frau sein, aber ich kann mir nicht vorstellen, dass sich unsere Feinde mit einer geringeren Summe zufrieden geben.» Ich sagte nichts. Das Lösegeld, das der Bischof angab, war unvorstellbar hoch, doch er hatte sicher recht, zu denken, dass Sigefrid diese Summe oder noch wahrscheinlicher eine höhere haben wollte. «Ihr seht also», fuhr der Bischof kühl fort, «die Herrin ist für die Heiden von beträchtlichem Wert, und sie werden diesen Wert sicher nicht mindern wollen. Das habe ich auch Herrn Æthelred versichert, und ich wäre Euch verbunden, wenn Ihr ihm diese Hoffnung lassen würdet.»

«Habt Ihr von Sigefrid gehört?», fragte ich, denn mir

schien Erkenwald etwas zu sicher zu sein, dass Æthelflaed gut behandelt wurde.

«Nein, habt Ihr etwas von ihm gehört?» Mit dieser Frage wollte er mich herausfordern, indem er andeutete, ich führte möglicherweise geheime Verhandlungen mit Sigefrid. Ich gab keine Antwort, und der Bischof erwartete auch keine. «Ich gehe davon aus», fuhr er fort, «dass der König die Verhandlungen selbst führen will. Bis zu seiner Ankunft oder bis er mir andere Befehle gibt, habt Ihr in Lundene zu bleiben. Eure Schiffe werden nicht auslaufen!»

Und das taten sie auch nicht. Aber die Schiffe der Nordmänner waren auf dem Wasser. Der Handel, der über den Sommer hinweg wieder zugenommen hatte, versiegte, als Schwärme tierköpfiger Schiffe von Beamfleot aus die Mündung der Temes nach Beute durchkämmten. Gemeinsam mit dem Handel versiegten meine besten Nachrichtenquellen, denn kaum ein Händler kam noch flussaufwärts. Die meisten waren Fischer, die ihren Fang auf dem Fischmarkt von Lundene verkauften, und sie behaupteten, dass jetzt über fünfzig Schiffe in dem Flussarm unterhalb der Festung von Beamfleot lagen. Wikinger zogen in Scharen durch das Mündungsgebiet der Temes.

«Sie wissen, dass Sigefrid und sein Bruder bald reich sein werden», erklärte ich Gisela am Abend, nachdem mir der Bischof befohlen hatte, jede Herausforderung zu unterlassen.

«Sehr reich», sagte sie trocken.

«Reich genug, um eine Streitmacht aufzustellen», fuhr ich erbittert fort, denn wenn das Lösegeld erst einmal entrichtet war, dann würden die Brüder Thurgilson mit Gold bezahlen, und von allen Meeren würden die Schiffe kommen, und schließlich wären es genügend, um in Wessex einzufallen. Der Traum der Brüder, alles sächsische Land zu erobern, der früher von Ragnars Unterstützung abgehangen hatte, schien jetzt auch ohne jede Hilfe aus dem Norden wahr werden zu können. Und das alles nur durch die Gefangennahme Æthelflaeds.

«Werden sie Lundene angreifen?», fragte Gisela.

«Wenn ich Sigefrid wäre», sagte ich, «würde ich ans andere Ufer der Temes fahren und über Cent in Wessex einfallen. Er wird genügend Schiffe haben, um ein ganzes Heer über den Fluss zu bringen, und wir haben nicht annähernd genügend, um ihn aufzuhalten.»

Stiorra spielte mit einer hölzernen Puppe, die ich aus Treibholz geschnitzt und der Gisela aus ein paar Leinenfetzen ein Kleid genäht hatte. Meine Tochter war so vertieft in ihr Spiel, so glücklich, und ich versuchte mir vorzustellen, wie es wäre, sie zu verlieren. Ich versuchte, mir Alfreds Verzweiflung vorzustellen, und ich stellte fest, dass ich nicht einmal die bloße Vorstellung ertragen konnte. «Das Kind tritt», sagte Gisela und strich sich über den Bauch.

Erneut überfiel mich die Angst, die ich jedes Mal empfand, wenn ich an die bevorstehende Geburt dachte. «Wir müssen einen Namen für ihn finden», sagte ich und verbarg damit meine Furcht.

«Oder für sie?»

«Für ihn», sagte ich nachdrücklich, doch ohne Freude, denn an diesem Abend sah die Zukunft düster und trostlos aus.

Wie der Bischof es gesagt hatte, kam Alfred nach Lundene, und ich wurde erneut in den Palas gerufen. Dieses Mal allerdings wurde uns eine Predigt erspart. Der König erschien mit dem, was nach der schrecklichen Niederlage am

Sture von seiner Leibwache noch übrig war, und ich begrüßte Steapa im vorderen Hof, wo ein Verwalter unsere Schwerter entgegennahm. Die Priester waren in großer Anzahl erschienen, ein Schwarm heiserer Krähen, doch unter ihnen befanden sich auch einige Freunde, nämlich Pater Pyrlig, Pater Beocca und, zu meiner Überraschung, Pater Willibald. Willibald eilte in überschäumender Freude über den Hof, um mich zu umarmen. «Ihr seid ja noch größer geworden, Herr!», sagte er.

«Und wie geht es Euch, Pater?»

«Dem Herrn gefällt es, mich zu segnen!», sagte er frohgemut. «Ich habe jetzt eine Gemeinde in Exanceaster!»

«Dort gefällt es mir», sagte ich.

«Ihr hattet in der Nähe ein Haus, nicht wahr? Mit Eurer ...», Willibald hielt verlegen inne.

«Mit diesem frommen Elend, mit dem ich vor Gisela verheiratet war», sagte ich. Mildrith lebte noch, doch zu der Zeit war sie in einem Kloster, und ich hatte den meisten Kummer aus dieser unglücklichen Verbindung lange vergessen. «Und Ihr?», fragte ich, «seid Ihr verheiratet?»

«Mit einer äußerst liebenswerten Frau», sagte Willibald strahlend. Einst war er mein Lehrer gewesen, wenn er mir auch wenig beigebracht hatte, doch er war ein guter Mann, freundlich und pflichtbewusst.

«Und sorgt der Bischof von Exanceaster immer noch dafür, dass die Huren Beschäftigung haben?», fragte ich.

«Uhtred, Uhtred!», rief Pater Willibald tadelnd, «ich weiß, dass Ihr solche Dinge nur sagt, um mich zu empören!»

«Ich sage aber zugleich die Wahrheit», sagte ich, und das stimmte auch. «Da war so eine Rothaarige», fuhr ich fort, «die er wirklich gemocht hat. Die Leute haben sich erzählt, dass es ihm gefallen hat, ihr seine Gewänder anzuziehen und dann ...»

«Wir sind alle Sünder», unterbrach mich Willibald eilig, «und haben Gottes Erwartungen in uns enttäuscht.»

«Ihr auch? War sie rothaarig?», fragte ich und lachte über seine Verwirrung. «Es ist gut, Euch wiederzusehen, Pater. Was bringt Euch von Exanceaster nach Lundene?»

«Der König, Gott segne ihn, wünschte die Gesellschaft alter Freunde», sagte Willibald. Dann schüttelte er den Kopf. «Es geht ihm schlecht, Uhtred, sehr schlecht. Sagt nichts, ich bitte Euch, was ihn aufbringen könnte. Er braucht unser aller Gebete!»

«Er braucht einen anderen Schwiegersohn», sagte ich missmutig.

«Der Herr Æthelred ist ein treuer Diener Gottes», sagte Willibald, «und ein edler Krieger! Vielleicht hat er noch nicht Euren Ruhm erlangt, doch sein Name verbreitet Furcht unter unseren Feinden.»

«Tut er das?», fragte ich. «Wovor fürchten sie sich denn? Dass sie vor Lachen sterben könnten, wenn er sie das nächste Mal angreift?»

«Herr Uhtred!», tadelte er mich erneut.

Ich lachte und folgte Willibald in die Säulenhalle, in der sich Thegn, Priester und Aldermänner versammelt hatten. Es war kein förmlicher Witanegemot, diese königliche Ratsversammlung bedeutender Männer, die zwei Mal im Jahr zusammenkam, doch fast jeder der anwesenden Männer gehörte zum Witan. Sie kamen aus ganz Wessex und aus dem südlichen Mercien, und alle waren nach Lundene gerufen worden, damit jegliche Entscheidung, die Alfred treffen würde, die Unterstützung beider Königreiche hatte. Auch Æthelred war schon im Raum. Er sah niemanden an und hing auf einem Stuhl unterhalb des Podestes, auf dem Alfred den Vorsitz führen würde. Die Männer vermieden es, in der Nähe Æthelreds zu stehen, nur Aldhelm war bei ihm, hatte sich neben seinen Stuhl gehockt und flüsterte ihm etwas ins Ohr.

Alfred kam in Begleitung von Erkenwald und Bruder Asser herein. Ich hatte den König noch nie zuvor so verhärmt gesehen. Eine Hand lag auf seinem Bauch, offenkundig hatte sich seine Krankheit verschlimmert, doch ich glaubte nicht, dass sie der Grund für die tiefen Falten in seinem blassen Gesicht und seinen hoffnungslosen Blick war. Sein Haar war noch spärlicher geworden, und zum ersten Mal sah ich ihn als alten Mann. In diesem Jahr war er sechsunddreißig Jahre. Er setzte sich auf seinen Stuhl auf dem Podest, bedeutete den Männern im Raum mit einer Handbewegung, dass sie sich ebenfalls setzen konnten, sagte jedoch nichts. Es blieb Bischof Erkenwald überlassen, ein kurzes Gebet zu sprechen, und dann jedem Mann, der einen Vorschlag zu machen hatte, das Wort zu erteilen.

Sie redeten und sie redeten, und sie redeten noch ein bisschen mehr. Das Rätsel, das sie nicht losließ, war, warum noch keine Botschaft aus dem Lager bei Beamfleot gekommen war. Ein Kundschafter hatte Alfred berichtet, dass seine Tochter am Leben war und mit Ehrerbietung behandelt wurde, doch von Sigefrid war kein Bote erschienen. «Er will, dass wir als Bittsteller zu ihm kommen müssen», vermutete Bischof Erkenwald, und keiner hatte eine bessere Erklärung. Dann wurde darauf hingewiesen, dass Æthelflaed auf dem Gebiet König Æthelstans von Ostanglien festgehalten wurde. Und dieser christianisierte Däne würde doch sicher zur Unterstützung kommen? Bischof Erkenwald sagte darauf, eine Gesandtschaft sei schon zu einem Treffen mit dem König abgereist.

«Guthrum wird nicht kämpfen», lautete mein erster Beitrag zum Gespräch.

«König Æthelstan», sagte Bischof Erkenwald und betonte Guthrums christlichen Namen, «wird sich als treuer Verbündeter erweisen. Ich bin sicher, dass er uns beistehen wird.»

«Er wird nicht kämpfen», wiederholte ich.

Alfred winkte mit schwacher Hand in meine Richtung, um zu zeigen, dass er hören wollte, was ich zu sagen hatte.

«Guthrum ist alt», sagte ich, «und er will keinen Krieg. Auch könnte er es nicht mit den Männern bei Beamfleot aufnehmen. Sie werden mit jedem Tag stärker. Wenn Guthrum mit ihnen kämpft, wird er sehr wahrscheinlich verlieren, und wenn er verliert, dann wird Sigefrid König von Ostanglien.» Dieser Gedanke gefiel niemandem, doch alle nahmen ihn ernst. Sigefrid wurde trotz der Wunde, die Osferth ihm zugefügt hatte, immer mächtiger und hatte schon jetzt genügend Anhänger, um Guthrums Truppen herauszufordern.

«Ich möchte nicht, dass König Æthelstan kämpft», sagte Alfred unglücklich, «weil jeder Krieg das Leben meiner Tochter gefährdet. Wir müssen stattdessen die Notwendigkeit eines Lösegeldes bedenken.»

Schweigen breitete sich aus, als die Männer im Raum sich die riesige Summe vorstellten, die gebraucht werden würde. Einige, es waren die wohlhabendsten, wichen Alfreds Blick aus, doch ich bin sicher, dass alle darüber nachdachten, wo sie ihr Vermögen verstecken konnten, bevor Alfreds Steuereinnehmer und Truppen zu Besuch kamen. Bischof Erkenwald brach die Stille mit der bedauernden

Feststellung, dass die Kirche verarmt sei und er andernfalls mit Freude einen Beitrag geleistet hätte. «Was uns an unbedeutenden Summen zur Verfügung steht», sagte er, «ist dem Werk Gottes geweiht.»

«So ist es», bekräftigte ein fetter Abt, auf dessen Brust drei Silberkreuze schimmerten.

«Und die Herrin Æthelflaed ist jetzt eine Mercierin», brummte ein Thegn aus Wiltunscir, «daher müssen die Mercier die größte Last tragen.»

«Sie ist meine Tochter», sagte Alfred ruhig, «und es versteht sich, dass ich alles beitragen will, was ich entbehren kann.»

«Aber wie viel werden wir brauchen?», erkundigte sich Pater Pyrlig ohne Umschweife. «Das müssen wir als Erstes wissen, Herr König, und das bedeutet, dass jemand zu einem Treffen mit den Heiden gehen muss. Wenn sie nicht mit uns reden, müssen wir mit ihnen reden. Ganz wie unser guter Bischof sagt», an dieser Stelle verbeugte sich Pyrlig feierlich in Erkenwalds Richtung, «wollen sie, dass wir als Bittsteller kommen.»

«Sie wollen uns demütigen», knurrte ein Mann.

«Das wollen sie bestimmt!», bekräftigte Pyrlig. «Also müssen wir eine Abordnung hinschicken, die diese Demütigung auf sich nimmt.»

«Würdet Ihr nach Beamfleot gehen?» Alfred klang hoffnungsvoll.

Der Waliser schüttelte den Kopf. «Herr König», sagte er, «diese Heiden haben Grund genug, mich zu hassen. Ich bin nicht der richtige Mann. Herr Uhtred dagegen», Pyrlig deutete auf mich, «hat Erik Thurgilson einen Gefallen getan.»

«Welchen Gefallen?», fragte Bruder Asser schnell.

«Ich habe ihn vor der Verschlagenheit der walisischen Mönche gewarnt», sagte ich, und im Raum machte sich verhaltenes Lachen breit. Alfred warf mir einen missbilligenden Blick zu. «Ich habe ihn mit seinem eigenen Schiff von Lundene wegfahren lassen», erklärte ich.

«Ein Gefallen», warf Asser ein, «der diese unglückliche Lage erst möglich gemacht hat. Wenn Ihr die Thurgilsons getötet hättet, wie es richtig gewesen wäre, dann stünden wir jetzt nicht hier.»

«Was uns hierhergebracht hat», sagte ich, «war der Unverstand, auf dem Sture herumzutrödeln. Wenn man eine schöne Herde zusammen hat, dann lässt man sie nicht neben einer Wolfshöhle grasen!»

«Genug!», sagte Alfred streng. Æthelred zitterte vor Wut. Er hatte bisher noch kein Wort gesprochen, doch nun wandte er sich in seinem Stuhl um und zeigte mit dem Finger auf mich. Er öffnete den Mund, und ich wartete auf eine zornige Bemerkung, doch stattdessen zuckte er zur Seite und erbrach sich. Es kam unvermittelt und heftig, sein Magen entleerte sich in einem dicken, stinkenden Strahl. Er bebte am ganzen Körper, während sein Erbrochenes geräuschvoll auf das Podest klatschte. Alfred war entsetzt und schaute nur. Aldhelm tat einen hastigen Schritt zur Seite. Einer der Priester bekreuzigte sich. Dann schien nichts mehr übrig zu sein, was Æthelred erbrechen könnte, doch er zuckte erneut zusammen, und ein weiterer Strahl schoss aus seinem Mund. Als endgültig nichts mehr kam, wischte Æthelred sich den Mund am Ärmel ab und lehnte sich mit geschlossenen Augen und bleichem Antlitz in seinem Stuhl zurück.

Nach dem unvermittelten Anfall seines Schwiegersohnes wandte sich Alfred wieder den Männern zu. Was eben geschehen war, erwähnte er mit keinem Wort. Ein Diener drückte sich in einer Ecke des Raumes herum, offenkundig wollte er Æthelred zu Hilfe kommen, doch er fürchtete sich, über das Podest zu gehen. Eine Hand auf den Bauch gelegt, stöhnte Æthelred leise. Aldhelm starrte auf die Pfütze mit Erbrochenem, als habe er so etwas noch niemals gesehen.

«Herr Uhtred», brach der König die unbehagliche Stille.

«Herr König», antwortete ich mit einer leichten Verbeugung.

Alfred sah mich stirnrunzelnd an. «Es gibt da einige, Herr Uhtred, die sagen, dein Umgang mit den Nordmännern wäre zu freundlich.»

«Ich habe Euch einen Schwur geleistet, Herr König», sagte ich schroff, «und ich habe diesen Schwur gegenüber Pater Pyrlig und dann gegenüber Eurer Tochter erneuert. Wenn die Männer, die sagen, mein Umgang mit den Nordmännern wäre zu freundlich, mich beschuldigen wollen, diesen dreifachen Schwur gebrochen zu haben, dann werde ich ihnen an jedem Ort ihrer Wahl auf eine Schwertlänge entfernt entgegentreten. Und sie werden ein Schwert vor sich haben, das mehr Nordmänner getötet hat, als ich zählen kann.»

Damit herrschte Stille. Pyrlig lächelte. Kein einziger Mann im Raum wollte mit mir kämpfen, und der Einzige, der mich hätte schlagen können, Steapa, grinste nur, allerdings erinnerte Steapas Grinsen an die grauenvoll erstarrte Miene eines Toten und hätte sogar einen Dämon in seinen Schlupfwinkel zurückgejagt.

Der König seufzte, als hätte ihn mein Wutausbruch ermüdet. «Wird Sigefrid mit dir sprechen?», fragte er.

«Graf Sigefrid hasst mich, Herr König.»

«Aber wird er mit dir sprechen?», beharrte Alfred.

«Entweder das oder er tötet mich», sagte ich, «doch sein Bruder mag mich, und Haesten schuldet mir etwas, also, ja, ich glaube, sie werden mit mir reden.»

«Ihr müsst auch einen geübten Unterhändler schicken, Herr König», ließ sich Erkenwald salbungsvoll vernehmen. «Einen Mann, der nicht in Versuchung ist, den Heiden noch weitere Gefallen zu erweisen. Kann ich meinen Schatzmeister vorschlagen? Er ist ein höchst scharfsinniger Mann.»

«Und außerdem ist er ein Priester», sagte ich, «und Sigefrid hasst Priester. Zudem treibt ihn das heiße Begehren, einmal einen Priester zu kreuzigen.» Ich lächelte Erkenwald an. «Vielleicht solltet Ihr wirklich Euren Schatzmeister mitschicken. Oder möchtet Ihr lieber selbst mitkommen?»

Erkenwald starrte mich ausdruckslos an. Ich vermute, er betete zu seinem Gott darum, mich mit einem Blitz zu erschlagen, doch diesen Gefallen wollte ihm sein Gott nicht tun. Der König seufzte erneut. «Kannst du auch selbst verhandeln?», fragte er mich geduldig.

«Ich habe schon Pferde gekauft, Herr», sagte ich, «also, ja, ich kann verhandeln.»

«Um ein Pferd zu feilschen ist nicht dasselbe wie ...», begann Erkenwald böse, doch er unterbrach sich, als der König eine schwache Hand in seine Richtung hob.

«Der Herr Uhtred ist darauf aus, Euch zu reizen, Bischof», sagte der König, «und es ist das Beste, ihm keine Genugtuung zu bereiten, indem man ihm zeigt, dass es ihm gelungen ist.»

«Ich kann verhandeln, Herr König», sagte ich, «aber in

373

diesem Fall muss ich um eine Stute von großem Wert feilschen. Sie wird nicht billig zu haben sein.»

Alfred nickte. «Solltest du vielleicht doch den Schatzmeister des Bischofs mitnehmen?», schlug er zögerlich vor.

«Ich möchte nur einen Begleiter, Herr», sagte ich, «Steapa.»

«Steapa?» Alfred klang überrascht.

«Wenn Ihr vor den Feind tretet, Herr», erklärte ich, «dann ist es gut, einen Mann an der Seite zu haben, dessen bloße Anwesenheit schon eine Drohung ist.»

«Du wirst zwei Begleiter mitnehmen», sagte der König. «Trotz Sigefrids Priesterhass will ich, dass meine Tochter den Segen der Sakramente erfährt. Du musst einen Priester mitnehmen, Uhtred.»

«Wenn Ihr darauf besteht, Herr», sagte ich, ohne meine Ablehnung zu verstecken.

«Ich bestehe darauf.» Alfreds Stimme hatte etwas von ihrer Festigkeit wiedergewonnen. «Und sei schnell zurück», fuhr er fort, «damit ich erfahre, wie es ihr geht.»

Æthelred hatte kein einziges Wort gesprochen.

Und ich ging nach Beamfleot.

Wir waren hundert auf unserem Ritt. Nur drei von uns würden in Sigefrids Lager gehen, doch drei Männer konnten nicht ungeschützt durch das Land zwischen Lundene und Beamfleot reiten. Dies hier war Grenzland, die wilde, flache Ebene an der Grenze Ostangliens, und wir ritten mit Kettenhemden, Schilden und Waffen, um jedermann wissen zu lassen, dass wir zum Kampf bereit waren. Es wäre schneller gewesen, mit dem Schiff zu fahren, aber ich hatte Alfred davon überzeugt, dass es vorteilhafter war, mit dem Pferd unterwegs zu sein. «Ich habe Beamfleot von der Wasserseite aus gesehen», hatte ich ihm am vorangegangenen Abend gesagt, «und es ist uneinnehmbar. Ein steiler Hügel, Herr, und eine Festung auf seinem Gipfel. Ich habe die Festung noch nicht von der Landseite aus gesehen, Herr, und das muss ich.»

«Das müsst Ihr?» Das war von Bruder Asser gekommen. Er stand ganz dicht neben Alfreds Stuhl, als ob er den König beschützen würde.

«Wenn es zu einem Kampf kommt», hatte ich gesagt, «greifen wir vielleicht von der Landseite aus an.»

Der König hatte mich erschöpft angesehen. «Du willst, dass es zu einem Kampf kommt?», hatte er gefragt.

«Die Herrin Æthelflaed wird sterben, wenn gekämpft wird», hatte Asser eingeworfen.

«Ich will Euch Eure Tochter zurückbringen», hatte ich zu Alfred gesagt, ohne auf den walisischen Mönch zu achten, «aber nur ein Narr, Herr, würde glauben, dass wir keinen Kampf haben werden, bevor der Sommer vorüber ist. Sigefrid wird zu mächtig. Wenn wir zulassen, dass er diese Macht weiter vergrößert, haben wir einen Feind, der ganz Wessex bedrohen kann. Wir müssen ihn ausschalten, bevor er zu stark wird.»

«Keine Kämpfe jetzt», hatte Alfred nachdrücklich gesagt. «Reite über Land, wenn du es musst, sprich mit ihnen und bringe mir die Neuigkeiten schnell.»

Er hatte darauf bestanden, einen Priester mitzuschicken, doch zu meiner Erleichterung wurde Pater Willibald ausgewählt. «Ich bin ein alter Freund der Herrin Æthelflaed», erklärte Willibald, als wir von Lundene wegritten. «Sie hat mich immer gern gehabt», fuhr er fort, «und ich sie ebenso.»

Ich ritt Smoca. Finan und die Krieger meiner Haustruppe begleiteten mich und dazu noch fünfzig ausgewählte Männer von Alfreds Truppen, über die Steapa den Befehl hatte. Wir trugen keine Banner. Stattdessen hielt Sihtric einen belaubten Erlenzweig als Zeichen, dass wir die Waffen ruhen lassen wollten.

Der Landstrich östlich von Lundene war grässlich. Eine flache, trostlose Gegend voller Wasserläufe, Gräben, Schilfrohr, Sumpfgras und Wildvögel. Zu unserer Rechten, wo von Zeit zu Zeit die Temes als graues Band sichtbar wurde, wirkte das Marschland fast schwarz unter der Sommersonne. Kaum jemand lebte in dieser feuchten Ödnis, wenn wir auch gelegentlich an einer niedrigen Hütte mit einem Schilfdach vorüberkamen. Menschen waren nicht zu entdecken. Die Aalfischer, die in den Hütten wohnten, hatten uns kommen sehen und waren mit ihren Familien in sichere Verstecke geflüchtet.

Der Pfad, denn einen richtigen Weg konnte man das kaum nennen, folgte dem etwas höher gelegenen Gelände am Rand der Marschen und führte über kleine, von Dornenhecken umgegebene Felder mit schwerem Lehmboden. Die wenigen Bäume, die es hier gab, waren verkrüppelt und unter dem stetigen Wind krumm gewachsen. Je weiter wir nach Osten kamen, desto mehr Häuser sahen wir, und nach und nach wurden die Gebäude auch größer. Mittags hielten wir an einem Palas, um die Pferde zu tränken und ausruhen zu lassen. Der Palas war von einer Palisade umgeben, und ein Diener kam vorsichtig ans Tor, um uns nach unseren Wünschen zu fragen. «Wo sind wir?», fragte ich, bevor ich ihm auf seine eigene Frage antwortete.

«Wocca's Dun, Herr», sagte er auf Englisch.

Ich lachte spöttisch, denn das Wort Dun bedeutet Hügel, und ich konnte weit und breit keinen Hügel sehen, wenn auch der Palas auf einer sehr leichten Erhebung stand. «Ist Wocca hier?», fragte ich.

«Das Land hier gehört jetzt seinem Enkel, Herr. Er ist nicht hier.»

Ich ließ mich aus Smocas Sattel gleiten und warf Sihtric die Zügel zu. «Lass ihn auslaufen, bevor du ihm zu trinken gibst», befahl ich Sihtric, bevor ich mich wieder dem Diener zuwandte. «Und sein Enkel», fragte ich, «wem schuldet er die Eidespflicht?»

«Er dient Hakon, Herr.»

Also gehörte dieser Palas einem Sachsen, der einem Dänen seinen Eid geleistet hatte. «Und Hakon?», fragte ich.

«Hat König Æthelstan seinen Schwur geleistet.»

«Guthrum?»

«Ja, Herr.»

«Hat Guthrum Männer zusammengerufen?»

«Nein, Herr», sagte der Diener.

«Und wenn Guthrum es tun würde», fragte ich, «würden Hakon und dein Herr ihm dann folgen?»

Der Diener sah mich misstrauisch an. «Sie sind nach Beamfleot gegangen», sagte er dann, und das war wahrhaftig eine bemerkenswerte Antwort. Hakon, so erklärte mir der Diener, besaß ein beträchtliches Stück von diesem lehmigen Landstrich, das ihm von Guthrum zugestanden worden war, doch nun wurde Hakon von der Gefolgschaft, die er Guthrum mit seinem Eid geschworen hatte, und seiner Angst vor Sigefrid zerrissen.

«Also wird Hakon dem Grafen Sigefrid folgen?», fragte ich.

«Ich glaube es, Herr. Ein Ruf ist von Beamfleot gekommen, Herr, so viel weiß ich, und mein Herr ist mit Hakon dorthin gegangen.»

«Haben sie ihre Krieger mitgenommen?»

«Nur einige wenige, Herr.»

«Die Krieger wurden nicht mit nach Beamfleot gerufen?»

«Nein, Herr.»

Also stellte Sigefrid noch keine Streitmacht auf, sondern versammelte die reicheren Männer von Ostanglien, um ihnen zu erklären, was von ihnen erwartet wurde. Er würde ihre Krieger rufen, wenn es so weit war, und zweifellos verlockte er die Männer gerade mit der Vorstellung der Reichtümer, die ihnen gehören würden, wenn Æthelflaeds Lösegeld bezahlt worden war. Und Guthrum? Guthrum, so vermutete ich, hielt einfach still, während seine Schwurmänner von Sigefrid verführt wurden. Er machte keinen Versuch, den Verlauf aufzuhalten, und war vermutlich zu dem Schluss gekommen, dass er den verschwenderischen Versprechungen des Norwegers nichts entgegenzusetzen hatte. In diesem Fall war es besser, wenn er Sigefrid seine Truppen in Wessex einfallen ließ, als ihn in Versuchung zu führen, den Thron von Ostanglien an sich zu reißen. «Und Woccas Enkel?», fragte ich, obwohl ich die Antwort schon kannte, «Euer Herr, ist er ein Sachse?»

«Ja, Herr. Obwohl seine Tochter mit einem Dänen verheiratet ist.»

Es sah also so aus, als ob die Sachsen dieses trübseligen Landstrichs für die Dänen kämpfen würden, vielleicht, weil sie keine andere Wahl hatten, vielleicht aber auch, weil ihr Zugehörigkeitsgefühl durch Heiraten wechselte.

Der Diener gab uns Bier, Räucheraal und hartes Brot, und nachdem wir gegessen hatten, ritten wir weiter. Die Sonne stand im Westen und schien auf eine hochgeschwungene Hügelkette, die sich unvermittelt aus dem flachen Land erhob. Die sonnenbeschienenen Abhänge waren steil, sodass die Hügel wie ein grüner Festungswall aussahen. «Das ist Beamfleot», sagte Finan.

«Da oben liegt es», stimmte ich zu. Beamfleot musste sich am südlichen Ende der Hügelkette befinden, wenn die Festung aus dieser Entfernung auch nicht zu erkennen war. Mein Mut sank. Wenn wir Sigefrid angreifen mussten, war es offenkundig das Beste, von Lundene aus Truppen über Land hierherzuführen, doch diese steilen Abhänge wollte ich mich nicht hinaufkämpfen müssen. Ich sah, dass Steapa den Steilhang mit den gleichen düsteren Ahnungen musterte. «Wenn es zum Kampf kommt, Steapa», rief ich ihm munter zu, «dann schicke ich dich mit deinen Leuten als Ersten dort hinauf!»

Ich erntete nur einen säuerlichen Blick.

«Sie haben uns gesehen», sagte ich zu Finan.

«Sie beobachten uns schon seit einer Stunde, Herr», sagte er.

«Wirklich?»

«Ich habe das Blitzen ihrer Speerspitzen gesehen», sagte der Ire. «sie versuchen nicht, sich vor uns zu verstecken.»

Ein langer Sommerabend brach an, als wir mit dem Anstieg auf den Hügel begannen. Die Luft war warm und die schrägen Sonnenstrahlen fielen golden auf die Büsche, die den Hügel bedeckten. Ein Weg wand sich nach oben, und während wir ihn langsam emporstiegen, sah ich weit über mir Lichtsplitter blitzen und wusste, dass dies Spiegelungen von Speerspitzen oder Helmen waren. Unsere Feinde beobachteten uns und waren auf unser Kommen vorbereitet.

Nur drei Reiter erwarteten uns. Alle drei trugen Kettenhemden und Helme, und die Helme waren mit langen Rosshaarbüscheln geschmückt, die ihren Trägern ein wildes Aussehen verliehen. Sie hatten Sihtrics Erlenzweig gesehen, und als wir uns dem Gipfel näherten, galoppierten die drei Männer auf uns zu. Ich hieß meine Truppe mit erhobener Hand anhalten, und nur von Finan begleitet ritt ich den drei Männern zur Begrüßung entgegen.

«Also kommt Ihr schließlich doch noch», rief einer von ihnen in gebrochenem Englisch.

«Wir kommen in Frieden», sagte ich auf Dänisch.

Der Mann lachte. Ich konnte sein Gesicht nicht sehen, weil sein Helm Wangenstücke hatte, und alles, was ich ausmachen konnte, waren ein Bart und das Glitzern seiner Augen unter dem Schatten des Helmes. «Ihr kommt in Frieden», sagte er, «weil Ihr es nicht wagen könnt, in irgendeiner anderen Absicht zu kommen. Oder wollt Ihr, dass wir Eure Königstochter ausweiden wie ein Tier, nachdem wir uns alle zwischen ihre Schenkel gestoßen haben?»

«Ich möchte den Grafen Sigefrid sprechen», sagte ich, ohne auf seine Herausforderung einzugehen.

«Aber will er auch mit Euch sprechen?», fragte der Mann. Er drückte seinem Pferd eine Spore in die Flanke, und der Hengst vollführte eine schöne Drehung um sich selbst. Das geschah nicht aus Notwendigkeit, sondern nur, damit der Mann mit seinen Reitkünsten prahlen konnte. «Und wer seid Ihr?», fragte er.

«Uhtred von Bebbanburg.»

«Diesen Namen habe ich schon gehört», bemerkte der Mann.

«Dann sagt ihn dem Grafen Sigefrid», forderte ich ihn auf, «und sagt, ich bringe ihm Grüße von König Alfred.»

«Diesen Namen habe ich auch schon gehört», sagte der

Mann. Dann schwieg er, um unsere Geduld auf die Probe zu stellen. «Ihr könnt dem Weg folgen», sagte er schließlich und deutete auf einen Pfad, der über die Hügelkuppe hinwegführte, «dann erreicht Ihr einen großen Stein. Neben diesem Stein steht ein Palas, und dort werdet Ihr mit Euren Männern warten. Graf Sigefrid wird Euch morgen wissen lassen, ob er mit Euch zu sprechen wünscht, oder ob er Euren Abzug wünscht, oder ob er sich an Eurem Tod zu ergötzen wünscht.» Erneut gab er seinem Pferd die Sporen, und alle drei Männer ritten schnell davon. Die Hufschläge ihrer Tiere klangen laut durch die stille Sommerluft.

Und wir ritten weiter, um zu dem Palas neben dem großen Stein zu kommen.

Der Palas war sehr alt und bestand aus Eichenholz, das mit den Jahren fast schwarz geworden war. Das Strohdach war steil und das Gebäude von hohen Eichen umgeben, die es vor der Sonne schützten. Vor dem Palas erhob sich aus einem üppigen Wiesenstück eine übermannsgroße Säule aus unbehauenem Stein. Der Stein hatte ein Loch in der Mitte, und darin lagen Kiesel und Knochenstückchen, Botschaften von Leuten, die glaubten, der Steinblock besitze magische Kräfte. Finan schlug ein Kreuz. «Den muss das alte Volk hier aufgestellt haben», sagte er.

«Welches alte Volk?»

«Das hier gelebt hat, als die Welt noch jung war», sagte er. «Das vor uns da war. In Irland haben sie solche Steine überall aufgestellt.» Misstrauisch beäugte er den Stein und ritt einen möglichst weiten Bogen darum.

Ein einzelner lahmer Diener erwartete uns vor dem Palas. Er war Sachse und sagte, der Ort werde Thunresleam genannt, und dieser Name war auch alt. Er bedeutete

Thors Hain, und dadurch wusste ich, dass der Palas an einer Stelle errichtet worden war, an der die alten Sachsen, die Sachsen, die den angenagelten Christengott noch nicht anerkannten, ihren älteren Gott verehrt hatten, meinen Gott, Thor. Ich beugte mich aus Smocas Sattel herunter, um den Stein zu berühren, und ich schickte Thor ein Gebet mit der Bitte, dass Gisela die Geburt überleben und Æthelflaed gerettet würde. «Es ist Essen für Euch da, Herr», sagte der lahme Diener und nahm Smocas Zügel.

Es war nicht einfach nur Essen und Bier da, es war ein Festmahl da und sächsische Sklavinnen, die das Essen reichten und das Bier, den Honigwein und den Birkenwein einschenkten. Es war Schwein da, Rind, Ente, getrockneter Dorsch und getrockneter Schellfisch, Aale, Krabben und Gans. Es war Brot da, Käse, Honig und Butter. Pater Willibald befürchtete, das Essen könnte vergiftet sein, und beobachtete mich ängstlich, während ich einen Gänseschenkel aß. «Da habt Ihr's», sagte ich und wischte mir mit dem Handrücken das Fett vom Mund, «ich lebe noch.»

«Gott sei gepriesen», sagte Willibald, der mich weiterhin ängstlich betrachtete.

«Thor sei gepriesen», sagte ich, «das ist sein Hügel.»

Willibald bekreuzigte sich und bohrte dann zimperlich sein Messer in ein Stück Ente. «Ich habe gehört», sagte er unruhig, «dass Sigefrid die Christen hasst.»

«Das tut er. Und Priester ganz besonders.»

«Warum gibt er uns dann so gut zu essen?»

«Um uns zu zeigen, wie sehr er uns verachtet», sagte ich.

«Nicht, um uns zu vergiften?», fragte Willibald, dessen Befürchtungen nicht versiegt waren.

«Esst», sagte ich, «und genießt es.» Ich bezweifelte,

dass die Nordmänner uns vergiften würden. Sie mochten unseren Tod wünschen, aber nicht, bevor sie uns gedemütigt hatten. Dennoch stellte ich auf den Pfaden, die zu dem Palas führten, Wachen auf. Ich befürchtete halb, dass Sigefrids Demütigung darin bestehen könnte, in tiefster Nacht den Palas anzuzünden, während wir darin schliefen. Ich hatte einmal mit angesehen, wie ein Palas niedergebrannt worden war, und es ist grässlich. Krieger warten draußen, um die angsterfüllten Bewohner unter das brennend einbrechende Strohdach, in die tobenden Flammen zurückzutreiben, aus denen ihre Schreie klingen, bevor der Tod für ihr Verstummen sorgt. Am nächsten Morgen, nachdem der Palas niedergebrannt worden war, waren die Opfer klein wie Kinder gewesen, ihre Körper eingeschrumpft und schwarz verkohlt, ihre Finger zu Klauen gekrümmt und ihre verbrannten Lippen in einem grauenhaften, ewigen Schrei der Qual verzogen.

Doch in jener kurzen Sommernacht versuchte niemand, uns zu töten. Ich stand eine Zeitlang Wache, lauschte auf die Eulen und sah dann der Sonne zu, die sich hinter den dichten Ästen der Bäume erhob. Wenig später hörte ich den Klang eines Horns. Es war ein klagendes Heulen, das drei Mal wiederholt wurde, und dann noch drei Mal, und ich ahnte, das Sigefrid seine Männer zusammenrief. Bald würde er nach uns schicken, dachte ich, und ich kleidete mich sorgfältig an. Ich entschied mich für mein bestes Kettenhemd und meinen schwarzen Umhang mit dem Blitz über die gesamte hintere Länge. Ich zog meine Stiefel an und gürtete mich mit meinen Schwertern. Steapa trug ebenfalls ein Kettenhemd, doch seine Rüstung war schmutzig und angelaufen, und seine Stiefel waren zerschrammt und der Bezug seiner Schwerthülle war aufgerissen. Und dennoch sah er sehr viel furchterregender aus als ich. Pater Willibald trug seinen schwarzen Priesterrock und hatte eine kleine Tasche bei sich, die eine Bibel und die Sakramente enthielt. «Ihr werdet für mich übersetzen, nicht wahr?», fragte er mich ernst.

«Warum hat Alfred keinen Priester geschickt, der Dänisch kann?», fragte ich.

«Ich spreche ja etwas Dänisch», sagte Willibald, «aber dennoch weniger, als mir lieb ist. Nein, der König hat mich geschickt, weil er dachte, ich könnte der Herrin Æthelflaed ein Trost sein.»

«Dann sorgt dafür, dass Ihr es auch wirklich seid», sagte ich und drehte mich dann um, weil Cerdic über den Pfad zu uns rannte, der von den Bäumen aus Richtung Süden führte.

«Sie kommen, Herr», sagte er.

«Wie viele?»

«Sechs, Herr. Sechs Reiter.»

Die sechs Männer ritten auf die Lichtung vor dem Palas. Dort hielten sie an und blickten sich um. Ihre Helmmasken behinderten ihre Sicht und zwangen sie, ihre Köpfe übermäßig herumzudrehen, um unsere angeleinten Pferde zu sehen. Sie zählten, wie viele es waren, um sicher zu sein, dass ich keinen Spähertrupp ausgesandt hatte, der die Gegend auskundschaftete. Als sie schließlich zufrieden festgestellt hatten, dass es keinen solchen Trupp gab, geruhte ihr Anführer, mich anzusehen. Ich hielt ihn für denselben Mann, der uns am Vortag auf dem Gipfel des Hügels erwartet hatte. «Ihr allein sollt kommen», sagte er und deutete auf mich.

«Drei von uns kommen», sagte ich.

«Ihr allein», beharrte er.

«Dann machen wir uns jetzt auf den Weg nach Lundene», sagte ich und wandte mich um. «Packen! Die Pferde satteln! Schnell! Wir reiten los!»

Der Mann ließ es nicht darauf ankommen. «Also drei», sagte er leichthin, «aber Ihr werdet nicht zu Graf Sigefrid reiten. Ihr werdet laufen.»

Nun ließ ich es nicht darauf ankommen. Ich wusste, dass es zu Sigefrids Vorsätzen gehörte, uns zu demütigen, und wie konnte er das besser tun, als uns zu seinem Lager laufen zu lassen? Herren reiten und der gemeine Mann läuft, aber Steapa, Pater Willibald und ich gingen widerspruchslos hinter den sechs Reitern her, die einem Weg zwischen den Bäumen hindurch und auf eine weitgestreckte, grasbedeckte Senke folgten, die den Blick auf die sonnenüberglänzte Temes freigab. Auf der Senke stand ein notdürftiger Unterschlupf neben dem nächsten, sie waren von den Schiffsmannschaften errichtet worden, die in Erwartung der Reichtümer, die Sigefrid bald besitzen und verteilen würde, zu seiner Unterstützung gekommen waren.

Bis wir den Hang zu Sigefrids Lager hochgestiegen waren, schwitzte ich heftig. Ich konnte jetzt Caninga sehen und den östlichen Teil des Flussarms. Die Insel und den Hothlege kannte ich von der seewärts gelegenen Seite gut, doch nun sah ich sie aus adlerhafter Höhe. Außerdem sah ich, dass sich jetzt noch mehr Schiffe in dem trockengefallenen Hothlege drängten. Die Nordmänner kreuzten die Weltmeere auf der Suche nach einer schwachen Stelle, über die sie mit Axt, Schwert und Speer herfallen konnten, und Æthelflaeds Gefangennahme hatte ihnen genau solch eine Gelegenheit eröffnet. Also sammelten sie sich.

Hinter dem Tor warteten Hunderte von Männern. Sie machten einen Gang bis vor den großen Palas der Festung frei, und wir drei mussten zwischen der Doppelreihe aus grimmigen, bärtigen, bewaffneten Männern bis zu zwei Bauernkarren hindurchgehen, die nebeneinandergestellt worden waren, um eine lange Plattform zu bilden. Etwa in der Mitte dieser behelfsmäßigen Bühne hing Sigefrid auf einem Stuhl. Trotz der Hitze war er in seinen schwarzen Umhang aus Bärenfell gehüllt. Sein Bruder Erik stand auf der einen Seite des großen Stuhles, während Haesten verschlagend grinsend auf der anderen stand. Eine Reihe behelmter Wachen hatte hinter den dreien Aufstellung bezogen, und vor ihnen hingen vom Rand der Karren Banner mit Raben, Adlern und Wölfen herab. Vor Sigefrids Stuhl dagegen lagen Banner, die von Æthelreds Flotte erbeutet worden waren. Das große Banner des Aldermanns von Mercien mit dem Pferd, das sich aufbäumte, war dabei und daneben Flaggen, die Kreuze und Heilige zeigten. Die Banner waren verschmutzt, und ich vermutete, dass die Dänen abwechselnd darauf pissten. Von Æthelflaed war nichts zu sehen. Ich hatte damit gerechnet, dass sie uns in der Öffentlichkeit vorgeführt werden würde, doch sie musste sich wohl streng bewacht in einem der etwa zwölf Gebäude auf dem Hügel aufhalten.

«Alfred hat uns seine Köter geschickt, damit sie uns was vorkläffen!», verkündete Sigefrid, als wir bei den beschmutzten Bannern angekommen waren.

Ich nahm meinen Helm ab. «Alfred schickt Euch seine Grüße», sagte ich. Ich hatte erwartet, mit Sigefrid in seinem Palas zu sprechen, dann wurde mir klar, dass er im Freien mit mir reden wollte, damit so viele seiner Gefolgsleute wie möglich meine Erniedrigung miterleben konnten.

«Du winselst wirklich wie ein dreckiger Köter», sagte Sigefrid.

«Und er wünscht Euch Freude an der Gesellschaft der Herrin Æthelflaed», fuhr ich fort.

Er runzelte überrascht die Stirn. Sein breites Gesicht wirkte fetter, auch sein ganzer Körper wirkte fetter, denn die Verletzung durch Osferth hatte ihm zwar den Gebrauch seiner Beine genommen, nicht aber seine Lust am Essen, und so saß er da, ein Krüppel, plump und hässlich, und starrte mich ungehalten an. «Freude an ihr?», knurrte er. «Was schwafelst du da?»

«Der König von Wessex», sagte ich laut, sodass mich alle Umstehenden hören konnten, «hat noch andere Töchter! Da ist die liebreizende Æthelgifu, und ihre Schwester, Æfthryth, wozu braucht er also noch Æthelflaed? Und welchen Nutzen haben Töchter überhaupt? Er ist ein König, und er hat Söhne, Edward und Æthelweard, und Söhne sind der Stolz eines Vaters, während Töchter seine Last sind. Also wünscht er dir Freude an ihr und schickt mich, um ihr seine Abschiedsgrüße zu bringen.»

«Der Köter will uns belustigen», sagte Sigefrid verächtlich. Er glaubte mir natürlich nicht, aber ich hoffte, ein kleines Körnchen Zweifel gesät zu haben, gerade ausreichend, um das niedrige Lösegeld zu rechtfertigen, das ich anbieten würde.

Ich wusste, und Sigefrid wusste, dass der endgültige Preis gewaltig sein würde, aber möglicherweise, wenn ich es nur oft genug wiederholte, konnte ich ihn davon überzeugen, dass Alfred im Grunde nicht viel an Æthelflaed lag. «Soll ich sie vielleicht zu meiner Buhle machen?», fragte Sigefrid.

Ich bemerkte, dass sich Erik unbehaglich bewegte.

«Da könnte sie sich glücklich schätzen», sagte ich leichthin.

«Du lügst», sagte Sigefrid, aber aus seiner Stimme klang ein winziger Hauch von Unsicherheit. «Aber die sächsische Hure ist schwanger. Vielleicht kauft ihr Vater ja ihr Kind!»

«Wenn es ein Junge ist», sagte ich zweiflerisch, «vielleicht.»

«Dann musst du mir ein Angebot machen», sagte Sigefrid.

«Alfred würde möglicherweise eine geringe Summe für ein Enkelkind bezahlen», begann ich.

«Aber zuerst», unterbrach mich Sigefrid, «musst du Weland von deiner Vertrauenswürdigkeit überzeugen.»

«Wayland?», fragte ich, weil ich glaubte, er spräche von dem Schmied der Götter.

«Weland der Riese», sagte Sigefrid und nickte lächelnd jemandem zu, der hinter mir stand. «Er ist Däne», fuhr Sigefrid fort, «und kein Mann hat Weland jemals niedergerungen.»

Ich drehte mich um, und vor mir stand der gewaltigste Mann, den ich je gesehen hatte. Zweifellos ein Krieger, wenn er auch weder ein Kettenhemd noch Waffen trug, sondern nur eine lederne Hose und Stiefel. Sein Oberkörper war nackt und zeigte Muskeln, die wie gedrehte Schnüre unter einer Haut verliefen, auf der Einritzungen mit Tinte gefärbt worden waren, sodass sich auf seiner breiten Brust und den massigen Oberarmen schwarze Drachen wanden. Seine Unterarme bedeckten Armringe von enormem Umfang, ein üblicher Armring hätte Weland niemals gepasst. An seinem Bart, der so schwarz war wie die Drachen auf seinem Körper, hingen kleine Amulette, während sein Schädel kahl war. Sein Gesicht war tückisch, vernarbt und grob, wenn er auch lächelte, als ich ihm in die Augen sah.

«Du musst Weland davon überzeugen», sagte Sigefrid, «dass du nicht lügst, du Köter, oder ich werde nicht mit dir sprechen.»

Ich hatte so etwas erwartet. Nach Alfreds Vorstellung kamen wir in Beamfleot an, führten eine gesittete Unterhaltung und erreichten einen gütlichen Vergleich, von dem ich ihn pflichtgemäß unterrichten würde. Doch ich kannte die Nordmänner besser. Sie wollten ihre Belustigungen haben. Wenn ich mit Sigefrid verhandeln wollte, musste ich zuerst meine Stärke beweisen. Ich musste mich beweisen, aber als ich Weland ansah, wusste ich, dass ich scheitern würde. Er war einen Kopf größer als ich, und ich war schon einen Kopf größer als die meisten Männer, doch das gleiche Gefühl, das mich vor solch einer Probe gewarnt hatte, hatte mich auch dazu gebracht, Steapa mitzunehmen.

Steapa lächelte sein Totenkopflächeln. Er hatte kein Wort von dem verstanden, was ich zu Sigefrid oder was Sigefrid zu mir gesagt hatte, aber er verstand Welands Stellung. «Muss er geschlagen werden?», fragte er mich.

«Lass mich das machen», sagte ich.

«Nicht, solange ich lebe», gab Steapa zurück. Er löste seinen Schwertgürtel und übergab die Waffen Pater Willibald, dann wuchtete er das schwere Kettenhemd über seinen Kopf und zog es aus. In Vorfreude auf den Kampf brachen Sigefrids Männer in heiseren Jubel aus.

«Du kannst nur hoffen, dass dein Mann gewinnt, du dreckiger Köter», sagte Sigefrid hinter mir.

«Das wird er», gab ich mit einer Zuversicht zurück, die ich nicht empfand.

«Im Frühling, du Köter», knurrte Sigefrid, «hast du mich davon abgehalten, einen Priester zu kreuzigen. Eine Kreuzigung macht mich aber immer noch neugierig. Wenn also dein Mann verliert, dann kreuzige ich dieses Stück Priesterschiss neben dir.»

«Was sagt er?» Willibald hatte den bösartigen Blick gesehen, den ihm Sigefrid zugeworfen hatte, und seine Stimme klang höchst beunruhigt, was wenig überraschend war.

«Er sagt, Ihr dürft keinen Christenzauber anwenden, um den Kampf zu beeinflussen», log ich.

«Ich werde dennoch beten», sagte Pater Willibald tapfer.

Weland streckte seine riesigen Arme und drückte seine dicken Finger durch. Ein paar Mal stampfte er mit den Füßen auf, dann blieb er in Ringerhaltung stehen, wenn ich auch bezweifelte, dass bei diesem Kampf die Regeln zu den Ringergriffen beachtet würden. Ich hatte ihn genau beobachtet. «Er belastet sein rechtes Bein stärker», sagte ich leise zu Steapa, «das könnte bedeuten, dass sein linkes Bein einmal verwundet war.»

Ich hätte mir die Worte sparen können, denn Steapa hörte mir nicht zu. Seine Augen waren grimmig zusammengekniffen, und sein Gesicht, das ohnehin meist wenig Mienenspiel zeigte, war nun eine erstarrte Maske reiner Wut. Er sah aus wie ein Irrsinniger. Ich erinnerte mich an das eine Mal, das ich gegen ihn gekämpft hatte. Es war am Tag vor dem Julfest gewesen, am gleichen Tag, an dem Guthrums Dänen über Cippanhamm hereingebrochen waren, und Steapa war vor diesem Kampf ganz ruhig gewesen. Er hatte an diesem lange vergangenen Wintertag wie ein Handwerker ausgesehen, der seiner Arbeit nachgeht, voller Vertrauen in seine Fähigkeiten und seine Werkzeuge, doch so sah er jetzt nicht aus. Jetzt empfand er persönliche Wut, und ob es daran lag, dass er gegen einen verhassten Heiden kämpfen sollte, oder weil er mich in Cippanhamm unterschätzt hatte, wusste ich nicht. Und es kümmerte mich auch nicht. «Denk dran», versuchte ich es erneut, «Wayland der Schmied war lahm.»

«Anfangen!», rief Sigefrid hinter mir.

«Gott und Jesus», brüllte Steapa, «Hölle und Christus!» Es war keine Entgegnung auf Sigefrids Befehl, ich bezweifle sogar, dass er ihn überhaupt wahrgenommen hatte. Stattdessen sammelte er all seine Spannung, wie ein Bogenschütze, der die Sehne noch ein weiteres kleines bisschen spannt, um dem Bogen die tödliche Kraft zu verleihen. Und dann brüllte Steapa wie ein Tier und stürzte sich auf Weland.

Weland griff ebenfalls an, und sie prallten aufeinander wie Hirsche in der Brunftzeit.

Die Dänen und Norweger hatten sich in einem Kreis um die beiden aufgestellt, der von den Speerträgern aus Sigefrids Leibwache begrenzt wurde, und die zuschauenden Krieger keuchten, als die beiden Kampftiere zusammenprallten. Steapa hatte seinen Kopf gesenkt, weil er hoffte, Weland seinen Schädel ins Gesicht rammen zu können, doch Weland hatte sich im letzten Moment etwas bewegt, und so stießen ihre Körper aneinander und mit hastigen Griffen versuchten beide, den anderen festzuhalten. Steapa hatte Weland an der Hose gepackt, Weland verkrallte sich in Steapas Haaren, und beide benutzten ihre freie Hand, um Faustschläge auf den anderen niederhageln zu lassen. Steapa versuchte Weland zu beißen, Weland versetzte Steapa einen Kopfstoß, dann wollte Steapa seine Faust in Welands Schritt stoßen, und erneut rangen sie heftig miteinander, bis Weland sein massiges Knie hob und es Steapa zwischen die Schenkel rammte.

«Gütiger Gott», murmelte Willibald neben mir.

Weland befreite sich von Steapas Griff und versetzte ihm einen harten Schlag ins Gesicht. Das Geräusch seiner Faust klang wie der dumpfe, satte Aufprall, mit dem eine Schlachteraxt in ein Stück Fleisch fährt. Blut lief aus Steapas Nase, doch er schien es nicht zu bemerken. Er teilte Schläge aus, ließ seine Fäuste gegen Welands Rippen und seinen Kopf fahren und streckte dann die Finger, um heftig nach den Augen des Dänen zu stechen. Es gelang Weland, dem Angriff auszuweichen, und er rammte Steapa die Knöchel seiner Faust an die Kehle, sodass der Sachse zurücktaumelte und nach Atem rang.

«Oh mein Gott, mein Gott», flüsterte Willibald und bekreuzigte sich.

Weland setzte schnell mit weiteren Fausthieben nach und ließ dann seine Armringe auf Steapas Schädel niederfahren. Die metallenen Verzierungen schürften über Steapas Kopf, es floss noch mehr Blut. Steapa wankte, keuchte und würgte, und mit einem Mal fiel er auf die Knie, und die Zuschauer jubelten laut über seine Schwäche. Weland hob seine gewaltige Faust, doch bevor er mit ihr zuschlagen konnte, warf sich Steapa nach vorn und packte den linken Knöchel des Dänen. Er zog und verdrehte ihn, und Weland stürzte zu Boden wie eine gefällte Eiche. Er kam mit einem dumpfen Knall auf, und sofort warf sich Steapa knurrend und blutend über seinen Feind und begann erneut, ihn mit den Fäusten zu bearbeiten.

«Sie werden sich umbringen», sagte Pater Willibald mit ängstlicher Stimme.

«Sigefrid wird nicht zulassen, dass sein bester Kämpfer stirbt», sagte ich und fragte mich sogleich, ob das wirklich so war. Ich wandte mich zu Sigefrid um und stellte fest, dass er mich beobachtete. Er lächelte mich durchtrieben an und wandte seinen Blick dann wieder den Kämpfern zu. Das war sein Spiel, dachte ich. Der Ausgang des Kampfes würde auf unsere Verhandlung keinen Einfluss haben. Nichts, außer vielleicht Pater Willibalds Leben, hing von dieser bestialischen Vorführung ab. Es war nur ein Spiel.

Es gelang Weland, sich unter Steapa wegzudrehen, sodass sie nebeneinander auf dem Gras lagen. Sie versetzten sich eher wirkungslose Hiebe, und dann, wie im Einverständnis, rollten sie voneinander weg und standen wieder auf. Beide hielten inne, um Atem zu schöpfen, und dann warfen sie sich erneut aufeinander. Steapas Gesicht war eine blutige Maske, Welands Unterlippe und sein linkes Ohr bluteten, eines seiner Augen war fast vollständig zugeschwollen, und seine Rippen hatten schwere Schläge abbekommen. Einen Moment lang suchten die Männer mit hastigen Griffen nach Halt, drehten sich grunzend umeinander, dann packte Weland Steapas Hose und schleuderte ihn so herum, dass der große Sachse über die linke Hüfte des Dänen flog und auf die Erde prallte. Weland hob den Fuß, um Steapa in den Schritt zu stampfen, und Steapa packte den Fuß und verdrehte ihn.

Weland winselte. Es war ein seltsam winziger Klang aus dem Mund eines solch gewaltigen Mannes, und der Schmerz, den er erlitten hatte, schien nichts zu sein nach den hämmernden Schlägen, die er schon eingesteckt hatte, aber Steapa hatte sich schließlich doch daran erinnert, dass Wayland der Schmied von König Nidung gelähmt worden war, und als er den Fuß des Dänen verdrehte, verschlimmerte er die Auswirkungen einer alten Verletzung. Weland versuchte sich loszumachen, doch er verlor das Gleichgewicht und stürzte erneut, und Steapa, keuchend und Blut spuckend, kroch auf ihn zu und schlug wieder auf ihn ein. Blind schlug er auf ihn ein, seine Fäuste hämmerten auf Arme, Brust und Kopf nieder. Weland versuchte, Steapa mit den Fingern die Augen auszustechen, aber der Sachse schnappte mit den Zähnen nach der ausgestreckten Hand, und ich hörte deutlich das Knirschen, mit dem er Weland den kleinen Finger abbiss. Weland zuckte zurück, Steapa spuckte den Finger aus und schloss seine riesigen Hände um den Hals des Dänen. Er drückte zu, und Weland, der keuchend nach Atem rang, begann zu zucken und zu zappeln wie eine frisch gefangene Forelle.

«Genug!», rief Erik.

Sie hörten ihn nicht. Weland traten die Augen aus dem Kopf, während Steapa blind von dem Blut, das ihm in die Augen lief, und mit gefletschten Zähnen seinen Hals umklammerte. Steapa stieß klagende Geräusche aus, dann grunzte er mit einem Mal und grub seine Finger noch tiefer in den Hals des Dänen.

«Genug!», brüllte Sigefrid.

Steapas Blut tropfte Weland ins Gesicht, während er ihn erwürgen wollte. Ich hörte Steapa knurren und wusste, dass er nicht aufhören würde, bevor der riesige Mann tot war, und so schob ich mich an einem der waagerecht gehaltenen Speere vorbei, mit denen die Wachen die Zuschauer zurückhielten. «Aufhören!», rief ich Steapa zu, und als er nicht auf mich hörte, zog ich Wespenstachel und schlug ihm mit der flachen Seite der Klinge heftig auf den blutigen Kopf. «Aufhören!», rief ich wieder.

Er brummte mich an und einen Augenblick dachte ich, er würde mich angreifen, doch dann kehrte der Verstand in seine halb geschlossenen Augen zurück, und er ließ Welands Hals los und starrte zu mir empor. «Ich habe gewonnen», sagte er drohend. «Sag, dass ich gewonnen habe!»

«Oh ja, du hast gewonnen», sagte ich.

Steapa kam auf die Füße. Er stand zunächst etwas unsicher da, dann fand er festen Halt auf gespreizten Beinen und stieß beide Arme in die Sommerluft. «Ich habe gewonnen!», brüllte er.

Weland rang noch immer nach Atem. Er wollte aufstehen, fiel jedoch wieder auf den Boden zurück.

Ich drehte mich zu Sigefrid um. «Der Sachse hat gewonnen», sagte ich, «und der Priester bleibt am Leben.»

«Der Priester bleibt am Leben.» Es war Erik, der das gesagt hatte. Sigefrid schien belustigt, und Weland atmete mit rasselnden Geräuschen.

«Dann mach dein Angebot», sagte Sigefrid zu mir, «für Alfreds Weibsstück.»

Und der Schacher konnte beginnen.

ZEHN

Vier Männer hoben Sigefrid von dem Karren herunter. Sie mussten sich anstrengen, um den Stuhl anzuheben und sicher auf den Boden herunterzulassen. Sigefrid warf mir einen grollenden Blick zu, als sei ich für seine Verkrüppelung verantwortlich, was ich vermutlich auch war. Dann trugen ihn die vier Männer auf seinem Stuhl in den Palas, und Haesten, der mich weder gegrüßt noch meine Anwesenheit durch etwas anderes als ein durchtriebenes Lächeln zur Kenntnis genommen hatte, bedeutete uns mit einer Handbewegung, ihnen zu folgen.

«Steapa braucht Hilfe», sagte ich.

«Eine Frau wird ihm das Blut abwischen», sagte Haesten nachlässig, dann lachte er unvermittelt. «Also habt Ihr festgestellt, dass Bjorn eine Täuschung war?»

«Eine gelungene», räumte ich widerwillig ein.

«Jetzt ist er tot», sagte Haesten mit so viel Gefühl, als spräche er von einem verreckten Hund. «Zwei Wochen nachdem Ihr ihn gesehen hattet, bekam er ein Fieber. Und nun kann er nicht mehr aus seinem Grab aufstehen, der Bastard!» Haesten trug jetzt eine goldene Kette, eine Reihe massiver Glieder, die schwer auf seiner breiten Brust lagen. Ich erinnerte mich an ihn als jungen Mann, er war fast noch ein Junge gewesen, als ich ihn befreit hatte, doch nun hatte ich den erwachsenen Haesten vor mir, und was ich sah, gefiel mir nicht. Seine Augen wirkten recht freundlich, doch sie hatten auch einen wachsamen Ausdruck, als verberge sich hinter ihnen eine Seele, die bereit war, wie eine Schlange zuzustoßen. Er versetzte mir einen vertraulichen Klaps auf den Arm. «Ist Euch klar, dass Euch dieses königliche sächsische Weibsstück eine Menge Silber kosten wird?»

«Falls Alfred beschließt, dass er sie zurückhaben will», sagte ich leichthin, «dann wird er vermutlich etwas für sie zahlen.»

Haesten lachte. «Und wenn er sie nicht zurückhaben will? Dann schleppen wir sie durch ganz Britannien und das ganze Frankenreich und bis in unser Heimatland, und wir ziehen sie nackt aus und fesseln sie mit gespreizten Beinen an ein Gestell, damit sich alle Welt die Tochter des Königs von Wessex genau ansehen kann. Wünscht Ihr ihr das, Herr Uhtred?»

«Willst du mich zum Feind, Graf Haesten?», fragte ich.

«Ich glaube, wir sind schon Feinde», sagte Haesten und ließ damit ausnahmsweise einmal die Wahrheit aufscheinen, doch im nächsten Moment lächelte er schon wieder, wie um zu zeigen, dass er nicht im Ernst gesprochen hatte. «Die Leute werden gutes Silber zahlen, um sich die Tochter des Königs von Wessex anzusehen, meint Ihr nicht? Und die Männer werden Gold zahlen, um sich mit ihr zu vergnügen.» Er lachte. «Ich glaube, dass Euer Alfred diese Entwürdigung verhindern will.»

Er hatte natürlich recht, doch ich wagte nicht, es einzugestehen. «Ist ihr etwas angetan worden?», fragte ich.

«Erik lässt uns nicht in ihre Nähe!», sagte Haesten offenkundig belustigt. «Nein, ihr wurde kein Haar gekrümmt. Wenn Ihr eine Sau verkaufen wollt, schlagt Ihr sie ja auch nicht mit einem Winterbeerenknüttel, oder?»

«Das stimmt», sagte ich. Ein Schwein mit einem Stock aus einem Ast der Winterbeere zu schlagen, hinterließ so tiefe Prellungen, dass das gequetschte Fleisch des Tieres nie mehr richtig mit Salz eingepökelt werden konnte. Haestens Vertraute warteten in der Nähe, und ich erkannte unter ihnen Eilaf den Roten, den Mann, dessen Palas benutzt worden war, um mir Bjorn zu zeigen. Eilaf verneigte sich leicht in meine Richtung, doch ich beachtete seine Höflichkeit nicht.

«Wir gehen jetzt besser hinein», sagte Haesten und deutete auf Sigefrids Palas, «damit wir feststellen, wie viel Gold wir aus Wessex herausquetschen können.»

«Ich muss zuerst nach Steapa sehen», sagte ich. Doch als ich ihn fand, war er von sächsischen Sklavinnen umgeben, die seine Platzwunden und Blutergüsse mit einer Salbe aus Wollfett behandelten. Er schien mich nicht zu brauchen, also folgte ich Haesten in den Palas.

Ein Kreis von Schemeln war um die Feuerstelle in der Mitte aufgestellt worden. Willibald und mir wurden zwei der niedrigsten Schemel zugewiesen, während uns Sigefrid von seinem Stuhl auf der gegenüberliegenden Seite der kalten Feuerstelle anfunkelte. Haesten und Erik nahmen die Plätze neben dem Krüppel ein, dann kamen weitere Männer, alle mit vielen Armringen, in den Kreis. Das waren, so wusste ich, die wichtigeren Nordmänner, diejenigen, die zwei oder mehr Schiffe gebracht hatten, und diese Männer würden, wenn es Sigefrid gelang, Wessex zu erobern, mit reichem Grundbesitz belohnt werden. Ihre Gefolgsleute drängten sich an den Rändern des Saales, wo Frauen Trinkhörner mit Bier verteilten. «Mach dein Angebot», befahl mir Sigefrid unvermittelt.

«Sie ist eine Tochter und kein Sohn», sagte ich, «also ist Alfred nicht geneigt, eine hohe Summe zu bezahlen. Dreihundert Pfund Silber scheinen angemessen.»

Sigefrid starrte mich lange an, dann ließ er seinen Blick über die aufmerksam zuhörenden Männer im Raum wandern. «Habe ich da gerade einen sächsischen Furz gehört?», fragte er und erntete Gelächter. Er schnüffelte betont auffällig und rümpfte die Nase, während die Zuschauer geräuschvolle Fürze abließen. Dann schlug er eine massige Faust auf die Armlehne seines Stuhles, und im Saal kehrte augenblicklich Stille ein. «Du beleidigst mich», sagte er, und ich sah die Wut in seinen Augen. «Wenn Alfred geneigt ist, so wenig zu zahlen, dann bin ich geneigt, das Mädchen jetzt sofort hierherbringen und dich zusehen zu lassen, wie ich sie schände. Und warum sollte ich das auch nicht tun?» Er rutschte auf seinem Stuhl herum, als wolle er aufstehen, dann sank er wieder zurück. «Willst du das, du sächsischer Furz? Willst du sehen, wie sie geschändet wird?»

Seine Wut, dachte ich, war nur vorgespiegelt. Genau wie ich versuchen musste, Æthelflaeds Wert herabzumindern, musste Sigefrid die Gefahr übertreiben, in der sie schwebte. Dennoch hatte ich einen Ausdruck von Abscheu über Eriks Gesicht huschen sehen, als Sigefrid davon sprach, Æthelflaed zu schänden, und diese Abscheu hatte seinem Bruder gegolten, nicht mir. Ich blieb ruhig. «Der König», sagte ich, «hat mir eine gewisse Ermessensfreiheit zugestanden, sein Angebot zu erhöhen.»

«Oh, welche Überraschung!», höhnte Sigefrid, «also lass mich die Grenzen deiner Ermessensfreiheit kennenlernen. Wir fordern zehntausend Pfund Silber und fünftausend Pfund Gold.» Er hielt inne und wartete auf eine Entgegnung von mir, doch ich schwieg. «Und das Geld», fuhr Sigefrid schließlich fort, «muss von Alfred selbst hierhergebracht werden. Er persönlich muss es bezahlen.»

Es wurde damals ein langer Tag, ein sehr langer Tag, die

Kehlen wurden mit Bier, Honigwein und Birkenwein geschmiert, und die Verhandlungen wurden von Drohungen, Zornesausbrüchen und Beleidigungen unterbrochen. Ich trank wenig, nur etwas Bier, aber Sigefrid und seine Anführer tranken viel, und das war vielleicht der Grund dafür, dass sie stärker nachgaben, als ich es erwartet hatte. Die Wahrheit ist, dass sie Geld wollten; sie wollten eine ganze Schiffsladung Silber und Gold, sodass sie mehr Männer bezahlen konnten und mehr Waffen, um mit der Eroberung von Wessex anzufangen. Ich hatte abgeschätzt, wie viele Männer Sigefrid in der Festung hatte, und war auf eine Streitmacht von etwa dreitausend Männern gekommen, und das waren nicht annähernd genügend, um in Wessex einzumarschieren. Er brauchte fünftausend oder sechstausend Männer, und selbst das mochte nicht genügen, doch wenn er achttausend Krieger aufstellen konnte, würde er siegen. Mit einem solchen Heer konnte er Wessex erobern und zum Krüppelkönig über seine fruchtbaren Ländereien werden. Und um diese zusätzlichen Kämpfer zu bekommen, brauchte er Silber, aber wenn er das Lösegeld nicht erhielte, dann würden sogar die Männer, die er jetzt hatte, schnell verschwinden und sich andere Herren suchen, die ihnen zu glänzendem Gold und schimmerndem Silber verhelfen konnten.

Am Nachmittag hatten wir uns auf dreitausend Pfund Silber und fünfhundert Pfund Gold geeinigt. Immer noch beharrten sie darauf, dass Alfred das Geld selbst bringen sollte, doch diese Forderung lehnte ich standhaft ab und ging sogar so weit, aufzustehen und Pater Willibald am Arm zu ziehen, während ich ihm sagte, wir würden gehen, weil wir keine Einigung erreichen konnten. Viele der Zuschauer waren gelangweilt, und mehr als nur ein paar waren betrunken, und sie murrten ärgerlich, als sie mich aufstehen sahen, sodass ich einen Augenblick lang glaubte, sie würden uns angreifen. Aber dann griff Haesten ein.

«Was ist mit dem Ehemann dieses Weibsstücks?», fragte er.

«Was soll mit ihm sein?», fragte ich und wandte mich ihm zu, während es im Saal langsam wieder still wurde.

«Nennt sich ihr Ehemann nicht Herr von Mercien?», fragte Haesten und bedachte diesen Titel mit einem höhnischen kleinen Lachen. «Warum lassen wir also nicht den Herrn von Mercien das Geld bringen?»

«Und dann lassen wir ihn um seine Frau betteln», fügte Sigefrid hinzu, «auf den Knien.»

«Einverstanden», sagte ich und überraschte sie damit, wie schnell ich mich auf ihre Forderung einließ.

Sigefrid runzelte die Stirn, es erfüllte ihn mit Misstrauen, dass ich so einfach nachgegeben hatte.

«Einverstanden?», fragte er, unsicher, ob er mich richtig verstanden hatte.

«Einverstanden», sagte ich und setzte mich wieder. «Der Herr von Mercien wird das Lösegeld bringen, und er wird vor Euch niederknien.» Sigefrid war immer noch argwöhnisch. «Der Herr von Mercien ist mein Cousin», erklärte ich, «und ich hasse diesen kleinen Bastard.» Darüber musste sogar Sigefrid lachen.

«Das Geld muss bis zum nächsten Vollmond hier sein», sagte er. Dann deutete er mit seinem feisten Zeigefinger auf mich. «Und du wirst am Tag zuvor hierherkommen und mir sagen, dass das Silber und das Gold auf dem Weg sind. Und du wirst einen Laubzweig an der Spitze des Schiffsmastes befestigen, um anzuzeigen, dass du in Frieden kommst.»

Er wollte einen Tag vor der Ankunft des Lösegeldes benachrichtigt werden, damit er so viele Männer wie möglich zu Zeugen seines Triumphes werden lassen konnte. Ich erklärte mich damit einverstanden, am Tag bevor das Schiff mit dem Schatz absegelte zu kommen, doch ich erklärte, dass er damit nicht so schnell rechnen konnte, denn es erforderte Zeit, eine solch riesige Summe zu sammeln. Sigefrid murrte, doch ich sprach schnell weiter und versicherte ihm, dass Alfred sein Wort immer hielt und dass beim nächsten Vollmond so viel Geld, wie bis dahin gesammelt werden konnte, als Anzahlung nach Beamfleot gebracht werden würde. Ich beharrte darauf, dass Æthelflaed an diesem Tag freigelassen würde, und erklärte, der Rest des Silbers und Goldes würde vor dem nächsten Vollmond ankommen. Sie feilschten um diese Bedingungen, doch nun wurden die gelangweilten Männer im Saal zunehmend unruhig, sodass sich Sigefrid mit der Zahlung des Lösegeldes in zwei Teilen einverstanden erklärte, und ich erklärte mich damit einverstanden, dass Æthelflaed erst freigelassen würde, wenn der zweite Teil gebracht worden war. «Und jetzt wünsche ich die Herrin Æthelflaed zu sehen», stellte ich meine letzte Forderung.

Sigefrid machte eine nachlässige Handbewegung. «Warum nicht? Erik wird dich zu ihr bringen.» Erik hatte den ganzen Tag über kaum etwas gesagt. Wie ich war auch er nüchtern geblieben und hatte sich weder an den Beleidigungen noch an dem Gelächter beteiligt. Stattdessen hatte er ernst und verschlossen dagesessen und seinen Blick wachsam abwechselnd auf seinem Bruder und mir ruhen lassen. «Du wirst heute Abend mit uns essen», sagte Sigefrid. Unvermittelt lächelte er, und da zeigte sich wieder etwas von der Anziehungskraft, die ich bei unserer ersten

Begegnung in Lundene an ihm wahrgenommen hatte. «Wir werden unsere Abmachung mit einem Festmahl feiern», fuhr er fort, «und auch deine Männer in Thunresleam werden zu essen bekommen. Jetzt kannst du mit dem Mädchen sprechen! Geh mit meinem Bruder.»

Erik führte Pater Willibald und mich zu einem kleineren Palas, der von einem Dutzend Männern in Kettenhemden bewacht wurde, alle trugen Schilde und Waffen. Dies war offenkundig das Gebäude, in dem Æthelflaed gefangen gehalten wurde. Es lag dicht bei dem Wall zur Wasserseite hin. Erik sagte nichts, während wir dorthin gingen, er schien meine Anwesenheit sogar fast vergessen zu haben und hielt die Augen so beharrlich auf den Boden gerichtet, dass ich ihn um einige Holzböcke herumsteuern musste, auf dem Männer neue Ruder glattschabten. Sie zogen lange, gedrehte Späne von dem Holz ab, die in der Wärme des Spätnachmittags merkwürdig süß rochen. Hinter den Böcken blieb Erik stehen und sah mich stirnrunzelnd an. «Habt Ihr das, was Ihr heute gesagt habt, auch so gemeint?», fragte er mich streitlustig.

«Ich habe heute sehr viel gesagt.»

«Dass König Alfred nicht viel für die Herrin Æthelflaed bezahlen will? Weil sie eine Frau ist?»

«Söhne sind mehr wert als Töchter», sagte ich, und das traf oft genug zu.

«Oder habt Ihr nur gefeilscht?», setzte er erbittert nach.

Ich zögerte. Die Frage erschien mir seltsam, denn Erik war sicherlich klug genug, um den schwachen Versuch zu durchschauen, mit dem ich Æthelflaeds Wert hatte mindern wollen, doch aus seiner Stimme klang echte Leidenschaft, und ich spürte, dass er die Wahrheit ausgesprochen hören musste. Zudem konnte nichts, was ich jetzt sagte, die

Abmachungen verändern, die ich mit Sigefrid getroffen hatte. Wir hatten feierlich aus demselben Krug Bier getrunken, um zu zeigen, dass wir eine Übereinkunft gefunden hatten, wir hatten in unsere Hände gespuckt und die Handflächen aneinandergelegt und dann auf das Hammeramulett geschworen, dass wir uns an die Absprache halten würden. Die Abmachung war damit besiegelt, und das bedeutete, dass ich Erik jetzt die Wahrheit sagen konnte. «Natürlich habe ich nur gefeilscht», sagte ich. «Æthelflaed ist ihrem Vater teuer, sehr teuer. Er leidet unter all dem hier.»

«Ich hatte mir gedacht, dass Ihr nur feilschen wolltet», sagte Erik, und seine Stimme klang seltsam wehmütig. Dann wandte er sich um und sah auf das weite Mündungsgebiet der Temes hinaus. Ein Drachenschiff glitt mit der Flut in Richtung des Flussarms, seine Ruderblätter hoben und senkten sich und fingen das Licht der untergehenden Sonne mit jedem trägen Ruderschlag ein. «Wie viel hätte der König für seine Tochter bezahlt?», fragte er.

«Was immer notwendig gewesen wäre», sagte ich.

«Wirklich?», fragte er eifrig. «Er hat keine Grenze gesetzt?»

«Er hat mir aufgetragen», antwortete ich ehrlich, «zu zahlen, was auch immer notwendig wäre, um Æthelflaed nach Hause zu holen.»

«Zu ihrem Ehemann», sagte er rundheraus.

«Zu ihrem Ehemann», stimmte ich zu.

«Der am besten tot wäre», sagte Erik, und ein Schauder überlief ihn. Es war nur ein kurzer Schauder, doch er zeigte mir, dass Erik etwas von dem zornigen Wesen seines Bruders in sich trug.

«Wenn der Herr Æthelred mit dem Gold und dem Silber kommt», sagte ich eindringlich zu Erik, «dürft Ihr ihn nicht anrühren. Er wird im Schutz des Waffenstillstandes kommen.»

«Er schlägt sie! Stimmt das?» Die Frage kam unvorbereitet.

«Ja», sagte ich.

Erik starrte mich einen Augenblick lang an, und ich sah, wie er um Beherrschung rang, damit ihn dieser Zorn nicht übermannte, der verborgen in ihm kochte. Er nickte und wandte sich um. «Hier entlang», sagte er und führte mich zu dem kleineren Palas. Mir fiel auf, dass alle Wachen ältere Männer waren, und ich vermutete, man vertraute nicht nur darauf, dass sie Æthelflaed bewachten, sondern auch darauf, dass sie von ihnen nicht missbraucht wurde. «Ihr ist nichts geschehen», sagte Erik, als habe er meine Gedanken gelesen.

«So wurde es mir versichert.»

«Sie hat drei ihrer eigenen Dienerinnen hier», fuhr Erik fort, «und ich habe ihr noch zwei sehr freundliche dänische Mädchen gegeben. Und ich habe diese Wachen aufgestellt.»

«Männer Eures Vertrauens», sagte ich.

«Meine Männer», sagte er lebhaft, «und, ja, sie sind vertrauenswürdig.» Er streckte eine Hand aus, um mich aufzuhalten. «Ich bringe sie zu Euch heraus», erklärte er. «Sie ist gern draußen im Freien.»

Ich wartete, während Pater Willibald unruhige Blicke auf die Nordmänner warf, die vor Sigefrids Palas standen und uns beobachteten. «Warum sprechen wir hier draußen mit ihr?», fragte er.

«Weil Erik sagt, sie ist gern an der frischen Luft», erklärte ich.

«Aber werden sie mich nicht töten, wenn ich ihr hier draußen die Sakramente erteile?»

«Weil sie denken, Ihr vollführt einen Eurer Christenzauber?», fragte ich. «Das bezweifle ich, Pater.» Ich sah zu Erik hinüber, der den Ledervorhang beiseite zog, der als Tür des Palas diente. Zuvor hatte er etwas zu den Wachen gesagt, und sie rückten nun in zwei Reihen zur Seite und ließen zwischen sich eine freie Fläche, die von der Stirnseite des Gebäudes bis zur Wehranlage reichte. Der Wall bestand aus einem breit aufgeschütteten Damm Erde von nur etwa drei Fuß Höhe, aber ich wusste, dass der Hang auf der anderen Seite steil abfiel. Auf dem Damm war eine Palisade aus kräftigen, oben zugespitzten Eichenpfosten errichtet worden. Ich konnte mir nicht vorstellen, von dem Flussarm den Hang heraufzuklettern und dann noch diesen beeindruckenden Wall zu überwinden. Doch auch ein Angriff von der Landseite schien mir schwer denkbar, denn dort wäre es notwendig, über die ungeschützte Senke zu kommen, und dann hätte man immer noch den Erdwall und die Palisade vor sich. Es war ein gutes Lager, zwar nicht uneinnehmbar, doch seine Eroberung würde sehr viele Männer das Leben kosten.

«Sie lebt», sagte Pater Willibald aufatmend, und als ich mich wieder zum Palas wandte, sah ich Æthelflaed, die sich unter dem Vorhang hindurchduckte, der von einer unsichtbaren Hand aufgehalten wurde. Sie wirkte kleiner und jünger denn je, und wenn sich ihre Schwangerschaft nun auch schon zeigte, war sie immer noch sehr zierlich. Zierlich und verletzlich, dachte ich, und dann sah sie mich, und ein Lächeln breitete sich auf ihrem Gesicht aus. Pater Willibald wollte auf sie zulaufen, doch ich legte ihm die Hand auf die Schulter, damit er stehen blieb. Irgendetwas an Æthelflaeds

Verhalten ließ mich ihn zurückhalten. Ich hatte halb erwartet, dass sie schnell und voller Erleichterung zu mir laufen würde, doch stattdessen zögerte sie an der Tür, und das Lächeln, das sie mir zugeworfen hatte, schien mir kaum mehr als pflichtbewusst. Sie war erfreut, mich zu sehen, das war sicher, doch in ihren Augen lag Wachsamkeit, und sie wandte sich um und wartete, bis Erik durch den Vorhang kam. Er bedeutete ihr mit einer Geste, mich zu begrüßen, und erst dann, nach seiner Aufforderung, kam sie auf mich zu.

Und jetzt strahlte sie.

Und ich erinnerte mich, wie sie an ihrem Hochzeitstag in der neuen Kirche ihres Vaters in Wintanceaster ausgesehen hatte. Sie sah genauso aus wie damals. Sie sah glücklich aus. Sie schien zu leuchten. Sie ging so leichten Schrittes wie eine Tänzerin und sie lächelte so schön, und mir fiel wieder ein, dass ich in dieser Kirche gedacht hatte, sie sei in die Liebe verliebt, und da erkannte ich unvermittelt, worin sich der damalige und der heutige Tag unterschieden.

Denn das strahlende Lächeln galt nicht mir. Sie wandte sich nochmals um, und ich sah Eriks Miene, und ich starrte nur noch. Ich hätte es aus jeder Äußerung Eriks heraushören können. Ich hätte es wissen können, denn es war so offenkundig wie frisches Blut auf jungfräulichem Schnee.

Æthelflaed und Erik waren verliebt.

Die Liebe ist gefährlich.

Verschleiert schleicht sich etwas in unser Leben und verändert es. Ich hatte geglaubt, Mildrith zu lieben, doch es war nur Wollüstigkeit gewesen, und eine Zeitlang hatte ich gedacht, es wäre die Liebe. Wollust hebt unser Leben aus den Angeln, bis nichts mehr zählt außer dem Menschen, den wir zu lieben glauben, und unter dieser Verblendung töten wir für ihn, geben alles für ihn, und dann, wenn wir haben, was wir wollten, entdecken wir, dass alles nur ein Trugbild war und da gar nichts ist. Wollust ist eine Reise, die nirgendwohin führt, die in öde Trostlosigkeit führt, doch manche Männer lieben gerade solche Reisen, und wo sie enden, kümmert sie nicht.

Auch die Liebe ist eine Reise, eine Reise, deren einziges Ziel der Tod ist, doch sie ist eine Reise der Seligkeit. Ich liebte Gisela, und wir waren vom Schicksal begünstigt, weil unsere Lebensfäden sich gekreuzt und sich miteinander verwoben hatten und die drei Nornen uns zumindest eine Weile freundlich gesinnt waren. Die Liebe kann sogar bestehen, wenn die Lebensfäden nicht in schöner Entsprechung nebeneinander herlaufen. Ich hatte festgestellt, dass Alfred seine Ælswith liebte, obwohl sie ihm das Leben versauerte wie ein Löffel Essig die Milch. Vielleicht hatte er sich nur an sie gewöhnt, und vielleicht bedeutet Liebe eher Freundschaft als Wollust, obwohl die Götter wissen, dass die Wollust überall dabei ist. Gisela und ich hatten aneinander Genüge gefunden, ebenso wie Alfred und Ælswith, dennoch glaube ich, dass unsere Reise glücklicher war, denn unser Schiff tanzte auf sonnenüberglänzten Meeren und wurde von einem warmen, lebhaften Wind vorwärtsgetrieben.

Und Æthelflaed? Ich sah es in ihrem Gesicht. Ich sah ihr Strahlen und ihre unerwartete Liebe und all das Unglück, das sie erwartete, und all die Tränen und all das Herzeleid. Sie war auf einer Reise, und es war eine Reise der Liebe, doch sie segelte in einen Sturm, der so finster und heftig war, dass mir fast an ihrer Stelle das Herz brach.

«Herr Uhtred», sagte sie, als sie bei mir angekommen war.

«Herrin», sagte ich und verneigte mich vor ihr, und dann sagten wir nichts mehr.

Willibald plapperte, doch wir nahmen kein Wort davon auf. Ich betrachtete sie, und sie lächelte mich an, und die Sonne glänzte auf dem Erdwall, über dem die Lerchen zwitscherten, aber alles, was ich hörte, war rollender Donner, und alles, was ich sah, waren rasende, weiß schäumende Wogen und ein schlingerndes Schiff und seine Besatzung, die verzweifelt ertrank. Æthelflaed war verliebt.

«Euer Vater versichert Euch seiner Zuneigung», sagte ich, nachdem ich meine Stimme wiedergefunden hatte.

«Armer Vater», sagte sie. «Ist er ärgerlich auf mich?»

«Er zeigt niemandem gegenüber Verärgerung», sagte ich, «aber auf Euren Ehemann sollte er wahrhaftig zornig sein.»

«Ja», stimmte sie mir gelassen zu, «das sollte er.»

«Und ich bin hier, um die Abmachungen für Eure Freilassung zu treffen», erklärte ich und ging über mein sicheres Gefühl hinweg, dass die Freilassung das Letzte war, was sie sich jetzt wünschte, «und Ihr werdet erfreut sein zu erfahren, Herrin, dass alles besprochen ist und Ihr bald zu Hause sein werdet.»

Sie zeigte jedoch keine Freude über diese Nachricht. Pater Willibald, blind für ihre wahren Gefühle, strahlte sie an, und Æthelflaed belohnte ihn mit einem schwachen Lächeln. «Ich bin hier, um Euch die Sakramente zu spenden», sagte Willibald.

«Das nehme ich gerne an», gab Æthelflaed ernst zurück, dann sah sie zu mir empor, und einen Augenblick lang stand Verzweiflung in ihrer Miene. «Wirst du auf mich warten?», fragte sie.

«Auf Euch warten?», fragte ich verwirrt.

«Hier draußen», erklärte sie, «und der gute Pater Willibald kann drinnen mit mir beten.»

«Natürlich», sagte ich.

Sie lächelte zum Dank und führte Willibald in den Palas, während ich zum Wall ging und auf den niedrigen Damm aus Erde stieg, sodass ich über die sonnenwarme Holzpalisade auf den tief unter mir liegenden Hothlege schauen konnte. Das Drachenschiff, dessen geschnitzter Kopf nun abgenommen worden war, ruderte in die Mündung des Wasserlaufs, und ich beobachtete, wie Männer das Schiff losmachten, das zur Bewachung über dem Hothlege festgemacht war. Die schwere Kette, die vom Bug zu dem einsamen Baum auf der Zwei-Bäume-Insel führte, ließen sie unberührt. Die Mannschaft löste die Kette am Heck, die an dem kräftigen Pfosten auf dem schlammigen Ufer der Insel Caninga befestigt war, und ließ sie an einem langen Tau ins Wasser hinab. Die Kette sank auf den Grund, während das Schiff an der Bugkette herumschwang und so auf der hereinkommenden Flut eine Durchfahrt frei machte. Das neu ankommende Schiff wurde vorbeigerudert, dann zog die Mannschaft des Wachschiffs das Tau wieder an, um die Kette hochzuholen und das Schiff wieder als Sperre über dem Wasserlauf festzumachen. Auf dem Wachschiff befanden sich wenigstens vierzig Männer, und sie waren nicht nur dazu da, um an Tauen und Ketten zu zerren. Die Flanken des Schiffs waren mit zusätzlichen Planken aus schweren Bohlen erhöht worden, sodass sie viel weiter emporgezogen waren als die jedes angreifenden Schiffes. Dieses Wachschiff anzugreifen wäre wie gegen die Palisaden einer Festung anzugehen. Das Drachenschiff glitt den Hothlege hinauf und an den Schiffen vorbei, die hoch auf die Schlickufer hinaufgezogen waren und von Männern gerade mit

Haaren und Teer abgedichtet wurden. Der Rauch von den Feuern unter den Teerkesseln zog den Abhang hinauf, und darüber kreisten Möwen, die den warmen Nachmittag mit ihren rauen Schreien erfüllten.

«Vierundsechzig Schiffe», sagte Erik. Er war neben mir auf den Erdwall gestiegen.

«Ich weiß», sagte ich. «Ich habe sie gezählt.»

«Und nächste Woche», sagte Erik, «werden wir hier hundert Schiffsmannschaften haben.»

«Und Euch wird die Verpflegung ausgehen, wenn Ihr so viele Münder zu stopfen habt.»

«Es gibt reichlich Nahrung hier», sagte Erik leichthin. «Wir haben Fischreusen und Aalreusen, wir fangen Wildgeflügel und essen gut. Und mit dem Silber und Gold, das in Aussicht steht, kann man sehr viel Weizen, Gerste, Hafer, Fleisch, Fisch und Aal kaufen.»

«Und Männer auch», sagte ich.

«Und Männer auch», stimmte er mir zu.

«Und so», sagte ich, «bezahlt Alfred von Wessex für seinen eigenen Untergang.»

«So kann man es sehen», sagte Erik ruhig. Er blickte nach Süden, wo sich große Wolkenberge über Cent türmten, die oberen Ränder silbrig weiß und die unteren dunkel über dem grünen Land.

Ich drehte mich um und betrachtete das Lager mit seinem Ringwall. Steapa kam leicht hinkend und mit verbundenem Kopf aus einer Hütte. Er wirkte betrunken. Als er mich sah, winkte er mir zu und ließ sich im Schatten von Sigefrids Palas nieder, wo er offenbar augenblicklich einschlief. «Glaubt Ihr nicht», sagte ich, Erik noch den Rücken zuwendend, «dass Alfred sich denken kann, was Ihr von dem Lösegeld kaufen werdet?»

«Was könnte er daran ändern?»

«Es ist nicht an mir, Euch das zu sagen», bemerkte ich und deutete damit an, dass es eine Antwort auf seine Frage gab. In Wahrheit hätten wir, wenn siebentausend oder achttausend Nordmänner Wessex angriffen, keine andere Wahl als zu kämpfen, und diese Schlacht würde vermutlich grauenvoll werden. Es wäre ein noch größeres Blutvergießen als bei Ethandun, und danach hätte Wessex sehr wahrscheinlich einen neuen König und das Königreich einen neuen Namen. Norwegerland vielleicht.

«Erzählt mir von Guthred», sagte Erik unvermittelt.

«Guthred!» Überrascht von der Frage drehte ich mich zu Erik um. Guthred war Giselas Bruder und der König Northumbriens, und was er mit Alfred, Æthelflaed oder Erik zu tun haben sollte, konnte ich mir nicht vorstellen.

«Er ist Christ, nicht wahr?», fragte Erik.

«So sagt er.»

«Ist er es?»

«Wie soll ich das wissen?», fragte ich. «Er behauptet, Christ zu sein, aber ich bezweifle, dass er die Verehrung der wahren Götter aufgegeben hat.»

«Mögt Ihr ihn?», fragte Erik zurückhaltend.

«Jeder mag Guthred», sagte ich, und das stimmte auch, wenn es mich auch immerzu wunderte, wie ein so freundlicher und entscheidungsschwacher Mann so lange auf dem Thron hatte bleiben können. Vor allem lag es wohl daran, dass mein Schwager die Unterstützung Ragnars, meines Seelenbruders, besaß, und dass kein Mann gegen Ragnars wilde Horden kämpfen wollte.

«Ich habe gedacht», sagte Erik, und dann verfiel er in Schweigen, und in seinem Schweigen verstand ich mit einem Mal, was er sich erträumte.

«Ihr habt gedacht», sagte ich ihm schonungslos die Wahrheit, «dass Ihr und Æthelflaed ein Schiff nehmen könntet, vielleicht das Schiff Eures Bruders, um damit nach Northumbrien zu segeln und unter Guthreds Schutz zu leben!»

Erik starrte mich an, als wäre ich ein Hexenmeister. «Sie hat es Euch erzählt?», fragte er.

«Eure Gesichter haben es mir erzählt», sagte ich.

«Guthred würde uns schützen», sagte Erik.

«Wie?», fragte ich. «Glaubt Ihr, er ruft seine Streitmacht zusammen, wenn Euer Bruder Euch verfolgt?»

«Mein Bruder?», fragte Erik, als würde ihm Sigefrid alles verzeihen.

«Euer Bruder», sagte ich schroff, «der eine Zahlung von dreitausend Pfund Silber und fünfhundert Pfund Gold erwartet. Und wenn Ihr mit Æthelflaed weggeht, dann verliert er dieses Geld. Glaubt Ihr nicht, dass er sie zurückhaben wollte?»

«Euer Freund, Ragnar», bemerkte Erik zögerlich.

«Ihr wollt, dass Ragnar für Euch kämpft?», fragte ich. «Warum sollte er das tun?»

«Weil Ihr ihn darum bittet», sagte Erik entschlossen. «Æthelflaed sagt, ihr liebt euch wie Brüder.»

«Das tun wir.»

«Dann bittet ihn darum», forderte er.

Ich seufzte, betrachtete die fernen Wolken am Himmel und dachte darüber nach, wie die Liebe unser Leben durcheinanderbringt und uns in solch süßen Wahn treibt. «Und was werdet Ihr», fragte ich, «gegen die Mörder tun, die nachts in Euer Haus kommen? Gegen die rachsüchtigen Männer, die Euren Palas niederbrennen?»

«Mich vor ihnen in Acht nehmen», sagte er halsstarrig.

Die Wolkenberge türmten sich noch höher auf, und ich dachte, dass Thor seine Blitze auf die Felder von Cent herabschleudern würde, noch bevor dieser Sommerabend vorüber war. «Æthelflaed ist verheiratet», sagte ich leise.

«Mit einem niederträchtigen Bastard.»

«Für ihren Vater», fuhr ich fort, «ist die Ehe heilig.»

«Alfred wird sie nicht aus Northumbrien zurückholen», sagte Erik zuversichtlich, «kein westsächsisches Heer kann so weit entfernt kämpfen.»

«Aber er wird Priester schicken, die ihr ins Gewissen reden», sagte ich, «und woher wisst Ihr, dass er keine Männer schickt, um sie zurückzuholen? Es muss kein Heer sein. Eine Schiffsmannschaft entschlossener Männer kann schon ausreichen.»

«Alles, worum ich bitte», sagte Erik, «ist eine Gelegenheit zu einem anderen Leben! Ein Palas in irgendeinem Tal, Felder bestellen, Vieh aufziehen, ein Ort, um in Frieden zu leben!»

Ich schwieg. Erik, dachte ich, baute in seinen Träumen ein Schiff, ein wundervolles, schlankes Schiff voller Anmut, doch es war alles ein Traum! Ich schloss die Augen und suchte nach den rechten Worten. «Æthelflaed», sagte ich schließlich, «ist eine Trophäe. Sie hat einen Wert. Sie ist die Tochter eines Königs, und ihre Mitgift war Land. Sie ist vermögend, sie ist schön, sie ist kostbar. Jeder Mann, der reich werden will, wird wissen, wo er sie finden kann. Jeder Dieb, der auf ein schnelles Lösegeld aus ist, wird wissen, wo er sie finden kann. Ihr werdet niemals Frieden finden.» Ich sah ihn an. «Jede Nacht, wenn Ihr die Tür versperrt, werdet Ihr Feinde in der Dunkelheit fürchten, und jeden Tag werdet Ihr nach Feinden Ausschau halten. Ihr werdet keinen Frieden finden, gar keinen.»

«Dunholm», sagte er einfach.

Fast musste ich lächeln. «Ich kenne den Ort», sagte ich.

«Dann müsst Ihr wissen, dass diese Festung nicht eingenommen werden kann», sagte Erik eigensinnig.

«Ich habe sie eingenommen», sagte ich.

«Und keinem anderen wird gelingen, was Euch gelungen ist», sagte Erik, «nicht, bevor die Welt untergeht. Wir können in Dunholm leben.»

«In Dunholm herrscht Ragnar.»

«Dann werde ich ihm meinen Treueid ablegen», sagte Erik leidenschaftlich. «Ich werde sein Schwurmann, ich werde ihm mein Leben lang dienen.»

Ich dachte über seine Worte nach, wog Eriks wilden Traum gegen die harten Wahrheiten des Lebens ab. Dunholm lag in einer Flussschleife auf einem steilen Bergfelsen und war in der Tat nahezu uneinnehmbar. Der Mann, der Dunholm hielt, konnte wahrhaftig damit rechnen, im Bett zu sterben, denn es war nur eine Handvoll Krieger notwendig, um den abschüssigen Pfad voller Steine zu verteidigen, der den einzigen Zugang bildete. Und Ragnar, das wusste ich, würde seine Freude an der Geschichte von Erik und Æthelflaed haben. Und so wurde ich selbst von der Leidenschaft Eriks verführt. War sein Traum vielleicht doch nicht so närrisch, wie ich geglaubt hatte? «Aber wie», fragte ich, «wollt Ihr Æthelflaed hier wegbringen, ohne dass Euer Bruder etwas davon erfährt?»

«Mit Eurer Hilfe», sagte er.

Und bei dieser Antwort glaubte ich, die Nornen lachen zu hören. Im Lager wurde in ein Horn geblasen, der Ruf, so vermutete ich, um sich zu dem Festmahl zu versammeln, das Sigefrid angekündigt hatte. «Ich bin Alfreds Schwurmann», sagte ich geradeheraus.

«Ich bitte Euch nicht darum, Euren Schwur zu brechen», sagte Erik.

«Doch, das tut Ihr!», erwiderte ich schroff. «Alfred hat mich mit einer Aufgabe betraut. Ich habe sie zur Hälfte erfüllt. Die andere Hälfte ist, dass ich seine Tochter zurückbringe!»

Eriks große Fäuste öffneten und schlossen sich auf dem Rand der Palisade. «Dreitausend Pfund Silber», sagte er, «und fünfhundert Pfund Gold. Stellt Euch vor, wie viele Männer man damit kaufen kann.»

«Das habe ich mir schon vorgestellt.»

«Man kann eine Bootsmannschaft erfahrener Krieger für ein Pfund Gold bekommen», sagte Erik.

«Richtig.»

«Und wir haben genügend Männer, um Wessex herauszufordern.»

«Ihr könnt Wessex herausfordern, aber schlagen könnt Ihr es nicht.»

«Aber auch das werden wir können, wenn wir das Gold und die Männer haben.»

«Richtig», sagte ich erneut.

«Und das Gold wird noch mehr Männer hierherbringen», fuhr Erik unablässig fort, «und mehr Schiffe, und entweder in diesem Herbst oder im nächsten Frühling werden wir sie alle nach Wessex führen. Wir werden die Streitmacht, die Ihr bei Ethandun besiegt habt, jämmerlich klein aussehen lassen. Wir werden wie eine Plage übers Land kommen. Wir werden mit Speeren und Äxten und Schwertern nach Wessex kommen. Wir werden Eure Städte niederbrennen, Eure Kinder versklaven, Eure Frauen schänden, Euer Land nehmen und Eure Männer töten. Ist das Eure Vorstellung davon, Alfred zu dienen?»

«Das also hat Euer Bruder vor?»

«Und um es zu tun», sagte Erik und überging meine Frage, denn er wusste, dass ich die Antwort darauf kannte, «muss er Æthelflaed an ihren Vater zurückverkaufen.»

«Ja», bestätigte ich. Wenn kein Lösegeld gezahlt wurde, dann würden die Männer, die jetzt schon um Beamfleot herum lagerten, so schnell verschwinden wie Tau an einem warmen Morgen. Keine weiteren Schiffe würden kommen, und Wessex würde nicht bedroht werden.

«Euer Eid, wie ich ihn verstehe», sagte Erik respektvoll, «bedeutet, Alfred von Wessex zu dienen. Dient Ihr ihm gut, Herr Uhtred, indem Ihr zulasst, dass mein Bruder reich genug wird, um Alfreds Untergang herbeizuführen?»

Also hatte die Liebe Erik gegen seinen Bruder eingenommen. Die Liebe würde ihn mit einem einzigen Schwerthieb die Fessel jeden Eides durchhauen lassen, den er je geschworen hatte. Die Liebe besitzt Macht selbst über die Macht. Dann wurde erneut in das Horn geblasen, dieses Mal klang der Ton dringlicher. Männer eilten in Richtung des großen Palas. «Weiß Euer Bruder», sagte ich, «dass Ihr Æthelflaed liebt?»

«Er glaubt, ich liebe sie nur jetzt gerade, würde sie aber für das Silber aufgeben. Er meint, ich benutze sie nur zu meinem Vergnügen, und das belustigt ihn.»

«Und benutzt Ihr sie zu Eurem Vergnügen?», fragte ich barsch und sah ihm in die ehrlichen Augen.

«Ist das Eure Angelegenheit?», fragte er herausfordernd.

«Nein», sagte ich, «aber Ihr wollt meine Hilfe.»

Er zögerte und nickte dann. «Ich würde es nicht so nennen», sagte er abwehrend, «wir lieben uns.»

Also hatte Æthelflaed das bittere Wasser getrunken, bevor sie gesündigt hatte, und das, dachte ich, war sehr schlau von ihr. Ich lächelte. Und dann ging ich zu Sigefrids Festmahl.

Æthelflaed saß auf dem Ehrenplatz zu Sigefrids rechter Seite, und ich saß neben ihr. Erik saß auf Sigefrids anderer Seite und hatte Haesten neben sich. Wie mir auffiel, sah Æthelflaed niemals zu Erik hinüber. Niemand, der sie ansah, und in dem Saal waren viele neugierig auf die Tochter des Königs von Wessex, hätte geahnt, dass sie Eriks Geliebte geworden war.

Die Nordmänner wussten, wie man ein Fest feiert. Das Essen war reichlich, das Bier verschwenderisch und die Unterhaltung bot Zerstreuung. Es waren Gaukler da und Stelzenläufer, Musiker und Tänzer und Geisteskranke, die an den unteren Tischen stürmisches Gelächter auslösten. «Wir sollten über die Wahnsinnigen nicht lachen», erklärte mir Æthelflaed. Sie hatte kaum etwas gegessen, nur in einer Schale mit gekochten Muscheln gepickt.

«Sie werden gut behandelt», sagte ich, «und es ist bestimmt besser, zu essen und ein Dach über dem Kopf zu haben, als zu den Tieren gesperrt zu werden.» Ich sah einem nackten Irren zu, der krampfhaft nach seinem Schwanz suchte. Er äugte auf den Tischen der Lacher herum und verstand nicht, worüber sie sich so brüllend laut belustigten. Eine Frau mit strähnigem Haar, von rauen Schreien angefeuert, zog ein Kleidungsstück nach dem anderen aus und wusste nicht, was sie tat.

Æthelflaed starrte zu ihr hin. «Es gibt Klöster, in denen man sich um die Geisteskranken kümmert», sagte sie.

«Nicht dort, wo die Dänen herrschen», sagte ich.

Sie senkte ihre Augen und schwieg eine Zeitlang. Zwei

Kleinwüchsige zerrten jetzt die nackte Frau zu dem nackten Mann, und die Zuschauer krümmten sich vor Lachen. Æthelflaed sah kurz auf, schauderte und richtete ihren Blick wieder auf den Tisch. «Hast du mit Erik gesprochen?», fragte sie. Wir konnten unbesorgt Englisch sprechen, denn niemand konnte uns zuhören, und selbst wenn uns jemand gehört hätte, so hätte er kaum etwas von dem verstanden, was wir sagten.

«Wie Ihr es wolltet», stellte ich fest, denn ich hatte verstanden, weshalb sie darauf gedrängt hatte, mit Pater Willibald in den Palas zu gehen. «Habt Ihr eine ordentliche Beichte abgelegt?»

«Ist das deine Angelegenheit?»

«Nein», sagte ich und lachte.

Sie sah mich an und grinste verhalten. Dann errötete sie. «Wirst du uns helfen?»

«Was zu tun?»

Sie runzelte die Stirn. «Hat Erik es dir nicht gesagt?»

«Er sagte, Ihr wollt meine Hilfe, aber welche Art von Hilfe?»

«Hilf uns hier wegzukommen», sagte sie.

«Und was wird Euer Vater mit mir machen, wenn ich Euch helfe?», fragte ich und erhielt keine Antwort. «Ich dachte, Ihr hasst die Dänen.»

«Erik ist Norweger», sagte sie.

«Dänen, Norweger, Nordmänner, Wikinger, Heiden», sagte ich, «sie sind alle die Feinde Eures Vaters.»

Sie warf einen Blick in Richtung der Feuerstelle. Daneben rangen die beiden Geisteskranken inzwischen am Boden miteinander, statt sich zu bespringen, wie es die Zuschauer zweifellos erhofft hatten. Der Mann war viel größer, aber auch dümmer, und die Frau schlug ihn zu den anfeuernden

Schreien der Umstehenden mit einer Handvoll Binsenstroh auf den Kopf. «Warum lassen sie das zu?», fragte Æthelflaed.

«Weil es sie belustigt», sagte ich, «und weil sie keine Meute schwarz gewandeter Kirchenmänner auf den Fersen haben, die ihnen erklären, was richtig ist und was falsch, und deshalb, Herrin, mag ich sie so.»

Sie senkte erneut ihren Blick. «Ich wollte Erik nicht mögen», sagte sie sehr leise.

«Aber dann habt Ihr es doch getan.»

Tränen standen in ihren Augen. «Ich konnte es nicht verhindern», sagte sie, «ich habe gebetet, dass es nicht geschieht, aber je mehr ich betete, umso mehr dachte ich an ihn.»

«Also liebt Ihr ihn», sagte ich.

«Ja.»

«Er ist ein guter Mann», versicherte ich ihr.

«Glaubst du?», fragte sie lebhaft.

«Ja, wirklich.»

«Und er wird Christ werden», fuhr sie begeistert fort. «Das hat er mir versprochen. Er will es auch selbst. Aufrichtig!»

Das überraschte mich nicht. Erik hatte sich schon lange vom Christentum angezogen gefühlt, und ich bezweifelte, dass Æthelflaed viel Überzeugungskraft hatte aufbringen müssen. «Und was ist mit Æthelred?», fragte ich sie.

«Ich hasse ihn.» Sie zischte diese Worte mit so viel Leidenschaft, dass Sigefrid herübersah und sie anstarrte. Er zuckte mit den Schultern, weil er nicht verstanden hatte, worüber sie sich erregte, und wandte seine Aufmerksamkeit wieder dem Kampf der beiden Nackten zu.

«Ihr werdet Eure Familie verlieren», warnte ich sie.

«Ich werde selbst eine Familie haben», sagte sie entschlossen. «Erik und ich werden eine Familie gründen.»

«Und Ihr werdet unter den Dänen leben, von denen Ihr mir gesagt habt, dass Ihr sie hasst.»

«Und du lebst unter Christen, Herr Uhtred», sagte sie mit einem Hauch ihrer alten Mutwilligkeit.

Darüber musste ich lächeln. «Seid Ihr Euch ganz sicher?», fragte ich, «mit Erik?»

«Ja», sagte sie gefühlvoll. Die Liebe hatte aus ihr gesprochen. Was auch sonst.

Ich seufzte. «Wenn ich kann», sagte ich, «werde ich Euch helfen.»

Sie legte ihre kleine Hand auf meine. «Danke.»

Nun hatten zwei Hunde angefangen miteinander zu kämpfen und wurden von allen Seiten angefeuert. Binsenlampen wurden entzündet und Kerzen zum obersten Tisch gebracht, während draußen das letzte Licht des Sommerabends schwand. Noch mehr Bier wurde gebracht und auch Birkenwein, und die ersten Betrunkenen stimmten raue Gesänge an. «Bald werden sie anfangen, sich zu schlagen», erklärte ich Æthelflaed, und so war es auch. Vier Männer hatten vor dem Ende des Festes einen Knochen gebrochen und einem war das Auge ausgestochen worden, bevor sein betrunkener Widersacher von ihm weggezogen werden konnte. Steapa saß neben Weland, und obwohl die beiden Männer unterschiedliche Sprachen redeten, teilten sie sich ein Trinkhorn mit silbernem Rand und machten offenbar geringschätzige Bemerkungen über die Zänker, die sich in betrunkener Wut auf dem Boden wälzten. Auch Weland selbst war augenscheinlich betrunken, denn er legte seinen gewaltigen Arm um Steapas Schultern und begann zu singen.

«Du klingst wie ein Kalb beim Kastrieren!», schrie Steapa. Darauf verlangte er, dass ein richtiger Sänger geholt würde, und so wurde einem blinden Skalden ein Schemel am Feuer gegeben, und er schlug die Harfe an und sang ein Lied über Sigefrids Tapferkeit. Er erzählte von den Franken, die Sigefrid getötet hatte, von den Sachsen, die Sigefrids Schwert Schreckenspender niedergemäht hatte, und von den friesischen Frauen, die von dem Norweger mit dem Umhang aus Bärenfell zur Witwe gemacht worden waren. In dem Lied wurden viele von Sigefrids Männern mit ihrem Namen genannt, ihre heldenhaften Taten in der Schlacht nacherzählt, und jedes Mal, wenn ein weiterer Name genannt wurde, stand der betreffende Mann auf und seine Freunde bejubelten ihn. Wenn der benannte Held tot war, dann schlugen die Zuhörer drei Mal dröhnend auf den Tisch, sodass der Tote ihren feierlichen Beifall in Odins Totenhalle hören konnte. Doch der lauteste Jubel galt Sigefrid, der immer, wenn sein Name erwähnt wurde, sein Horn mit Bier erhob.

Ich blieb nüchtern. Das war schwer, denn ich war versucht, mit Sigefrid Horn für Horn Schritt zu halten, doch ich musste am nächsten Morgen nach Lundene zurück, und das bedeutete, dass Erik seine Unterhaltung mit mir noch in dieser Nacht beenden musste, wenn sich auch der Himmel im Osten schon erhellte, als ich aus dem Palas kam. Æthelflaed war, begleitet von nüchternen älteren Wachen, schon vor Stunden zurück in den kleinen Palas gegangen. Betrunkene Männer schnarchten geräuschvoll zwischen den Bänken, als ich hinausging, während Sigefrid halb über dem Tisch lag. Bei meinem Aufbruch hatte er stirnrunzelnd ein Auge geöffnet. «Haben wir eine Abmachung?», hatte er schläfrig gefragt.

«Wir haben eine Abmachung», hatte ich bestätigt.

Er hatte noch geknurrt «Bring das Geld, Sachse» und war wieder eingeschlafen.

Erik wartete vor Æthelflaeds Palas auf mich. Ich hatte damit gerechnet, ihn dort zu treffen, und wir nahmen unsere alten Plätze auf dem Wall ein. Vor mir breitete sich die graue Helligkeit der Dämmerung wie ein Fleck über dem ruhigen Wasser der Temes-Mündung aus.

«Das ist der *Wellenbändiger*», sagte Erik und nickte in Richtung der Schiffe hinunter, die auf dem Schlickufer lagen. Er mochte das wundervolle Schiff ausmachen können, das er gebaut hatte, doch für mich war die ganze Flotte nichts weiter als schwarze Schatten im grauen Licht. «Ich habe seinen Rumpf sauber geschabt», sagte er, «und ihn abgedichtet, sodass er wieder schnell ist.»

«Könnt Ihr Eurer Mannschaft vertrauen?»

«Es sind meine Schwurmänner. Ich kann ihnen vertrauen.» Erik hielt inne. Wind fuhr durch sein Haar. «Aber was sie nicht tun werden», fuhr er mit leiser Stimme fort, «ist, gegen die Männer meines Bruders zu kämpfen.»

«Das wird aber vielleicht notwendig sein.»

«Sie werden sich verteidigen», sagte er, «aber nicht angreifen. Es gibt Verwandte auf beiden Seiten.»

Ich streckte mich, gähnte und dachte an den langen Ritt zurück nach Lundene. «Eure größte Schwierigkeit», sagte ich, «besteht also in dem Schiff, das den Hothlege versperrt?»

«Und dessen Mannschaft aus Männern meines Bruders besteht.»

«Nicht Haestens Männer?»

«Seine Kämpfer würde ich töten», sagte er bitter, «hier gibt es keine Verwandtschaft.»

Und auch keine Freundschaft, dachte ich. «Also wollt Ihr, dass ich das Schiff zerstöre?»

«Ich will, dass Ihr die Durchfahrt frei macht», stellte er richtig.

Ich starrte zu dem Wachschiff mit den erhöhten Seiten hinunter. «Warum bittet Ihr sie nicht einfach, Euch den Weg freizumachen?», fragte ich. Das schien mir für Erik die einfachste und sicherste Art zu sein, aus Beamfleot zu entkommen. Die Besatzung des angeketteten Schiffes war daran gewöhnt, den schweren Schiffskörper zu bewegen, um andere Schiffe in den Flussarm hinein- oder herausfahren zu lassen, warum also sollten sie Erik aufhalten?

«Kein Schiff darf absegeln, bevor das Lösegeld da ist», erklärte Erik.

«Gar keines?»

«Gar keines.»

Und das hatte einen Sinn, denn was sollte einen unternehmungslustigen Mann daran hindern, mit drei oder vier Schiffen etwas stromauf in einem schilfüberwachsenen Seitenarm der Temes abzuwarten, bis die Kostbarkeiten von Alfred vorüberkamen, und dann in einem Wirbel aus eintauchenden Rudern, gezogenen Schwertern und brüllenden Männern herauszugleiten? Sigefrid hatte die Verwirklichung seines ehrgeizigen Vorhabens an die Ankunft des Lösegeldes gebunden, und er würde auf jeden Fall verhindern, dass es ihm ein Wikinger abjagte, der noch niederträchtiger war als er selbst. Und dieser Gedanke brachte mich auf die Person, die wahrscheinlich Sigefrids Befürchtungen verkörperte. «Haesten?», fragte ich Erik.

Er nickte. «Ein durchtriebener Mann.»

«Durchtrieben», sagte ich, «und nicht vertrauenswürdig. Ein Eidbrecher.»

«Er wird natürlich seinen Anteil von dem Lösegeld bekommen», sagte Erik und überging die Tatsache, dass es kein Lösegeld geben würde, wenn er an sein Ziel kam, «aber ich bin überzeugt, er hätte lieber alles für sich.»

«Also fahren keine Schiffe ab», sagte ich, «bis Ihr abfahrt. Aber könnt Ihr Æthelflaed wirklich auf Euer Schiff bringen, ohne dass Euer Bruder davon erfährt?»

«Ja», sagte er. Er zog ein Messer aus einer Scheide an seinem Gürtel. «Es sind noch zwei Wochen bis zum nächsten Vollmond», fuhr er fort und schnitt eine tiefe Kerbe in das zugespitzte Ende eines Eichenpfostens. «Das ist heute», sagte er und legte einen Finger an die frische Kerbe, dann schnitt er mit der scharfen Klinge eine weitere Kerbe. «Morgen früh», bemerkte er dazu und deutete auf die neue Kerbe, und dann schnitt er weitere Kerben in den Pfosten, bis sieben Narben in dem rohen Holz zu sehen waren. «Werdet Ihr von heute an in einer Woche bei der Morgendämmerung hier sein?»

Ich nickte langsam. «Aber in dem Moment, in dem ich angreife», führte ich an, «wird jemand in ein Horn blasen und das gesamte Lager wecken.»

«Wir werden dann schon auf dem Wasser sein», sagte er, «bereit zum Ablegen. Niemand kann uns vom Lager aus noch erreichen, bevor wir die offene See erreicht haben.» Meine Bedenken bereiteten ihm Sorgen. «Ich bezahle Euch!»

Über diese Worte musste ich lächeln. Die Dämmerung kroch bleich heran, färbte lange Wolkenfetzen mit blassgoldenen Streifen und Rändern aus schimmerndem Silber. «Æthelflaeds Glück ist mein Lohn», sagte ich. «Und in einer Woche von heute an», fuhr ich fort, «öffne ich die Durchfahrt für Euch. Ihr könntet zusammen davonsegeln, bei Gyruum an Land gehen, so schnell wie nur möglich nach Dunholm reiten und Ragnar meine Grüße bestellen.»

«Schickt Ihr ihm eine Botschaft?», fragte Erik besorgt, «um ihn von unserer Ankunft zu unterrichten?»

Ich schüttelte den Kopf. «Nehmt meine Botschaft mit», sagte ich, und ein Gefühl brachte mich dazu, mich umzudrehen, und ich sah Haesten, der uns beobachtete. Er stand mit zwei Begleitern vor dem großen Palas und gürtete sich mit seinen Schwertern, die ihm Sigefrids Verwalter von der Stelle geholt hatte, an der wir vor dem Fest alle unsere Waffen hatten ablegen müssen. An Haestens Verhalten war nichts Ungewöhnliches, und dennoch waren meine Sinne angespannt, weil er besonders wachsam zu sein schien. Mich überkam der schreckliche Verdacht, dass er wusste, worüber Erik und ich sprachen. Haesten sah mich weiter an. Er stand ganz ruhig da, und schließlich verneigte er sich tief und spöttisch vor mir und ging davon. Wie ich jetzt erkannte, war einer seiner beiden Begleiter Eilaf der Rote. «Weiß Haesten etwas von Euch und Æthelflaed?», fragte ich Erik.

«Natürlich nicht. Er glaubt einfach, ich sei für ihre Bewachung zuständig.»

«Und weiß er, dass Ihr sie mögt?»

«Mehr aber auch nicht», versicherte mir Erik.

Durchtriebener, nicht vertrauenswürdiger Haesten, der mir sein Leben schuldete. Der seinen Eid gebrochen hatte. Dessen Ehrgeiz vermutlich selbst noch Sigefrids Träume übertraf. Ich beobachtete ihn, bis er in ein Gebäude eintrat, das nach meiner Vermutung sein eigener Palas war. «Seid auf der Hut vor Haesten», mahnte ich Erik, «ich glaube, er wird allzu leicht unterschätzt.»

«Er ist nur ein boshaftes Wiesel», tat Erik meine Befürchtungen ab. «Welche Botschaft soll ich Ragnar bringen?»

«Richtet Ragnar aus», sagte ich, «dass seine Schwester glücklich ist, und lasst ihm Æthelflaed von ihr erzählen.» Es hatte keinen Sinn, etwas zu schreiben, sogar wenn ich Pergament und Tinte bei mir gehabt hätte, denn Ragnar konnte nicht lesen. Aber Æthelflaed kannte Thyra, und ihre Erzählungen über Beoccas Frau würden Ragnar davon überzeugen, dass die Liebenden auf der Flucht die Wahrheit sagten. «Und in einer Woche von heute an», sagte ich, «wenn der obere Rand der Sonne den Saum der Welt berührt, haltet Euch bereit.»

Erik hielt inne und führte im Kopf eine Berechnung durch. «Es wird dann Ebbe sein», sagte er, «kurz vor der Gezeitenumkehr. Und wir werden bereit sein.»

Für diese Torheit, dachte ich, oder für die Liebe. Torheit. Liebe. Torheit.

Wie müssen die drei Schwestern am Fuße des Weltenbaumes gelacht haben.

Auf unserem Ritt nach Hause war ich wenig gesprächig. Finan redete drauflos, rühmte, wie großzügig Sigefrid mit Essen, Bier und Sklavinnen gewesen war. Ich hörte ihm mit halbem Ohr zu, bis der Ire schließlich erkannte, dass ich nicht in der Laune zum Reden war, und so schweigsam wurde wie ich. Erst als wir in Sichtweite der Banner an Lundenes Stadtmauer waren, winkte ich ihn mit mir an die Spitze unseres Zuges, außer Hörweite der anderen Männer. «In sechs Tagen von heute an», sagte ich, «musst du den *Seeadler* zum Ablegen bereithalten. Wir brauchen Bier und Essen für drei Tage.» Ich erwartete nicht, so lange wegzubleiben, aber es war gut, auf alles vorbereitet zu sein.

«Wenn Ebbe ist, lässt du den Rumpf abschaben», fuhr ich fort, «und sorg dafür, dass alle Männer nüchtern sind, wenn wir losfahren. Nüchtern, die Klingen geschärft und kampfbereit.»

Finan lächelte leicht, sagte jedoch nichts. Wir ritten zwischen Hütten hindurch, die an den Grenzen des Marschlandes bei der Temes errichtet worden waren. Viele der Leute, die hier lebten, waren Sklaven, die ihren dänischen Herren in Ostanglien hatten entkommen können, und nun lebten sie von dem, was sie aus dem Unrat der Stadt zusammenklauben konnten, wenn auch einige von ihnen winzige Felder mit Roggen, Gerste und Hafer bepflanzt hatten. Gerade wurde die magere Ernte eingebracht, und ich hörte, wie Klingen kratzend die wenigen Halme schnitten.

«In Lundene soll niemand wissen, dass wir segeln», erklärte ich Finan.

«Das werden sie auch nicht», sagte er grimmig.

«Kampfbereit», erklärte ich ihm erneut.

«Das werden wir sein.»

Schweigend ritt ich weiter. Die Leute sahen meine Kettenrüstung und gingen uns eilig aus dem Weg. Sie berührten ihre Stirnen oder knieten sich in den Schlamm, dann drängelten sie sich vor, wenn ich ihnen Pennys hinwarf. Langsam kam der Abend, und die Sonne stand schon hinter der großen Rauchwolke, die aus Lundenes Kochfeuern aufstieg, und der Gestank der Stadt zog säuerlich und dick durch die Luft. «Hast du dieses Schiff gesehen, das den Wasserlauf bei Beamfleot versperrt?», fragte ich Finan schließlich.

«Ich habe einen flüchtigen Blick darauf geworfen.»

«Wenn wir es angreifen würden», sagte ich, «dann würden sie uns kommen sehen. Und sie könnten sich hinter den hohen Seiten verschanzen.»

«Fast eine Mannshöhe über uns», stimmte Finan zu und gab damit zu erkennen, dass er mehr als einen flüchtigen Blick auf das Schiff geworfen hatte.

«Denk doch mal darüber nach, wie wir dieses Schiff aus dem Weg bringen könnten.»

«Nicht, dass wir vorhätten, so etwas zu tun, Herr, oder?», fragte er verschmitzt.

«Natürlich nicht», sagte ich, «aber denk trotzdem darüber nach.»

Dann kreischten die ungefetteten Scharniere des nächsten Stadttores, das für uns geöffnet wurde, und wir ritten in die Düsternis Lundenes.

Alfred hatte auf uns gewartet. Boten hatten ihm schon von unserer Rückkehr berichtet, sodass ich in den Palas gerufen wurde, noch bevor ich Gisela begrüßen konnte. Ich ging zusammen mit Pater Willibald, Steapa und Finan hin. Der König empfing uns in dem großen Saal, der von hohen Kerzen erleuchtet wurde, mit denen er die vergehende Zeit abschätzte. Wachs rann an den dicken, in Abständen mit einem Band umwundenen Schäften herab, und ein Diener hielt die Dochte auf gleicher Länge, sodass die Kerzenflamme stetig brannte. Alfred hatte geschrieben, doch bei unserem Eintreten hörte er damit auf. Auch Æthelred war da, ebenso wie Bruder Asser, Pater Beocca und Bischof Erkenwald.

«Nun?», fragte Alfred scharf. Es war kein Ärger, sondern Sorge, die seiner Stimme die Schärfe verlieh.

«Sie lebt», sagte ich, «sie ist unverletzt, sie wird mit der Ehrerbietung behandelt, die ihrem Rang gebührt, sie wird streng und gut bewacht, und sie werden sie uns zurückverkaufen.»

«Gott sei gedankt», sagte Alfred und bekreuzigte sich.

«Gott sei gedankt», wiederholte er, und ich dachte, er würde auf die Knie fallen. Æthelred sagte nichts, sondern starrte mich nur mit seinen Schlangenaugen an.

«Wie viel?», wollte Bischof Erkenwald wissen.

«Dreitausend Pfund Silber und fünfhundert Pfund Gold», sagte ich und erklärte, dass der erste Teil beim nächsten Vollmond gebracht werden müsse und der Rest einen Monat später. «Und die Herrin Æthelflaed wird nicht freigelassen, bevor die letzte Münze bezahlt ist», endete ich.

Bischof Erkenwald und Bruder Asser zuckten zusammen, als ich die Höhe des Lösegeldes nannte, doch Alfred blieb ruhig. «Wir werden für unseren eigenen Untergang zahlen», knurrte Bischof Erkenwald.

«Meine Tochter ist mir teuer», sagte Alfred sanft.

«Mit diesem Geld», warnte der Bischof, «werden sie Tausende von Männern aufstellen!»

«Und ohne dieses Geld?» Alfred wandte sich an mich. «Was wird Æthelflaed ohne dieses Geld erwarten?»

«Demütigung», sagte ich. In Wahrheit mochte Æthelflaed gar ihr Glück mit Erik finden, würde das Lösegeld nicht bezahlt, aber das konnte ich kaum sagen. Stattdessen beschrieb ich ihr Schicksal, wie es Haesten so lüstern ausgemalt hatte. «Sie wird überall hingebracht werden, wo Nordmänner leben», sagte ich, «und sie wird nackt der höhnischen Menge vorgeführt.» Alfred zuckte zusammen. «Dann», fuhr ich erbarmungslos fort, «wird sie von denjenigen zur Hure gemacht, die das meiste Geld für sie bieten.»

Æthelred starrte auf den Boden, die Kirchenmänner schwiegen. «Es ist die Würde von Wessex, die auf dem Spiel steht», sagte Alfred ruhig.

«Also müssen Männer für die Würde von Wessex sterben?», fragte Bischof Erkenwald.

«Ja!» Mit einem Mal war Alfred zornig. «Ein Land ist seine Geschichte, Bischof, die Summe all seiner Geschichten. Wir sind, was unsere Väter aus uns gemacht haben, ihre Siege haben uns gegeben, was wir besitzen. Und Ihr wollt, dass ich meinen Nachfahren eine Geschichte der Demütigung hinterlasse? Ihr wollt, dass Männer erzählen, wie Wessex zum Gespött grölender Heiden wurde? Das ist eine Geschichte, Bischof, die niemals vergessen würde, und wenn diese Geschichte wahr wird, dann werden Männer, immer wenn sie an Wessex denken, an eine Prinzessin von Wessex denken, die nackt von den Heiden herumgeführt wurde. Immer, wenn sie an England denken, werden sie daran denken!» Und das, dachte ich, war bemerkenswert. Wir benutzten diesen Namen selten damals: England. Das war ein Traum, doch Alfred hatte in seinem Zorn den Schleier, der über seinem Traum lag, gelüftet, und da wusste ich, dass er mit seinem Heer weiter nach Norden vordringen wollte, immer weiter nach Norden, bis es kein Wessex mehr gab, kein Ostanglien, kein Mercien und kein Northumbrien, nur noch England.

«Herr König», sagte Erkenwald mit unnatürlicher Demut, «ich weiß nicht, ob es Wessex noch geben wird, wenn wir die Heiden bezahlen, damit sie eine Streitmacht aufstellen können.»

«Eine Streitmacht aufzustellen erfordert Zeit», sagte Alfred fest, «und keine heidnische Streitmacht kann uns vor der Erntezeit angreifen. Und wenn die Ernte einmal eingebracht ist, können wir den Fyrd zusammenrufen. Wir werden die Männer haben, um ihnen entgegenzutreten.» Das stimmte, doch die meisten unserer Männer wären unerfahrene Bauern, während Sigefrid mit brüllenden, gierigen Nordmännern kommen würde, die mit dem Schwert aufgewachsen waren. Alfred wandte sich an seinen Schwiegersohn. «Und ich erwarte, dass der Fyrd von Mercien an unserer Seite ist.»

«Das wird er, Herr», sagte Æthelred leidenschaftlich. In seinem Gesicht war keine Spur der Krankheit mehr zu erkennen, die ihn gepackt hatte, als ich ihm das letzte Mal in diesem Palas begegnet war. Seine Farbe war zurückgekehrt, und sein übersteigertes Selbstvertrauen schien nicht erschüttert.

«Vielleicht ist dies Gottes Werk», sagte Alfred, der wieder Erkenwald ansah. «In Seiner Gnade bietet Er unseren Feinden die Möglichkeit, eine Streitmacht von Tausenden aufzustellen, sodass wir sie in einer einzigen großen Schlacht bezwingen können.» Seine Stimme wurde kräftiger, als er diese Gedanken aussprach. «Der Herr ist mit mir», sagte er entschlossen, «darum fürchte ich mich nicht!»

«Das Wort des Herrn», sagte Bruder Asser frömmlerisch und bekreuzigte sich.

«Amen», sagte Æthelred, «und nochmals amen. Wir werden sie besiegen, Herr!»

«Aber bevor du deinen großen Sieg erringst», sagte ich zu Æthelred und genoss voller Gehässigkeit, was ich zu sagen hatte, «hast du eine Pflicht zu erfüllen. Du wirst das Lösegeld selbst abgeben.»

«Bei Gott, das werde ich nicht!», sagte Æthelred empört, dann fing er Alfreds Blick auf und sank in seinen Stuhl zurück.

«Und du wirst vor Sigefrid knien», sagte ich und streute damit noch Salz in die Wunde.

Sogar Alfred war fassungslos. «Besteht Sigefrid auf dieser Bedingung?», fragte er.

«Das tut er, Herr», sagte ich, «obwohl ich lange darüber mit ihm gestritten habe! Ich habe auf ihn eingeredet und Einwände gemacht und ihn gebeten, doch er wollte nicht nachgeben.»

Æthelred starrte mich einfach nur entsetzt an.

«So sei es», sagte Alfred. «Manchmal fordert unser Herr und Gott mehr, als wir verkraften können, doch um Seines ruhmreichen Namens willen müssen wir es ertragen.»

«Amen», sagte ich inbrünstig und verdiente mir damit einen äußerst zweifelnden Blick des Königs.

Sie redeten so lange, wie eine von Alfreds Bänderkerzen brauchte, um für zwei Stunden Wachs zu verbrennen, und es waren alles verschwendete Worte. Sie redeten darüber, wie das Lösegeld gesammelt werden und wie es nach Lundene gebracht und wie es in Beamfleot abgeliefert werden sollte. Ich machte meine Vorschläge, während Alfred das Wesentliche auf den Rand seines Pergaments schrieb, und es war alles vergeudete Mühe, denn wenn ich erfolgreich wäre, würde kein Lösegeld gezahlt werden und Æthelflaed würde nicht zurückkommen und Alfreds Thron wäre sicher.

Und all das wollte ich möglich machen.

In einer Woche.

ELF

Dunkelheit. Das letzte Tageslicht war vergangen, und die Dunkelheit der nächsten Nacht umhüllte uns.

Es gab etwas Mondlicht, doch vor dem Mond standen Wolken, sodass ihre Ränder versilbert wurden, und unter einem riesigen Himmel aus Silber, Schwärze und Sternenglanz glitt der *Seeadler* die Temes hinunter.

Ralla war am Steuerruder. Er war ein weitaus besserer Seemann, als ich es jemals zu werden hoffen konnte, und ich traute ihm zu, uns in der Finsternis sicher durch die weiten Schlaufen des Flusses zu bringen. Zumeist war es unmöglich zu sagen, wo das Wasser endete und das Marschland begann, doch Ralla schien unbesorgt. Er stand mit gespreizten Beinen da und stampfte mit dem Fuß auf, wenn die Ruderer ihren Takt verlangsamen sollten. Er sagte wenig, doch von Zeit zu Zeit änderte er mit dem langen Griff des Steuerruders den Kurs ein klein wenig, und kein einziges Mal berührte ein Ruderblatt die abfallenden Schlickbänke an den Ufern des Flusses. Manchmal kam der Mond hinter einer Wolke hervor, und dann schimmerte das Wasser mit einem Mal silbrig vor uns auf. An den Ufern zogen die kleinen Feuer der Marschenhütten als rotglühende Punkte an uns vorüber.

Wir nutzten die Strömung der Ebbe, um uns flussabwärts tragen zu lassen. Der zuweilen auftauchende Widerschein des Mondes auf dem Wasser zeigte uns, wie sich die Ufer immer weiter voneinander entfernten, während der Fluss auf seinem Weg ins Meer unmerklich breiter wurde.

Ich hielt meinen Blick nach Norden gerichtet, suchte nach dem hellen Schein, den die Feuer in und um das Lager bei Beamfleot in den Himmel warfen.

«Wie viele Schiffe haben die Heiden in Beamfleot?», fragte mich Ralla unvermittelt.

«Vierundsechzig vor einer Woche», sagte ich, «aber inzwischen vermutlich eher achtzig. Vielleicht sogar hundert oder mehr.»

«Und einfach nur wir, was?», fragte er belustigt.

«Einfach nur wir», stimmte ich zu.

«Und weiter an der Küste entlang werden noch mehr Schiffe sein», sagte Ralla. «Habe ich nicht gehört, dass sie in Sceobyrig ein Lager errichten?»

«Sie sind jetzt seit einem Monat dort», sagte ich, «und sie haben wenigstens fünfzehn Schiffsmannschaften in Sceobyrig. Mittlerweile können es auch dreißig sein.» Sceobyrig war ein trostloses Stück Schlick und feuchter Erde einige Meilen östlich von Beamfleot, und die fünfzehn dänischen Schiffe hatten dort angelegt, und die Mannschaften hatten eine Festung aus Erdwällen und Holzpalisaden gebaut. Ich vermutete, dass sie nach Sceobyrig gegangen waren, weil in dem Flussarm bei Beamfleot kaum noch Platz war und weil Sigefrids Flotte ihnen Schutz bot. Zweifellos hatten sie ihn dafür mit Silber bezahlt, und zweifellos hofften sie, ihm nach Wessex folgen und sich an Beute holen zu können, was immer ihnen in die Hände fiel. An den Ufern jedes Meeres und in den Lagern flussaufwärts und überall in der Welt der Nordmänner verbreitete sich die Nachricht, dass das Königreich Wessex verwundbar geworden war, und deshalb sammelten sich ihre Krieger.

«Aber heute werden wir nicht kämpfen?», fragte Ralla.

«Ich hoffe nicht», sagte ich, «zu kämpfen ist sehr gefährlich.»

Ralla lachte in sich hinein, sagte jedoch nichts.

«Es sollte keinen Kampf geben», bemerkte ich nach einem Moment.

«Denn wenn es einen gibt», hob Ralla hervor, «haben wir keinen Priester an Bord.»

«Wir haben nie einen Priester an Bord», sagte ich abwehrend.

«Das sollten wir aber, Herr», hielt er mir vor.

«Warum?», fragte ich streitlustig.

«Weil Ihr mit einem Schwert in der Hand sterben wollt», sagte Ralla tadelnd, «und wir beichten gern, bevor wir sterben.»

Seine Worte verletzten mich. Ich war diesen Männern verpflichtet, und wenn sie ohne den Vorteil starben, den ein Priester den Sterbenden verschaffte, worin er auch bestehen mochte, dann hatte ich sie im Stich gelassen. Einen Moment lang wusste ich nicht, was ich sagen sollte, dann tauchte ein Gedanke in meinem Kopf auf. «Bruder Osferth kann heute euer Priester sein», sagte ich.

«Das werde ich», sagte Osferth von einer Ruderbank aus, und mir gefiel diese Antwort, denn endlich zeigte er sich einmal bereitwillig, etwas zu tun, von dem ich wusste, dass er es nicht gerne tat. Erst später erfuhr ich, dass er, der nie mehr gewesen war als ein gescheiterter Novize im Kloster, keineswegs das Recht hatte, die christlichen Sakramente zu spenden, doch meine Männer glaubten, er sei näher bei ihrem Gott als sie selbst, und das war, wie sich herausstellte, gut genug.

«Aber ich erwarte keinen Kampf», sagte ich fest. Ein Dutzend Männer, diejenigen, die der Steuerplattform am nächsten waren, hörten zu. Finan war natürlich bei mir und Cerdic und Sihtric und Rypere und Clapa. Sie waren meine Haustruppe, meine Hauskerle, meine Gefährten, meine Blutsbrüder, meine Schwurmänner, und sie waren mir in dieser Nacht aufs Wasser gefolgt, und sie vertrauten mir, auch wenn sie nicht wussten, wohin wir fuhren oder was wir vorhatten.

«Also, was haben wir vor?», fragte Ralla.

Ich hielt kurz inne, denn ich wusste, dass meine Antwort sie in Erregung versetzen würde. «Wir befreien die Herrin Æthelflaed», sagte ich schließlich.

Einige der Männer keuchten auf, und dann lief ein Murmeln durchs Schiff, als die Neuigkeit von einer Ruderbank zur anderen weitergegeben wurde. Meine Männer wussten, dass diese Fahrt Schwierigkeiten bringen würde, und sie waren neugierig, weil ich so beharrlich über ihren Zweck geschwiegen hatte, und sie mussten geahnt haben, dass wir uns im Zusammenhang mit Æthelflaeds Gefangenschaft auf den Weg machten, doch nun erst hatte ich es bestätigt.

Das Steuerruder knarrte, als Ralla leicht die Fahrtrichtung änderte. «Wie?», fragte er.

«Dieser Tage», sagte ich, ohne auf seine Frage einzugehen, und sprach laut genug, damit mich jeder Mann auf dem Schiff hören konnte, «wird der König damit anfangen, das Lösegeld für seine Tochter einzusammeln. Wenn ihr zehn Armringe habt, will er vier von ihnen haben! Wenn ihr Silber gehortet habt, werden die Männer des Königs es finden und sich ihren Teil nehmen! Aber was wir heute tun, könnte das beenden!»

Erneutes Gemurmel. Schon jetzt herrschte in Wessex große Unzufriedenheit bei dem Gedanken an das Geld, das aus Landbesitzern und Händlern gepresst werden würde.

Alfred hatte sein eigenes Vermögen eingesetzt, doch er würde mehr brauchen, viel mehr, und der einzige Grund, aus dem die Sammlung noch nicht begonnen hatte, war der Streit, der zwischen seinen Beratern darüber herrschte. Einige wollten, dass die Kirche einen Beitrag leistete, denn trotz der beharrlichen Versicherung der Kirchenmänner, sie besäßen keine Kostbarkeiten, wusste jedermann, dass die Klöster von Kleinodien überquollen. Die Antwort der Kirche war gewesen, jedem die Exkommunikation anzudrohen, der es wagte, auch nur einen Silberpenny anzurühren, der Gott gehörte, oder genauer, der den Äbten und den Bischöfen Gottes gehörte. Ich hatte, obwohl ich im Verborgenen darauf hoffte, dass kein Lösegeld notwendig werden würde, dazu geraten, die gesamte Summe bei der Kirche einzutreiben, doch wie zu erwarten, hatte dieser weise Ratschlag keine Beachtung gefunden.

«Und wenn das Lösegeld bezahlt ist», fuhr ich fort, «werden unsere Feinde reich genug sein, um zehntausend Schwertkrieger zu bezahlen! In ganz Wessex wird Krieg herrschen! Eure Häuser werden niedergebrannt, eure Frauen geschändet, eure Kinder werden fortgebracht und euer Besitz eingezogen. Aber was wir heute tun, könnte das verhindern!»

Ich übertrieb ein bisschen, aber nicht sehr. Das Lösegeld konnte sicherlich für fünftausend weitere Kämpfer mit Speeren, Äxten und Schwertern sorgen, und deshalb sammelten sich die Nordmänner im Mündungsgebiet der Temes. Sie witterten Schwäche, und Schwäche bedeutete Blut, und Blut bedeutete Reichtum. Die Langschiffe fuhren südwärts, ihre Kiele durchpflügten die See auf ihrem Weg nach Beamfleot und dann nach Wessex.

«Aber die Nordmänner sind habgierig!», sprach ich

weiter. «Sie wissen, dass sie mit Æthelflaed ein Mädchen von hohem Wert haben, und sie schleichen knurrend umeinander herum wie ausgehungerte Hunde! Nun, einer von ihnen ist bereit, die anderen zu verraten! Heute zur Morgendämmerung wird er Æthelflaed aus dem Lager bringen! Er wird sie uns geben, und er wird sich mit einem viel geringeren Lösegeld zufrieden geben! Er behält dieses geringere Lösegeld lieber ganz für sich selbst, als einen Teil des höheren zu nehmen! Er wird reich werden! Aber nicht reich genug, um eine Streitmacht aufzustellen!»

Das war die Geschichte, die ich zu erzählen beschlossen hatte. Ich konnte nicht nach Lundene zurückkehren und sagen, dass ich Æthelflaed geholfen hatte, mit ihrem Geliebten zu fliehen, also würde ich stattdessen so tun, als habe Erik mir den Verrat an seinem Bruder vorgeschlagen, und ich sei mit dem Schiff losgefahren, um ihm bei diesem Betrug zu helfen, und dann habe Erik mich betrogen, indem er die Übereinkunft brach, die wir getroffen hatten. Statt mir Æthelflaed zu geben, so würde ich behaupten, war er einfach mit ihr davongesegelt. Alfred würde auch so zornig auf mich werden, doch er konnte mich nicht beschuldigen, Wessex verraten zu haben. Ich hatte sogar eine große Holztruhe mit an Bord gebracht. Sie war mit Sand gefüllt, und mit zwei enormen Haspen verschlossen, die im Kreis eingeschlagene Eisennägel sicherten, sodass der Deckel nicht geöffnet werden konnte. Jeder meiner Männer hatte gesehen, wie die Truhe an Bord des *Seeadlers* geschafft und unter der Steuerplattform verstaut wurde, und sie glaubten bestimmt, dass sich in dieser großen Kiste Eriks Preis befand.

«Noch vor der Dämmerung», fuhr ich fort, «wird die Herrin Æthelflaed auf ein Schiff gebracht werden! Wenn die Sonne den Rand des Himmels berührt, wird sie dieses Schiff herausbringen! Doch auf seinem Weg liegt ein Schiff, das den Flussarm versperrt, ein Schiff, das so festgekettet ist, dass es von Ufer zu Ufer vor der Mündung des Flussarms liegt. Unsere Aufgabe ist es, dieses Schiff aus dem Weg zu räumen! Das ist alles! Wir müssen nur dieses eine Schiff von der Stelle bewegen und die Herrin Æthelflaed ist frei, und wir werden sie zurück nach Lundene bringen, und wir werden als Helden gefeiert werden! Und der König wird sich erkenntlich zeigen!»

Das gefiel ihnen. Der Gedanke gefiel ihnen, dass sie vom König belohnt werden würden, und ich spürte einen Stich im Inneren, denn ich wusste, dass wir uns ausschließlich Alfreds Zorn zuziehen würden, auch wenn wir ihn von der Notwendigkeit befreiten, das Lösegeld einzufordern.

«Ich habe euch das alles nicht früher erzählt», sagte ich, «und Alfred habe ich es gar nicht erzählt, weil sonst einer von euch oder einer von den Männern des Königs es betrunken im Gasthaus weitererzählt hätte, und dann hätten es Sigefrids Kundschafter Sigefrid erzählt, und wir wären in Beamfleot angekommen und hätten ein ganzes Heer zur Begrüßung vor uns gehabt! Stattdessen schlafen sie jetzt! Und wir werden Æthelflaed befreien!»

Darüber brachen sie in Jubel aus. Nur Ralla schwieg, und als der Lärm vorbei war, stellte er mir leise eine Frage. «Und wie sollen wir dieses Schiff von der Stelle bewegen? Es ist größer als unseres, seine Seiten wurden erhöht, es hat eine Mannschaft von Kriegern an Bord, und die werden bestimmt nicht schlafen.»

«Wir machen es nicht», sagte ich, «ich mache es. Clapa? Rypere? Ihr beide werdet mir helfen. Wir drei werden das Schiff bewegen.»

Und Æthelflaed wäre frei, und die Liebe würde siegen, und der Wind wäre immer warm, und es gäbe den ganzen Winter über genug zu essen, und keiner von uns würde jemals alt werden, und auf den Bäumen würde Silber wachsen, und Gold würde wie Tau auf dem Gras liegen, und die Sterne der Liebenden würden für immer leuchten.

Es war alles so einfach.

Als wir ostwärts weiterruderten.

Bevor wir in Lundene losgefahren waren, hatten wir den Mast des *Seeadlers* ausgebaut. Nun lag er in Halterungen längs inmitten des Schiffs. Ich hatte auch die geschnitzten Köpfe der Untiere nicht auf die Steven setzen lassen, weil ich wollte, dass wir so niedrig wie möglich auf dem Wasser lagen. Ich wollte, dass unser Schiff ein dunkler Schatten in der Dunkelheit war und uns kein aufragender Adlerkopf oder hoher Mast leichter erkennbar machte. Verstohlen schlichen wir uns durch die Finsternis. Wir waren die Schattenwandler des Meeres.

Und ich berührte Schlangenhauchs Griff und spürte kein Beben, hörte kein Singen, keinen Hunger nach Blut, und das beruhigte mich. Ich dachte, wir würden die Durchfahrt in dem Flussarm öffnen und zusehen, wie Æthelflaed in die Freiheit segelte, und die ganze Zeit würde Schlangenhauch still in seiner mit Vlies gefütterten Scheide schlafen.

Dann sah ich endlich den Schimmer am Himmel, den trüben roten Schimmer, der anzeigte, dass in Sigefrids Lager auf dem Gipfel des Hügels Feuer brannten. Der Schimmer wurde stärker, während wir weiterruderten. Als wir an dem Lager vorbei waren, zeigte sich über den sanft nach Osten abfallenden Hügeln ein noch stärkerer rötlicher Widerschein an den Wolken. Er stammte von den neuen Lagern, die sich von dem hochgelegenen Beamfleot bis hinunter nach Sceobyrig zogen. «Sogar ohne das Lösegeld», bemerkte Ralla, «könnten sie einen Angriff versuchen.»

«Das könnten sie», stimmte ich zu, wenn ich auch bezweifelte, dass Sigefrid schon genügend Männer hatte, um sich eines Erfolges sicher zu sein. Wessex mit seinen neu gebauten Wehrburgen war schwer anzugreifen, und ich schätzte, Sigefrid wollte wenigstens dreitausend Männer haben, bevor er das Wagnis des Krieges einging, und um diese Männer zu bekommen, brauchte er das Lösegeld. «Weißt du, was du zu tun hast?», fragte ich Ralla.

«Ich weiß es», sagte er geduldig, denn er wusste, dass ich meine Frage mehr aus Unruhe denn aus Notwendigkeit gestellt hatte. «Ich fahre auf die Seeseite der Insel Caninga», sagte er, «und nehme Euch an ihrem östlichen Ende wieder auf.»

«Und wenn die Durchfahrt über den Flussarm nicht offen ist?», fragte ich.

Ich spürte sein Grinsen in der Dunkelheit. «Dann nehme ich Euch auf», sagte er, «und Ihr könnt diese Frage beantworten.»

Denn wenn ich damit scheiterte, das Schiff zu bewegen, das den Hothlege versperrte, dann wäre Æthelflaed in dem Flussarm gefangen und ich müsste entscheiden, ob ich mit dem *Seeadler* einen Kampf gegen ein Schiff mit höheren Seiten und einer wütenden Besatzung wagen sollte. Ich wollte diesen Kampf nicht und bezweifelte, dass wir ihn würden gewinnen können. Und das bedeutete, dass ich die Durchfahrt öffnen musste, bevor solch ein Kampf notwendig wurde.

«Langsam!», rief Ralla den Männern an den Rudern zu. Er hatte das Schiff nach Norden ausgerichtet, und wir ruderten langsam und vorsichtig auf das schwarze Ufer von Caninga zu. «Ihr werdet nass werden», erklärte er mir.

«Wie lange noch bis zur Dämmerung?»

«Fünf Stunden. Sechs?», schätzte er.

«Lange genug», sagte ich, und in diesem Moment berührte der Bug des *Seeadlers* den schweren Schlick, und sein langer Rumpf erzitterte.

«Ruder zurück!», rief Ralla, und die Ruderer wühlten das seichte Wasser auf bei ihrem Versuch, den Bug von diesem tückischen Ufer wegzubewegen. «Geht schnell», sagte er zu mir, «das Wasser fällt noch, und ich will nicht auf Grund laufen.»

Ich ging mit Clapa und Rypere in den Bug. Ich hatte lange überlegt, ob ich meine Kettenrüstung tragen sollte, denn ich hoffte, in der Morgendämmerung dieses Sommertages nicht kämpfen zu müssen, aber schließlich hatte die Vorsicht gesiegt und ich trug ein Kettenhemd, zwei Schwerter, aber keinen Helm. Ich befürchtete, dass mein Helm mit seinem glänzenden Wolfskopf das schwache nächtliche Licht widerspiegeln könnte, und trug stattdessen nur das dunkle Lederfutter eines Helmes auf dem Kopf. Außerdem trug ich den schwarzen Umhang, den Gisela für mich gewebt hatte, diesen nachtschwarzen Umhang mit dem wilden Blitz, der vom Hals bis zum Saum auf der Rückenseite hinablief. Rypere und Clapa trugen ebenfalls dunkle Umhänge, die ihre Kettenhemden verbargen. Jeder von ihnen hatte Schwerter, und Clapa hatte sich noch eine gewaltige Bartaxt auf den Rücken gebunden.

«Du solltest mich mitkommen lassen», sagte Finan zu mir.

«Du wirst hier gebraucht», erklärte ich ihm. «Und

wenn wir in Schwierigkeiten geraten, musst du uns vielleicht zurücklassen. Das ist deine Entscheidung.»

«Ruder zurück!», rief Ralla erneut, und der *Seeadler* entfernte sich noch ein paar Schritte von der Gefahr, mit der fallenden Ebbe zu stranden.

«Wir werden euch nicht zurücklassen», sagte Finan und streckte eine Hand aus. Ich ergriff sie und ließ mich an seinem Arm über die Seite des Schiffes hinab, bis ich losließ und in einem saugenden Schleim aus Schlick und Wasser landete.

«Wir sehen uns, wenn die Dämmerung kommt», rief ich Finans dunklem Schatten zu. Dann führte ich Clapa und Rypere über das ausgedehnte Watt. Ich hörte das Knirschen und das plätschernde Eintauchen der Ruder, als Ralla den *Seeadler* vom Ufer wegbrachte, doch als ich mich umdrehte, war das Schiff schon nicht mehr zu sehen.

Wir waren am westlichen Ende Caningas von Bord gegangen, der Insel, die das südliche Ufer von Beamfleots Flussarm bildete, und wir waren weit genug von der Stelle entfernt, an der Sigefrids Schiffe ankerten oder am Ufer lagen. Wir waren auch so weit entfernt, dass die Wachen auf der Wehranlage des hochgelegenen Lagers unser mastloses Schiff nicht hatten ans dunkle Land fahren sehen, jedenfalls betete ich darum, und nun hatten wir einen langen Weg vor uns. Wir liefen über den breiten, glitzernden, mondbeschienenen Streifen Schlick, der mit der weiter fallenden Ebbe noch breiter wurde, und manchmal konnten wir kaum laufen, sondern uns nur mühsam weiterkämpfen. Wir wateten und stolperten, wehrten uns gegen den saugenden Schlamm, wir fluchten und traten spritzend ins Wasser. Dieses Vorland war weder Land noch Wasser, es war nichts als zäher, klebriger Morast, und so trieb ich die beiden an, bis wir endlich mehr Land als Wasser unter den Füßen hatten und uns die Schreie der Vögel umgaben, die wir aufgeschreckt hatten. Die nächtliche Luft war erfüllt von ihrem Flügelschlag und ihren schrillen Rufen. Dieser Lärm, dachte ich, würde den Feind aufmerksam machen, doch alles, was ich tun konnte, war, weiter landeinwärts zu gehen, auf höher gelegenen Grund zu hoffen, und endlich wurde das Gehen einfacher, wenn es auch weiter überall nach Salz roch. Bei den höchsten Fluten, hatte mir Ralla erzählt, konnte Caninga vollkommen unter den Wellen verschwinden und ich dachte an die Dänen, die ich im Watt ertränkt hatte, indem ich sie in eine solche Flut lockte. Das war vor der Schlacht bei Ethandun gewesen, als Wessex dem Untergang geweiht schien, doch Wessex hatte überlebt, und die Dänen waren gestorben.

Schließlich fanden wir einen Pfad. Schafe schliefen zwischen den Grasbüscheln, und es war auch ein Schafspfad, doch er war krumm und tückisch, denn ständig wurde er von Rinnen unterbrochen, durch die das abfließende Wasser der Ebbe gurgelte. Ich fragte mich, ob ein Schäfer in der Nähe war. Vielleicht mussten diese Schafe nicht vor Wölfen geschützt werden, schließlich waren sie auf einer Insel, und das würde heißen, kein Schäfer und, noch besser, keine Hunde, die aufwachen und bellen konnten. Wenn Hunde da waren, dann schliefen sie, während wir uns weiter nach Osten bewegten. Ich sah mich nach dem *Seeadler* um, doch obwohl der Mondschein auf dem weiten Mündungsgebiet der Temes glitzerte, konnte ich ihn nicht entdecken.

Nach einer Weile rasteten wir. Zuvor beförderten wir mit Fußtritten drei Schafe von ihren Schlafplätzen, sodass wir ein Fleckchen warme, trockene Erde hatten. Clapa schlief fast augenblicklich ein und begann zu schnarchen, während ich auf die Temes hinaussah und nach dem *Seeadler* Ausschau hielt, doch er blieb als Schatten zwischen anderen Schatten verschwunden. Ich dachte an meinen Freund Ragnar und daran, wie er es aufnehmen würde, wenn Erik und Alfreds Tochter in Dunholm auftauchten. Es würde ihn belustigen, das wusste ich, aber wie lange würde diese Belustigung anhalten? Alfred würde Gesandtschaften zu Guthred, dem König von Northumbrien, schicken und die Rückkehr seiner Tochter fordern, und jeder Nordmann mit einem Schwert würde Dunholms Bergfelsen gierig in Augenschein nehmen. Torheit, dachte ich, als der Wind durch das steife Sumpfgras rauschte.

«Was geht dort vor, Herr?» Rypere riss mich aus meinen Gedanken. Er klang beunruhigt, und ich wandte mich vom Wasser ab und sah einen enormen Brand auf dem Hügel von Beamfleot lodern. Flammen leckten in den dunklen Himmel, beleuchteten die Umrisse der Wehranlage, und über diesen unsteten Flammen wirbelten helle Funken in der vom Feuer beleuchteten Rauchsäule, die über Sigefrids Palas stand.

Ich fluchte, weckte Clapa mit einem Tritt und stand auf.

Sigefrids Palas stand in Flammen, und das bedeutete, dass jedermann im Lager wach war, doch ob das Feuer ein Unglücksfall oder absichtsvoll gelegt worden war, konnte ich nicht sagen. Vielleicht versuchte Erik mit dieser Ablenkung, Æthelflaed leichter aus dem Lager zu bringen, doch im Grunde konnte ich mir nicht vorstellen, dass Erik die Gefahr in Kauf nehmen würde, dass sein Bruder bei lebendigem Leib verbrannte. «Was immer dieses Feuer ausgelöst hat», sagte ich, «es ist nicht gut für uns.»

Die Flammen begannen gerade erst um sich zu greifen, doch das Strohdach musste trocken gewesen sein, denn das

Feuer verbreitete sich mit rasender Geschwindigkeit. Es loderte noch höher auf, beleuchtete den Gipfel des Hügels und warf seinen grellen Schein auf das niedrige Marschland von Caninga. «Sie werden uns sehen, Herr», sagte Clapa unruhig.

«Dieses Wagnis müssen wir eingehen», sagte ich und hoffte, dass die Männer auf dem Schiff, das den Wasserlauf versperrte, nach dem Feuer sahen und nicht auf Caninga nach Feinden Ausschau hielten.

Ich hatte vor, bis zum südlichen Ufer des Flussarms vorzudringen, wo die schwere Kette, die das Schiff gegen die Strömung festhielt, um den gewaltigen Pfosten gelegt war. Wenn wir die Kette durchhieben oder lösten, würde das Schiff mit der Strömung der Ebbe herumschwingen und sich so wie ein großes Tor öffnen, während es von seiner Bugkette an dem Baum am nördlichen Ufer festgehalten wurde.

«Los», sagte ich, und wir folgten weiter dem Schafspfad. Durch das Licht des großen Feuers kamen wir jetzt leichter voran. Ich sah immer wieder nach Osten, wo der Himmel langsam heller wurde. Die Dämmerung stand kurz bevor, doch es würde noch lange dauern, bis sich die Sonne zeigte. Einmal dachte ich, ich hätte den *Seeadler* gesehen, seinen niedrigen Umriss gegen das Schimmern aus Grau und Schwarz, doch vielleicht war es auch eine Täuschung gewesen.

Als wir näher an das angekettete Wachschiff herangekommen waren, verließen wir den Schafspfad, um uns einen Weg durch Schilfpflanzen zu suchen, die hoch genug waren, um uns zu verbergen. Erneut schrien Vögel. Wir blieben alle paar Schritte stehen und spähten über das Schilf. Die Mannschaft des Wachschiffs starrte auf den Hügel. Das Feuer war jetzt gewaltig, eine Hölle am Himmel, von der die Wolken versengt wurden. Wir erreichten das Ende des Schilfhains und kauerten uns nieder. Wir waren noch hundert Schritte von dem massigen Pfosten entfernt, der das Heck des Schiffes festhielt.

«Wir brauchen deine Axt vielleicht nicht», erklärte ich Clapa. Wir hatten sie mitgebracht, um zu versuchen, die schweren Eisenglieder mit ihr durchzuhauen.

«Wollt Ihr die Kette durchbeißen, Herr?», fragte Rypere grinsend.

Ich versetzte ihm einen Klaps auf den Kopf. «Wenn du dich auf Clapas Schultern stellst», sagte ich, «solltest du in der Lage sein, die Kette über den Pfosten zu heben. Das geht schneller.»

«Wir sollten es vor dem Hellwerden machen», sagte Clapa.

«Wir dürfen ihnen aber keine Zeit lassen, das Schiff wieder festzumachen», sagte ich und fragte mich, ob ich mehr Männer ans Ufer hätte mitnehmen sollen. Und dann wusste ich, dass ich es hätte tun sollen.

Denn wir waren nicht allein auf Caninga.

Ich sah die anderen Männer und legte Clapa eine Hand auf den Arm, damit er ruhig war. Und alles, was so leicht ausgesehen hatte, wurde schwierig.

Ich sah Männer am südlichen Ufer des Flussarms entlanglaufen. Es waren sechs Männer mit Schwertern und Äxten, sechs Männer, die auf den Pfosten zuliefen, der unser Ziel war. Und da verstand ich, was geschehen war, oder jedenfalls hoffte ich es zu verstehen, und es war ein Moment, in dem die gesamte Zukunft in der Waagschale lag. Ich hatte nur einen Augenblick, um meine Entscheidung zu treffen, und ich dachte an die drei Nornen, die an den Wurzeln des Weltenbaums Yggdrasil sitzen, und ich wusste, dass ich, wenn ich die falsche Wahl traf, die Wahl, von der sie schon wussten, dass ich sie treffen würde, wenn ich also die falsche Wahl traf, dann könnte ich alles zunichtemachen, was ich von diesem Morgen erhofft hatte.

Vielleicht, dachte ich, hatte Erik beschlossen, die Durchfahrt selbst zu öffnen.

Vielleicht glaubte er, ich würde nicht kommen. Oder vielleicht hatte er festgestellt, dass er die Durchfahrt öffnen konnte, ohne die Männer seines Bruders zu töten. Vielleicht waren die sechs Männer Eriks Krieger.

Und vielleicht waren sie es auch nicht.

«Tötet sie», sagte ich. Mir war kaum bewusst, dass ich gesprochen hatte, kaum bewusst, welche Entscheidung ich getroffen hatte.

«Herr?», fragte Clapa.

«Jetzt!» Ich stürzte los. «Schnell, kommt!»

Die Besatzung des Wachschiffs schleuderte Speere auf die sechs Männer, doch keiner traf, während wir auf den Pfosten zuliefen. Rypere, sehnig und schnell, lief vor mir, und ich hielt ihn mit der linken Hand zurück, während ich Schlangenhauch zog.

Und so kam der Tod in das Wolfslicht der Dämmerung. Der Tod an einem schlammigen Ufer. Die sechs Männer kamen vor uns bei dem Pfosten an, und einer von ihnen, ein großgewachsener Mann, schwang eine Kriegsaxt gegen die Kette, doch dann traf ihn ein Speer von dem Schiff in den Oberschenkel und er taumelte fluchend zurück, während sich seine fünf Gefährten erstaunt nach uns umdrehten. Wir hatten sie überrascht.

Ich brüllte eine Verunglimpfung und ging auf die fünf Männer los. Es war ein närrischer Angriff. Wie leicht hätte sich ein Schwert in mich bohren und mich zappelnd in meinem Blut zu Boden schicken können. Doch die Götter waren mit mir. Schlangenhauch fuhr auf einen Schild nieder, und der Mann schwankte rückwärts, fiel hin, und ich setzte ihm nach und vertraute darauf, dass Rypere und Clapa seine vier Gefährten beschäftigen würden. Clapa schwang seine schreckliche Axt, während Rypere den Schwerttanz tanzte, den ihn Finan gelehrt hatte. Ich hieb mit Schlangenhauch auf den Mann am Boden ein, und die Klinge fuhr auf seinen Helm, sodass er weiter zurücksank, und dann fuhr ich herum, um den Mann anzugreifen, der versucht hatte, die Kette durchzuhauen.

Er wandte sich um, schwang seine Axt, und es herrschte nun genügend Licht, dass ich sein leuchtend rotes Haar unter dem Rand des Helmes und den leuchtend roten Bart unter den Wangenstücken seines Helmes sehen konnte. Es war Eilaf der Rote, Haestens Schwurmann, und da wusste ich, was an diesem heimtückischen Morgen geschehen war.

Haesten hatte das Feuer gelegt.

Und Haesten musste Æthelflaed in seiner Gewalt haben.

Und jetzt wollte er die Durchfahrt frei haben, damit seine Schiffe entkommen konnten.

Also würden wir nun dafür sorgen müssen, dass die Durchfahrt geschlossen blieb. Wir waren gekommen, um sie zu öffnen, und nun würden wir auf Sigefrids Seite dafür kämpfen, dass sie geschlossen blieb, und ich rammte Eilaf das Schwert entgegen, doch er wich der Klinge aus, und seine Axt traf mich an der Seite, doch in seinem Hieb steckte keine Kraft, und ich spürte kaum, wie das Metall an meinem Umhang und dem Kettenhemd entlangschabte. Ein Speer zischte an mir vorbei, er war vom Schiff gekommen, dann bohrte sich der nächste in den Pfosten und blieb bebend stecken. Ich war Eilaf nachgestolpert und rutschte immer wieder auf dem schlammigen Grund aus.

Er war schnell, und ich hatte keinen Schild. Er schwang die Axt, und ich duckte mich, als ich Schlangenhauch mit beiden Händen gegen seinen Wanst rammte. Doch sein Schild fing meinen Angriff ab. Ich hörte hinter mir Wasser spritzen und dachte, die Mannschaft des Wachschiffes käme uns zu Hilfe. Ein Mann schrie, wo Clapa und Rypere kämpften, doch ich hatte keine Zeit, mich umzudrehen und nachzusehen, was dort vor sich ging. Ich stieß erneut zu, und ein Schwert ist eine schnellere Waffe als eine Axt, und Eilaf holte noch mit seinem rechten Arm nach hinten aus und musste seinen Schild bewegen, um meinen Stoß abzuwehren, da richtete ich schon Schlangenhauch auf und fuhr kratzend und schrill mit der Klinge über den Eisenrand seines Schildes und rammte ihm die Spitze unter dem Rand seines Helmes in den Schädel.

Ich fühlte Knochen brechen. Die Axt kam auf mich zu, jedoch nur ganz langsam, und ich packte ihren Schaft mit der linken Hand und zerrte daran, während Eilaf mit glasigen Augen von der Verletzung, die ich ihm zugefügt hatte, vor mir taumelte. Ich trat ihm an das Bein, in das ihn zuvor der Speer getroffen hatte, zog Schlangenhauch frei und stieß erneut mit meinem Schwert auf ihn ein. Es bohrte sich durch sein Kettenhemd, sodass er zappelte wie ein Aal auf einem Speer, dann fiel er schwer in den Schlamm und versuchte, mir seine Axt zu entwinden. Er knurrte mich an, das Gesicht voller Blut. Ich verfluchte ihn, trat ihm den Griff der Axt aus der Hand, hieb mit Schlangenhauch auf seinen Hals ein und sah ihn zucken. Männer von dem Wachschiff liefen an mir vorbei, um Eilafs Kämpfer zu töten, und ich zog ihm den besudelten Helm vom Kopf. Er triefte vor Blut, aber ich stülpte ihn dennoch über meine lederne Kopfbedeckung und hoffte, seine Wangenstücke würden mein Gesicht verbergen.

Die Männer, die von dem Schiff kamen, konnten mich leicht bei Sigefrids Festmahl gesehen haben, und wenn sie mich erkannten, würden sie ihr Schwert gegen mich richten. Es waren zehn oder elf Männer von der Schiffsmannschaft, und sie hatten die fünf Gefährten Eilafs des Roten getötet, doch zuvor hatte Clapa seine letzte Wunde empfangen. Der arme Clapa, so langsam im Kopf, so freundlich geartet, so stark im Krieg, und nun lag er da, mit offenem Mund, Blut lief über seinen Bart, und ich sah ein Beben durch seinen Körper laufen und rannte zu ihm und gab ihm ein herabgefallenes Schwert in seine leere rechte Hand und schloss die Finger um den Griff. Seine Brust war von einem Axthieb zermalmt worden, sodass seine Rippen, die Lunge und das Kettenhemd nur noch ein blutiger, blasenwerfender Wust waren.

«Wer seid Ihr?», rief ein Mann.

«Ragnar Olafson.» Diesen Namen hatte ich erfunden.

«Warum seid Ihr hier?»

«Unser Schiff ist an der Küste gestrandet», sagte ich, «wir wollten hier Hilfe suchen.»

Rypere weinte. Er hielt Clapas linke Hand und sagte wieder und wieder den Namen seines Freundes.

In der Schlacht werden wir Freunde. Wir treiben unsere Scherze miteinander, wir feuern einander an und beleidigen einander, doch wir lieben uns auch. In der Schlacht kommt man sich näher als Brüder, und Clapa und Rypere waren Freunde, die diese Nähe gekannt hatten, und jetzt starb Clapa, der ein Däne war, und Rypere, der ein Sachse war, weinte. Doch es waren keine Tränen der Schwäche, sondern Zornestränen, und als ich Clapas Hand eng an den Griff des Schwertes drückte, wandte sich Rypere um und hob sein eigenes Schwert. «Herr», sagte er, und ich drehte mich um und sah noch mehr Männer am Ufer entlang auf uns zukommen.

Haesten hatte eine ganze Schiffsmannschaft geschickt, um die Durchfahrt zu öffnen. Sein eigenes Schiff lag fünfzig Schritte dahinter auf dem Wasser, und in seinem Gefolge sah ich viele weitere Schiffe darauf warten, aus dem Flussarm hinauszurudern, wenn die Durchfahrt erst einmal frei war. Haesten und all seine Männer flohen aus Beamfleot, und sie nahmen Æthelflaed mit, und jenseits des Wasserlaufs, auf dem steilen Hügel unter dem brennenden Palas, sah ich Sigefrids und Eriks Männer waghalsig den abschüssigen Hang hinunterlaufen, um den verräterischen Haesten anzugreifen.

Dessen Männer nun in überwältigender Zahl auf uns zukamen.

«Schildwall!», brüllte eine Stimme. Ich weiß nicht, wer gerufen hatte, und erinnere mich nur daran, dass ich dachte, wir müssten hier an diesem Schlickufer sterben, und ich tätschelte Clapas blutige Wange und sah seine Axt im Schlamm liegen, und mich erfüllte der gleiche Zorn wie Rypere. Ich schob Schlangenhauch in die Scheide und griff mir die gewaltige Bartaxt mit der breiten Klinge.

Brüllend kam Haestens Mannschaft näher. Sie wollten aus dem Flussarm heraus sein, bevor Sigefrids Krieger sie einholten und abschlachteten. Haesten bemühte sich, die Verfolgung zu erschweren, indem er Sigefrids Schiffe in Brand stecken ließ, die auf der anderen Seite des Ufers lagen. Ich nahm diese neuen Feuer kaum war, die Flammen, die sich schnell das geteerte Takelwerk hinauffraßen, den

Rauch, der über die einsetzende Flut getrieben wurde, denn ich musste mich gegen die Angreifer wappnen, die brüllend heranstürmten.

Und dann machten sie sich bereit, uns zu überrennen, und wir hätten sterben müssen, doch wer auch immer gerufen hatte, wir sollten einen Schildwall bilden, hatte die Stelle gut gewählt, denn einer von Caningas vielen Gräben verlief genau vor uns. Es war kein tiefer Graben, kaum mehr als eine schlammige Rinne, aber unsere Angreifer rutschten auf seinen glitschigen Rändern aus, und wir rückten vor. Nun war es an uns zu brüllen, und der Zorn in mir wurde zur Raserei der Schlacht. Ich schwang die enorme Axt gegen einen Mann, der gerade wieder sicheren Tritt suchte, und mein Kriegsruf steigerte sich zu einem Schrei, als meine Klinge einen Helm durchschlug, durch einen Schädel fuhr und ein Hirn in zwei Teile zertrennte. Blut spritzte in die Luft, während ich weiter schrie und die Axt wieder in die Höhe schwang. Ich war nur noch Tollheit, Zorn und Verzweiflung. Schlachtenglück. Schlachtenwahn. Krieger zur Abschlachtung. Unser ganzer Schildwall war zum Rand des Grabens vorgerückt, in dem unsere Feinde ausrutschten, und wir hatten einige Momente des hemmungslosen Gemetzels, Klingen im Mondlicht, Blut so schwarz wie Pech, und Schreie von Männern, die ebenso wild waren wie zuvor die Schreie der Vögel in der Dunkelheit.

Doch wir waren in der Unterzahl, und der Gegner konnte uns von den Seiten her in die Zange nehmen. Wir hätten dort an dem Pfosten, der die Kette des Wachschiffes hielt, sterben müssen, aber dann sprangen mehr Männer von dem angeketteten Schiff und rannten durch das seichte Wasser, um die linke Flanke unseres Gegners anzugreifen.

Doch Haestens Männer waren weiterhin in der Überzahl, und die Männer in den hinteren Reihen drängten sich an ihren sterbenden Waffenbrüdern vorbei, um auf uns loszugehen. Wir wurden zurückgedrängt. Ich hatte keinen Schild. Ich schwang die Axt beidhändig, knurrte, hielt Männer mit der schweren Klinge in Schach, wenn auch ein Speerkämpfer, außerhalb der Reichweite meiner Axt, mehrfach nach mir stach. Rypere, der an meiner Seite war, hatte einen Schild aufgehoben und tat sein Bestes, um mich zu decken, doch es gelang dem Mann mit dem Speer, an dem Schild vorbeizukommen und mir mit einem niedrig angesetzten Stoß die linke Wade aufzuschlitzen. Da schleuderte ich die Axt nach ihm, und die schwere Klinge fuhr ihm ins Gesicht, und ich zog Schlangenhauch aus der Scheide und ließ ihn seinen Kriegsgesang anstimmen. Meine Wunden waren unbedeutend, die Wunden, die Schlangenhauch meinen Feinden zufügte, waren es nicht. Ein Mann im Schlachtenrausch, den zahnlosen Mund weit offen, hieb mit seiner Axt nach mir, und Schlangenhauch nahm ihm mit anmutiger Leichtigkeit die Seele, sogar mit solcher Anmut, dass ich vor Genugtuung lachte, während ich ihm die Klinge aus der Brust zog. «Wir halten sie zurück!», rief ich, und niemand bemerkte, dass ich auf Englisch gerufen hatte, doch auch wenn unser kleiner Schildwall tatsächlich vor dem großen Pfosten hielt, so bedrängten uns die Gegner jetzt auch noch von der linken Flanke her, sodass unsere Männer dort von zwei Seiten zugleich angegriffen wurden und den Schildwall verließen. Wir stolperten rückwärts, um ihnen zu folgen. Klingen fuhren krachend auf unsere Schilde herab, Äxte ließen Holzbretter splittern, Schwerter klangen gegen Schwerter, und wir zogen uns zurück, außerstande, unsere Stellung gegen so viele zu verteidigen, und wir wurden gegen den großen Kettenpfosten gedrängt, und nun war der Himmel auch hell genug, dass ich den grünen Algenschleim sehen konnte, der unten an dem Pfosten hing, wo die rostige Kette lag.

Haestens Männer stimmten siegestrunkenen Jubel an. Ihre Münder waren aufgerissen, in ihren Augen blitzte hell der Widerschein des Lichtes von Osten, und sie wussten, dass sie gewonnen hatten, und wir liefen einfach davon. Auf eine andere Art ist dieser Moment, kurz bevor die Dämmerung vollständig da war, nicht zu beschreiben. Sechzig oder siebzig Männer versuchten uns zu töten, und sie hatten auch schon einige der Männer von dem Wachschiff getötet, und wir anderen rannten zurück auf das Ufervorland mit dem zähen Schlamm, und ich dachte wieder, ich müsse hier sterben, wo die See in kleinen, geriffelten Wellen über den Schlick floss, doch da wandten sich unsere Gegner, zufrieden, dass sie uns vertrieben hatten, wieder dem Pfosten mit der Kette zu. Einige beobachteten uns, forderten uns heraus, wieder auf festen Grund zu kommen und uns ihnen zu stellen, während andere mit Äxten auf die Kette einhieben. Hinter ihnen, als dunkle Umrisse vor einem dunklen Himmel, an dem die letzten Sterne verblassten, sah ich Haestens Schiffe darauf warten, aufs Meer hinausfahren zu können.

Die Äxte klirrten hell, als mit ihnen auf die Kette eingehackt wurde, und dann war Jubel zu hören, und ich sah die schwere Kette wie eine Schlange über den Schlamm rutschen. Die Gezeiten hatten nun gewechselt, und die neue Flut floss stark vom Meer herein und ließ das Wachschiff in Richtung Westen in den Flussarm hineinschwingen. Und ich konnte nichts tun als zu beobachten, wie Haestens Flucht möglich wurde.

Unsere Angreifer liefen zurück zu ihrem Schiff. Die Kette war in dem seichten Wasser verschwunden, als das Wachschiff sie langsam weggezogen hatte. Ich erinnere mich, über den Schlick vorwärts gestolpert zu sein, eine Hand auf Ryperes Schulter und mein linker Fuß schmatzend in dem Blut, das in meinem Stiefel stand. Ich hatte Schlangenhauch in der Hand und wusste, ich konnte nicht verhindern, dass Æthelflaed nun in eine viel elendere Gefangenschaft gebracht wurde.

Das Lösegeld, dachte ich, würde verdoppelt werden, und Haesten würde ein Kriegsherr werden, ein Mann, vermögender, als es selbst seine übermäßige Habsucht verlangte. Er würde eine Streitmacht aufstellen. Er würde Wessex zerstören. Er würde König werden, und alles, weil diese Kette durchgehauen worden und der Hothlege nicht mehr versperrt war.

Dann sah ich Haesten. Er stand im Bug seines Schiffes, von dem ich wusste, dass es *Drachenfahrer* hieß, und es war das vorderste Schiff, das darauf wartete, dass die Durchfahrt vollkommen frei war. Haesten trug Umhang und Kettenrüstung, stolz stand er unterhalb des Drachenhauptes, das den Bug seines Schiffes krönte, und sein Helm schimmerte im Licht der Dämmerung, und sein gezogenes Schwert glitzerte, und er lächelte. Er hatte gesiegt. Æthelflaed, das wusste ich mit Sicherheit, war auf diesem Schiff, und hinter ihm waren zwanzig weitere Schiffe, Haestens Flotte, Haestens Männer.

Sigefrids und Eriks Krieger hatten nun den Flussarm erreicht und mit einigen der Schiffe abgelegt, die vom Feuer verschont geblieben waren. Sie kämpften gegen die hinteren von Haestens Schiffen, und im Licht der Flammen von den verbrennenden Schiffen sah ich Waffen aufblitzen und wusste, dass dort weitere Männer starben, aber das alles kam zu spät. Die Durchfahrt öffnete sich immer weiter.

Das Wachschiff, das nun nur noch von der Kette an seinem Bug gehalten wurde, bewegte sich zusehends schneller. In ein paar Augenblicken wäre die Durchfahrt ganz offen. Ich beobachtete, wie Haestens Ruderblätter leicht eingetaucht wurden, um den *Drachenfahrer* gegen die hereinkommende Flut an seinem Platz zu halten, und ich wusste, dass die Ruder jeden Moment weit durchgezogen werden und der schmale Schiffskörper schnell an dem Wachschiff vorbeigleiten würde. Er würde nach Osten rudern, zu einem anderen Lager, in eine Zukunft, die ihm ein Königreich bringen würde, das einst Wessex genannt worden war.

Keiner von uns sagte ein Wort. Ich kannte die Männer nicht, an deren Seite ich gekämpft hatte, und sie kannten mich nicht, und wir standen nur da, verzagte Fremde, und sahen zu, wie sich die Durchfahrt öffnete und der Himmel heller wurde. Die Sonne hatte fast den Rand der Welt erreicht, und der Osten brannte in rotem, goldenem und silbernem Licht. Und dieses Licht brach sich in den nassen Ruderblättern von Haestens Schiff, als seine Männer sie zu einem kräftigen Schlag weit nach vorne ausrichteten. Einen Moment lang blendeten mich all diese Widerspiegelungen, dann rief Haesten einen Befehl, die Ruderblätter verschwanden im Wasser, und das Langschiff schnellte nach vorne.

Und erst da begriff ich, dass aus Haestens Stimme Furcht geklungen hatte. «Rudert!», rief er, «rudert!»

Ich verstand seine Furcht nicht. Keines von Sigefrids hastig bemannten Schiffen war in seiner Nähe, vor ihm lag die offene See, und dennoch klang seine Stimme verzweifelt. «Rudert!», brüllte er, «rudert!» Und der *Drachenfahrer* glitt noch schneller dem goldüberglänzten Osten entgegen. Sein wildes Drachenhaupt fletschte am Bug die Zähne und forderte die aufgehende Sonne heraus.

Und da sah ich, weshalb sich Haesten fürchtete.

Der *Seeadler* kam auf ihn zu.

Finan hatte die Entscheidung getroffen. Später erklärte er es mir, doch sogar Tage danach fiel es ihm schwer, Gründe für die Wahl zu nennen, die er getroffen hatte. Es war mehr ein Gefühl als irgendetwas anderes gewesen. Er wusste, dass ich die Durchfahrt offen haben wollte, und den *Seeadler* auf den Hothlege zu steuern bedeutete, dass er die Durchfahrt wieder versperren würde. Und dennoch beschloss er zu kommen. «Ich habe deinen Umhang gesehen», sagte er.

«Meinen Umhang?»

«Den Blitz. Und du hast den Kettenpfosten verteidigt statt ihn anzugreifen.»

«Und wenn ich tot gewesen wäre?», sagte ich. «Wenn ein Gegner meinen Umhang genommen hätte?»

«Und ich habe auch Rypere erkannt», erklärte Finan, «diesen hässlichen kleinen Wicht kann man schließlich mit niemandem verwechseln, oder?» Und deshalb hatte Finan zu Ralla gesagt, er solle den *Seeadler* auf den Flussarm bringen. Sie hatten an der Ostspitze der Zwei-Bäume-Insel abgewartet, der kleinen Marscheninsel, die das nördliche Ufer des Wasserlaufs bildete, und Ralla war mit der hereinkommenden Flut auf den Hothlege gefahren. Kurz bevor sie auf dem Wasserlauf waren, hatte er Befehl gegeben, die Ruder einzuholen, und dann hatte er den *Seeadler* auf eine Ruderseite des *Drachenfahrers* ausgerichtet.

Ich beobachtete, was geschah. Der *Seeadler* fuhr in der Mitte des Hothlege, während Haestens Schiff näher bei mir war, sodass ich nicht sah, wie die langen Ruderschäfte brachen, doch ich hörte sie zerbersten. Ich hörte das splitternde Geräusch, mit dem ein Schaft nach dem anderen zertrümmert wurde, und ich hörte die Schreie von Haestens Männern, als die Enden der Ruder ihnen die Brust zerschmetterten und sie grauenvoll verletzten. Diese Schreie waren immer noch zu hören, als der *Drachenfahrer* mit einem Mal zum Stillstand kam. Ralla hatte den *Seeadler* so gesteuert, dass er den *Drachenfahrer* gegen das schlammige Ufer von Caninga drückte, und dann verharrte der *Seeadler* ebenso unbeweglich, als er zwischen dem Wachschiff auf dem einen und dem auf Grund gelaufenen *Drachenfahrer* auf dem anderen Ufer steckenblieb. Die Durchfahrt war wieder geschlossen.

Und nun stieg die Sonne übers Meer, glänzend wie Gold, und überflutete die Welt mit dem blendenden Licht eines neuen Tages.

Und der Flussarm von Beamfleot wurde zum Schlachtfeld.

Haesten befahl seinen Männern, an Bord des *Seeadlers* zu springen und die Besatzung zu töten. Ich bezweifle, dass er wusste, wessen Schiff dies war, und seine Männer brüllten, während sie auf das feindliche Schiff sprangen, um sich vor Finan wiederzufinden, der meine Haustruppe gegen sie führte. Zwei Schildwälle standen sich bei den vorderen Ruderbänken gegenüber. Äxte und Speere, Schwerter und Schilde. Einen Moment lang konnte ich nur wie erstarrt hinsehen. Ich hörte das dumpfe Poltern, mit dem die Schilde gegeneinander schlugen, sah das Morgenlicht in den erhobenen Klingen blitzen und sah noch mehr von Haestens Männern in den Bug des *Seeadlers* springen.

Der Kampf spielte sich am Beginn des Wasserlaufes ab. Hinter den drei Schiffen, die ihn versperrten, wurde der Rest von Haestens Flotte von der Flut zurück zu den brennenden Schiffen getrieben, doch nicht alle Schiffe Sigefrids brannten, und immer mehr wurden bemannt und auf Haestens zurücktreibende Schiffe zu gerudert. Nun begann der Kampf auch dort. Über mir, wo der grüne Hügel von Beamfleot emporragte, brannte der Palas noch immer, und auch am Ufer des Hothlege brannten noch Schiffe, und so wurde das neue, goldene Tageslicht von einem Schleier grauer Rauchwolken verhüllt, unter dem Männer starben, während es schwarze Ascheflocken, die wie Motten tanzten, vom Himmel regnete.

Haestens Männer, diejenigen, die uns in den Schlick getrieben und die Kette des Wachschiffs durchschlagen hatten, waren spritzend durch das seichte Wasser am Ufer gelaufen, um sich an Bord des *Drachenfahrers* zu ziehen, sodass sie sich am Kampf auf dem *Seeadler* beteiligen konnten. «Folgt ihnen», rief ich.

Sigefrids Männer hatten keinen Grund, mir zu gehorchen. Sie wussten nicht, wer ich war, nur dass ich an ihrer Seite gekämpft hatte, aber sie verstanden, was ich vorhatte, und in ihnen tobte der Zorn von Kriegern. Haesten hatte seine Abmachung mit Sigefrid gebrochen, und dies waren Sigefrids Männer, also sollten Haestens Männer sterben.

Diese Männer, von denen wir in eine schmachvolle Flucht getrieben worden waren, hatten uns vergessen. Sie waren an Bord des *Drachenfahrers* und sprangen auf den *Seeadler* hinüber, um die Mannschaft zu töten, die Haestens Entkommen vereitelt hatte, und so hielt uns niemand auf, als wir auf ihr Schiff stiegen. Die Männer, die ich anführte, waren meine Feinde, doch das wussten sie nicht, und sie folgten mir willig, bereit, ihrem Herrn zu dienen, und wir griffen Haestens Männer vom Heck aus an, und einige Momente lang waren wir die Herren des Todes. Unsere Klingen trafen Männer ins Rückgrat, sie starben, ohne überhaupt wahrgenommen zu haben, dass sie angegriffen wurden, und dann wandten sich die restlichen um, und wir waren nichts weiter als eine Handvoll Männer, die einer Hundertschaft gegenüberstanden.

Es waren viel zu viele Männer auf Haestens Schiff, und auf dem *Seeadler* war nicht annähernd genug Raum, als dass sich alle an diesem Kampf hätten beteiligen können. Doch nun hatten die Männer auf dem *Drachenfahrer* ihre eigenen Gegner. Sie hatten uns.

Doch ein Schiff ist schmal. Unser Schildwall, der an Land leicht in die Zange hatte genommen werden können, reichte hier von einer Seite des *Drachenfahrers* bis zur anderen, und die Ruderbänke bildeten Hindernisse beim Angriff. Unsere Feinde mussten langsam auf uns zukommen, sonst würden sie über die kniehohen Bänke stolpern, aber sie kamen dennoch schnell. Sie hatten Æthelflaed, und jeder von ihnen kämpfte für seinen Traum von Reichtümern, und alles, was sie zu tun hatten, um ihn zu verwirklichen, war, uns zu töten. Ich hatte einen Schild von einem der Männer genommen, die ich bei unserem ersten Angriff niedergemacht hatte, und nun stand ich mit Rypere zu meiner Rechten und einem Fremden zu meiner Linken und ließ sie kommen.

Ich benutzte Schlangenhauch. Mein Kurzschwert, Wespenstachel, war besser für einen Kampf im Schildwall geeignet, doch hier konnte der Feind nicht nahe an uns herankommen, weil wir uns hinter einer Ruderbank aufgestellt hatten. In der Mitte des Schiffes, wo ich stand, war keine Bank, aber die Halterung des Mastes behinderte mich, und ich musste links und rechts an der hohen Befestigung vorbeisehen, um zu erkennen, von wo die größte Gefahr drohte. Ein Mann mit wild wucherndem Bart stieg vor Rypere auf die Bank und wollte ihm die Axt in den Schädel schmettern, doch der Mann hielt seinen Schild zu hoch, und so bohrte sich Schlangenhauch von unten in seinen Bauch, und dann drehte ich die Klinge und riss sie seitwärts, und seine Axt fiel hinter Rypere, während der Nordmann sich schreiend an meinem Schwert krümmte. Etwas, Axt oder Schwert, fuhr in meinen Schild, dann rutschte der Mann mit dem zerfetzten Bauch seitlich über diese Waffe zu Boden, und sein Blut rann an Schlangenhauchs Klinge hinab und lief mir warm über die Hand.

Ein Speer zischte neben mir, abgelenkt von meinem Schild. Die Spitze verschwand, wurde zurückgezogen, und ich schob den Rand meines Schildes über den von Rypere, bevor erneut ein Stoß mit dem Speer kommen konnte. Sie konnten uns den ganzen Morgen mit Speeren und Schilden angreifen, ohne etwas zu erreichen. Um unseren Schildwall aufzubrechen, mussten sie über die Ruderbank und uns ganz nahe gegenüberstehen. Ich spähte über den Rand meines Schildes und blickte in die bärtigen Gesichter. Sie brüllten. Mit welchen Beleidigungen sie uns überschütteten, verstand ich nicht, ich wusste nur, dass sie den nächsten Angriff unternehmen würden, und das taten sie auch, und ich rammte meinen Schild gegen einen Mann auf der linken Bank und stach mit Schlangenhauch nach seinem Bein. Es war ein kümmerlicher Stich, doch mein Schildbuckel traf meinen Gegner an der Brust, und er taumelte rückwärts, und eine

Klinge traf mich unten am Bauch, doch mein Kettenhemd hielt ihr stand. Sie drängten sich nun dicht an dicht, und die Männer weiter hinten schoben uns die Männer in der ersten Reihe vor die Klingen, und dennoch trieb uns die schiere Gewalt des Angriffs zurück, und am Rande bekam ich mit, dass einige unserer Männer unsere Rücken vor einem Gegenangriff deckten, den diejenigen von Haestens Männern unternahmen, die an Bord des *Seeadlers* gewesen waren und nun versuchten, zurück auf den *Drachenfahrer* zu kommen. Zwei Männern gelang es, sich an der Halterung des Mastes vorbeizuschieben und mir ihre Schilde entgegenzustoßen. Der Aufprall ließ mich seitlich rückwärts taumeln, und ich stolperte über etwas und saß unvermittelt auf dem Rand einer Ruderbank und stach kopflos mit Schlangenhauch unter dem Rand meines Schildes hervor und spürte, wie die Klinge Kettenglieder, Leder, Haut, Muskeln und Fleisch durchbohrte. Hiebe fuhren auf meinen Schild nieder, und ich warf mich nach vorne, das Schwert immer noch im Körper meines Gegners, und wie durch ein Wunder war kein weiterer Gegner da, um mich anzugreifen, und dann lag mein Schild wieder an den Schilden rechts und links neben mir, und ich brüllte eine Beleidigung, während ich Schlangenhauch freizerrte. Eine Axt hakte sich in den oberen Rand meines Schildes ein und versuchte, ihn nach unten zu ziehen, doch ich ließ den Schild sinken, die Axt löste sich, und ich hob den Schild erneut, und mein Schwert war wieder frei und ich konnte den Mann mit der Axt angreifen. Jetzt war alles nur noch unwillkürliche Tat, alles war Zorn und schreiender Hass, und all das verschwamm in meinem Kopf.

Wie lange hat dieser Kampf gedauert?

Es kann ein Moment gewesen sein oder eine Stunde. Das weiß ich bis heute nicht. Ich höre mir die Lieder meiner

Sänger über die Kämpfe der alten Zeit an und denke, nein, so war es nicht, und ganz bestimmt hatte der Kampf auf Haestens Schiff nichts mit der Darstellung zu tun, die meine Sänger trällerten. Er war nicht heldenhaft und großartig, und ich war kein Kriegsherr, der mit unaufhaltsamem Geschick den Tod unter seinen Feinden verbreitete. Es war kopfloser Schrecken. Es war grässliche Furcht. Es waren Männer, die sich vor Angst in die Hosen schissen, Männer, die pissten, Männer die bluteten, Männer, die ihr Gesicht verzerrten, und Männer, die so jämmerlich heulten wie Kinder, die geschlagen worden waren. Es war eine Wirrnis aus fliegenden Klingen, brechenden Schilden, flüchtigen Blicken, verzweifelter Abwehr und blinden Hieben. Füße glitten auf Blut aus, und die Toten lagen mit gekrümmten Fingern da und die Verletzten drückten ihre Hände auf grauenvolle Wunden und riefen nach ihrer Mutter, und die Möwen kreischten, und all das rühmen die Sänger, weil es ihre Aufgabe ist. Doch sie lassen es prächtig klingen. Und der Wind strich sanft über die hereinkommende Flut, die den Flusslauf von Beamfleot mit strudelndem Wasser füllte, in dem das frische Blut verwirbelte und dünner wurde, dünner wurde und verwirbelte, bis die kalte grüne See es vollkommen aufgelöst hatte.

Zu Beginn waren es zwei Kämpfe gewesen. Meine Mannschaft an Bord des *Seeadlers* verteidigte sich unter Finans Befehl und unterstützt von den restlichen von Sigefrids Männern, die auf dem Wachschiff gewesen waren, vor Haestens Haustruppen. Wir halfen ihnen, indem wir auf den *Drachenfahrer* stiegen, und zugleich griffen am anderen Ende des Flussarms Sigefrids und Eriks Männer die hinteren Schiffe von Haestens Flotte an.

Doch nun änderte sich die Lage. Erik hatte gesehen, was

an der Mündung des Hothlege vor sich ging, und statt ein Schiff zu besteigen, führte er seine Männer am jenseitigen Ufer entlang, spritzend durchquerten sie den kleinen Wasserlauf, auf dessen anderer Seite die Zwei-Bäume-Insel lag, und dann schwärmten sie auf das Wachschiff, das am Ufer auf Grund gelaufen war. Von dort sprangen sie auf den *Seeadler* und verstärkten Finans Schildwall. Und sie wurden gebraucht, denn nun hatten die Schiffsführer von Haestens vorderen Schiffen zum *Drachenfahrer* rudern lassen, um ihren Herrn zu retten, und immer noch versuchten weitere Männer, an Bord des *Seeadlers* zu kommen, während andere auf den *Drachenfahrer* kletterten. Es herrschte vollkommene Verwirrung. Und als Sigefrids Männer sahen, was Erik tat, folgten ihm viele, und Sigefrid selbst, an Bord eines kleineren Langschiffs, hatte schließlich genug Wasser unter dem Kiel, um gegen die Flut zu rudern, und kam mit seinem Schiff auf den Kampf an der Mündung des Flussarms zu, an der drei Schiffe ineinander verhakt waren, und Männer kämpften, ohne zu wissen, gegen wen. Jeder, so schien es, war gegen jeden. Das, erinnere ich mich gedacht zu haben, war wie die Kämpfe, die uns in Odins Totenhalle erwarten, wo die Krieger mit unaufhörlicher Freude den ganzen Tag kämpfen und wieder auferstehen, um zu trinken und zu essen und die ganze Nacht ihre Frauen zu lieben.

Eriks Männer überfluteten den *Seeadler* und halfen Finan, Haestens Kämpfer zurückzuschlagen. Einige der Gegner sprangen ins Wasser, das gerade tief genug war, um darin zu ertrinken, andere entkamen auf die neu angekommenen Schiffe von Haestens Flotte, während eine hartnäckige Nachhut einen Schildwall im Bug des *Seeadlers* aufstellte. Finan hatte diesen Kampf mit Eriks Hilfe gewonnen, und das bedeutete, dass viele seiner Männer an Bord des *Drachen-*

fahrers kommen konnten, um unseren bedrängten Schildwall zu stärken. Der Kampf auf Haestens Schiff verlor an Kraft, als seine Männer nur noch den Tod vor sich sahen. Sie zogen sich zurück, stiegen über die Ruderbänke, ließen ihre Toten liegen und brüllten uns aus sicherer Entfernung an. Jetzt warteten sie darauf, dass wir angriffen.

Und in diesem Moment, während dieser kleinen Unterbrechung, als die Männer auf beiden Seiten die Wahrscheinlichkeit, zu überleben oder zu sterben, abwogen, sah ich Æthelflaed.

Sie kauerte unter der Steuerplattform des *Drachenfahrers* und starrte auf das Gewirr aus Tod und Klingen vor ihr. Doch auf ihrem Gesicht lag keine Angst. Sie hatte mit weit aufgerissenen Augen die Arme um zwei ihrer Dienerinnen gelegt, doch zu fürchten schien sie sich nicht. Sie hätte voller Schrecken sein müssen nach den letzten Stunden, die nur aus Feuer, Tod und Entsetzen bestanden hatten. Haesten, so erfuhren wir später, hatte den Befehl gegeben, das Strohdach von Sigefrids Palas in Brand zu setzen, und in dem folgenden Durcheinander hatten sich seine Männer auf die Wachen gestürzt, die Æthelflaeds Palas schützten. Die Wachen waren gestorben, und Æthelflaed war aus ihrer Kammer gezerrt und eilig den Hügel zu dem wartenden *Drachenfahrer* hinuntergeschleppt worden. Es war gut ausgedacht, ein schlauer, einfacher und rücksichtsloser Plan, und er hätte aufgehen können, wäre der *Seeadler* nicht vor der Mündung des Flussarms aufgetaucht, und jetzt hackten und stachen Hunderte von Männern in einem entfesselten Kampf aufeinander ein, ohne zu wissen, wer ihr Gegner war, und sie kämpften nur, weil sie im Kampf ihre Freude fanden.

«Tötet sie! Tötet sie!» Das war Haesten, der seine Krieger zurück in die Schlacht rief. Er musste nur unsere Männer töten und Eriks Männer, und dann wäre er auf dem Flussarm frei, doch hinter ihm fuhr Sigefrids Schiff an Haestens restlicher Flotte vorbei und kam schnell näher. Sein Steuermann richtete Sigefrids Schiff auf die drei Schiffe aus, die den Wasserlauf versperrten, und sie hatten genügend Platz für drei kräftige Ruderschläge, sodass das kleinere Schiff wuchtig in den Kampf fuhr. Es rammte den Bug des *Seeadlers* an der Stelle, an der Haestens Nachhut ihren Schildwall hatte, und ich sah die Krieger unter der Gewalt des Aufpralls zur Seite schwanken, und ich sah auch, dass die Planken des *Seeadlers* nach innen gedrückt wurden, als der Steven von Sigefrids Schiff hart in mein Schiff fuhr. Sigefrid wurde fast von seinem Stuhl geschleudert, doch er kämpfte sich wieder hoch in seinem Umhang aus Bärenfell und mit dem Schwert in der Hand und brüllte seinen Feinden zu, sie sollten kommen und sich von seinem Schwert Schreckenspender töten lassen.

Sigefrids Männer warfen sich in den Kampf, während Erik mit zerzaustem Haar und gezogenem Schwert schon über das Heck des *Seeadlers* auf den *Drachenfahrer* gestiegen war und sich erbarmungslos seinen Weg zu Æthelflaed freihieb. Der Kampf wendete sich. Die Beteiligung Eriks und seiner Männer und der Aufprall von Sigefrids Schiff hatten Haestens Krieger in die Verteidigungsstellung gedrängt. Zuerst gab die Nachhut an Bord des *Seeadlers* auf. Ich sah, wie sie sich zurück an Bord des *Drachenfahrers* hievten, und dachte, Sigefrids Männer müssten mit aller Macht angegriffen haben, um sie so schnell in die Flucht zu schlagen, doch dann sah ich, dass mein Schiff sank. Sigefrids Schiff hatte seine Seite aufgerissen, und die See flutete durch die zerborstenen Planken.

«Tötet sie!», schrie Erik. «Tötet sie!» Und unter seiner

Führung stießen wir vor, und die Männer vor uns wichen um eine Ruderbank zurück. Wir folgten ihnen, und als wir über das Hindernis stiegen, hagelten die Schläge auf unsere Schilde herab. Ich stieß Schlangenhauch nach vorne und traf nichts als das Holz eines Schildes. Eine Axt zischte über meinen Kopf hinweg, und der Hieb verfehlte sein Ziel nur, weil der *Drachenfahrer* in diesem Augenblick schlingerte, und mir wurde klar, dass die steigende Flut das Schiff von dem Schlick gehoben hatte. Wir lagen auf dem Wasser.

«Ruder!», rief jemand laut.

Eine Axt grub sich in meinen Schild, spaltete das Holz, und ein Mann, dem der Wahnsinn in den Augen stand, starrte mich an und versuchte, seine Waffe zurückzuziehen. Ich schwang den Schild zur Seite und stieß ihm Schlangenhauch mit aller Kraft in die Brust, sodass der Stahl durch sein Kettenhemd fuhr, und als er sein Herz erreichte, starrte er mich weiter an.

«Ruder!» Es war Ralla, der diesen Befehl meinen Männern auf dem *Seeadler* gab, die sich nicht mehr gegen Haestens Angreifer verteidigen mussten. «Ruder, ihr Bastarde!», rief er, und ich dachte, er müsse den Verstand verloren haben, wenn er versuchte, ein sinkendes Schiff wegzurudern.

Doch Ralla hatte nicht den Verstand verloren. Er hatte klug gedacht. Der *Seeadler* sank, aber der *Drachenfahrer* lag sicher auf dem Wasser, und sein Bug zeigte auf die weite Mündung der Temes hinaus. Ralla hatte auf einer Seite die Ruder des *Drachenfahrers* zerschmettert, und nun ließ er einige meiner Männer die Ruder des *Seeadlers* herüberbringen. Er hatte vor, Haesten das Schiff zu nehmen.

Nur dass sich auf dem *Drachenfahrer* jetzt ein Strudel verzweifelter Männer drehte. Sigefrids Mannschaft war über den sinkenden Bug des *Seeadlers* hinweg auf die Steuerplattform des *Drachenfahrers* gestiegen, unter der Æthelflaed kauerte. Von dort aus hackten sie auf Haestens Männer ein, die von meinen Gefährten und Eriks Kriegern zurückgedrängt wurden, die mit unbändigem Zorn kämpften. Erik trug keinen Schild, nur sein Langschwert, und ich dachte ein Dutzend Mal, er würde sterben, als er sich auf seine Gegner stürzte, doch in diesen Momenten liebten ihn die Götter, und Erik überlebte, während seine Feinde starben. Und ständig kamen noch mehr von Sigefrids Männern vom Heck heran, sodass Haesten und seine Mannschaft zwischen uns eingeschlossen waren.

«Haesten!», rief ich. «Komm her und stirb!»

Er sah mich und wirkte erstaunt, doch ob er mich gehört hatte, weiß ich nicht, denn Haesten wollte leben, um weiterzukämpfen. Der *Drachenfahrer* lag auf dem Wasser, doch es war noch so seicht, dass ich spürte, wie der Kiel den Grund streifte, und hinter dem *Drachenfahrer* waren noch mehr von Haestens Schiffen. Er sprang über Bord, landete in knietiefem Wasser, seine Mannschaft folgte ihm, und sie rannten am Ufer von Caninga entlang, um sich auf ihr nächstes Schiff zu retten. Der Kampf, der so wild getobt hatte, war mit einem Augenblick zu Ende.

«Ich hab das Weibsstück!», rief Sigefrid. Irgendwie war er an Bord von Haestens Schiff gekommen. Seine Männer hatten ihn nicht herübergebracht, denn sein Stuhl mit den Tragestangen stand immer noch auf dem Schiff, das den *Seeadler* versenkt hatte. Sigefrid hatte sich mit der gewaltigen Kraft seiner Arme über das sinkende Schiff und auf den *Drachenfahrer* gezogen, und jetzt hockte er da auf seinen nutzlosen Beinen, ein Schwert in der einen Faust und in der anderen Æthelflaeds offenes Haar.

Seine Männer grinsten. Sie hatten gewonnen. Sie hatten sich die Trophäe zurückgeholt.

Sigefrid lächelte seinen Bruder an. «Ich habe die kleine Hure», wiederholte er.

«Gib sie mir», sagte Erik.

«Wir bringen sie zurück», sagte Sigefrid, der immer noch nicht verstand.

Æthelflaed starrte Erik an. Sie war auf die Planken des Decks gezwungen worden, ihr goldenes Haar in Sigefrids riesenhafter Faust.

«Gib sie mir», sagte Erik erneut.

Ich will nicht sagen, dass es still wurde. Es konnte keine Stille geherrscht haben, denn noch immer wurde auf Haestens Schiffen gekämpft, und die Feuer tosten, und die Verwundeten stöhnten, aber es erschien wie Stille, und Sigefrids Blick wanderte über die Reihe von Eriks Männern und blieb auf mir hängen. Ich war größer als die anderen, und obwohl ich mit dem Rücken zur aufgehenden Sonne stand, musste er etwas an mir wiedererkannt haben, denn er richtete die Spitze seines Schwertes auf mich. «Nimm den Helm ab», befahl er mit seiner merkwürdig hohen Stimme.

«Ich bin nicht Euer Mann, den Ihr befehligen könnt», sagte ich.

Ich hatte immer noch einige von Sigefrids Männern bei mir, dieselben Männer, die von dem Wachschiff gekommen waren und Haestens ersten Versuch unmöglich gemacht hatten, die Durchfahrt zu öffnen. Und diese Männer wandten sich nun mit erhobenen Waffen gegen mich, doch auch Finan war da, und bei ihm war meine Haustruppe.

«Tötet sie nicht», sagte ich, «werft sie nur über Bord. Sie haben an meiner Seite gekämpft.»

Sigefrid ließ Æthelflaeds Haar los, schob sie zu seinen

Männern und wuchtete seinen riesigen, schwarzgewandeten Krüppelkörper weiter vor. «Du und der Sachse, was?», sagte er zu Erik. «Du und der verräterische Sachse? Du betrügst mich, Bruder?»

«Ich werde dir deinen Teil des Lösegeldes bezahlen», sagte Erik.

«Du? Bezahlen? Mit was? Mit deiner Pisse?»

«Ich werde das Lösegeld bezahlen», beharrte Erik.

«Du könntest doch nicht mal eine Ziege bezahlen, die dir die Eier leckt!», brüllte Sigefrid. «Bringt sie an Land!» Dieser Befehl galt seinen Männern.

Und Erik griff an. Er hätte es nicht tun müssen. Sigefrids Männer konnten Æthelflaed unmöglich an Land bringen, denn der *Drachenfahrer* war von der hereinkommenden Flut an dem halb gesunkenen *Seeadler* vorbei auf Haestens andere Schiffe zugetrieben worden, und ich befürchtete, Haestens Männer würden jeden Augenblick zu uns herüberspringen. Ralla hatte denselben Gedanken und schickte einige meiner Männer zu den vorderen Ruderbänken. «Rudert!», rief er. «Rudert!»

Und Erik griff an. Er wollte die Männer niedermachen, die Æthelflaed jetzt festhielten, und er musste an seinem Bruder vorbei, der düster und zornig auf dem blutbeschmierten Deck hockte. Und ich sah Sigefrid sein Schwert heben und sah Eriks erstaunten Blick, weil sein eigener Bruder die Klinge gegen ihn erhob, und ich hörte Æthelflaeds Schrei, als ihr Geliebter in den Schreckenspender rannte. Sigefrids Miene zeigte keine Regung, weder Wut noch Bedauern. Er hielt das Schwert, während sein Bruder über der Klinge zusammenbrach, und dann, ohne einen Befehl, griffen wir anderen an. Eriks Männer und meine Männer, Schulter an Schulter, begannen wieder mit dem

Töten, und ich hielt nur inne, um einen meiner Kämpfer am Arm zu packen. «Lasst Sigefrid am Leben», befahl ich und wusste nicht einmal, zu wem ich das gesagt hatte. Und dann trug ich Schlangenhauch zum letzten Gemetzel dieses blutigen Morgens.

Sigefrids Männer starben schnell. Sie waren wenige und wir waren viele. Sie hielten uns kurz stand, begegneten unserem Angriff mit einem geschlossenen Schildwall, doch wir stürmten mit einem Zorn auf sie ein, der aus bitterem Hass geboren war, und Schlangenhauch sang wie eine kreischende Möwe. Ich hatte meinen Schild weggeworfen, wollte nur auf diese Männer einhacken, und mein erster Hieb riss einen Schild herunter und zerschlug einem Mann den Kiefer, und als er schreien wollte, spuckte er nur Blut, und Sihtric trieb ihm eine Klinge in seinen aufgerissenen roten Rachen. Unter unserem Ansturm brach der Schildwall auseinander. Eriks Männer kämpften, um ihren Herrn zu rächen, und meine Männer kämpften um Æthelflaed, die mit über dem Kopf gekreuzten Armen auf dem Boden kauerte, während um sie herum Sigefrids Männer starben. Sie kreischte, schrie so wild und untröstlich wie eine Frau bei der Beerdigung, und vielleicht war es das, was sie überleben ließ, denn bei dieser Schlacht im Heck des *Drachenfahrers* fürchteten sich die Männer vor ihren grauenvollen Schreien. Das Geräusch war unheimlich, überwältigend, eine Traurigkeit, mit der man die ganze Welt hätte ausfüllen können, und es hielt an, selbst als die Letzten von Sigefrids Männern über Bord gesprungen waren, um unseren Schwertern und Äxten zu entkommen.

Nur Sigefrid blieb zurück, und der *Drachenfahrer* war auf dem Weg, wurde mit einigen wenigen Rudern gegen die Flut aus dem Flussarm herausgebracht.

Ich legte Æthelflaed meinen bluttriefenden Umhang um die Schultern. Das Schiff wurde schneller, als Rallas Ruderer ihren Takt gefunden hatten, und als mehr Männer ihre Schilde und Waffen ablegten, die langen Ruder vom *Seeadler* ergriffen, sie durch die Ruderlöcher an den Seiten des *Drachenfahrers* schoben und sich auf die Bänke setzten. «Rudert!», rief Ralla, als er das in Blut schwimmende Deck entlang zum Steuerruder ging. «Rudert!»

Sigefrid blieb zurück, und Sigefrid lebte. Er war auf dem Deck, die nutzlosen Beine unter den Körper gezogen, die Schwerthand leer und mit einer Klinge an der Kehle. Es war Osferth, Alfreds Sohn, der dieses Schwert hielt, und er sah mich unruhig an. Sigefrid fluchte und wütete. Der Körper seines Bruders, immer noch die Klinge im Bauch, lag neben ihm. Niedrige Wellen brachen sich an der Spitze Caningas, als die Flut über den breiten Schlickgürtel rollte.

Ich baute mich vor Sigefrid auf. Ich starrte auf ihn hinunter, taub für seine Beleidigungen. Ich betrachtete Eriks Leichnam. Er war ein Mann, den ich hätte lieben können, an dessen Seite ich hätte kämpfen können, dem ich wie einem Bruder hätte nahekommen können, und dann sah ich Osferth ins Gesicht, das dem seines Vaters so ähnlich sah. «Ich habe dir einmal erklärt», sagte ich, «dass man sich kein Ansehen erwirbt, indem man einen Krüppel tötet.»

«Ja, Herr», sagte er.

«Ich habe mich getäuscht», knurrte ich, «töte ihn.»

«Gib mir mein Schwert», verlangte Sigefrid.

Osferth zögerte, während ich meinen Blick wieder auf den Norweger richtete. «Ich werde mein Leben nach dem Tod», verkündete ich, «in Odins Halle verbringen. Und dort werde ich mit Eurem Bruder feiern, und weder er noch ich wünschen Eure Gesellschaft.»

«Gib mir mein Schwert.» Jetzt bettelte Sigefrid. Er griff nach dem Heft des Schreckenspenders, doch ich trat seine Hand von Eriks Leichnam weg. «Töte ihn», sagte ich zu Osferth.

Wir warfen Sigefrid Thurgilson irgendwo hinter Caninga in die sonnenüberglänzte See, dann wandten wir uns westwärts, sodass die Flut uns die Temes hinauftragen konnte. Es war Haesten gelungen, eines seiner Schiffe zu bemannen, und eine Weile verfolgte er uns, doch wir hatten das längere und schnellere Schiff und entfernten uns immer weiter von ihm, und so gab er die Jagd schließlich auf. Und der Rauch über Beamfleot rückte in die Ferne, bis er schließlich aussah wie eine lange, niedrige Wolke. Und immer noch schluchzte Æthelflaed.

«Was sollen wir jetzt tun?», fragte einer der Männer. Es war einer von Eriks Leuten, der nun die zweiundzwanzig Überlebenden anführte, die mit uns entkommen waren.

«Was immer Ihr wollt», sagte ich.

«Wir haben gehört, dass Euer König alle Nordmänner aufhängt», sagte der Mann.

«Dann muss er mich zuerst hängen», sagte ich. «Ihr werdet leben», versprach ich, «und in Lundene gebe ich Euch ein Schiff, und Ihr könnt gehen, wohin immer Ihr wollt.» Ich lächelte. «Ihr könnt sogar bleiben und mir dienen.»

Eriks Männer hatten ihren Herrn ehrfurchtsvoll auf einen Umhang gelegt. Sie hatten Sigefrids Schwert aus seinem Körper gezogen und es mir übergeben, und ich hatte es Osferth übergeben. «Du hast es verdient», sagte ich, und das hatte er auch, denn in diesem Sturm des Todes hatte Alfreds Sohn gekämpft wie ein Mann. Erik hielt sein eigenes Schwert in seiner toten Hand, und ich dachte, er sei schon in der Festhalle der Toten und warte auf mich.

Ich zog Æthelflaed von dem Leichnam ihres Geliebten weg und führte sie ins Heck, und dort hielt ich sie fest, während sie in meinen Armen weinte. Ihr goldenes Haar streifte meinen Bart. Sie klammerte sich an mich und weinte, bis sie keine Tränen mehr hatte, und dann wimmerte sie und drückte ihr Gesicht gegen mein blutiges Kettenhemd.

«Der König wird zufrieden mit uns sein», sagte Finan.

«Ja», sagte ich, «das wird er.» Kein Lösegeld würde bezahlt werden. Wessex war sicher. Die Nordmänner hatten gekämpft und sich gegenseitig umgebracht, und ihre Schiffe brannten und ihre Träume waren zu Asche zerfallen.

Ich spürte, wie Æthelflaeds Körper an meinem zitterte, und starrte nach Osten, wo die Sonne über dem Rauch des brennenden Lagers von Beamfleot glitzerte. «Du bringst mich zurück zu Æthelred, nicht wahr?», sagte sie anklagend.

«Ich bringe Euch zu Eurem Vater», sagte ich. «Wohin sonst sollte ich Euch bringen?» Sie antwortete nicht, denn sie wusste, dass es keine Wahl gab. Wyrd bið ful āræd. «Und niemand soll jemals», fuhr ich leise fort, «etwas von Euch und Erik erfahren.»

Auch dieses Mal erwiderte sie nichts, doch jetzt konnte sie nichts erwidern. Sie schluchzte zu heftig dafür, und ich hielt sie mit meinen Armen umschlungen, als ob ich sie vor den herüberstarrenden Männern verstecken könnte und vor der Welt und vor dem Ehemann, der auf sie wartete.

Die langen Ruder tauchten ins Wasser, die Ufer der Temes näherten sich einander an, und im Westen lag der Rauch der Kochfeuer von Lundene wie ein schmutziger Streif über dem Sommerhimmel.

Als ich Æthelflaed nach Hause brachte.

Nachwort des Autors

Schwertgesang enthält mehr Erfundenes als die früheren Romane um Uhtred von Bebbanburg. Falls Æthelflaed je von den Nordmännern entführt wurde, so haben die Chronisten über diesen Vorfall ein merkwürdiges Schweigen bewahrt, und damit ist dieser Strang der Geschichte meine Erfindung. Es stimmt, dass Alfreds älteste Tochter Æthelred von Mercien heiratete, und es gibt viele Hinweise darauf, dass diese Ehe nicht gerade im Himmel geschlossen wurde. Vermutlich war ich extrem unfair dem wahren Æthelred gegenüber, aber Fairness ist nicht die erste Pflicht des Autors historischer Romane.

Die Berichte über die Herrschaft Alfreds sind verhältnismäßig reichhaltig. Das liegt zum Teil daran, dass der König ein Gelehrter war und solche Berichte aufbewahrt wissen wollte, doch auch so liegt noch vieles im Dunkeln. Wir wissen, dass seine Truppen London eingenommen haben, aber es besteht keine Einigkeit darüber, in welchem Jahr die Stadt tatsächlich an Wessex angegliedert wurde. Im rechtlichen Sinne gehörte sie zu Mercien, doch Alfred war ein ehrgeiziger Mann, und er war offenkundig entschlossen, sich das Königreich ohne König dienstbar zu halten. Mit der Eroberung Londons nimmt die unaufhaltsame Expansion nach Norden ihren Anfang, die schließlich, nach Alfreds Tod, das sächsische Königreich Wessex in das Land verwandeln wird, das wir als England kennen.

Der übrige Teil des Romans basiert zumeist auf den historischen Tatsachen. Es gab einen großen Wikingerangriff auf Rochester (Hrofeceastre) in Kent, der mit einer schweren Niederlage endete. Diese Niederlage rechtfertigte Alfreds Verteidigungsstrategie, an den Grenzen von Wessex einen Ring aus Wehrburgen zu errichten, befestigten Städten, in denen ständig Truppen aus dem Fyrd stationiert waren. Zwar konnte ein Wikingerführer immer noch in Wessex einfallen, doch nur wenige Heere der Nordmänner waren mit Belagerungsgerät unterwegs, und jeder Einmarsch brachte die Gefahr mit sich, einen starken Gegner im Rücken zu haben. Das Burgensystem war perfekt organisiert und bildete, so vermute ich, Alfreds eigene Ordnungsbesessenheit ab. Wir sind in der glücklichen Lage, aus dem sechzehnten Jahrhundert eine Abschrift einer Abschrift aus dem elften Jahrhundert zu besitzen, die auf das Originaldokument zurückgeht, in dem die Organisation der Wehrburgen dargestellt wurde. Die Burghal Hildage, wie das Schriftstück genannt wird, beschreibt, wie viele Männer in jeder Wehrburg benötigt und wie diese Männer ausgehoben wurden, und es zeugt von einer außerordentlichen Anstrengung zur Verteidigung des Landes. Alte, zerfallene Städte wurden wiederbelebt und Wehranlagen wieder aufgerichtet. Alfred hat sogar selbst einige dieser Städte geplant, und bis auf den heutigen Tag folgt man, wenn man auf den Straßen von Wareham in Dorset oder Wallingford in Oxford unterwegs ist, den Straßen, die seine Landvermesser bauten, und man kommt an Liegenschaftsgrenzen vorbei, die zwölf Jahrhunderte überdauert haben.

Während Alfreds Verteidigungsstrategie als brillanter Erfolg gewertet werden kann, waren seine ersten Anläufe offensiver Kriegsführung weniger bemerkenswert. Ich habe keinen Beweis dafür, dass Æthelred von Mercien den Angriff auf die Dänen am Stour führte, ich vermute sogar, dass militärische Vorstöße nicht zu Æthelreds Aufgaben gehörten, doch davon abgesehen stimmt diese Episode mit der historischen Wahrheit überein. Der Eroberungszug wurde nach anfänglichen Erfolgen von den Wikingern zerschlagen. Auch habe ich nicht den leisesten Hinweis darauf, dass Æthelred seine junge Frau jemals der Prüfung des bitteren Wassers unterwarf, doch jeder, den solch altes, bösartiges Zauberwerk interessiert, findet die Anweisungen Gottes für den Ablauf der Zeremonie im Alten Testament (Numeri, 4. Mose, Kapitel 5).

Alfred der Große hat am Ende von *Schwertgesang* noch einige Jahre der Regentschaft vor sich. Æthelflaed von Mercien hat ihren Ruhm noch zu erobern, und Uhtred von Bebbanburg, eine erfundene Person, wenn sie auch auf einem Mann basiert, der tatsächlich gelebt hat und, wie es der Zufall will, zu meinen Ahnen väterlicherseits gehört, hat noch einen weiten Weg vor sich. England ist im späten neunten Jahrhundert immer noch ein Traum weniger Visionäre. Doch Träume können wahr werden, wie es die begünstigteren meiner Helden erfahren, und deshalb wird die Geschichte Uhtreds weitergehen.

Bernard Cornwell

Das Zeichen des Sieges

ISBN 978-3-8052-0878-9

Sie suchten den Sieg. Sie fanden die Unsterblichkeit.

England, 1415: Nicholas Hook, Sohn eines Schäfers, gilt als Nichtsnutz. Doch als Schütze ist er unübertroffen, und so nehmen ihn die Langbogenschützen König Henrys V. auf. Nick zieht mit ihnen gegen die Franzosen. Als in Frankreichs Norden schließlich eine Handvoll Engländer einer Armee hochgerüsteter französischer Ritter gegenübersteht, scheint die Lage aussichtslos. Doch dann lassen Nick und seine Kameraden ihre Pfeile auf den Feind regnen. Die Legende von Azincourt ist geboren ...